L'ALIMENTATION RAISONNÉE

Paul SALTMAN
Joel GURIN
Ira MOTHNER

L'ALIMENTATION
RAISONNÉE

Libre Expression

Données de catalogage avant publication (Canada)

Saltman, Paul

L'alimentation raisonnée

Traduction de: The California nutrition book.

ISBN 2-89111-422-1

1. Alimentation.   2. Santé.   3. Alimentation -
Ouvrages de vulgarisation.   I. Gurin, Joel, 1953-
II. Mothner, Ira.   III. Titre.

RA784.S2414 1990   613.2   C90-096109-0

Maquette de la couverture: France Lafond
Photo de la couverture: Réflexion Photothèque

© Éditions Libre Expression
2016, rue Saint-Hubert
Montréal, H2L 3Z5

Dépôt légal:
2e trimestre 1990

ISBN 2-89111-422-1

A l'heure où la prévention est le discours de rigueur, en matière de santé, cet ouvrage va nous être à tous du plus grand secours.

Enfin la **nutrition,** dans sa globalité, a été étudiée par les plus grands professeurs américains; elle a fait l'objet d'**études et travaux sérieux,** menés dans les universités californiennes. La nutrition a été.testée, éprouvée à chaque période de la vie, dans toutes les situations psychologiques et sociales possibles.

En adaptant cet ouvrage, je me suis rendu compte que l'on y restituait la nutrition dans son contexte, c'est-à-dire dans la vie de tous les jours. Vous ne trouverez pas ici de remèdes miracles ou de recettes délirantes, mais simplement vous apprendrez **comment vous restructurer au travers d'une alimentation équilibrée.** Comment savoir faire appel à bon escient aux suppléments vitaminiques et minéraux, qui vous aideront à mieux supporter telle ou telle épreuve, une période donnée de votre vie... cela sans excès, avec un naturel et un bon sens à toute épreuve.

Les auteurs américains nous donnent là une leçon de simplicité, au travers d'une remarquable synthèse de leur immense savoir.

J'espère que vous trouverez autant de plaisir que d'intérêt à la lecture de cet ouvrage, et qu'il saura répondre à toutes vos interrogations sur **l'alimentation d'aujourd'hui,** en nous initiant à **celle de demain.**

Marie KERMEL.
Diététicienne.

L'alimentation raisonnée

Voici, pour chacun d'entre vous, les clés de la santé, de la forme et de la minceur. *L'alimentation raisonnée* ne vous impose pas des restrictions draconiennes. Ce livre respecte les besoins vitaux de votre corps, votre faim, votre soif, votre goût pour une nourriture savoureuse. Il vous donne les bases d'une alimentation équilibrée, d'un mode de vie sain, qui vous permettront de rester à votre poids idéal ou de l'acquérir, de prévenir et de traiter les maladies, de faire face au stress du monde contemporain. *L'alimentation raisonnée* est un guide précieux, riche en informations et en conseils pratiques, résultant de plusieurs années de travaux menés dans les universités californiennes sous l'autorité du très célèbre professeur en biologie Paul Saltman.

Ainsi trouverez-vous dans les différents chapitres de cet ouvrage toutes les notions d'avant-garde concernant la nutrition, quels que soient votre âge et votre état de santé. *L'alimentation raisonnée* vous ouvre les portes de l'énergie vitale puisée dans votre alimentation quotidienne.

1re partie

LA NUTRITION ET VOUS

Chapitre 1

BIEN MANGER POUR BIEN VIVRE

Associer plaisirs de la table et alimentation bien équilibrée, voilà le secret de la forme, de la minceur, de la santé.

Vous allez découvrir à travers ce livre que vous pouvez manger vos aliments préférés tout en respectant les exigences de la nutrition, c'est-à-dire de l'ensemble des processus d'assimilation qui ont lieu dans notre organisme et lui permettent de se maintenir en bon état en lui fournissant l'énergie vitale nécessaire.

N'ayez pas de préjugés en matière d'alimentation : les dernières recherches scientifiques prouvent qu'il n'y a pas de mauvais aliment et qu'il y a plusieurs bonnes façons de se nourrir.

Ne vous fiez pas à la bonne ou à la mauvaise réputation de certains produits. Le sucre, les graisses, le sel et même la viande rouge sont souvent au banc des accusés alors qu'ils ne sont coupables d'aucun méfait, et que seuls les abus peuvent être nocifs. Les fruits et les légumes frais ont une bonne cote et pourtant, s'ils contiennent des vitamines et des sels minéraux, ils sont pauvres en nutriments indispensables (un nutriment étant une substance alimentaire pouvant être directement et totalement asssimilée) et ne peuvent donc constituer la base d'une alimentation normale ni même d'un régime exceptionnel. Et un régime qui s'appuie trop sur les hydrates de carbone, comme les pâtes, les céréales complètes et les haricots, risque de vous priver de certains nutriments indispensables.

Les aliments ne sont jamais bons ou mauvais par nature. Même l'alcool, qui n'apporte guère plus que des calories à l'organisme, peut être favorable à votre santé si vous en usez avec modération.

Ce qui rend les aliments bons ou mauvais pour vous est la quantité, le moment où vous les consommez, et les autres produits auxquels vous les associez. Considérez votre régime alimentaire

11

comme s'il s'agissait d'une équipe de football. Vous avez besoin de toutes sortes d'aliments, tout comme une équipe de football a besoin de différents types de joueurs. Vous ne pouvez pas faire entrer sur le terrain un trop grand nombre d'attaquants, en négligeant les lignes arrière, et espérer remporter ainsi beaucoup de matches.

Les aliments sont la source d'où nous tirons une quarantaine de nutriments essentiels (les spécialistes s'interrogent encore quant à leur nombre exact). Ils sont essentiels, car l'organisme a besoin de chacun d'eux et ne peut pas les produire lui-même. Mais il lui faut la bonne quantité de chaque nutriment, de même que votre équipe de football a besoin d'une ligne d'attaque, d'une ligne de milieu de terrain et d'une ligne de défense. Ils agissent en interaction : ils travaillent ensemble, comme les joueurs de football, et ils risquent autant qu'eux de se gêner mutuellement.

Voici comment cela fonctionne dans la pratique. Supposons que vous vous préoccupiez essentiellement d'éviter la maladie des os appelée ostéoporose, qui atteint beaucoup de femmes âgées. Pour prévenir cette maladie, il faut limiter la perte de calcium que subissent vos os (car l'organisme puise dans les réserves de calcium des os pour d'autres utilisations). La solution la plus évidente consisterait à en consommer davantage, ce qui, nous le verrons par la suite, n'est pas facile. Mais même si votre régime est très riche en calcium, celui-ci risque de se mêler à d'autres nutriments dans le tube digestif et de ne jamais quitter les intestins pour se disperser dans le sang.

Ainsi, même si vous consommez tout le calcium dont vous avez besoin, votre organisme risque d'en perdre plus qu'il n'en conservera, à moins que vous ne disposiez de ressources suffisantes de vitamine D. Mais ce n'est pas tout, car celui que vous consommez ne peut pas entrer dans la composition des os si vous ne prenez pas assez d'autres minéraux constitutifs des os (phosphore et magnésium). Enfin, il faut trois autres minéraux, à savoir le zinc, le cuivre et le manganèse, pour permettre à ces éléments constitutifs de faire leur travail. Et aucun de ces nutriments ne pourra être très utile si vous ne faites pas les exercices physiques qui entretiennent la bonne forme de votre corps.

La nutrition est un domaine complexe que l'on ne saurait résumer à quelques grands principes applicables à tout le monde. Les besoins nutritifs et les risques de maladie que court chacun de nous sont fortement influencés par l'hérédité et varient considérablement d'un individu à l'autre. Nous sommes conscients de la nécessité d'une alimentation équilibrée et nous suivons volontiers des conseils diététiques en lesquels nous croyons en toute bonne foi, sans imaginer qu'ils peuvent ne pas être adaptés à notre propre cas. Par exemple, on a beaucoup écrit et lu que « la viande rouge est mauvaise pour la santé ».

Il est certain qu'une consommation *excessive* de viande rouge peut bouleverser l'équilibre des hydrates de carbone, des protéines et des graisses dans votre alimentation. De plus, cela risque d'augmenter les quantités d'acides gras saturés et de cholestérol que vous consommez jusqu'à des niveaux qui peuvent présenter des risques pour certaines personnes – mais pas nécessairement pour *vous*. En revanche, si vous vous privez de rosbif, de côtes d'agneau et d'autres aliments de ce genre, vous risquez des carences en fer, en zinc et autres minéraux.

De la même manière, le principe selon lequel « nous devrions réduire notre consommation de sel » ne présente pas des avantages pour tous. Une consommation moindre peut aider certaines personnes à lutter contre l'hypertension artérielle. En revanche, une *forte* consommation ne provoquera pas forcément d'élévation de la tension artérielle chez la plupart d'entre nous.

Les simplifications exagérées ne tiennent pas compte de la grande diversité des besoins nutritifs individuels et du rôle de l'hérédité. Et les personnes qui ont des problèmes de poids ou de santé se trouvent désemparées lorsqu'elles subissent des échecs aux régimes qu'elles se sont imposés.

Nous voulons, dans ce livre, expliquer les mécanismes de la nutrition en réunissant les connaissances actuelles et les conseils raisonnables, et en établissant des stratégies alimentaires précises destinées à répondre aux besoins nombreux créés par l'évolution physique, les risques de maladie, les différences de mode de vie et de mode d'alimentation qui correspondent aux différentes étapes de la vie. Des chapitres sont consacrés à la grossesse, à l'enfance, à l'adolescence et au vieillissement, mais cet ouvrage concerne essentiellement les besoins des adultes jeunes et d'âge moyen. Il s'attache à la santé plutôt qu'à la maladie mais comporte six chapitres relatifs aux moyens de prévenir et de traiter certaines maladies par une bonne nutrition.

LES RÉCOMPENSES DE LA NUTRITION

Même une bonne nutrition ne vous fera pas vivre éternellement. Le choix des aliments, aussi bon soit-il, ne saurait prolonger la vie au-delà des limites fixées par l'hérédité. Cependant, cela vous aidera à vivre jusqu'à cette limite et à mener une existence plus saine, plus active et plus productive. Vous apprendrez que des suppléments de vitamine C ne peuvent pas soigner un rhume ni traiter le cancer, et que des suppléments de zinc ne vous rendront pas plus résistant aux infections. Mais le mot clé ici est *suppléments*. En effet, si les niveaux de vitamines A et C dans votre sang sont insuffisants, le fait de les élever pourra bien vous aider à mettre un terme à votre rhume et à mieux résister au cancer, tout comme le fait de ramener votre taux de zinc à un niveau normal donnera un bon élan à votre résistance aux infections et aux produits toxiques.

Si la nutrition peut aider à prévenir des maladies, elle n'a pas encore fait la preuve qu'elle pouvait permettre de les guérir, excepté celles qui sont dues à des carences alimentaires. L'association de l'alimentation et de l'exercice physique constitue le moyen le plus efficace dont nous disposons pour influencer notre santé, notre condition physique, et contrôler notre poids.

LE RÔLE DE L'HÉRÉDITÉ

L'hérédité rend certains d'entre nous plus vulnérables que d'autres à la maladie, et la médecine reconnaît aujourd'hui plus de trois mille troubles d'origine génétique. On peut réduire les risques d'acquisition d'un certain nombre de ces maladies, et le régime alimentaire semble être l'outil le plus puissant dont nous disposions dans ce domaine.

Un autre aspect de l'hérédité concerne le domaine de la nutrition : il s'agit de la grande diversité des fonctions et des besoins de l'organisme. Nous avons tous des amis plus minces qui mangent beaucoup plus que nous, ne font pratiquement pas d'exercice, mais ne semblent pourtant jamais prendre de poids. La différence entre eux et nous tient sans doute à un programme génétique qui leur permet d'éliminer les calories plus rapidement que nous. Les différences d'ordre génétique peuvent également entraîner des variations dans les besoins nutritifs. Les niveaux de vitamines A, C ou B qui vous conviennent ne seraient peut-être pas idéaux pour votre ami. Cet ouvrage se propose notamment de vous aider à prendre conscience de vos besoins individuels et à acquérir des habitudes alimentaires qui correspondent à ces besoins.

LES MODES, LES RÉGIMES DRACONIENS
ET LES FAUX ESPOIRS

La mode exerce une influence considérable sur la nutrition. Chacun aujourd'hui veut avoir une bonne forme physique et ce souci a beaucoup modifié les habitudes alimentaires, de même que l'augmentation constante du nombre des « fast food ». Cependant, un régime fondé en grande partie sur les derniers produits conseillés par les adeptes de l'amaigrissement peut être aussi malsain sur le plan nutritif qu'un régime limité aux hamburgers, à la pizza et aux frites.

La passion actuelle de la minceur influence considérablement notre alimentation – plus que notre poids, d'ailleurs, car malgré tous les efforts consentis dans ce sens, l'obésité ne cède pas forcément aux régimes les plus draconiens. Mais plus important que le succès ou l'échec des régimes amaigrissants est le risque de carence nutritive que peuvent faire courir ces régimes.

A cet égard, il est important de comprendre qu'il n'existe pas de produit miracle : il ne suffit pas d'avaler telle pilule pour maigrir, ni de boire telle tisane pour n'être jamais atteint par le cancer ou le sida. La publicité faite à ces « faux espoirs » peut séduire, mais elle est mensongère : ces produits ou ces méthodes ne sont pas simplement inefficaces, il peut parfois être fort dangereux d'y croire et nous en dénoncerons certains au cours de cet ouvrage.

UNE ALIMENTATION RAISONNABLE ET BONNE

Il existe plusieurs principes de nutrition sur lesquels on peut fonder une alimentation saine. Le premier de ces principes est la modération. L'excès des restrictions, ou au contraire, l'abus des « plaisirs toxiques » (voir chapitre 16) est dangereux. Votre organisme peut accepter une grande quantité de substances toxiques et est équipé pour s'en débarrasser, mais il ne peut faire face qu'à un nombre limité d'abus.

Le deuxième principe important est celui de la conscience de votre corps. Écoutez ce que vous dit votre organisme, en particulier au sujet de la nourriture : il vous communique ses sensations de faim, de soif, de fatigue et de satiété.

Le dernier principe, et le plus important, est celui de la variété. Il faut consommer une aussi grande diversité d'aliments que possible pour multiplier les sources de nutriments dont vous avez besoin. Ces nutriments, vous allez apprendre à les connaître, vous saurez pourquoi ils sont essentiels, quels sont les aliments dans lesquels on peut les trouver, et la manière dont ils agissent.

Cela vous permettra d'avoir une alimentation qui réponde aux besoins nutritifs qui sont les vôtres en fonction de votre âge et de votre mode de vie. De plus, vous parviendrez à répondre à ces besoins sans renoncer le moins du monde aux plaisirs que vous procure la nourriture. La diversité des produits que l'on trouve sur les marchés aujourd'hui vous donne un choix presque infini, et vous pouvez très bien manger de manière à la fois agréable et raisonnable.

Chapitre 2

VOUS ET VOTRE RÉGIME

Si vous ne consommez pas une quantité appropriée de nutriments et si vous ne les équilibrez pas correctement, vous ne pourrez pas vivre aussi longtemps, ni aussi bien, avoir un aspect aussi dynamique, ni travailler sans fatigue, courir aussi vite, résister aux infections, surmonter les maladies facilement.

Il est difficile de déterminer ce que votre alimentation actuelle peut vous coûter en termes de santé, d'énergie ou d'apparence physique, car les effets de la nutrition sont souvent très subtils. Il n'est pas nécessaire de souffrir d'une carence grave, dont les symptômes soient évidents, pour que votre rythme de vie soit ralenti, pour qu'il vous soit difficile de guérir d'un rhume, ou pour que vous ayez du mal à cicatriser à la suite de petites coupures ou égratignures. Une insuffisance de fer dans votre alimentation, par exemple, n'a pas besoin d'être très importante ni de provoquer une véritable anémie pour commencer à saper votre énergie et à amoindrir votre productivité physique ou intellectuelle.

De toute évidence, votre organisme ne peut fonctionner de manière très efficace si vous ne lui procurez pas en quantités suffisantes tous les éléments dont il a besoin. De plus, la qualité de votre alimentation peut vous aider à prévenir certaines des maladies auxquelles l'hérédité vous rend vulnérable : le diabète, l'ostéoporose, les troubles cardiaques, l'hypertension, et le cancer du sein ou du côlon. L'obésité est également influencée par l'hérédité, et il est évident que l'alimentation joue un rôle considérable dans la lutte contre les kilos en trop.

On peut dire à quel point vous êtes vulnérable à certaines maladies en considérant l'importance de ces maladies dans l'histoire de votre famille – le nombre de parents qui en ont souffert, leur âge au moment où les troubles sont apparus, et leur degré de parenté avec vous. N'oubliez pas que certaines maladies sont également influencées par les aspects raciaux et ethniques. Ainsi, l'ostéoporose est beaucoup plus fréquente chez les Américains de race blanche que chez leurs compatriotes noirs, et elle se déclare plus particulièrement chez les femmes au teint clair et à l'ossature fine, dont les ancêtres étaient originaires d'Europe du Nord.

Les maladies sont plus ou moins transmissibles par l'hérédité. La forme la plus commune du diabète, par exemple, qui se déclare vers le milieu de la vie, est à peu près deux fois plus transmissible que sa forme moins répandue (et plus grave) qui affecte les enfants. Si vous avez des prédispositions héréditaires très importantes pour une maladie – par exemple, si vos deux parents étaient obèses et sont devenus diabétiques vers le milieu de leur vie –, il y a peu de chances que vous ne deveniez pas vous aussi obèse et diabétique (l'obésité étant un caractère transmissible à 80 %).

La transmission des ces risques ne s'applique que si vous faites partie d'une famille où ces traits génétiques sont extrêmement prononcés. Dans le cas de l'obésité, vos risques diminuent de 40 % si un seul de vos parents est obèse. Si trois de vos quatre grands-parents souffraient de troubles cardiaques, vous courez probablement un risque assez élevé, à moins qu'ils n'aient manifesté ces maladies qu'à une époque tardive de leur vie. D'une manière générale, plus le nombre de parents atteints diminue et plus ils sont tombés malades à un âge avancé, moins vous courez de risques.

Si vous avez une prédisposition héréditaire pour une maladie mieux vaut faire preuve de prudence et consulter votre médecin pour déceler les symptômes très tôt. L'alimentation est un moyen de prévention d'un grand nombre de maladies graves influencées par l'hérédité (nous en parlerons en détail dans les chapitres suivants). Il existe différentes manières de réduire un taux de cholestérol trop élevé dans le sang, et avec lui, le risque de maladies cardiaques ; on peut par exemple consommer moins de graisses et en choisir la qualité. Le contrôle des graisses et des calories peut également limiter votre vulnérabilité héréditaire à l'obésité et une diminution de la consommation de sel (c'est-à-dire de sodium) pourra aider à prévenir l'hypertension.

Outre les risques héréditaires, d'autres aspects de l'existence peuvent affecter nos besoins nutritifs. Le tabac augmente le besoin de vitamine C. Pendant leurs années de menstruation, les femmes ont besoin de quantités plus importantes de fer que les hommes. Au début de l'adolescence, les enfants ont besoin de quantités plus élevées de fer et de calcium. De même, les besoins nutritifs des femmes sont considérablement accrus en période de grossesse et d'allaitement. Les personnes âgées doivent veiller non seulement à ce que leur régime comporte suffisamment de calcium et de fer, mais aussi des quantités appropriées de zinc, de vitamines C et D, et de plusieurs vitamines B, à savoir la thiamine, l'acide folique et la vitamine B_6.

Vous pouvez vous faire une idée assez précise des besoins quotidiens de nutriments en consultant les tables de Consommation quotidienne conseillée mises au point aux États-Unis (voir le tableau A1 de l'appendice). Cependant, votre alimentation actuelle répond-elle suffisamment à ces besoins? Vos choix habituels reflètent-ils des besoins alimentaires précis? Consommez-vous en bon équilibre les principaux nutriments (protides, lipides – ou graisses – et glucides - ou hydrates de carbone) dont votre organisme a besoin pour bénéficier d'un dynamisme et d'une santé florissants? Pour le savoir, examinons ce que vous mangez, la manière dont vous vous alimentez, et ce que vos repas vous apportent en termes de kilocalories, de nutriments, de vitamines et de minéraux.

APPRENEZ À ESTIMER CE QUE VOUS MANGEZ

Il n'existe qu'une manière sûre de savoir ce que vous mangez : il faut le noter, sans rien omettre. Cela signifie qu'il faut dresser la liste non seulement de vos repas, mais aussi des en-cas de la journée, des boissons (alcoolisées et autres), des petites sucreries ou des quelques cacahuètes que vous grignotez machinalement. N'oubliez pas de tenir compte des petites bouchées que vous absorbez tout en cuisinant et de la fourchette de pâtes que vous prenez pour goûter dans l'assiette d'un autre convive. Notez également les éventuels suppléments de vitamines ou de minéraux (prescrits par un médecin) que vous prenez régulièrement.

Il s'agit d'obtenir une image très précise de votre alimentation habituelle, et cela devrait être possible en tenant simplement un journal minutieux de ce que vous consommez pendant trois jours. Il n'est pas nécessaire de le faire sur trois journées *consécutives*. Si votre alimentation est différente pendant le week-end de ce qu'elle est en semaine, et c'est sans doute le cas (beaucoup de gens prennent un petit déjeuner plus copieux quand ils ne travaillent pas), établissez votre journal sur deux jours de semaine et un jour de week-end. Utilisez un tableau comme celui qui est présenté page 25. Notez les quantités de nourriture en poids (grammes) et en volume (verre, tasse, demi-tasse, quart de tasse, cuillerée à soupe ou cuillerée à café), comptez le pain, le fromage, la viande, en tranches.

Sachez qu'une tranche de viande qui couvre la paume de votre main pèse généralement entre 85 et 110 grammes, et qu'un cube de 2,5 centimètres de fromage pèse environ 15 grammes. Si vous comptez le sucre que vous consommez non en morceaux qualibrés mais en cuillerées, n'oubliez pas de regarder si ces cuillerées sont ou non très remplies.

TRADUIRE LE JOURNAL EN DONNÉES PRÉCISES

Quand vous avez rempli votre journal de trois jours, vous pouvez établir votre consommation exacte de nutriments. Reportez d'abord les aliments et les quantités relevés dans votre journal dans la colonne de gauche d'un tableau comme celui qui est présenté pages 26-27 pour l'analyse de votre alimentation. Consultez ensuite le tableau A4 de l'appendice pour savoir ce que vous devez inscrire dans les colonnes 3 à 14.

Pour chaque aliment, notez la quantité consommée, le nombre de kilocalories, les quantités de protéines, de graisses et d'hydrates de carbone (sucres) en grammes, les quantités de calcium, de fer et de vitamine C en milligrammes, les quantités de sodium et de zinc en milligrammes, de vitamines A en Équivalents Rétinol (ER), de vitamine B6 en milligrammes et d'acide folique en microgrammes.

Quand vous aurez complété le tableau, faites le total de chaque colonne. Ces totaux vous indiqueront le nombre de kilocalories que vous avez absorbées au cours de ces trois jours, ainsi que votre consommation exacte de protéines, de graisses, d'hydrates de carbone, de calcium, de fer et de vitamine C, et de tout autre nutriment que vous aurez enregistré. Divisez ensuite ces totaux par 3 pour obtenir votre moyenne quotidienne. Regardez le tableau A1 de l'appendice pour noter la Consommation quotidienne conseillée pour votre sexe et votre âge sur la ligne réservée à cet effet dans le tableau d'analyse de l'alimentation. Pour les kilocalories, utilisez les chiffres de consommation d'énergie moyenne recommandée (imprimés en caractères gras) du tableau A3 de l'appendice, et pour le sodium, utilisez les chiffres de consommation maximale saine et appropriée du tableau A2. Il n'existe pas de chiffres de Consommation quotidienne conseillée pour les hydrates de carbone et les graisses; par conséquent, ne remplissez pas ces colonnes, ni celle de la Consommation quoti-

20

dienne conseillée pour les protéines. Soustrayez ensuite les chiffres de la Consommation quotidienne conseillée de vos propres moyennes afin de découvrir les éventuels excès et insuffisances.

CE QUE MONTRENT LES CHIFFRES

Les résultats de cette analyse de votre alimentation ne vous donneront pas une évaluation exacte de vos besoins nutritifs, mais ils vous permettront d'avoir une idée générale de l'aide ou des entraves que vous apportez à votre organisme pour qu'il soit au meilleur de sa forme et pour le préserver de ses vulnérabilités héréditaires. Pour tirer tous les bienfaits de ces résultats, vous devriez examiner l'équilibre des hydrates de carbone, des protéines et des graisses dans votre alimentation, et le rapport entre votre consommation de kilocalories et votre poids ainsi que votre niveau d'activité; regardez aussi si vous êtes proche des niveaux de nutriments conseillés.

L'équilibre alimentaire

Vérifiez tout d'abord l'équilibre entre les hydrates de carbone (ou glucides), les protéines et les graisses (ou lipides), car c'est sans doute l'aspect le plus important du régime. Convertissez votre consommation quotidienne moyenne de grammes en kilocalories. Pour cela, multipliez les grammes d'hydrates de carbone et de protéines par 4, et les grammes de graisse par 9; le résultat sera le nombre de kilocalories. La somme de ces trois nombres correspond à votre consommation quotidienne moyenne de kilocalories. Déterminez ensuite le pourcentage des kilocalories consommées sous forme de glucides, de protéines et de graisses.

Par exemple :
Total des kilocalories : 3 165
Total des hydrates de carbone : 422 grammes × 4
= 1 688 kilocalories d'origine glucidique

$\frac{1\,688}{3\,165} \times 100 = 53\,\%$ de kilocalories d'origine glucidique.

Pour être en bonne santé, vous devriez consommer 50 à 55 % de kilocalories d'origine glucidique, 12 à 15 % d'origine protidique, 30 à 35 % d'origine lipidique.

Les besoins caloriques varient d'un individu à l'autre, car nous les éliminons à des rythmes différents (c'est ainsi que notre organisme produit son énergie). Par conséquent, la comparaison entre votre consommation quotidienne et les normes conseillées pour les personnes de votre sexe et de votre âge ne donne pas toujours des indications très précises. Il faut tenir compte de trois autres éléments : votre poids, ses éventuelles fluctuations, et la quantité d'énergie que vous dépensez en activité physique chaque jour.

Considérons d'abord la question du poids. Si votre poids est supérieur à celui qui est indiqué pour les hommes et les femmes de votre âge dans le tableau précédent, vous pouvez considérer votre poids – ou les raisons qui expliquent votre obésité – comme une menace pour votre santé. S'il est inférieur aux chiffres minimaux donnés pour les hommes et les femmes de votre taille dans ce tableau, il présente également un danger.

Si votre poids est insuffisant ou excessif selon ces tableaux, demandez-vous si vous avez tendance à maigrir ou à grossir actuellement, et combien de kilocalories vous dépensez chaque jour à faire de l'exercice. La balance de votre salle de bains vous tiendra informé des fluctuations et le tableau des pages 29-30 vous permettra de savoir ce que vos activités quotidiennes représentent de dépenses en kilocalories.

Examinez maintenant votre consommation moyenne de kilocalories par jour. Si vous éliminez plus d'un tiers des kilocalories que vous consommez en faisant de l'exercice, vous réduisez le nombre de kilocalories dont votre corps dispose pour les entreposer sous forme de graisse. En revanche, si vous en éliminez nettement moins d'un tiers, les réserves de votre organisme augmentent.

Si votre poids est insuffisant, n'évolue pas, et si votre consommation de kilocalories se trouve proche du niveau le plus bas conseillé aux personnes de votre âge et de votre sexe, vous risquez fort de ne pas donner à votre organisme tous les nutriments dont il a besoin.

En revanche, si votre poids est insuffisant, mais si votre consommation de kilocalories correspond à la moyenne recommandée pour votre âge et votre sexe, mais si vous éliminez plus d'un tiers de ces calories par la pratique d'une activité physique, il est probable que votre taux de graisse corporelle est proche du minimum conseillé – moins de 10 % du poids du corps pour les hommes et moins de 15 % du poids pour les femmes –, ce qui peut présenter un risque pour votre santé.

Si votre poids est excessif, si vous ne perdez pas de kilos et si vous n'utilisez pas plus d'un tiers de vos calories pour pratiquer l'exercice, votre consommation se situant près du maximum conseillé pour les personnes de votre âge et de votre sexe, les modifications du régime et de l'activité préconisées au chapitre 11 pourront vous aider à trouver un programme d'amaigrissement qui ne mettra pas en péril votre équilibre nutritif.

Si vous êtes obèse, si vous perdez du poids et si vous éliminez plus du tiers des kilocalories que vous consommez par une activité physique, votre consommation se situant dans la norme, vous devriez veiller particulièrement à ce que votre régime comporte un bon équilibre entre hydrates de carbone, protéines et graisses, et un niveau approprié des nutriments essentiels.

Cependant, que vous maigrissiez ou non, si votre consommation de kilocalories se situe nettement au-dessous de la norme conseillée, vous risquez des carences qui pourraient amoindrir considérablement vos capacités physiques et intellectuelles, compromettre votre résistance aux maladies et entraîner des conséquences négatives à long terme pour votre santé.

Les vitamines et les minéraux

Examinons maintenant les vitamines et les minéraux. Les excès peuvent être aussi dangereux que les carences dans ce domaine. Si, par exemple, vous consommez plus de trois fois les quantités conseillées de vitamines A ou D ou de fer, vous risquez un empoisonnement. Dans la plupart des cas, il est inutile de consommer ces nutriments en quantités plus élevées que celles qui sont habituellement conseillées.

Quant aux carences, elles peuvent avoir des conséquences très particulières. Elles sont traitées en détail (ainsi que leurs effets toxiques) dans les chapitres suivants, et l'analyse de votre régime vous permettra de savoir si vous risquez l'un ou l'autre de ces problèmes.

Pour tirer le meilleur parti de votre alimentation sans modifier complètement votre régime, il faut savoir comment les nutriments agissent dans l'organisme et comment ils y parviennent. Cela signifie qu'il faut s'informer au sujet des carences les plus communes et de celles qui sont rares, des aliments qui contiennent les divers nutriments, et de la manière dont ces nutriments risquent de se perdre sur le chemin de votre assiette ou de votre sang. Ces fondements de la nutrition, abordés dans la deuxième partie de cet ouvrage, « Les choses de la vie », vous permettront de comprendre toutes les conséquences de l'analyse de votre régime et de modifier votre mode d'alimentation pour compenser les éventuels carences ou déséquilibres.

Date_____   *Jour de la semaine*_____

Heure	Lieu	Aliments consommés	Quantité
7 h 30	Chez moi	1. Jus d'orange	1 verre
		2. Toasts	2 tranches
		3. Beurre	1 tablette
		4. Confiture	2 c. à soupe
		5. Café	1 bol
		6. Lait entier	3 c. à soupe
		7. Sucre	2 c. à café
10 h 30	Cafétéria	8. Croissant au beurre	1
		9. Café	1 tasse
		10. Lait entier	3 c. à soupe
		11. Sucre	2 c. à café
12 h 30	Restaurant	12. Croque-Monsieur	1
		13. Frites	1 portion
		14. Bière	1 « demi »
16 h 15	Bureau	15. Pomme	1
20 h 00	Chez moi	16. Potage aux légumes	1 assiette
		17. Côte de porc	1 moyenne
		18. Riz	1/2 tasse
		19. Sauce	2 c. à soupe
		20. Choux de Bruxelles	6
		21. Cornichon aigre-doux	1/2 moyen
		22. Pain	1/4 de baguette
		23. Fromage	1/8 de camembert
		24. Yaourt nature	1
		25. Vin	1 verre
		26. Café	1 tasse
		27. Sucre	2 c. à café
21 h 15	Bar	28. Whisky	1 verre
		29. Olives	20
22 h 00	Brasserie	30. Pizza	1 part
		31. Bière	1 « demi »

1 Aliments consommés	2 Quantité	3 Kilo- calories	4 Protéines (g)	5 Graisses (g)	6 Hydrates de carbone (g)
1. Jus d'orange	1 verre (20 cl)	110	1,7	0,5	26
2. Toasts	2 tranches (50 g)	130	4,2	1,8	24
3. Beurre	1 tablette (10 g)	70	–	8,0	–
4. Confiture	2 c. à soupe (30 g)	110	0,2	–	28
5. Café	1 bol	–	–	–	–
6. Lait entier	3 c. à soupe (30 g)	19	1,0	1,0	1,4
7. Sucre	2 c. à café (10 g)	30	0	0	10
8. Croissant au beurre	1	180	2,5	11	16
91. Saucisses Francfort	2	290	10,0	26	2
92. Bière	1 bouteille (33 cl)	150	0,9	0	13
93. Saumon grillé	1 tranche	230	35,0	9	0
94. P. de terre rôtie	1 grosse (150 g)	140	4,0	0,2	35
95. Chou rouge cru	1 tasse (100 g)	17	0,9	0,1	4
96. Assaisonne-ment salade	1 c. à soupe	65	0,2	6,5	2
97. Jus de citron	1 c. à café	5	0,1	–	1
98. Pains ronds	2 (100 g)	270	8,6	2	56
99. Beurre	2 tablettes	140	–	16	–
100. Gâteau aux cerises	100 g	410	4,0	18,0	60
101. Café	1 tasse	–	–	–	–
102. Sucre	2 c. à café (10 g)	40	0	0	10
103. Lait entier	30 g	105	–	–	–
Total:		9495	307,8	357,7	1268,6
Moyenne quoti-dienne:		3165	102,6	119,2	422,9
CQC ou QES**:		2700	–	–	–
Surplus/Insuffi-sance:		+ 465	–	–	–

N.B.: g = grammes; mg = milligrammes; mcg = microgrammes; – indique une quantité infime ou inconnue.
* ER: Équivalents Rétinol. (1 Équivalent Rétinol = 1 mcg de rétinol ou 6 mcg de bêta-carotène).

7 Calcium (mg)	8 Fer (mg)	9 Vitamine C (mg)	10 Sodium (mg)	11 Zinc (mg)	12 Vitamine A (ER)*	13 Vitamine B_6 (mg)	14 Acide folique (mcg)
25	0,5	125,0	2	0,1	50	0,1	110,0
40	1,4	0	350	0,6	0	0,04	20,0
2	–	0	80	–	80	0	0
8	0,4	–	4	0,2	–	0,02	2,0
4	0,1	0	1	0,03	0	–	–
36	0,01	0,3	15	0,1	9	0,01	1,3
0	–	0	–	–	0	0	0
15	0,6	0	100	0,3	8	0,02	4,0
10	1,0	24,0	1010	1,6	0	0,12	2,0
15	0,1	–	18	0,2	–	0,2	20,0
–	1,5	–	150	2,4	60	1,0	30,0
15	1,1	30,0	5	0,4	–	0,3	20,0
35	0,3	35,0	15	0,3	10	0,1	20,0
2	–	0	90	0,08	6	–	–
1	–	5,0	0	–	–	–	1,5
20	1,2	–	570	0,6	–	0,06	60,0
4	–	0	160	–	160	0	0
20	0,5	–	480	0,06	70	–	–
4	0,1	0	1	0,03	0	–	–
0	–	0	–	–	0	0	0
36	0,01	0,3	15	0,1	9	0,01	1,3
1657	26,1	386,7	11588	33,0	2305	6,7	1126,3
552	8,7	128,9	3863	11,2	768	2,2	375,4
800	10,0	60,0	3300	15,0	1000	0	400,0
−248	−1,3	+68,9	+563	−3,8	−232	0	−24,6

** CQC: Consommation Quotidienne Conseillée; QES: Quantité Estimée Saine. Soustrayez ce chiffre de celui de votre consommation quotidienne moyenne.
Pour le sodium, la QES est la quantité maximale.

VOTRE POIDS EST-IL EXCESSIF OU INSUFFISANT?

Il n'existe pas de normes strictes et absolues en terme de poids. Cependant, une récente conférence des Instituts américains de la santé a conclu qu'un traitement de l'obésité était «fortement conseillé» aux personnes dont le coefficient de masse corporelle (c'est-à-dire le poids en kilogrammes divisé par le carré de la taille en centimètres [1]) est supérieur à 27,8 pour les hommes et 27,3 pour les femmes. Ce taux d'obésité est supérieur de presque 20 % au poids moyen préconisé pour les personnes d'ossature normale par une grande compagnie d'assurance vie aux États-Unis, qui a établi des tableaux de proportions entre la taille et le poids (voir chapitre 10).

Le tableau ci-dessous indique, par rapport à la taille (mesurée pieds nus) des hommes et des femmes, les poids (sans vêtements) «à risque», puisqu'ils sont supérieurs (colonne de gauche) ou inférieurs (colonne de droite) de 20 % aux normes préconisées par cette compagnie.

Votre poids pourrait affecter votre santé s'il est _supérieur_ à ces niveaux			**Votre poids pourrait affecter votre santé s'il est _inférieur_ à ces niveaux**		
Poids à risque (kg)			_Poids à risque (kg)_		
Taille	_Hommes_	_Femmes_	_Taille_	_Hommes_	_Femmes_
1,47 m		62	1,47 m		26
1,50 m		63	1,50 m		28
1,52 m		65	1,52 m		30
1,55 m		66	1,55 m		32
1,57 m	73	67	1,57 m	40	33
1,60 m	75	68	1,60 m	42	35
1,62 m	76	70	1,62 m	44	37
1,65 m	77	72	1,65 m	45	39
1,68 m	79	74	1,68 m	47	42
1,70 m	80	76	1,70 m	48	44
1,73 m	81	78	1,73 m	50	45
1,75 m	83	79	1,75 m	51	48
1,78 m	85	80	1,78 m	53	49
1,80 m	87	82	1,80 m	55	50
1,83 m	89	84	1,83 m	57	52
1,85 m	91		1,85 m	59	
1,88 m	93		1,88 m	61	
1,90 m	95		1,90 m	63	
1,93 m	97		1,93 m	65	

1. Exemple: masse corporelle d'un homme mesurant 1,80 m et pesant 85 kilos:
$$\frac{85}{1,80 \times 1,80} = 26,23.$$

QUEL EST VOTRE NIVEAU D'ACTIVITÉ?

Ce tableau indique le nombre de calories éliminées à la minute par des personnes de différents poids qui exercent des activités physiques diverses. (Plus vous êtes lourd, plus vous avez besoin de kilocalories pour faire de l'exercice.) Pour utiliser ce tableau, trouvez d'abord votre catégorie de poids et multipliez la valeur calorique de l'exercice par le nombre de minutes que vous consacrez approximativement à chaque activité dans la semaine. Divisez ensuite le total par 7 pour trouver votre dépense moyenne de kilocalories par jour.

Kilocalories éliminées par minute d'activité physique

Activité	Poids (kilos)				Intensité de l'exercice
	37-47	54-62	71-77	82-87	
Aérobic (danse)	5,83	6,58	7,83	8,58	Modérée
Basket-ball	9,75	11,16	13,16	14,50	Forte
Bicyclette					
8 km/h	3,16	3,58	4,25	4,66	Légère
15 hm/h	5,41	6,16	7,33	7,91	Modérée
18 km/h	8,58	9,75	11,50	12,66	Forte
d'appartement, 15 km/h	5,50	6,25	7,41	8,16	Modérée
d'appartement, 25 km/h	11,66	13,25	15,58	17,16	Très forte
Course					
10 km/h	8,90	10,20	12,00	13,20	Forte
12 km/h	10,40	11,90	14,10	15,50	Très forte
14 km/h	12,00	13,80	16,20	17,80	Très forte
Culture physique	3,91	4,50	7,33	7,91	Modérée
Danse					
Rock	5,50	6,25	7,41	8,00	Modérée
Valse	3,25	3,75	4,41	4,91	Légère
Golf (sans cart)	3,25	3,75	4,41	4,91	Légère
Hand-ball, compétition	7,83	8,91	10,50	11,58	Modérée/Forte
Jardinage	5,08	5,75	6,83	7,50	Modérée
Jogging, 10 km/h	8,58	9,75	11,50	12,66	Forte
Marche					
4 km/h	2,40	2,80	3,30	3,60	Légère
5 km/h	3,90	4,50	5,30	5,80	Modérée
6 km/h	4,50	5,20	6,10	6,80	Modérée
Natation, crawl					
20 m/min	3,91	4,50	5,25	5,83	Modérée
40 m/min	7,83	8,91	10,50	11,58	Modérée/Forte
55 m/min	11,00	12,50	14,75	16,25	Forte
Patinage					
tranquille	4,58	5,16	6,16	6,75	Modérée
vigoureux	8,08	9,25	10,91	12,00	Modérée/Forte

Activité	Poids (kilos)				Intensité de l'exercice
	37-47	54-62	71-77	82-87	
Pelletage (neige)					
tranquille	7,91	9,08	10,75	11,83	Modérée/Forte
vigoureux	13,75	15,66	18,50	20,41	Très forte
Rameur hydraulique					
tranquille	3,91	4,50	5,25	5,83	Modérée
vigoureux	8,58	9,75	11,50	12,66	Forte
Randonnée, sac 10 kg					
4 km/h	3,91	4,50	5,25	5,83	Modérée
6 km/h	5,91	6,66	7,91	8,75	Modérée
Rapports sexuels					
partenaire dynamique	3,91	4,50	5,25	5,83	Modérée
Sciage de bois	5,08	5,83	6,83	7,58	Modérée
Ski					
descente	7,75	8,83	10,41	11,50	Modérée/Forte
fond, 10 km/h	9,16	10,41	12,25	13,33	Forte
fond, 20 km/h	13,08	14,83	17,58	19,33	Très forte
Tennis, compétition					
simple	7,83	8,91	10,50	11,58	Modérée/Forte
double	5,58	6,33	7,50	8,25	Modérée
Tonte pelouse					
(tondeuse à moteur)	3,50	4,00	4,75	5,16	Légère
Trampoline	10,33	11,75	13,91	15,33	Forte
Volley-ball, compétition	7,83	8,91	10,50	11,58	Modérée/Forte

2e partie

LES CHOSES DE LA VIE

Chapitre 3

DE QUOI EST FAITE LA VIE

Vous êtes fait de ce que vous mangez. Telle est l'expression qui décrit le mieux l'impact de la nutrition sur la santé et qui constitue la base de « la nouvelle nutrition ». Elle résume la prise de conscience actuelle du fait que ce que nous mangeons peut altérer la longueur et la qualité de notre vie.

Cette expression reflète également une relation bien plus fondamentale entre les gens et la nourriture, car nous sommes faits des éléments mêmes que nous consommons. La composition chimique des hommes et des femmes n'est pas très différente de celle de la viande ou même des œufs, et les ingrédients de base sont ceux que l'on trouve dans les fruits et les légumes. Comme ce que nous mangeons, nous sommes principalement constitués d'eau, d'hydrates de carbone, de graisses, de protides, et de minéraux, plus une pincée de vitamines. C'est cette compatibilité chimique qui nous permet de convertir en énergie un grand nombre des molécules que nous tirons des aliments et d'utiliser le reste pour la réparation et le remplacement des cellules de notre organisme.

Il n'est pas surprenant que nous ressemblions à ce point à ce que nous mangeons. Après tout, comme les produits que nous ingérons, nous sommes issus d'un stock chimique global, et nous avons suivi des voies similaires lors de notre évolution à partir des premières molécules. Tout a commencé il y a plus de trois milliards d'années, alors que la vie ne faisait qu'apparaître sur la terre. La planète se refroidissait. L'eau se condensa pour former les océans, créant un milieu solvant pour les gaz et les minéraux et formant un liquide chimique très riche. C'est dans ce cadre nourrissant que se développèrent des molécules complexes.

Puis, au fil de millions d'années, certaines de ces molécules parvinrent à tirer de l'énergie non seulement de l'eau, mais aussi du soleil. Ce faisant, elles libérèrent de l'oxygène dans une atmosphère qui n'en contenait pas, et le rythme de l'évolution de la vie s'accéléra considérablement. Les créatures monocellulaires se rassemblèrent, et ces blocs de cellules développèrent des fonctions spécialisées avant de se transformer en créatures plus complexes dotées d'organes différents.

Cependant, il arriva une mésaventure étonnante à ces créatures sur la voie de leur évolution. A mesure qu'elles devenaient plus complexes, elles perdirent leur autosuffisance alimentaire. Elles ne pouvaient plus produire elles-mêmes toutes les substances nécessaires à leur survie. Elles commencèrent donc à *manger*, à chasser et à fouiller, car elles dépendaient alors de sources extérieures pour se procurer un grand nombre des mêmes nutriments que les humains consomment aujourd'hui.

La source de nos nutriments est la nourriture. Mais il faut bien comprendre la différence qui existe entre les deux. Le sang, qui transporte les nutriments dans tout l'organisme, ne véhicule pas des petits morceaux de bœuf braisé ou de quiche. Les cellules de l'organisme ne peuvent trouver directement les substances dont elles ont besoin dans des pâtes ou des bouquets de choux-fleurs. Par conséquent, les nutriments ne sont pas synonymes de nourriture. Ce sont des produits chimiques qui se trouvent *dans* la nourriture avec beaucoup d'autres choses. C'est au système digestif que revient le rôle de séparer les nutriments des autres composants et de les convertir en substances que le reste de l'organisme peut utiliser.

Nous devons consommer une *quantité* relativement importante de nutriments chaque jour, mais nous survivons grâce à un *nombre* étonnamment réduit. Notre corps reste une usine chimique extrêmement efficace qui peut produire lui-même la plupart des substances dont il a besoin. C'est ainsi que nous produisons cinquante mille protéines différentes, et nous sommes en mesure de créer la plupart des vingt-deux acides aminés dont nous avons besoin pour fabriquer ces protéines, la plupart, sauf huit. Ce sont les substances que nous *ne pouvons pas* produire par nous-mêmes, ou que nous ne produisons pas en quantités suffisantes, qui sont les nutriments essentiels – les produits de base de la vie.

Le problème de la nutrition serait bien plus simple si nous pouvions produire directement nos nutriments essentiels, sans dépendre de la nourriture. La transformation de la nourriture en nutriments est une opération imprécise, et parfois dangereuse. Après tout, la terre est pleine de choses qui ressemblent à de la nourriture, ont le goût de la nourriture, ont une valeur nutritive, mais qui peuvent nous empoisonner. Même quand nous éliminons le risque d'empoisonnement, nous devons souvent absorber quelques mauvaises substances avec celles qui sont bonnes. Si nous voulons extraire le calcium du camembert ou le fer d'un steak haché, nous devons souvent consommer plus de graisses que notre corps ne peut en supporter sans risque.

Il est théoriquement possible aujourd'hui d'éviter le « problème de la nourriture » si on le veut vraiment. Au début des années 1960, alors que la NASA en était à ses balbutiements, les nutritionnistes qui travaillaient pour cette agence spatiale ont mis au point un régime sans nourriture pour les astronautes. Il s'agissait d'un liquide qui contenait tous les nutriments essentiels et pratiquement aucune autre substance. Il pouvait maintenir un astronaute en vie pendant des semaines, et comme il ne comprenait pratiquement pas de déchets, il écartait le problème de l'élimination. (Il n'y avait pas de matière fécale susceptible d'entraîner les ennuis intestinaux que connurent par la suite certains explorateurs de l'espace.)

La réaction à ce régime de nutrition totale, sans déchets, fut celle que l'on pouvait attendre : les astronautes refusèrent ce produit en exigeant une nourriture plus naturelle. Par conséquent, au lieu de ce liquide plein de nutriments, ils consommèrent de la viande en purée conditionnée dans des tubes et de la compote de pommes. Au fil des années, le régime des astronautes évolua jusqu'au cocktail de crevettes, au poulet à la japonaise, et au choufleur au gratin. La nourriture est peut-être un véhicule inefficace pour les nutriments dont nous avons besoin, mais elle donne à la vie un plaisir auquel peu d'entre nous seraient disposés à renoncer.

LES NUTRIMENTS EN SACHETS

Cependant, certaines personnes ne peuvent pas manger; elles souffrent de graves troubles gastro-intestinaux qui rendent la digestion impossible. Il y a quelques dizaines d'années, ces gens seraient morts de faim. Aujourd'hui, la technologie médicale leur permet de survivre indéfiniment sans sources naturelles de nourriture. En mettant au point des formules synthétiques pour aboutir à ces produits qui sauvent des vies, les nutritionnistes ont constaté que beaucoup de nutriments qui n'étaient pas considérés comme essentiels jusque-là étaient en fait indispensables à notre vie.

La première personne qui profita des bienfaits à long terme de cette technologie était une jeune mère de famille canadienne nommée Judy Taylor. Lorsqu'elle entra dans un hôpital de Toronto en 1970, les chirurgiens découvrirent qu'un caillot de sang avait coupé la circulation vers son intestin grêle, et que celui-ci avait été atteint par la gangrène. La plupart des hydrates de carbone, des graisses et des protéines sont décomposées dans l'intestin grêle, et les vitamines et les minéraux sont répartis dans l'organisme à partir de cet endroit; par conséquent, les chirurgiens craignaient que l'ablation de l'organe infecté ne condamne la jeune femme à mourir lentement de faim.

Judy Taylor fut sauvée et put mener une vie relativement normale grâce à la NPT (nutrition parentérale [1] totale), qui permet de libérer directement les nutriments dans le sang (ceci ne se pratique que dans les hôpitaux). Les patients sont nourris au moyen d'un tube implanté dans une grosse veine, généralement la veine cave, qui transporte directement le sang au cœur. Les médecins travaillaient à la NPT depuis les années 1930, dans l'espoir d'aider les opérés à faire face aux exigences énergétiques provoquées par le stress chirurgical, et de fournir des protéines vitales aux patients dont le système digestif ne pouvait recommencer à fonctionner immédiatement après l'opération.

Le Dr K.N. Jeejeebhoy, professeur de médecine à l'université de Toronto, faisait partie des chercheurs qui s'intéressaient à la NPT en 1970. Appelé par le chirurgien de Judy Taylor, il se chargea de ce qui devait être le premier cas de nutrition parentérale totale à vie.

Une expérience concluante

Quand Judy Taylor rentra chez elle, comptant sur les petits sachets de plastique pleins de substances chimiques stérilisées qui seraient libérées chaque soir dans son organisme, rien ne lui garantissait que ce régime la maintiendrait très longtemps en vie. Le problème d'une éventuelle infection était préoccupant, car jusqu'à cette époque, la NPT n'avait été administrée que dans des hôpitaux. Cependant, la grosse question tenait au mot *total* : la nutrition parentérale était-elle vraiment totale? Les médecins ne pouvaient pas savoir si ce système répondrait à tous les besoins nutritifs de Judy pendant cinquante ou soixante ans.

Mais l'expérience fut concluante, et les perspectives pour les

1. Parentéral signifie « qui contourne l'intestin » et s'applique à toute méthode introduisant dans le corps un produit par une voie autre que le tube digestif.

patients sous NPT n'ont fait que progresser depuis lors. Nous en savons beaucoup plus au sujet des besoins nutritifs de l'être humain qu'en 1970, et ces connaissances sont dues en grande partie à l'utilisation de la NTP.

Le savoir humain a progressé très rapidement depuis 1943, l'année où furent publiées les premières normes de Consommation quotidienne conseillée pour les principaux nutriments aux États-Unis. D'abord utilisées pour établir le rationnement des populations civiles et le régime des militaires pendant la Deuxième Guerre mondiale, ces normes ont été régulièrement révisées depuis pour donner un guide nutritif à chacun. Dans l'édition de 1943, outre les besoins caloriques pour chaque catégorie d'âge, on ne citait que neuf nutriments. En 1980, ces normes concernaient dix-sept nutriments et suggéraient des « quantités estimées saines » pour douze autres substances.

Si on considère l'intérêt général pour la nutrition, la médecine a été relativement lente à reconnaître nos besoins nutritifs. Pendant un certain temps, la plupart des informations concernant les effets physiologiques de l'alimentation sur l'organisme humain furent obtenues par l'étude de groupes de personnes qui n'avaient pas la chance de bénéficier d'une alimentation assez riche ou équilibrée. Dès 1747, un médecin britannique, le Dr James Lind, découvrit que les marins au long cours pouvaient échapper au scorbut si on leur fournissait une quantité adéquate d'agrumes.

Mais ce n'est qu'au xxe siècle que les savants isolèrent les substances essentielles de la nourriture qui pouvaient surmonter les carences alimentaires chez les animaux de laboratoire. En 1911, des chercheurs norvégiens qui travaillaient sur des cobayes décrivirent pour la première fois les manifestations des carences en acide ascorbique (la vitamine C) et montrèrent *pourquoi* la consommation d'agrumes pouvait prévenir l'apparition du scorbut. Contrairement aux autres animaux de laboratoire, les cobayes se révélèrent aussi susceptibles au scorbut que les humains, car aucune de ces deux espèces ne peut produire elle-même son acide ascorbique.

Malgré ces découvertes, les médecins n'ont commencé que récemment à chercher des relations entre l'alimentation et la maladie dans l'ensemble de la population, et des preuves de carences nutritionnelles plus subtiles que le scorbut. Au fil des années, on s'est sans doute davantage préoccupé des besoins alimentaires du bétail que des besoins des êtres humains. Après tout, la mise au point de produits peu coûteux qui engraissaient rapidement les poulets, les porcs et les vaches laitières présentait des avantages économiques plus évidents que la découverte d'une meilleure alimentation pour les humains.

L'arsenic, essentiel à la croissance

Les treize groupes de vitamines essentielles que nous connaissons aujourd'hui étaient déjà découverts en 1948, mais la science ignorait encore les raisons pour lesquelles ces vitamines étaient indispensables à l'organisme. Quant aux minéraux, ce n'est que par l'utilisation de formules nutritives très purifiées comme la NPT que nous avons appris combien de ces éléments nous sont nécessaires. Lors d'une fascinante série d'expériences menées dans un hôpital de Long Beach, en Californie, le nutritionniste Klaus Schwarz a découvert que même l'arsenic – un poison mortel à forte dose – est pourtant essentiel à notre croissance.

Schwarz s'occupait de la mise au point d'un régime alimentaire pour des rats de laboratoire qui étaient nés et avaient grandi dans un environnement absolument stérile. Leur sang purifié était aussi libre de substances contaminantes que les sachets de NPT. Mais au lieu de se développer de façon harmonieuse dans ce milieu idéal et avec une nourriture parfaite, les rats n'avaient pas une croissance normale. Il s'est avéré qu'il leur manquait un certain nombre de minéraux essentiels que nous fournissent habituellement la poussière et d'autres impuretés que nous consommons avec notre nourriture. En fait, cette « bouchée de poussière » que nous sommes censés absorber au cours de notre existence répond à un grand nombre de nos besoins en minéraux, car elle nous fournit d'infimes quantités d'éléments tels que la silice, le nickel, le vanadium et l'étain, ainsi que l'arsenic.

Grâce aux recherches comme celles de Schwarz et aux techniques telles que la NPT, la science possède aujourd'hui une assez bonne connaissance des différentes substances qui sont indispensables à notre survie et à notre développement. Les régimes alimentaires à base de nutriments synthétiques sont maintenant très fiables. Naturellement, peu d'entre nous seraient prêts à se priver du plaisir de la nourriture pour bénéficier d'un accès plus direct aux éléments essentiels de la vie. Même si nous en avions envie, les coûts d'un tel régime seraient prohibitifs : La NPT coûte près de 420 000 francs. Cependant, il est important que nous sachions reconnaître les substances chimiques que sont les nutriments – indépendamment des aliments – comme s'ils se trouvaient dans un petit sachet de NPT.

QU'Y A-T-IL DANS LE SACHET?

Pour trouver l'équivalent chimique d'une alimentation équilibrée, comportant tous les nutriments essentiels que l'organisme ne peut pas produire lui-même, le sachet de NPT doit contenir la même chose que la nourriture – y compris certains éléments dont généralement nous ignorons même l'existence, comme les petites parcelles de minéraux que nous nous procurons dans la poussière ou par la cuisson des aliments. De plus, la NPT doit fournir ces nutriments d'une manière directement acceptable par le sang. La digestion transforme normalement les protéines en acides aminés et les graisses en acides gras, et c'est donc ces substances qu'il faut donner à notre corps.

La formule individuelle d'un sachet de NPT particulier reflète également les besoins spécifiques du patient. Mais quelle que soit la formule particulière de NPT, le sachet comporte toujours de l'eau, du glucose (qui est le principal nutriment que l'on trouve dans les hydrates de carbone), neuf acides aminés, et au moins deux acides gras. Il contient treize vitamines et pas moins de vingt minéraux.

L'eau

Le sachet de NPT contient surtout de l'eau (comme vous : votre corps, en effet, contient plus de 70 % d'eau). Elle est essentielle à toutes les fonctions corporelles : elle est le milieu dans lequel se déroule le processus de la nutrition, elle transporte les nutriments dans le système circulatoire et évacue les déchets de l'organisme. C'est le constituant principal de tous nos fluides corporels, elle régule la température du corps (grâce à la transpiration), entretient l'équilibre des substances acides et alcalines dans l'organisme, et participe à toutes les réactions chimiques qui se produisent dans nos cellules.

On peut se passer de nourriture pendant des semaines, mais on ne vit que cinq jours sans eau. Lorsque celle de notre corps diminue simplement de 1 % de notre poids, on éprouve une sensation de soif. Lorsque cette déperdition atteint 5 % de notre poids, on se sent fatigué, on éprouve une impression de chaleur et d'importantes douleurs. Lorsque cette perte va jusqu'à 10 %, on peut être victime du delirium et de troubles rénaux; à 20 %, cette perte d'eau entraîne la mort.

L'eau est l'élément dont notre corps a le plus grand besoin, car nous en perdons chaque jour deux à trois litres par l'élimination, la transpiration, et la respiration. Pour remplacer ces pertes, il faut boire chaque jour entre huit et dix grands verres d'eau. Nous en obtenons également par d'autres boissons et par les aliments. De plus, l'organisme s'en procure de petites quantités lorsqu'il décompose les nutriments pour produire de l'énergie. Cependant, comme les patients au régime NPT ne boivent pas et ne mangent pas, c'est le sachet qui doit leur fournir toute l'eau dont leur corps a besoin, c'est-à-dire deux à trois litres par jour.

Le glucose

Après l'eau, c'est le carburant qui s'élimine le plus vite dans notre corps; en effet, nous puisons constamment dans nos réserves d'énergie. Or, nos besoins énergétiques se mesurent en kilocalories.

En physique, une calorie est la quantité d'énergie nécessaire pour élever la température d'un gramme d'eau d'un degré centigrade. Cependant, les besoins énergétiques de notre corps sont si importants qu'ils se mesurent en kilocalories (kcal), équivalant à 1 000 calories. Chez les adultes en bonne santé, les hommes éliminent en moyenne 2 700 kilocalories chaque jour; pour les femmes, cette dépense n'est que de 2 000 kilocalories. En France, le rapport poids/taille est tel que les hommes dépensent environ 2 500 kilocalories et les femmes 1 800 kilocalories.

C'est par des réactions chimiques que notre corps élimine des calories et produit de l'énergie. C'est d'ailleurs ainsi qu'il produit pratiquement tout : en décomposant des molécules complexes et en en assemblant d'autres. Ces opérations permanentes, comme la digestion, la formation de cellules et de tissus, et l'utilisation de l'énergie, sont collectivement décrites par le terme *métabolisme* (du mot grec signifiant « changement »). Le carburant est transformé en énergie dans l'organisme tout comme le bois en brûlant est transformé en lumière et en chaleur.

Les glucides, les lipides et les protides procurent du carburant à l'organisme. Cependant, ils ne sont pas des sources d'énergie égales : 1 gramme de lipides (graisse) contient 9 calories, soit plus de deux fois l'énergie produite par un gramme des glucides ou de protides (4 calories chacun). Les lipides et les protides contribuent à la fourniture globale d'énergie à l'organisme et nous apportent aussi d'autres nutriments essentiels, mais ce sont les hydrates de carbone qui nous apportent la source d'énergie la plus indispensable : le glucose, souvent appelé sucre sanguin. (Voir : Les hydrates de carbone, simples et complexes, pp. 42 et 43.)

Aucune carence nutritive à court terme (excepté le manque d'eau) n'entraîne des conséquences aussi immédiatement visibles que celles d'une baisse du taux de sucre sanguin. Quand le taux de glucose présent dans votre sang tombe au-dessous de la moyenne normale, vous vous sentez non seulement affamé, mais irritable, las et déprimé. Il est facile d'expliquer ces conséquences du taux de glucose sur notre état psychologique. Toutes les cellules de notre organisme consomment du glucose, mais les deux tiers du glucose dont nous avons besoin – soit environ 500 kilocalories par jour, un peu plus de cent vingt grammes d'hydrates de carbone – nourrissent les cellules du cerveau et du système nerveux. Ces cellules utilisent presque exclusivement le glucose. Sans cette substance, elles meurent.

Que se passe-t-il lorsque vous décidez de perdre quelques kilos en suivant un régime qui contient très peu ou pas du tout d'hydrates de carbone, en supprimant les sucres et les amidons – pain, pommes de terre, pâtes, pizza, riz, etc.? Il vous arrive peut-être même de réduire votre consommation de légumes verts (qui contiennent aussi du glucose). Tout d'abord, vous épuisez les réserves de glucose entreposées dans votre foie. Cela se passe assez rapidement, car le corps humain en a besoin vingt-quatre heures par jour, et la réserve du foie sera sans doute épuisée avant que vous n'ayez perdu votre premier kilo.

Vous vous imaginez peut-être qu'il reste des surplus de glucose dans vos cellules de graisse, mais ce n'est pas le cas. La seule chose que contiennent les cellules de graisse est... de la *graisse*. Votre corps peut l'utiliser pour satisfaire environ les deux tiers de ses besoins énergétiques, mais elle ne peut pas alimenter directement votre système nerveux central.

N'oublions pas que notre organisme possède une grande aptitude à fabriquer ce dont il a besoin à partir des matériaux dont il dispose. Ainsi, lorsque le glucose du foie est épuisé, l'organisme cherche les éléments dont il a besoin pour en produire davantage. Il trouve les ingrédients vitaux présents dans la graisse, mais il en tirera à peine de quoi subvenir à environ un dixième des besoins en glucose du cerveau et du système nerveux.

Pour le reste, il se tournera vers une meilleure source d'énergie : les acides aminés présents dans les protéines de l'organisme. Pour les atteindre, le corps devra décomposer des protéines déjà utilisées par ailleurs, *détruisant ainsi des muscles* et d'autres tissus.

Le corps peut s'appuyer sur les protéines pour trouver les matières premières permettant de produire du glucose en cas d'urgence, mais cette situation n'est que d'une durée limitée. Si votre organisme continuait à détruire les muscles et d'autres tissus pour procurer au cerveau les 90 % restants de carburant dont il a besoin, votre espérance de vie serait réduite à un mois tout au plus. Par conséquent, le corps s'adapte après seulement deux ou trois jours de privation d'hydrates de carbone et commence à produire une source d'énergie de remplacement (une sorte de « glucose imitation ») à partir des acides gras. C'est ce qu'on appelle les cétones, et elles peuvent alimenter *certaines cellules* du système nerveux central, mais *pas toutes.*

La production de cétones – une opération appelée cétose, fréquente chez les diabétiques qui ne métabolisent pas correctement le glucose – entraîne des risques considérables. Les cétones elles-mêmes sont des substances toxiques. Elles augmentent l'acidité du sang, détruisant son équilibre chimique. Elles provoquent une très mauvaise haleine. Et au moment où l'organisme doit recourir aux cétones pour maintenir en vie les cellules du cerveau, le manque de glucose a également entraîné une élévation du taux d'ammoniaque dans le sang, jusqu'à des niveaux toxiques. (Pour comprendre le fonctionnement chimique de cette opération, voir « Le sucre n'est pas dangereux, mais l'absence de sucre est dangereuse », p. 44).

Il est très dangereux de consommer des nutriments essentiels en quantités insuffisantes. D'autre part, les excès sont souvent tout aussi dangereux. Il n'existe pas de niveau toxique pour les hydrates de carbone, contrairement à ce qui se produit dans le cas de la plupart des vitamines et des minéraux, mais les abus de sucres et d'amidons entraînent souvent un risque pour la santé. Ils peuvent provoquer des problèmes dentaires, aggraver le diabète, et – si votre nourriture est suffisante – contribuer à l'obésité.

LES HYDRATES DE CARBONE (OU GLUCIDES)

Les **hydrates de carbone** (sucres et amidons) constituent la source de glucose que nous trouvons dans l'alimentation. Sur le plan chimique, c'est pratiquement la seule chose qu'ils contiennent, même s'il leur faut parfois une ou deux étapes de transformation pour aboutir au stade de glucose. Les hydrates de carbone sont présents dans tous les aliments, dans le sucre bien sûr, mais aussi dans les céréales, les fruits, les légumes verts, les pommes de terre et les légumes secs.

La composition chimique des hydrates de carbone que nous

consommons est la suivante : ils contiennent du carbone, de l'hydrogène et de l'oxygène, et se présentent sous forme d'associations simples d'une ou deux molécules (les sucres simples) ou bien de composés de 300 à 1000 molécules (les hydrates de carbone complexes, ou amidons). Les sucres à une molécule, ou **monosaccharides**, les plus fréquents dans les aliments sont le glucose, le fructose, et le galactose. Les **disaccharides** (à deux molécules) sont le saccharose, le lactose et le maltose.

Le **glucose** (la même substance que l'on appelle sucre sanguin), se trouve dans la plupart des fruits et des légumes, et son goût n'est pas particulièrement doux. Il passe rapidement du tube digestif dans le sang où il se met immédiatement au travail. En revanche, le **fructose**, bien qu'il possède les mêmes composants chimiques que le glucose, a une structure différente, et on le trouve également dans les aliments végétaux (notamment les fruits). Il passe plus lentement dans le sang et n'a pas un impact très important jusqu'à ce qu'il atteigne le foie, où il est converti en glucose. Quant au **galactose**, on le trouve rarement seul, et il existe essentiellement en tant que moitié du disaccharide appelé lactose.

Les **disaccharides** contiennent toujours au moins une molécule de glucose. Le **saccharose** présent dans notre sucre de table (fabriqué à partir de canne à sucre ou de betterave) est une association de glucose et de fructose. Sa saveur est deux fois plus douce que celle du glucose seul, mais moins douce que celle du fructose pur. Le **lactose** (le sucre du lait) est un composé de glucose et de galactose. Enfin, le **maltose** (le sucre de malt), qui apparaît lors du brassage de la bière, est un composé de deux molécules de glucose.

Les hydrates de carbone complexes – c'est-à-dire les **amidons** – très importants sur le plan nutritif, ne contiennent que des molécules de glucose. Cependant, ces composés complexes mettent plus de temps que les sucres simples pour se décomposer dans le système digestif. De plus, les amidons sont présents dans des aliments qui contiennent souvent de fortes quantités de fibres, qui ralentissent également l'absorption. Par conséquent, le glucose qui se trouve dans la plupart des hydrates de carbone complexes est plus lent à passer dans le sang que celui des sucres simples. Mais les avantages nutritifs des hydrates de carbone complexes par rapport aux sucres simples, en tant que sources d'énergie, viennent non seulement du rythme d'absorption par le sang, mais aussi de la quantité de fibres qu'ils apportent à l'alimentation et des autres nutriments qui sont présents dans les principales sources d'amidons – les graines, les haricots, les tubercules, etc.

LE SUCRE N'EST PAS DANGEREUX... MAIS L'ABSENCE DE SUCRE EST DANGEREUSE

Lorsque l'organisme reçoit le glucose dont il a besoin, il l'utilise aussi efficacement qu'un four autonettoyant se libère des impuretés. En revanche, si vous retirez le glucose, le corps doit alors trouver des combustibles moins efficaces, et il en résulte rapidement un accroissement des sous-produits toxiques. Il s'agit là d'opérations chimiques complexes dont nous ne retiendrons qu'un point important : la privation de glucose empoisonne l'organisme par l'*urémie*, c'est-à-dire l'accumulation d'ammoniaque dans le corps. Sans glucose, l'organisme ne peut pas se débarrasser aussi facilement de l'ammoniaque qui s'accumule alors parfois à des degrés toxiques.

Les acides aminés

L'organisme utilise les protéines non seulement en tant que carburant, mais aussi dans la formation des tissus et d'autres parties du corps, dans les hormones, et dans le lait des femmes qui allaitent. Le corps produit lui-même les cinquante mille protéines environ dont il a besoin pour former une série de vingt-deux acides aminés.

Il faut des centaines de molécules d'acides aminés, attachées les unes aux autres comme les perles d'un collier, pour former une seule molécule de protéine. Ces perles peuvent être assemblées selon une infinie variété de combinaisons, et le corps n'a pas de mal à fabriquer toute la diversité des produits protéinés qui lui sont nécessaires. Mais cette capacité de production des protéines exige une réserve suffisante des vingt-deux acides aminés – à savoir, les acides que le corps peut fabriquer lui-même et les huit acides qu'il doit extraire des protéines de son alimentation.

Parmi les substances que les acides aminés permettent de produire, on peut citer les acides nucléiques que sont l'ADN et l'ARN, qui à leur tour contribuent à relier les aminoacides entre eux pour former des protéines. Les acides nucléiques présents dans le noyau de chacune de nos cellules conservent et transmettent les informations génétiques, c'est-à-dire tout le code de l'hérédité. Dans les molécules d'ADN se trouvent toutes les instructions nécessaires aux cellules. L'ARN joue à la fois un rôle de messager, transmettant les spécifications génétiques, et aligne les acides aminés en milliers de combinaisons pour former les protéines dans l'organisme.

Comment notre corps utilise-t-il toutes ces protéines? Elles sont présentes dans la structure de chaque cellule et composent plus de la moitié de la masse organique de notre corps. Sur le plan fonctionnel, elles se chargent des travaux les plus difficiles et des tâches les plus ingrates – démolition et construction, protection, transport et réparations d'urgence.

Les enzymes sont des protéines codées qui dirigent et accélèrent les réactions chimiques. Ce sont les enzymes qui se chargent du travail de démolition, y compris la décomposition des nutriments dans le système digestif. Mais les enzymes participent également aux tâches de construction. Elle assemblent les composés chimiques, permettant ainsi à l'organisme de fabriquer pratiquement toutes les substances dont il a besoin à partir du stock relativement limité de matières premières qu'il trouve dans la nourriture.

Les anticorps sont également des protéines. Ces molécules géantes se déplacent dans le sang pour lutter contre les virus et les bactéries. Cette force de défense est si efficace que les agents toxiques qui s'attaquent à un homme ou à une femme dont la santé est normale sont généralement vaincus en quelques heures.

Les protéines assurent également le transport. Elles acheminent les nutriments et autres composés fragiles dans le sang. Elles transforment les nutriments en cellules, et contribuent au maintien de l'équilibre des fluides dans l'organisme.

Quant aux réparations d'urgence, elles sont aussi effectuées par les protéines, qui forment des caillots afin de refermer les vaisseaux sanguins et de cicatriser les tissus pour refermer les blessures. Pour assurer les travaux importants, tels que la reconstruction des os, la même protéine qui se charge de la cicatrisation, et qui est appelée collagène, constitue une liaison temporaire entre les cellules, jusqu'à ce que l'organisme puisse assembler des cristaux de calcium et d'autres minéraux. Le collagène est une protéine très forte et polyvalente; c'est elle qui forme les épais filaments des tendons et des ligaments, ainsi que la muqueuse qui renforce les parois des artères.

N'oublions pas que nous fabriquons les protéines dont nous avons besoin à partir des acides aminés qui se trouvent dans les protéines que nous consommons. Mais nous pouvons nous contenter de protéines alimentaires qui ne contiennent pas l'ensemble des vingt-deux acides aminés permettant de former les protéines dans notre organisme. Cette merveilleuse usine chimique qu'est notre organisme est capable de synthétiser la plus grande partie des acides aminés dont nous avons besoin. C'est pourquoi nous pouvons absorber des protéines alimentaires qui sont loin d'être parfaites à condition que nous nous procurions les acides aminés essentiels, ceux que notre corps ne produit pas du tout ou produit en quantités insuffisantes.

Il est évident que certains aliments constituent de meilleures sources de ces aminoacides essentiels que les autres. Les protéines dites « complètes » par les nutritionnistes contiennent *tous* les acides aminés essentiels. Les protéines de haute qualité (les œufs sont un bon exemple) contiennent une certaine quantité de chaque acide qui est relativement proportionnelle à ce que notre corps utilise. En revanche, quand un aliment ou un repas protéiné présente une teneur particulièrement faible en un certain aminoacide, on dit qu'il est limitatif. Même si le niveau des autres aminoacides est très élevé dans cet aliment ou ce repas, sa contribution à la formation des tissus sera limitée à ce que pourra produire cet acide peu abondant.

Quels sont les acides aminés essentiels? On en connaît avec certitude huit : l'isoleucine, la leucine, la lysine, la méthionine, la phénylalanine, la thréonine, le tryptophane et la valine. Cette connaissance existe depuis les expériences menées par William C. Rose et son équipe de chercheurs à l'université de l'Illinois en 1938. Ils avaient administré des acides aminés purs à des groupes de jeunes rats et de jeunes gens adultes et avaient observé les signes de carence en cas d'absence d'un de ces aminoacides. D'autres recherches ont révélé par la suite qu'à long terme, il existe un neuvième acide aminé essentiel, l'histidine.

Cependant, selon les individus, d'autres acides aminés peuvent s'avérer essentiels, surtout si l'aptitude à les produire a été diminuée par la maladie. Par exemple, les alcooliques et les autres personnes souffrant de troubles du foie ont souvent besoin de recevoir certains acides aminés que les bien-portants fabriquent eux-mêmes. Les nouveau-nés ont également des besoins particuliers. Pour produire les protéines nécessaires à leur organisme dont le développement est très rapide, il leur faut des quantités d'acides aminés supérieures à ce que leur corps peut synthétiser.

Si votre alimentation ne comprend pas tous les acides aminés qui vous sont essentiels, et si vous ne pouvez pas produire suffisamment de nouvelles protéines, vous risquez de perdre des muscles et d'autres tissus lorsque votre organisme partira en chasse pour trouver les matières premières dont il a besoin pour assurer ses fonctions vitales.

Il existe également d'autres punitions plus subtiles qui vous seront infligées si vous ne fournissez pas à votre corps une quantité satisfaisante d'acides aminés. La lysine est une substance fragile, vulnérable à la chaleur et qui risque de disparaître lors de la cuisson des aliments. Si vous manquez de lysine, vous commencerez à éprouver des vertiges et des nausées. La méthionine joue un rôle considérable dans l'acheminement des graisses du foie au reste de l'organisme. Par conséquent, l'un des risques d'une carence en méthionine est l'engorgement du foie qui provoque le gonflement de l'abdomen chez les enfants privés de protéines.

Des privations de plusieurs acides aminés peuvent affecter le cerveau, car ils sont nécessaires à la production de certains neurotransmetteurs, c'est-à-dire les substances qui transmettent les impulsions d'une cellule nerveuse à l'autre. La consommation de tryptophane qui est converti en un important neurotransmetteur, la sérotonine, semble affecter la vivacité et les réactions à la douleur (voir chapitre 15).

Comme le tryptophane, l'histidine se convertit en un neurotransmetteur, l'histamine, qui joue un rôle considérable dans les réactions allergiques.

La science n'a pas encore découvert un niveau de toxicité pour les protéines, même chez les Eskimos et autres populations dont l'alimentation est très riche en protéines, mais elle a établi qu'une consommation excessive de certains acides aminés, notamment l'histidine, peut être dangereuse.

Les acides gras

Les graisses jouent un rôle important dans le plaisir que nous prenons à manger. Si on retire toutes les graisses de la nourriture, on en élimine également une bonne partie de la saveur et des odeurs appétissantes et on écarte du même coup toutes les vitamines liposolubles (dont nous reparlerons au chapitre 5). Pensez à l'odeur d'une viande rôtie ou des oignons frits, à la manière dont la crème glacée glisse sur votre langue, au croustillant des chips, au goût prononcé des fromages fermentés, ou à la saveur que le beurre ou la crème fraîche ajoutent aux pommes de terre cuites à la vapeur.

Même si vous n'appréciez pas beaucoup les graisses, elles constituent l'un des aliments les plus satisfaisants qui soient pour votre estomac. Les graisses possèdent ce que les nutritionnistes appellent un pouvoir de satiété. Les repas riches en graisses restent dans l'estomac bien plus longtemps que ceux qui n'en contiennent pas. C'est pourquoi vous vous sentirez repu plus longtemps si vous prenez du poulet rôti et des biscuits au beurre que si vous vous contentez d'une salade et d'une tranche de poisson poché. La graisse corporelle assure l'entretien de la peau. C'est elle qui donne aux cheveux leur brillant et leur santé. Elle constitue une couche isolante sous la peau et amortit les chocs au niveau des reins et des glandes mammaires. Mais *sa principale fonction* consiste à répondre aux exigences constantes de l'organisme en matière de *carburant.* La graisse nous permet de faire face aux deux tiers de nos besoins en énergie, et la masse grasse de notre corps nous fournit des réserves de carburant dont les capacités sont presque infinies.

Lors du processus de la digestion, les graisses se décomposent en acides gras (voir : Les différentes formes de graisses, p. 50), qui sont véhiculés dans le sang sous forme de globules particuliers, recouverts de protéines (décrits plus en détail au chapitre 17).

Les graisses nous fournissent essentiellement de l'énergie, mais elles jouent aussi d'autres rôles bien plus actifs dans notre organisme. Elles participent à l'entretien des membranes cellulaires et des vaisseaux sanguins, synthétisent un certain nombre d'hormones, transmettent des impulsions nerveuses, et assurent le bon fonctionnement de la mémoire.

Les nutritionnistes n'ont découvert que récemment un nouveau domaine d'activité des acides gras : la production de prostaglandines. Il s'agit de composés hormonaux qui régulent un grand nombre des fonctions de l'organisme. On a identifié une centaine de prostaglandines, et elles assurent notamment le contrôle de la dilatation et de la contraction des vaisseaux sanguins, la coagulation du sang, elles modèrent la réaction des tissus à certaines hormones, gouvernent la contraction des muscles lisses (notamment ceux de l'utérus) et altèrent la transmission des impulsions nerveuses. Il existe même dans le lait maternel une prostaglandine qui protège le tube digestif des bébés.

Malgré toutes les utilisations que nous faisons de la graisse, il existe une mauvaise compréhension – et une certaine hésitation, même chez les nutritionnistes – quant au rapport qui existe entre les graisses que nous consommons et celles que notre organisme produit. Prenons l'exemple du cholestérol. C'est un membre de la famille des graisses présent à la fois dans notre corps et dans notre alimentation. La plupart d'entre nous savent que le cholestérol peut se déposer dans les artères et augmenter les risques de maladies cardio-vasculaires. C'est ce qui a donné au cholestérol une si mauvaise réputation.

Pourtant, notre organisme a besoin de cholestérol pour produire la bile (qui nous permet de digérer les graisses), la vitamine D, et les hormones sexuelles comme la testostérone et les œstrogènes. Cela signifie-t-il qu'il faut consommer beaucoup d'aliments riches en cholestérol pour se procurer une quantité suffisante de ces nutriments? Pas nécessairement, car notre foie produit son propre cholestérol au rythme de cinquante quadrillons (c'est-à-dire cinquante suivi de quinze zéros) de molécules par seconde, soit un à deux grammes par jour. Or, notre foie n'a pas besoin d'utiliser le moindre acide gras pour cela. Il peut produire du cholestérol à partir des substances issues de la décomposition des acides aminés ou du glucose.

Dans la mesure où notre corps produit une telle quantité de cholestérol, est-il mauvais d'en consommer un peu en plus? Il est difficile de situer le seuil du risque, car le rapport entre le cholestérol consommé et celui que produit l'organisme n'est pas encore clairement établi.

Si nous produisons la plus grande partie de la graisse de notre corps et si nous pouvons fabriquer une substance aussi complexe que le cholestérol à partir des dérivés des hydrates de carbone que nous consommons, peut-on considérer qu'il existe un besoin réel de graisses alimentaires? Au-delà de notre besoin de calories, existe-t-il des raisons précises de veiller à ce qu'un certain nombre d'acides gras entrent dans notre alimentation?

Ce sont des questions auxquelles les nutritionnistes n'ont pas su répondre avant 1929, lorsque des chercheurs de l'université de Berkeley, en Californie, ont découvert que des rats qui ne consommaient pas de graisses ne grossissaient plus ou perdaient du poids. L'état de leur peau et de leur queue se détériorait, et ils finissaient par mourir de troubles rénaux. D'autres chercheurs ont démontré par la suite (à l'occasion d'une expérience menée en 1937 et qui ne serait plus autorisée aujourd'hui) que les enfants humains eux aussi manifestaient des troubles de la croissance et des lésions cutanées lorsque leur régime ne comprenait pas ce que l'on a appelé depuis les acides gras essentiels (que l'on désigne aussi par l'abréviation AGE).

Les nutritionnistes n'ont pas toujours été certains – et ne le sont pas encore tout à fait aujourd'hui – de la nature exacte des acides gras essentiels. Cependant, ils ont prouvé très tôt que les humains étaient incapables de synthétiser l'acide linoléique, qui est vital pour la croissance (et, nous l'avons appris récemment, qui est aussi la source des prostaglandines).

Il a fallu attendre la création de la NPT pour déterminer si un autre acide gras, l'acide linolénique, était essentiel ou non. On pensait que l'organisme ne pouvait pas synthétiser cette substance, et ses dérivés chimiques sont importants pour le fonctionnement du cerveau et la vue, mais les chercheurs n'avaient jamais réussi à en déceler une carence chez les animaux ou les humains. Mais récemment, un enfant sous NPT a commencé à souffrir de troubles visuels ainsi que d'ankylose, de fourmillements et de douleurs dans les jambes – des symptômes qui correspondent à ceux qu'aurait une carence d'acide linolénique sur la vision et le système nerveux central. Ces troubles disparurent après l'addition d'acide linolénique dans le sachet de NPT de cet enfant.

Actuellement, les acides linoléique et linolénique sont les seuls qui soient presque unanimement reconnus comme essentiels.

Parmi les symptômes d'une carence en acides gras, on peut citer, outre une altération de l'état de la peau, une réduction de la capacité à réparer les tissus endommagés et une moindre résistance aux infections. Dans les études effectuées sur les animaux, l'absence des acides gras essentiels a non seulement interrompu la croissance et endommagé les reins, mais aussi provoqué la stérilité, fragilisé les vaisseaux sanguins et les globules rouges, causé un dépôt de cholestérol dans les poumons, le foie, sous la peau, et dans les glandes surrénales, et entraîné une dilatation du cœur.

Peu de graisses sont toxiques, et vous ne risquez pas d'overdose même si vous en consommez une quantité extraordinaire (mais vous vous exposerez ainsi à des troubles gastriques considérables). Néanmoins, un régime alimentaire trop riche peut présenter de nombreux dangers pour votre santé. Tout d'abord, cela crée un risque de maladie cardiaque, fondé sur le rapport entre les graisses alimentaires et le cholestérol qui risque d'obstruer les artères (nous évoquerons ce sujet en détail au chapitre 17). Il semble également exister un lien entre une consommation élevée de graisses et le cancer du sein, du côlon, et de l'utérus (voir chapitre 19).

Il existe un rapport très précis entre les graisses et l'obésité. Plus notre alimentation est riche en graisses, plus nous risquons de gagner des kilos excédentaires, ce qui accroît d'autant les risques de maladies.

LES DIFFÉRENTES SORTES DE GRAISSES

Les substances que nous appelons graisses sont désignées par les nutritionnistes sous le nom de lipides : il s'agit de composés insolubles dans l'eau. De nombreuses substances correspondent à cette définition, et leurs effets sur l'organisme sont très variés. Le **cholestérol**, par exemple, possède une structure assez différente de celle des autres graisses. Ses molécules complexes sont construites sur quatre anneaux de carbone liés entre eux.

Cependant, la plupart des graisses présentent une structure chimique simple : elles sont constituées d'atomes de carbone liés les uns aux autres comme les perles d'un collier qui peut comprendre jusqu'à vingt atomes. Chaque chaîne compose un acide gras. Au lieu de flotter librement, ces chaînes sont généralement reliées, par trois, à une petite molécule organique appelée **glycérol**. Imaginez un cintre − le glycérol − dont pendraient trois rubans (les acides gras). L'ensemble est appelé **triglycéride**.

Où interviennent les graisses saturées et les graisses non saturées? Pour comprendre leur rôle, il faut en savoir un peu plus au sujet des atomes de carbone. Chaque atome de carbone peut se lier avec d'autres atomes dont le nombre peut monter jusqu'à quatre. Dans la longue chaîne qui forme un acide gras, tous les atomes de carbone, excepté ceux qui se trouvent à chaque extrémité, sont liés aux atomes de carbone qui se trouvent au-dessus et au-dessous ·d'eux. Ils peuvent également se lier à des atomes d'hydrogène, à raison d'un de chaque côté, pour les relier. Les atomes d'hydrogène dépassent de la chaîne que forme l'acide gras comme les pattes d'un mille-pattes. Mais en modifiant sa structure chimique, l'acide gras peut aussi relâcher certains de ces atomes d'hydrogène, deux par deux.

Un acide gras **saturé** est un acide qui comporte autant d'atomes d'hydrogène qu'il peut en tenir. Les acides saturés se trouvent principalement dans les viandes et les produits laitiers entiers et moins souvent dans les légumes, même si quelques huiles végétales, comme l'huile de noix de coco (que l'on trouve dans certains magasins diététiques) font partie des lipides les plus saturés que l'on connaisse.

S'il manque deux atomes d'hydrogène à l'acide gras, celui-ci est dit **mono-insaturé**, comme les acides gras prédominants dans l'huile d'olive et les avocats. S'il manque plus de deux atomes d'hydrogène, l'acide est dit **poly-insaturé**, comme ceux que l'on trouve le plus fréquemment dans les huiles végétales et les poissons gras.

Les graisses très saturées peuvent présenter un risque pour le cœur (comme nous le verrons au chapitre 17), tandis que les graisses non saturées amoindrissent ce risque. Cependant, les graisses poly-insaturées ne sont pas nécessairement plus efficaces dans la lutte contre les troubles cardiaques que les graisses mono-insaturées.

Les margarines peuvent poser des pièges. Elles sont faites à partir d'huiles végétales riches en graisses poly-insaturées, mais elles sont souvent hydrogénées pour rester plus fermes à température ambiante. Cela signifie qu'on a ajouté des atomes d'hydrogène qui transforment certaines graisses poly-insaturées en graisses saturées et d'autres en certains acides gras insaturés qui se comportent comme des graisses saturées.

D'une manière générale, plus une graisse est liquide à une température donnée, plus elle contient d'acides insaturés.

Chapitre 4

LES VITAMINES HYDROSOLUBLES :
B ET C

La plupart des gens associent immédiatement le mot *vitamines* au mot *nutrition*. En effet, la publicité et la promotion de ces produits ont créé une illusion selon laquelle la nutrition se limite à l'absorption de vitamines.

Jusqu'à une époque très récente, les vitamines constituaient un mystère; elles étaient considérées comme des substances presque magiques, dont chacune possédait des pouvoirs particuliers. Certaines pouvaient améliorer l'état de votre peau, d'autres pouvaient vous éclaircir les idées (luttant contre la dépression et même la schizophrénie), soigner votre rhume, ou vous donner une énergie considérable. Toutes ces croyances ne reposaient pas sur des données scientifiques précises, mais la publicité a créé un marché considérable pour les vitamines, qui sont des produits très vendus en pharmacie.

Aujourd'hui on sait que les vitamines B ne vous aident pas à lutter contre le stress psychologique et que la vitamine E n'améliore pas vos facultés sexuelles. En fait, l'image des vitamines comme une panacée magique n'était pas très réaliste.

Il semble que la plupart de ces convictions idéalistes reposaient sur le raisonnement suivant : si une carence d'une certaine vitamine nous rendait plus vulnérables à une maladie, une dose plus importante de cette même vitamine pouvait combattre cette maladie. Si un manque d'une certaine vitamine provoquait une perte d'une capacité physique donnée, une quantité importante de cette vitamine devait renforcer cette capacité. Cependant, s'il est vrai qu'une carence en vitamine E peut diminuer les capacités sexuelles chez les rats, il n'y a pas de raison d'en conclure qu'un supplément de vitamine E améliorera cette capacité chez les humains. De la même manière, le fait qu'une carence d'une vita-

53

mine B, la niacine, peut provoquer une certaine forme de psychose ne signifie pas que des quantités importantes de niacine puissent aider les schizophrènes.

Les doses importantes de vitamines se sont révélées utiles seulement dans le cas de certaines maladies héréditaires qui comportent des troubles du métabolisme. Et même dans ces cas, les médecins déclarent que les vitamines doivent être prescrites et absorbées avec la même prudence que tout autre médicament.

Le succès des suppléments de vitamines nous a appris qu'elles ne sont pas sans danger. Ceux qui ont essayé de prendre des doses massives de vitamines – dix fois ou plus les quantités recommandées par les nutritionnistes – en ont démontré les risques de manière évidente. Même des doses relativement modérées de certaines vitamines liposolubles comme la vitamine A sont toxiques. De plus, les quantités excessives de vitamines qui ont longtemps été considérées comme inoffensives, comme la vitamine B_6, entraînent également des conséquences.

Le risque des abus a conduit de nombreux médecins, qui n'avaient jamais été très favorables à ces suppléments, à considérer l'utilisation répandue de ces produits avec une prudence accrue. Lors d'un sondage récent, on a demandé à plus de mille médecins américains de donner leur avis quant à l'importance de différentes activités liées à la santé (le port de la ceinture de sécurité, l'abandon du tabac, la réduction de la consommation de cholestérol, etc.); ils ont placé l'absorption de suppléments de vitamines en tout dernier lieu dans cette liste.

Des substances vitales

Cependant, un échantillon comparable de diététiciens s'est révélé bien moins sceptique. Dans cet autre sondage, plus de 60 % des diététiciens ont déclaré prendre eux-mêmes des suppléments de vitamines (généralement des multivitamines et de la vitamine C). Ainsi, ces professionnels de la nutrition se montraient deux fois plus enclins que le grand public à investir dans la nutrition, et à juste titre. Les vitamines, si elles ne sont pas magiques, sont tout de même essentielles, et des recherches récentes indiquent qu'un grand nombre d'entre nous ne consommons pas des doses appropriées de toutes ces substances vitales.

En principe, un adulte actif en bonne santé dont l'alimentation comporte deux à trois mille kilocalories par jour ne devrait pas avoir besoin d'un supplément de vitamines. Notre nourriture en contient suffisamment. En fait, la carence en vitamines est un problème assez rare actuellement dans les pays occidentaux.

Il n'en reste pas moins que notre consommation moyenne de vitamines n'est pas idéale; elle n'est pas assez insuffisante pour causer le scorbut ou le béribéri, mais elle n'est pas aussi élevée qu'elle devrait l'être. Le principal problème tient au fait que la plupart d'entre nous ne consomment pas les bons aliments. La malnutrition est un phénomène répandu dans les familles aux revenus modestes (où les enfants sont les plus exposés) et chez les personnes âgées. Parmi les personnes des classes moyennes, c'est généralement le régime amaigrissant qui est responsable des carences en vitamines. C'est particulièrement vrai chez les femmes.

Certaines catégories de la population, comme les femmes enceintes ou en période d'allaitement et leurs jeunes enfants, présentent des besoins nutritifs particuliers. D'autres risquent de connaître certaines déficiences en vitamines; c'est le cas des fumeurs, des alcooliques, des patients atteints de certaines maladies, des personnes sous traitement médical et des toxicomanes.

Ces besoins particuliers n'ont rien de mystérieux. Même si nous ne connaissons pas encore parfaitement les mécanismes de chaque vitamine, nous savons exactement ce qu'elles font, et nous savons également ce qui peut entraîner des risques de carence. Nous décrirons dans des chapitres ultérieurs les aliments qui sont les meilleures sources pour les différentes vitamines, nos besoins nutritifs particuliers en fonction de notre âge, et le rôle que jouent certaines vitamines dans la maladie et la santé. Mais il faut d'abord comprendre la fonction que remplit chaque vitamine dans l'organisme, et cela commence par la réponse à une question toute simple : qu'est-ce exactement qu'une vitamine?

Les vitamines sont ce « petit plus » de l'alimentation, sans lequel nous ne pourrions pas survivre mais dont pratiquement personne ne soupçonnait l'existence jusqu'au début de ce siècle. Les meilleurs chercheurs avaient bien quelques idées à ce sujet. Dès 1880, un savant estonien, Nikoli Lunin, avait essayé d'administrer à des souris un lait synthétique, soigneusement mis au point à l'aide de tous les composants du lait qui étaient alors connus. Les souris étaient mortes. En revanche, lorsqu'il donnait du vrai lait de vache aux souris, elles survivaient. Lunin en conclut que le lait devait contenir « de petites quantités de substances inconnues essentielles à la vie ».

Plus de vingt ans plus tard, deux chercheurs néerlandais, travaillant indépendamment, découvrirent quelques-unes des «substances inconnues» de Lunin dans le petit-lait et dans les cosses du riz et d'autres graines. En 1907, l'équipe norvégienne qui allait démontrer que la vitamine C pouvait prévenir l'apparition du scorbut entama ses expériences sur des cobayes. Mais c'est un jeune biologiste polonais travaillant à Londres, Casimir Funk, qui donna à ces substances mystérieuses le nom de «vitamines».

Funk, qui s'installa plus tard aux États-Unis (où il poursuivit son étude jusqu'à sa mort en 1967), émit en 1914 l'hypothèse selon laquelle une carence de vitamines pouvait provoquer le scorbut, le béribéri, la pellagre et le rachitisme, toutes ces maladies étant dues à des déficiences alimentaires. Il avait raison. Mais on ignorait encore s'il n'y avait qu'une vitamine essentielle ou si elles étaient très nombreuses.

Puis, deux ans plus tard, des chercheurs de l'université du Wisconsin découvrirent que les vitamines pouvaient avoir une forme liposoluble ou hydrosoluble [1]. Ils appelèrent vitamine A la substance liposoluble du petit-lait, et vitamine B l'élément hydrosoluble découvert dans les cosses des graines. Avec l'acceptation du terme de «vitamine» inventé par Funk et du système alphabétique des chercheurs du Wisconsin, la science avait trouvé une manière de désigner ces étranges éléments de notre alimentation.

Toutes sont essentielles à notre santé

Le fait de savoir comment on les nomme ne nous indique pas ce que sont les vitamines, et la vérité est qu'elles sont très difficiles à décrire.

Les vitamines sont des composés organiques et, comme toute matière organique, elles contiennent des atomes de carbone issus d'une matière vivante ou qui fut vivante dans le passé. En tant que composés, les vitamines peuvent se décomposer, brûler, ou se transformer à l'intérieur ou à l'extérieur de l'organisme.

Le plus important est que *toutes* les vitamines sont, par définition, essentielles à notre santé, soit parce que l'organisme ne peut les synthétiser, soit parce qu'il n'en produit pas suffisamment. Pour qu'une substance soit considérée comme une vitamine, les chercheurs doivent prouver que son absence entraîne une carence.

1. Liposoluble : soluble dans des corps gras, véhiculée par les lipides; hydrosoluble : soluble dans des aliments riches en eau, absorbée en présence d'eau.

Ils ont dénombré treize vitamines dont la carence entraîne des déficiences.

Ces déficiences peuvent apparaître de diverses manières. Les vitamines participent à la plupart des fonctions de notre corps, même si leur rôle est secondaire. Sans elles, le désordre s'installe. Les fonctions normales sont entravées, les cellules s'affaiblissent, et l'action de plusieurs organes est perturbée.

En revanche, quand nous recevons les vitamines en quantités suffisantes, elles contribuent à nous maintenir en parfaite santé. La plupart jouent un rôle déterminant dans la croissance. Certaines sont vitales pour la reproduction, la digestion, et le bien-être des tissus. Les vitamines déterminent le rythme auquel notre corps puise dans ses réserves d'énergie, et elles participent à la conversion métabolique des acides aminés, des acides gras et des hydrates de carbone. Elles maintiennent notre esprit en alerte et nous permettent de combattre les infections bactériennes.

LES VITAMINES HYDROSOLUBLES

Quand les chercheurs de l'université de Wisconsin ont découvert qu'il existait deux types de vitamines – liposolubles et hydrosolubles – ils n'ont pas compris immédiatement que leur vitamine B appartenait à toute une famille de vitamines parentes. Il a d'ailleurs fallu attendre des années pour que la substance permettant de prévenir le scorbut, qui avait été découverte par des Norvégiens au début du siècle, soit identifiée comme une autre vitamine hydrosoluble (que nous appelons aujourd'hui vitamine C). Les nutritionnistes reconnaissent désormais l'utilité de neuf vitamines hydrosolubles dans notre alimentation. La vitamine C en fait partie, de même que huit vitamines B : la thiamine (B_1), la riboflavine (B_2), la niacine (B_3 ou PP), l'acide pantothénique (B_5), l'acide folique ou folacine (B_9), la biotine (B_8 ou H), et les vitamines B_6 et B_{12}.

Les vitamines C et B se trouvent dans toutes les parties liquides de notre alimentation et accomplissent leurs tâches dans les parties aqueuses des cellules de notre organisme. Elles sont évacuées rapidement par les reins et éliminées dans les urines.

Des doses trop élevées de certaines vitamines hydrosolubles, particulièrement la vitamine B_6, qui affecte le fonctionnement des nerfs, se sont récemment révélées très dangereuses.

Les vitamines hydrosolubles sont beaucoup moins résistantes

que leurs parentes liposolubles. Vulnérables à la chaleur, elles sont souvent éliminées lors de la cuisson à raison de 20 à 50 % ou du traitement des aliments, et certaines d'entre elles peuvent même être détruites par la lumière. Mais elles sont relativement faciles à remplacer. A quelques exceptions près (notamment la vitamine B_{12}), les vitamines hydrosolubles sont présentes dans un grand nombre d'aliments.

Les huit vitamines B ont beaucoup de points communs; c'est pourquoi elles constituent une famille. Elles possèdent même une entreprise familiale, celle de la construction et de la démolition. Toutes les vitamines B aident les protéines appelées enzymes à désintégrer les vieux composés pour en créer de nouveaux (voir : Comment fonctionnent les vitamines hydrosolubles, p. 59). Sans les vitamines B, notre organisme ne serait pas en mesure de convertir le carburant en énergie, et l'état de notre peau et de nos cheveux se détériorerait.

Les vitamines B (comme la plupart des vitamines) sont essentielles à une croissance normale et peuvent être particulièrement importantes pendant la grossesse. Elles sont nécessaires à la reproduction, assurent le bon fonctionnement du cerveau, du système nerveux et du système de défense de l'organisme, et sont indispensables à l'entretien de notre sang.

LA VITAMINE B1 (thiamine)

FONCTION Contribue à la conversion des hydrates de carbone en énergie et entretient le fonctionnement du système nerveux.

QUANTITÉ QUOTIDIENNE CONSEILLÉE POUR ADULTES Hommes : 1,4 mg; femmes :1 mg.

SYMPTÔMES DE CARENCE *Modérée* : dépression, pertes de concentration, fatigue, perte de l'appétit, constipation, crampes. *Grave* : béribéri (troubles nerveux, paralysie, problèmes cardiaques).

RISQUES DE TOXICITÉ Faibles.

EFFETS TOXIQUES Aucun observé.

La thiamine fut la première vitamine B synthétisée; appelée vitamine B_1, elle est principalement connue pour son effet préventif contre le béribéri, maladie très connue de nos ancêtres dans les pays occidentaux et devenue aujourd'hui fréquente en Extrême-

Orient après l'apparition du riz poli (c'est-à-dire débarrassé de sa cosse). Le béribéri sape l'énergie, amoindrit l'appétit, et paralyse les jambes. Dans ses étapes ultérieures, il s'attaque à un certain nombre de nerfs, notamment ceux qui contrôlent le bon fonctionnement du cœur.

C'est un médecin de la marine néerlandaise qui établit le premier lien entre l'alimentation et le béribéri lorsqu'il nota en 1880 que les marins indiens étaient moins exposés à cette maladie quand ils bénéficiaient de rations alimentaires de type européen au lieu du seul riz blanc auquel ils étaient habitués. Mais c'est une expérience menée plus tard sur l'île de Java, dans le laboratoire du service médical hollandais de l'Inde-Orientale, qui montra exactement quel nutriment manquait à ces marins. Les médecins y apprirent que les victimes de cette maladie souffraient de l'absence d'un ingrédient présent dans la cuticule du riz, c'est-à-dire sa cosse extérieure (qui disparaît lors du traitement), et ils parvinrent à isoler cet élément en 1926.

Outre les céréales complètes, peu d'aliments contiennent des quantités importantes de thiamine : on en trouve dans les abats comme le foie et les rognons, le porc, les haricots, et les arachides. De plus, la thiamine que l'on trouve dans les aliments est fragile; elle ne supporte pas vraiment la chaleur sèche, se dissout dans l'eau de cuisson, et peut se perdre lors du traitement des aliments. Il existe également des enzymes destructrices de la thiamine dans d'autres aliments (comme le poisson cru), qui anéantissent cette vitamine dans le tube digestif.

Par conséquent, la plupart d'entre nous se procurent la thiamine dont ils ont besoin sous une forme synthétique (capsules, dragées, tablettes, solutions, vendus en pharmacie).

COMMENT FONCTIONNENT LES VITAMINES HYDROSOLUBLES?

Toutes les vitamines hydrosolubles – la vitamine C et les vitamines B – travaillent avec des enzymes, c'est-à-dire les protéines qui gouvernent le métabolisme. Ces protéines sont chargées de détruire et de réunir tous les composés dont notre corps a besoin pour fonctionner. Les vitamines et les autres substances qui travaillent avec les enzymes sont appelées *coenzymes*.

En fait, les vitamines B doivent se joindre à d'autres composés chimiques de l'organisme pour devenir des coenzymes actives.

Lorsqu'elles sont prêtes à entreprendre leur action chimique, elles peuvent travailler avec les enzymes de deux manières différentes : soit en tant que coenzymes jointes (liées en permanence à leur enzyme), soit en tant que coenzymes libres.

LA VITAMINE B₂ (riboflavine)

FONCTION Contribue à la conversion de tous les carburants de l'organisme en énergie et assure l'entretien des différents tissus.

QUANTITÉ QUOTIDIENNE CONSEILLÉE POUR ADULTES Hommes : 1,6 mg; femmes : 1,2 mg.

SYMPTÔMES DE CARENCE Rougissement de la bouche, douleurs de la langue, craquelures aux commissures des lèvres, rougissement des yeux, sensibilité à la lumière et autres troubles de la vision, douleurs du visage, et anémie dans les cas extrêmes.

RISQUES DE TOXICITÉ Faibles.

EFFETS TOXIQUES Aucun observé.

La carence de riboflavine n'est connue que dans les pays du tiers monde. En effet, les gens n'y bénéficient pas souvent des sources les plus riches de cette vitamine (foie, rognons et levure) ou des autres sources importantes (autres viandes, produits laitiers et œufs). Ils peuvent obtenir de la riboflavine dans les légumes, les fruits, les haricots, les tubercules, ou les graines, mais tous ces aliments en sont des sources relativement faibles.

En revanche, les carences de riboflavine sont peu connues dans les pays occidentaux. Nous consommons des aliments qui sont de bonnes sources de cette vitamine, et nous tirons environ 25 % de la riboflavine dont nous avons besoin du fromage blanc, des œufs et du lait qui doivent figurer tous les jours dans notre alimentation.

Cette vitamine supporte bien la chaleur, mais elle est très sensible à la lumière. A l'époque où le lait était livré dans des bouteilles de verre transparent et restait souvent au soleil sur le seuil des portes, il pouvait perdre plus de la moitié de sa riboflavine en deux heures. Aujourd'hui encore, les lumières fluorescentes utilisées dans les supermarchés peuvent détruire en partie la riboflavine et d'autres vitamines dans le lait à faible teneur en matières grasses conditionné dans des récipients transparents. Des études effectuées dans des universités américaines ont révélé ce fait.

Les chercheurs peuvent produire certains symptômes extrêmes de carence chez les animaux de laboratoire, notamment des cataractes, la paralysie, l'affaiblissement, et même la mort, mais les humains ne souffrent pas de tels troubles. Même si vous vous obstiniez à éliminer toute riboflavine de votre alimentation, il faudrait plusieurs mois pour qu'apparaissent les symptômes lès plus légers d'une carence.

LA VITAMINE B$_5$ (acide pantothénique)

FONCTION Contribue à la désintégration et à l'utilisation des graisses; aide à la formation du cholestérol et de plusieurs hormones vitales.

QUANTITÉ QUOTIDIENNE CONSEILLÉE POUR ADULTES 4 à 7 mg.

SYMPTÔMES DE CARENCE (constatés uniquement lorsqu'ils sont provoqués par expérience) : Nausées, maux de tête, fatigue, perte de sensibilité des mains et des pieds, crampes; réduction de la production d'anticorps; modification possible de la personnalité, troubles du sommeil, perte de coordination.

RISQUES DE TOXICITÉ Faibles.

EFFETS TOXIQUES Aucun observé.

On ne peut s'inquiéter au sujet de l'acide pantothénique. Son nom même, qui signifie « de partout », nous indique qu'il existe fort peu de risques de manquer de cette vitamine, que l'on trouve dans tous les tissus animaux et végétaux. Aucun être humain n'a jamais manifesté de symptômes évidents d'une carence en acide pantothénique dans des conditions normales. Cependant, il constitue une vitamine B essentielle au métabolisme travaillant à plusieurs étapes de la décomposition des nutriments et de leur utilisation pour produire de l'énergie.

LA VITAMINE B$_3$ OU PP (niacine)

FONCTION Contribue à l'oxydation des graisses, des hydrates de carbone et des acides aminés dans les cellules afin de produire de l'énergie.

61

QUANTITÉ QUOTIDIENNE CONSEILLÉE POUR ADULTES Hommes : 18 mg; femmes : 13 mg.
SYMPTÔMES DE CARENCE *Modérée :* enflement de la langue et altération de la surface de la langue. *Grave :* pellagre.
RISQUES DE TOXICITÉ Modérés.
EFFETS TOXIQUES Irritation de la muqueuse gastrique, ulcères de l'estomac, diabète, perturbation du fonctionnement du foie, jaunisse.

Avec la thiamine, la riboflavine et l'acide pantothénique, la niacine participe au processus complexe consistant à transformer le carburant de l'organisme en énergie. Cette vitamine travaille également dans tous les tissus. Mais contrairement à la riboflavine et à l'acide pantothénique, pour lesquels les risques de carence sont très limités, l'absence de niacine peut entraîner des conséquences très graves. Le manque de niacine est largement responsable de la pellagre, une maladie qui était encore très répandue dans les États du sud des États-Unis au début de ce siècle et qui donna lieu à une épidémie dont les proportions furent étonnantes.

La pellagre était apparue pour la première fois en Europe presque un siècle et demi auparavant. En fait, ce sont les Italiens qui ont donné son nom à cette maladie, à partir des mots *pelle agra*, signifiant « peau rugueuse ou douloureuse », en raison des éruptions cutanées très rouges qui apparaissent le plus souvent sur le visage, les mains ou les pieds. Les victimes de cette maladie souffrent également de la bouche et de la langue et il se produit une inflammation du tube digestif. Par la suite, d'autres symptômes apparaissent, notamment une diarrhée avec perte de sang et l'anémie.

Les symptômes de la pellagre peuvent cependant se manifester beaucoup plus tôt, et les médecins caractérisaient autrefois le syndrome de la pellagre sous le terme « les trois D » : dermatite, diarrhée et démence. Les troubles mentaux commencent par l'irritabilité, l'angoisse et la dépression et évoluent ensuite vers une perte de la raison, des hallucinations, et même un véritable délire. En 1917, alors que la pellagre faisait des ravages aux États-Unis, 200 000 cas furent recensés et la moitié des personnes internées dans des institutions psychiatriques étaient considérées comme des victimes de la pellagre.

Lorsque le ministère américain de la Santé ordonna une enquête à ce sujet, les chercheurs se concentrèrent sur un premier indice : l'étrange lien qui semblait exister entre la pellagre et une alimentation principalement fondée sur le maïs. Les médecins avaient établi cette relation depuis longtemps et soupçonnaient l'infection de provenir du maïs. C'est le directeur des services de santé de l'époque, Joseph Goldberger, qui prouva que la pellagre était uniquement causée par l'alimentation. Il démontra que le foie, la levure, les produits laitiers et les autres bonnes sources de vitamines B pouvaient prévenir l'apparition de cette maladie. Peu après, les spécialistes des vitamines de l'université du Wisconsin découvrirent la substance qui permettrait d'éviter la pellagre : un mélange d'acide nicotinique et de nicotinamide qui s'appelait niacine; c'est ainsi qu'après la Deuxième Guerre mondiale, la pellagre était devenue très rare.

Les carences en niacine sont exceptionnelles dans les pays occidentaux de nos jours. Nous pouvons en effet répondre à nos besoins en consommant des aliments qui sont assez riches en niacine. La viande, le poisson, le soja, les arachides et la levure en sont d'excellentes sources.

La plupart des Occidentaux n'ont pas besoin de prendre des suppléments de niacine pour se préserver d'une carence, mais un grand nombre de personnes prennent tout de même de la niacine sous forme de médicament. Les médecins prescrivent fréquemment l'acide nicotinique (qui dilate les vaisseaux sanguins, facilitant la circulation) pour lutter contre les troubles cardio-vasculaires.

Quel que soit l'objectif thérapeutique, les surdoses de niacine comportent des risques importants. On peut sans danger consommer des doses allant jusqu'à trente fois nos besoins, mais le risque d'effets toxiques s'accroît considérablement au-delà de cette limite.

LA VITAMINE B₆ (pyridoxine)

Fonction Rôle dans la régulation de l'activité du système nerveux. Contribue également à la désintégration et à l'utilisation des acides aminés, à la conversion des acides aminés en énergie, à la libération de glucose par le foie, au métabolisme des acides gras, à la régénération des globules rouges, et à la production d'anticorps.

Quantité quotidienne conseillée pour adultes Hommes : 2,2 mg; femmes : 2 mg.

Personnes pouvant bénéficier de suppléments Personnes au régime, femmes enceintes ou en période d'allaitement, adolescents, jeunes enfants et personne âgées.

SYMPTÔMES DE CARENCE   *Modérée* : plaies autour de la bouche et des yeux, langue lisse. *Grave* : nausées, vomissements, malaises, anémie, calculs rénaux, troubles nerveux extrêmes (pouvant aller jusqu'aux convulsions).

RISQUES DE TOXICITÉ   Modérément élevés.

EFFETS TOXIQUES   Engourdissement et picotements dans les mains et les pieds, difficultés à marcher, vives douleurs de la colonne vertébrale.

Nous avons beaucoup appris récemment au sujet de la vitamine B_6. Elle pourrait présenter des bienfaits que nous ne soupçonnions pas. En revanche, comparée aux autres vitamines B, la vitamine B_6 présente des risques certains. Et si certaines personnes ne consomment pas suffisamment de cette substance, d'autres ont tendance à en abuser.

Que peut faire la vitamine B_6 pour vous ? Elle peut amoindrir la gravité des crises d'asthme et soulager les symptômes du syndrome du canal carpien (il s'agit d'un pincement très douloureux d'un nerf du poignet, qui a provoqué l'arrêt de travail permanent d'un grand nombre d'employés de bureau).

Cependant, il ne semble pas évident que la vitamine B_6 soit efficace pour soulager le syndrome prémenstruel, même si beaucoup de femmes ne jurent que par cette vitamine. Il n'existe pas de raison physiologique pour que cette substance ait une influence sur les troubles précédant les règles et aucune étude ne l'a confirmé.

Certains effets thérapeutiques de la vitamine B_6 sont exagérés, mais le risque de carence est très réel. De toutes les vitamines essentielles, la vitamine B_6 et l'acide folique (évoqué par la suite) sont ceux qui présentent les plus forts risques de carence. Il est vrai que l'on trouve la vitamine B_6 dans la plupart des aliments qui contiennent les autres vitamines B (céréales complètes, pommes de terre, un certain nombre de légumes, la viande rouge maigre, le poisson et la volaille). Mais cette vitamine est extrêmement sensible à l'air, à la chaleur et à la lumière, et elle est souvent éliminée lors du traitement et de la cuisson.

C'est pourquoi la plupart des gens consomment moins de vitamine B_6 que ne le recommandent les nutritionnistes. Les candidats les plus évidents à la carence sont les personnes qui suivent un régime, les femmes enceintes ou en période d'allaitement, les alcooliques et les personnes âgées.

Les carences en vitamine B_6 sont sans doute bien plus fréquentes qu'on ne le croit. Les carences légères présentent peu de signes visibles, même si le niveau des anticorps, des globules rouges et de certaines hormones peut en être affecté. En revanche, une carence plus importante se révèle de manière évidente : le premier signe est constitué par des douleurs au niveau de la bouche et une langue lisse.

Cependant, une carence grave en vitamine B_6 peut provoquer des nausées, une anémie, et de très importants troubles nerveux, notamment des convulsions. Ces derniers symptômes font apparaître le rôle très important de la vitamine B_6 dans l'entretien des tissus nerveux et la formation d'un certain nombre de neurotransmetteurs qui permettent aux cellules nerveuses de communiquer entre elles. L'activité de la vitamine B_6 est si concentrée dans le cerveau que les niveaux de vitamine B_6 sont cinquante fois plus élevés dans cet organe que dans le sang.

S'il peut être utile de prendre modérément quelques suppléments de vitamine B_6, les surdoses présentent des risques importants. Une utilisation raisonnable de cette substance assure la protection du système nerveux (elle se prescrit en duo sous forme de supplément vitamines B_1-B_6), mais une surdose risque au contraire de l'endommager.

LA VITAMINE H OU B_8 (biotine)

FONCTION Participe à la transformation du glucose en énergie et à la formation des acides gras, des protéines et des acides nucléiques (le matériau génétique des cellules).
QUANTITÉ QUOTIDIENNE CONSEILLÉE POUR ADULTES 0,3 mg.
PERSONNES POUVANT BÉNÉFICIER DES SUPPLÉMENTS Patients souffrant de troubles intestinaux et jeunes enfants vulnérables sur le plan héréditaire.
SYMPTÔMES DE CARENCE Langue douloureuse et irritée, douleurs musculaires, insomnies, nausées, perte de l'appétit, faible anémie.
RISQUES DE TOXICITÉ Faibles.
EFFETS TOXIQUES Aucun observé.

Chez les adultes comme chez les enfants, la carence en biotine est presque inconnue. La biotine est présente dans la plupart des aliments riches en vitamines B, et cette substance ne se désintègre pratiquement pas lors du traitement et de la cuisson. Cependant, ce qui nous assure un apport convenable en biotine n'est pas tant la nourriture que les bactéries qui se trouvent dans nos intestins, et qui produisent cette vitamine. La plus grande partie de nos besoins de biotine est comblée par notre propre organisme. Par conséquent, il n'existe pas de risque de carence à moins que ces micro-organismes ne soient mis hors d'action pour une raison quelconque, comme dans le cas du traitement d'une infection intestinale ou d'une utilisation prolongée d'antibiotiques.

Les fortes doses de biotine ne se sont pas révélées toxiques. Par contre, elles ne semblent pas non plus être utiles. La biotine a la réputation de favoriser la repousse des cheveux, mais ces effets n'ont jamais pu être prouvés scientifiquement. On peut même affirmer que les piqûres et lotions à base de biotine n'inversent en aucun cas le processus de la calvitie.

LA VITAMINE B$_9$ (acide folique ou folacine)

FONCTION   Participe à la production de l'acide nucléique, essentiel à la multiplication rapide des cellules, ainsi qu'à la formation de l'hémoglobine.

QUANTITÉ QUOTIDIENNE CONSEILLÉE POUR ADULTES 0,01 à 0,4 mg, jusqu'à 0,8 mg pour les femmes enceintes.

PERSONNES POUVANT BÉNÉFICIER DE SUPPLÉMENTS Femmes enceintes, patients atteints de brûlures, de pertes de sang, de maladies de la peau, de troubles digestifs, de cancer, utilisateurs de certains médicaments (notamment ceux qui contiennent du soufre et les contraceptifs oraux).

SYMPTÔMES DE CARENCE Anémie, langue lisse et enflée, diarrhée et autres troubles gastro-intestinaux.

RISQUES DE TOXICITÉ Faibles.

EFFETS TOXIQUES Aucun observé.

L'organisme n'a pas besoin de grandes quantités d'acide folique, mais un besoin extraordinaire de cette substance apparaît quand une accélération de la production des cellules devient nécessaire. Les brûlures et les hémorragies créent ce besoin, de même que le cancer et d'autres maladies, comme la rougeole, qui détruisent les tissus de la peau. Pour compliquer les choses, beaucoup de médicaments interrompent les effets de cette vitamine (comme nous le verrons plus en détail au chapitre 22).

Les médecins se sont également inquiétés de savoir si les femmes enceintes consommaient suffisamment d'acide folique (notamment en cas de grossesses multiples). Ils ont découvert que les carences en acide folique étaient provoquées par des troubles digestifs et par l'alcoolisme (car l'alcool empêche l'absorption chimique de l'acide folique). Cependant, jusqu'en 1962, les médecins ignoraient qu'une mauvaise alimentation pouvait à elle seule entraîner une déficience en acide folique.

Cette année-là, un jeune hématologue de Boston, Victor Herbert, s'obligea à suivre un régime alimentaire totalement privé d'acide folique afin de prouver que cette absence pouvait provoquer une forme d'anémie due à la carence en acide folique.

Herbert avait en effet appris qu'un patient était traité pour le scorbut et pour cette forme d'anémie se nourrissait exclusivement de hamburgers, de beignets et de café. Les hamburgers étaient préparés dans un établissement central, puis envoyés aux points de vente répartis dans la ville, après être restés quelque temps sur une table chauffante. Le patient achetait ses hamburgers dans l'un de ces points de vente. A ce moment, la vitamine C et l'acide folique (qui est très sensible à la chaleur) en avaient été totalement éliminés. Herbert pensait que le problème se situait à ce niveau.

Herbert suivit donc ce régime scrupuleusement pendant plus de quatre mois. Il ne consommait aucun aliment frais, aucun produit cru, beaucoup de riz et de pommes de terre, du poulet et des hamburgers trop cuits, et des sardines à l'huile de soja. Cette nourriture lui fit perdre douze kilos, mais il prouva qu'il avait raison : il manifesta en effet les signes de l'anémie particulière dont souffrait le patient.

Cette anémie résulte de l'incapacité de l'organisme à produire de nouveaux globules rouges dans la moelle osseuse. Le nombre des globules rouges plus vieux diminue, et ils transportent moins de molécules d'hémoglobine chargées d'oxygène. Le manque d'acide folique provoque cette réaction car cette vitamine est nécessaire à la production des acides nucléiques (l'ADN et l'ARN), qui constituent les cellules.

Pour manifester une carence d'acide folique, il faudrait se contenter d'une alimentation comportant très peu de produits frais et beaucoup de conserves, ce qui est rare aujourd'hui. Vous trouvez largement assez d'acide folique non seulement dans le foie, la levure, et les légumes verts, mais aussi dans les haricots secs, les oranges et la farine complète.

Les effets toxiques de l'acide folique sont rares, même si vous en prenez des doses énormes.

LA VITAMINE B$_{12}$ (cobalamine)

FONCTION   Contribue à la production de l'acide nucléique, à

67

la formation des globules rouges, à la croissance des cellules nerveuses et à leur protection.

QUANTITÉ QUOTIDIENNE CONSEILLÉE POUR ADULTES 3 mcg.

PERSONNES POUVANT BÉNÉFICIER DE SUPPLÉMENTS Les végétariens stricts et les personnes génétiquement vulnérables à l'anémie pernicieuse.

SYMPTÔMES DE CARENCE *Modérée* : fatigue, faiblesse, perte de poids, douleurs du dos, de la langue, picotements dans les mains et les pieds, apathie et autres signes de troubles affectifs. *Grave* : mauvaises réactions immunitaires, paralysie, dégénérescence de la moelle épinière, anémie pouvant être fatale.

RISQUES DE TOXICITÉ Faibles.

EFFETS TOXIQUES Aucun observé.

La vitamine B$_{12}$ et l'acide folique sont des cousins biochimiques très proches. Ces deux substances contribuent en effet à la production des acides nucléiques si importants pour une multiplication rapide des cellules.

Un manque de vitamine B$_{12}$ peut entraîner une anémie semblable quant à ses effets sur le sang à celle que provoque une déficience en acide folique, mais ses conséquences sont bien plus graves, car la vitamine B$_{12}$ est également nécessaire à la croissance des cellules nerveuses et à l'entretien de la gaine qui les protège. Par conséquent, en plus de l'anémie, une carence de vitamine B$_{12}$ peut créer une paralysie progressive qui se déclare d'abord dans les membres avant d'atteindre la moelle épinière.

Cette carence est si grave qu'elle a été baptisée anémie pernicieuse. Cette maladie a été décrite pour la première fois par un médecin anglais en 1849, mais les médecins n'ont rien pu faire pour la soigner jusqu'en 1926. Cette année-là, une équipe de chercheurs de Boston constata qu'une consommation importante de foie – pouvant aller jusqu'à 250 grammes par jour – permettait de rétablir la production des globules rouges. Plus tard, des concentrés de foie ont été commercialisés pour traiter cette maladie. Et en 1948, la vitamine B$_{12}$ (la dernière de la liste) fut découverte par l'isolation d'un pigment rouge dans le foie.

Pour la plupart d'entre nous, il serait difficile d'aboutir à une carence en vitamine B$_{12}$ par une mauvaise alimentation. Nous n'avons besoin que de très faibles quantités de cette substance, environ 3 microgrammes par jour. Quand on sait qu'il faut cinq grammes de sucre pour remplir une cuiller à café, on peut imaginer ce que représentent trois millionièmes de gramme. De plus, des adultes qui se nourrissent normalement peuvent stocker jusqu'à 5 à 10 milligrammes (1 milligramme représentant 1000 microgrammes) dans leur foie, soit une quantité suffisante pour vivre plusieurs années; la vitamine B_{12} est celle dont les réserves sont les plus importantes dans notre corps.

Il n'en reste pas moins que certaines personnes manifestent des carences en vitamine B_{12}. En tête de liste on trouve les végétaliens stricts, qui évitent non seulement la viande, mais aussi le lait et les œufs. On les oppose aux ovo-lacto-végétariens, qui consomment du lait et des œufs. Ces végétaliens stricts sont vulnérables car la vitamine B_{12} ne se trouve que dans les aliments d'origine animale (excepté les infimes quantités que les plantes puisent dans le sol). La viande, les fruits de mer, les œufs et les produits laitiers (autres que le beurre) sont des sources particulièrement bonnes de vitamine B_{12}. En revanche, il n'y a pas de vitamine B_{12} dans la levure de bière (qui contient la plupart des autres vitamines B), ni dans les céréales, les fruits ou les légumes.

Les Occidentaux qui ont choisi d'être végétaliens peuvent se préserver des carences en consommant des suppléments, mais on trouve étonnamment peu de cas de déficiences dans les populations traditionnellement végétariennes des pays en voie de développement. L'explication la plus évidente tient au fait que la vitamine B_{12}, produite par des microbes dans les intestins des humains et des animaux, se retrouve par la suite dans le sol et dans l'eau. Il en résulte une source de vitamine B_{12} suffisante pour permettre aux végétariens d'éviter une carence.

Plus encore qu'une déficience alimentaire, l'absence de la protéine produite dans l'estomac et qui transporte la vitamine B_{12} des intestins dans le sang est inquiétante. Si l'organisme ne produit pas cette protéine, que les nutritionnistes appellent le facteur intrinsèque, pour une raison quelconque (notamment en raison d'un problème héréditaire qui en interrompt la production vers le milieu de la vie), il ne peut obtenir la vitamine B_{12} dont il a besoin. Or, un manque du facteur intrinsèque autre que celui qui est dû à une carence alimentaire provoque presque toujours une anémie pernicieuse.

Dans ce cas, il faut injecter des suppléments de vitamine B_{12}, de manière à éviter de passer par le tube digestif. C'est toutefois le *seul* cas où on fait appel à des piqûres plutôt qu'à des tablettes de vitamine B_{12}, même si aujourd'hui les injections de vitamine B_{12} sont souvent considérées comme un traitement magique pour un certain nombre de maux.

Une carence en vitamine B_{12} peut donner lieu à des symptômes semblables à deux de certains troubles neurologiques; c'est pourquoi on prescrit souvent cette vitamine en cas d'apparition de tels symptômes. Certains médecins font également appel à des doses massives de vitamine B_{12} pour remédier à toutes sortes de troubles métaboliques lors desquels l'organisme ne produit plus toutes les substances dont il a besoin. Le problème tient au fait que la vitamine B_{12} ne peut corriger ces troubles que s'ils sont causés par une absence de cette vitamine. Dans tous les autres cas, la vitamine B_{12} ne peut être d'un grand secours, même si elle ne peut pas non plus faire beaucoup de mal. Les signes de toxicité sont si rares que l'on utilise souvent des tablettes de vitamine B_{12} comme placebos.

LA VITAMINE C (acide ascorbique)

FONCTION C'est un antioxydant (voir : Qu'est-ce qu'un antioxydant? p. 72). Elle favorise la cicatrisation et combat les infections, contribue au métabolisme des acides aminés, elle est nécessaire à la synthèse du collagène et améliore l'absorption du fer.

QUANTITÉ QUOTIDIENNE CONSEILLÉE POUR ADULTES 60 mg.

PERSONNES POUVANT BÉNÉFICIER DE SUPPLÉMENTS Les fumeurs; les personnes qui utilisent régulièrement l'aspirine, les contraceptifs oraux, les tétracycline, et certains autres médicaments; les patients qui se remettent d'une infection, d'une blessure ou d'une intervention chirurgicale.

SYMPTÔMES DE CARENCE *Modérée* : agitation, enflement ou saignements des gencives, égratignures superficielles, douleurs articulatoires, perte d'énergie, et anémie due à une carence de fer. *Grave* : scorbut.

RISQUES DE TOXICITÉ Faibles.

EFFETS TOXIQUES Nausées et vomissements, diarrhée, calculs rénaux, perte des globules rouges, altération de la moelle osseuse.

Si on organisait un sondage concernant la vitamine que les gens croient la plus précieuse, la vitamine C l'emporterait haut la main. Les suppléments de vitamine C se vendent par milliers chaque année, bien que personne ne sache encore vraiment comment cette substance remplit ses fonctions dans notre organisme.

Les aliments riches en vitamine C préviennent et soignent le scorbut, naturellement; nous le savions bien avant que cette vitamine ne soit connue. De plus, la vitamine C aide l'organisme à cicatriser et à résister aux infections et elle lui permet de supporter les températures extrêmes. Il y a également des raisons de croire que la vitamine C renforce les défenses du corps contre le cancer.

La plupart d'entre nous prennent des suppléments de vitamine C pour une raison plus simple : pour soigner le rhume. Cette idée fut lancée vers 1970 par le chimiste Linus Pauling, deux fois lauréat du prix Nobel (de chimie en 1954, et de la paix en 1962). Pauling préconisait des doses préventives qui étaient assez fortes – jusqu'à 10 grammes par jour, soit plus de cent cinquante fois la dose conseillée par les nutritionnistes. Plus de vingt études menées à ce sujet n'ont pas permis de déceler les bienfaits de ces doses énormes.

L'histoire de la vitamine C est largement faite d'espoirs déçus. Elle a été utilisée pour soulager les symptômes du diabète, de l'arthrite, des allergies et du stress, mais elle ne semble pas être utile dans le traitement de ces troubles. De plus, il ne semble pas se confirmer que la vitamine C puisse réduire les taux de cholestérol dans le sang, ni stopper ou inverser l'athérosclérose (le « durcissement des artères » provoqué par des dépôts de graisse le long de leurs parois).

Toutefois, même si la vitamine C n'est pas aussi magique que nous voudrions le croire, c'est tout de même une substance très puissante et aux usages multiples. Avant que James Lind ne découvre en 1747 que les oranges et les citrons pouvaient permettre de traiter le scorbut, les vaisseaux anglais accomplissaient des voyages qui n'excédaient pas trois mois, car le scorbut provoquait des ravages chez les marins en cas de traversées plus longues. C'est Lind qui rendit possible les expéditions exploratrices du capitaine James Cook, qui veilla à remplir les soutes de son navires de fruits et de légumes frais à chaque escale. C'est d'ailleurs Cook qui découvrit la valeur « ascorbique » (c'est-à-dire préventrice du scorbut) de la choucroute.

Malgré le bon exemple donné par Cook, un autre explorateur anglais, l'impétueux capitaine Robert Scott, commit plus tard l'erreur fatale de ne pas tenir compte des risques de scorbut. Scott et ses compagnons succombèrent à cette maladie au retour de leur expédition au pôle Sud en 1912, un an après que les chercheurs norvégiens eurent démontré le besoin de ce que la littérature médicale appelait alors la « vitamine antiscorbut » ou « antiscorbutine ».

Freiner le scorbut n'est pas un mince exploit, car cette maladie vicieuse attaque l'organisme en plusieurs endroits vitaux. Cela commence par la fatigue, un aspect rugueux de la peau, des saignements des gencives, et se poursuit par des douleurs articulatoires, un assèchement de la bouche et une perte des cheveux. Finalement, le scorbut endommage les os et les muscles, y compris le cœur. Les blessures ne cicatrisent plus, les dents se déchaussent, les infections sont fréquentes, et la mort peut survenir brusquement, très souvent à la suite d'une hémorragie interne très grave.

Le scorbut est aujourd'hui une maladie rare, mais il arrive qu'une maladie appelée scorbut latent se manifeste chez les nourrissons dont l'alimentation se limite au lait chaud. Ils deviennent agités et irritables, et souffrent d'enflement des gencives et de douleurs dans les articulations et dans les jambes.

Étant donnée l'importance de l'assaut que lance le scorbut contre l'organisme, il semble presque incroyable que cette maladie puisse être maîtrisée en cinq jours seulement par des doses quotidiennes de 10 milligrammes environ de vitamine C. Cela ne correspond qu'au sixième de la dose recommandée pour les adultes en bonne santé. Même quand nous ne souffrons d'aucune maladie, nous avons besoin de vitamine C en plus grande quantité que de toutes les autres vitamines.

Les nutritionnistes ont une idée assez précise des endroits du corps où la vitamine C est active, mais ils ne sont pas certains de ce qu'elle fait au juste. En revanche, certains de ses rôles ne laissent place à aucun doute. En tant qu'antioxydant, la vitamine C protège les vitamines qui s'oxydent facilement et les acides gras, les empêchant d'être détruits par le processus de l'oxydation. Elle participe à la production du collagène, la protéine si efficace que l'organisme utilise pour effectuer les réparations, ce qui explique aussi pourquoi le scorbut empêche la cicatrisation des blessures. Elle contribue également au métabolisme des acides aminés et à l'absorption du fer.

QU'EST-CE QU'UN ANTIOXYDANT?

Les irréductibles des suppléments de vitamines ont souvent tendance à prendre toutes sortes d'antioxydants. La vitamine C en est un, de même que les vitamines A et E. Mais que sont au juste les antioxydants, et pourquoi en avons-nous besoin?

L'oxydation, c'est-à-dire le processus chimique par lequel nous brûlons notre carburant, est une opération essentielle; elle fournit en effet à l'organisme une énergie utilisable. Mais au cours du processus de l'oxydation, il se crée certaines molécules instables qui contiennent de l'oxygène dans des configurations uniques. Ces molécules se décomposent pour former ce que l'on appelle les **caux libres,** des molécules très actives qui se dispersent dans le corps en oxydant et en détruisant des tissus afin de créer d'autres radicaux libres. Selon certains chercheurs, ces réactions en chaîne pourraient contribuer à l'apparition du cancer et au vieillissement.

Il faut considérer les radicaux libres comme les pyromanes de l'organisme, les antioxydants jouant le rôle des pompiers. La vitamine E est l'antioxydant naturel le plus puissant, mais les autres vitamines ont également un rôle à jouer. Dans les cellules des membranes et des muscles, la vitamine E protège les acides gras contre les attaques des radicaux libres. Dans les poumons, où il se produit toujours d'importantes opérations d'oxydation, la vitamine A protège non seulement la muqueuse des parois, mais aussi les globules rouges qui traversent les poumons pour y prendre leur cargaison d'oxygène à délivrer dans tout l'organisme.

Jusqu'à une époque assez récente, les nutritionnistes pensaient que les vitamines constituaient notre seule protection contre les radicaux libres. Mais nous savons aujourd'hui que l'acide urique (autrefois considéré comme un simple déchet) est également un antioxydant puissant.

Cependant, si tous ces antioxydants sont essentiels à un fonctionnement normal de l'organisme, on ne sait pas encore si le fait de prendre des doses supplémentaires de vitamines A, C et E peut retarder le vieillissement ou prévenir le cancer.

La vitamine C est manifestement un nutriment très actif. Le besoin peut en augmenter considérablement lorsque l'organisme est aux prises avec une infection (notamment en cas de fièvre), et les réserves de vitamine C sont rapidement épuisées par le processus de cicatrisation lorsque le corps a été endommagé par une blessure ou une intervention chirurgicale.

Les suppléments de vitamine C sont nécessaires si vous utilisez régulièrement certains médicaments – comme l'aspirine, les contraceptifs oraux, ou la tétracycline – ou si vous fumez. Toutefois, il peut être difficile de procurer à l'organisme des quantités satisfaisantes de vitamine C, car les fruits et les légumes sont à peu près les seules sources naturelles de cette substance. La vitamine C est fragile et survit rarement au traitement et à la cuisson. Ainsi, la vitamine C qui est présente dans le lait est éliminée par la pasteurisation (en revanche, les fruits surgelés et le jus d'orange sont d'excellentes sources de vitamine C). Cependant les risques de surdoses ne sont pas anodins.

Un supplément quotidien de 5 à 10 grammes (5 000 à 10 000 milligrammes) de vitamine C peut provoquer des nausées et des vomissements. (Mais si vous n'en abusez pas, le superflu de vitamine C sera excrété dans les selles et les urines.) La vitamine C prise en excès peut aussi entraîner la diarrhée et même des calculs rénaux.

Cette vitamine entrave également certains examens médicaux pratiqués sur l'urine ou les selles. Chez les patients qui prennent de fortes doses de vitamine C, le test classique de recherche du sang dans les selles est toujours négatif, que du sang soit présent ou non. De plus, des surdoses de vitamine C rendent impossibles les analyses d'urine destinées à révéler la présence de glucose (un élément de diagnostic essentiel pour les diabétiques).

Les patients atteints d'autres affections ont également des raisons de se méfier des excès de vitamine C. Si vous avez besoin de prendre des anticoagulants – des médicaments destinés à ralentir la coagulation du sang – les surdoses de vitamine C risquent de perturber leur action. Si vous souffrez d'une maladie de sang génétique comme l'anémie cellulaire, un abus de vitamine C peut provoquer l'autodestruction de vos globules rouges fragilisés.

Même si votre santé est relativement bonne, le fait de consommer plus de vitamine C que votre organisme ne peut en supporter affectera votre capacité d'absorption du fer. En effet, même si cette vitamine *favorise* habituellement l'absorption du fer, les doses excessives peuvent avoir l'effet inverse. Le fer a besoin de cuivre pour s'intégrer aux globules rouges. Plusieurs études ont fait apparaître qu'une dose d'un gramme et demi (1 500 milligrammes) de vitamine C par jour, consommée aux heures des repas, pouvait réduire la quantité de cuivre présent dans le sang. Résultat : une aptitude amoindrie à fabriquer de nouveaux globules rouges (nous reviendrons en détail sur ce problème au chapitre 7). Nous avons également des raisons de soupçonner les excès de vitamine C de perturber l'utilisation de la vitamine B_{12} par l'organisme. Les femmes enceintes ont deux bonnes raisons de ne pas abuser de la vitamine C : tout d'abord des études effectuées sur des animaux ont démontré que des doses considérables de cette vitamine pouvaient entraîner un avortement spontané. De plus, celles qui en abusent risquent de développer une dépendance qu'elles transmettront ensuite à leur bébé, qui pourrait alors être victime du scorbut si on ne lui fournissait pas des doses particulièrement fortes de vitamine C.

Même si ce type de dépendance est rare, il peut apparaître chez tous ceux qui surchargent leur organisme de vitamine C pendant une période prolongée. Lorsque cela se produit, cette vitamine se transforme en une drogue à accoutumance. Le corps réagit à ces excès en activant une enzyme dont l'unique objet est de détruire cette substance. Si vous revenez alors à des doses normales d'une manière trop brusque, sans procéder de façon progressive, l'enzyme continuera à travailler. C'est alors que des symptômes de manque peuvent survenir, et il s'agit de signes d'une carence en vitamine C.

LES VITAMINES ET LE STRESS

Lorsque les nutritionnistes affirment que le stress augmente les besoins de certaines vitamines, ils ne parlent pas du stress psychologique provoqué par les ennuis professionnels, les soucis d'ordre financier, ou les problèmes affectifs. Ils parlent du stress physique, des exigences particulières vis-à-vis de l'organisme qui se présentent en cas de températures extrêmes, de blessure ou d'infection. C'est alors que les réserves de notre corps en vitamines antistress peuvent s'épuiser en nous aidant à supporter le froid, à cicatriser les blessures ou les brûlures, ou à combattre les infections. En période de stress physique intense, les expériences effectuées sur des animaux montrent que les glandes surrénales puisent un surplus de vitamine C dans le sang. La plupart des vitamines B se trouvent également plus occupées, notamment l'acide folique, qui joue un rôle déterminant dans la production de nouveaux globules rouges et l'entretien du système immunitaire. Cependant, le besoin de fortes doses de vitamines supplémentaires n'apparaît que dans les cas *extrêmes*, et non en cas de grippe légère ou à la suite d'une nuit blanche.

Chapitre 5

LES VITAMINES LIPOSOLUBLES :
A, D, E ET K

La distinction établie en 1916 entre vitamines hydrosolubles et vitamines liposolubles est toujours valable aujourd'hui. Mais nous savons maintenant qu'il existe quatre vitamines liposolubles et qu'elles se comportent de manière très différente des neuf vitamines hydrosolubles (voir : Le fonctionnement des vitamines liposolubles, ci-dessous).

Les vitamines liposolubles (A, D, E et K) se trouvent généralement dans les aliments gras : viande, poisson, produits laitiers non écrémés, et huiles végétales. Cependant, les légumes jaunes et verts sont également de bonnes sources de vitamines A et K. Les vitamines liposolubles se déplacent dans les graisses. Elles quittent le tube digestif avec les graisses, voyagent dans le corps dans une enveloppe de graisse, et sont emmagasinées dans les tissus gras. Cela les rend moins fragiles que les vitamines hydrosolubles; elles survivent plus facilement à la cuisson et aux divers traitements de l'industrie alimentaire.

C'est aussi pour cette raison qu'il est plus difficile de s'en débarrasser, car elles ne peuvent pas quitter le corps dans l'urine. Cette stabilité relative présente certains avantages. Le corps peut utiliser les vitamines liposolubles pendant plus longtemps, et les carences sont plus longues à apparaître. Mais il y a aussi quelques inconvénients. Ces vitamines peuvent en effet s'accumuler jusqu'à des niveaux dangereux, et vous risquez beaucoup plus de souffrir d'une intoxication de ces vitamines que des vitamines hydrosolubles.

COMMENT FONCTIONNENT LES VITAMINES LIPOSOLUBLES?

Contrairement aux vitamines B, dont le but est d'aider les enzymes à faire leur travail, les vitamines liposolubles sont des agents indépendants. Comme la vitamine C, elles exercent leur tâche de façon isolée dans l'organisme. Toutefois, la manière exacte dont elles travaillent est plus mystérieuse encore que dans le cas des vitamines hydrosolubles.

Nous savons que la vitamine D est transformée en une hormone, une substance qui indique à certaines cellules qu'il faut entamer un processus précis ou l'interrompre. Sous cette forme, la vitamine D régule l'aptitude des cellules de l'intestin à absorber le calcium.

On sait aussi précisément que le bêta-carotène (ou provitamine A), qui se trouve dans de nombreux légumes, est transformé en une forme active de la vitamine A, celle-ci étant à son tour convertie en substances chimiques qui participent à la formation des membranes cellulaires de la rétine des yeux, et de la substance qui capte la lumière et qui est responsable de la vision. On en sait beaucoup moins au sujet du rôle des vitamines A et E en tant qu'antioxydants. De même, les mécanismes par lesquels la vitamine K participe à la coagulation du sang et à la formation des os font actuellement l'objet d'études intensives.

LA VITAMINE A (rétinol)

FONCTION Entretient la vision; particulièrement importante pour la vision nocturne. *En tant qu'antioxydant, elle protège les cellules contre les radicaux libres.* Participe à la fabrication des dents et des os, à l'entretien de la peau, des cheveux, des gencives, des muqueuses, des gaines protectrices des cellules nerveuses. Nécessaire pour les fonctions de reproduction.

QUANTITÉ QUOTIDIENNE CONSEILLÉE POUR ADULTES Hommes : 1000 mcg; femmes : 800 mcg.

PERSONNES POUVANT BÉNÉFICIER DE SUPPLÉMENTS Enfants (notamment dans les familles pauvres et les pays du tiers monde).

SYMPTÔMES DE CARENCE Difficultés de vision la nuit et autres troubles visuels plus graves; détérioration des dents, dessèchement de la peau ou acné, diarrhée et autres troubles intestinaux, moindre résistance aux infections, notamment au niveau des muqueuses protectrices des parois des poumons, de la vessie, et d'autres organes.

RISQUES DE TOXICITÉ Élevés.

EFFETS TOXIQUES Vision brouillée, maux de tête, nausées, peau rugueuse, diarrhée, problèmes psychologiques (dépression). *Extrême* : détérioration du foie et des os.

A l'époque d'Hippocrate, les médecins prescrivaient déjà la vitamine A aux patients qui souffraient de troubles de la vision la nuit. Naturellement, ils ignoraient qu'ils prescrivaient une vitamine, mais ils savaient que le foie pouvait être utile. Au début du xxe siècle, les médecins n'en savaient pas beaucoup plus, si ce n'est que l'huile de foie de morue avait remplacé le foie comme remède pour les troubles visuels de nuit chez les enfants.

En 1913, deux équipes de chercheurs établirent la preuve du besoin de vitamine A. Ils maintinrent des rats en état de privation de toute graisse, à l'exception du lard. Le premier groupe de rats fit apparaître des troubles de croissance, et ces rats finirent par mourir; les chercheurs administrèrent alors à un deuxième groupe de rats un régime comprenant de l'huile de foie de morue, du beurre ou des jaunes d'œufs, désormais reconnus comme de bonnes sources de vitamine A. Ces rats s'épanouirent.

Nous savons aujourd'hui que la vitamine A ne provient pas exclusivement des aliments d'origine animale. Elle peut également être produite à partir du bêta-carotène et d'autres caroténoïdes, qui sont les pigments qui colorent les légumes jaunes et orange. Les nutritionnistes mesurent maintenant la vitamine A en Équivalents Rétinol (ER). Un ER est égal à 1 mcg de rétinol – le type de vitamine A présent dans les produits d'origine animale – ou 6 mcg de bêta-carotène.

Nous en savons aussi un peu plus quant au rôle de cette vitamine, qui ne se limite pas à l'entretien de la vision. La vitamine A favorise la constitution des os, et elle contribue à la désintégration des tissus osseux nécessaire à la poursuite de la croissance. C'est l'un des nutriments nécessaires à la bonne santé de la peau, des dents et des gencives, des glandes reproductrices et des gaines protectrices des cellules nerveuses. Un manque de vitamine A risque de réduire votre résistance aux infections et d'entraîner une baisse considérable de la production de globules rouges.

Cette vitamine contribue également à l'entretien des membranes muqueuses – dont l'importance devient évidente quant on connaît le nombre de ces membranes qui se trouvent dans notre corps. Les poumons, l'estomac et les intestins ont des parois recouvertes de ces membranes, de même que toutes les voies qui mènent à ces organes. On trouve également des muqueuses dans les paupières et les sinus, ainsi que dans la vessie, l'utérus et le vagin.

Dans les yeux, le rétinol, qui est la forme la plus répandue de vitamine A, contribue à la formation des molécules pigmentées de la rétine, où les ondes lumineuses sont captées avant d'être transformées en impulsions nerveuses. En cas d'insuffisance de rétinol, on peut constater une cécité nocturne. Ce problème est rare dans les pays occidentaux, mais il est encore trop fréquent chez les enfants des pays du tiers monde.

En cas de carence chronique de vitamine A, les yeux deviennent sensibles à la lumière et ne peuvent plus sécréter de larmes. Cette maladie, appelée xérophtalmie, entraîne souvent une infection et finalement la cécité. Elle frappe cinq cent mille enfants d'Asie du Sud-Est chaque année. Pourtant, les moyens de prévention – consommation de mangues riches en carotène, de potirons, et de légumes verts – sont souvent accessibles et peu coûteux.

Les carences en vitamine A sont assez rares dans les pays occidentaux. Le lait entier et demi-écrémé est une bonne source de cette substance, notamment pour les enfants. On en trouve également dans les œufs. Malgré tout, bon nombre d'enfants n'obtiennent pas des quantités satisfaisantes de vitamine A.

Les adultes relativement bien nourris peuvent se priver de vitamine A pendant assez longtemps sans manifester de symptômes de carence, car la plupart d'entre nous possèdent dans leur foie des réserves de vitamine A pouvant nous permettre de vivre plus d'un an. Cependant, quand ces réserves s'épuisent, des manifestations très graves de carence peuvent survenir très rapidement.

L'avitaminose A peut également être créée par un déséquilibre des autres nutriments. Si votre régime ne comporte pas suffisamment de zinc (voir chapitre 7), la vitamine A que recèle votre foie rique de ne pas être en mesure de remplir ses fonctions. Le zinc est en effet nécessaire pour sortir la vitamine A du foie. Les protéines sont tout aussi nécessaires. Pourtant, les effets d'une carence en vitamine A sont moins graves quand ils sont provoqués par un manque d'aliments d'origine animale qui procurent à la fois des protéines et de la vitamine A. Sans les protéines nécessaires à l'acheminement de cette vitamine, l'organisme ne peut puiser aussi facilement dans ses réserves et celles-ci durent plus longtemps.

En revanche, si on consomme subitement une forte quantité de protéines sans y ajouter de la vitamine A, toutes ces protéines s'empresseront de vider le foie de sa vitamine A et provoqueront une carence très grave. Cela s'est produit au Brésil, lorsque l'UNI-CEF a distribué du lait écrémé accompagné de capsules de vitamine A aux familles pauvres. Beaucoup de parents donnèrent le lait à leurs enfants et consommèrent eux-mêmes la vitamine A ou la revendirent. Il en résulta une épidémie de cécité chez les enfants.

Aujourd'hui, les nutritionnistes s'intéressent autant aux maladies que la vitamine A peut traiter qu'à celles qui peuvent résulter d'une carence. Il semble que la vitamine A soit utile pour traiter l'acné, le psoriasis et d'autres maladies de la peau. Elle pourrait également jouer un rôle de prévention contre le cancer, car la plupart des morts dues aux cancer résultent de tumeurs situées dans les muqueuses dont la vitamine A assure l'entretien.

Toutefois, la consommation de suppléments de vitamine A peut aussi être dangereuse. La qualité liposoluble de cette vitamine, qui nous permet d'en conserver des réserves suffisantes pour un an, nous pose aussi des problèmes quand il s'agit de se débarrasser des excès. Il existe donc un risque d'empoisonnement si vous prenez des doses excessives de vitamine A pendant une période prolongée.

On peut dire qu'une consommation dix fois supérieure à celle qui est conseillée (1000 microgrammes, soit 1 gramme par jour) poursuivie sur plusieurs années, se révèle généralement excessive. Mais certains nutritionnistes estiment qu'une dose cinq fois supérieure à celle qui est conseillée pourrait entraîner des problèmes en quelques mois seulement.

Une chose est certaine : si vous consommez des doses considérables de vitamine A – 20 milligrammes ou davantage par jour – vous connaîtrez des ennuis plus rapidement. Des explorateurs de l'Arctique en firent l'expérience à leurs dépens quand ils consommèrent, au mépris des conseils de leurs guides, du foie d'ours polaire qu'ils ajoutèrent à leurs rations quotidiennes. Ils tombèrent gravement malades et souffrirent de troubles du foie, dont ils parvinrent heureusement à se remettre par la suite.

Un certain nombre d'enfants, à qui leurs parents donnèrent de la vitamine A à des doses supérieures à la norme, dans de bonnes intentions, mais à tort, manifestèrent quant à eux des maux de tête et des nausées. Leur peau était sèche et craquelée. Ils ressentirent par ailleurs des douleurs osseuses et des troubles du foie et des reins.

Il est difficile d'utiliser correctement la vitamine A. Les suppléments peuvent aider à la prévention des carences, voire même au traitement de certaines maladies, mais les risques de toxicité sont très réels. Toutefois, la toxicité de la vitamine A dépend de sa forme. Seuls le rétinol et les autres types de vitamine A présents dans les aliments d'origine animale sont susceptibles de provoquer des empoisonnements. Les caroténoïdes, c'est-à-dire les sources végétales de vitamine A, ne semblent pas toxiques, même en cas de consommation abusive. La pire conséquence d'un excès de caroténoïdes semble être la transmission à la peau de certaines des couleurs que ces pigments végétaux fournissent aux carottes et au potiron; votre peau risque donc de se teinter de jaune. C'est notamment en raison de leur caractère inoffensif que les recherches au sujet de l'utilisation des vitamines dans la prévention du cancer se concentrent sur ces composés qui semblent bénins (voir chapitre 19).

LA VITAMINE D (calciférol)

FONCTION Participe à la constitution des os et des dents, et assure le maintien des taux de calcium et de phosphore dans le sang; régule un grand nombre de fonctions cellulaires, notamment la division des cellules et l'activité métabolique.

QUANTITÉ QUOTIDIENNE CONSEILLÉE POUR ADULTES   5 mcg.

PERSONNES POUVANT BÉNÉFICIER DE SUPPLÉMENTS Personnes âgées.

SYMPTÔMES DE CARENCE *Immédiats* : faiblesse musculaire, somnolence; *A long terme* : détérioration des dents, déformation des os (rachitisme), grossissement du crâne chez les enfants, ramollissement des os (ostéomalacie) ou fragilité des os (ostéoporose) chez les adultes.

RISQUES DE TOXICITÉ Modérés.

EFFETS TOXIQUES *Bébés* : perte de l'appétit, croissance retardée, déformation des os. *Adultes* : maux de tête, vomissements et diarrhée, perte de poids, faiblesse musculaire; éventuellement hypercalcémie, c'est-à-dire excès de calcium dans le sang qui peut former des calculs rénaux et des dépôts dans d'autres organes.

Le rachitisme, qui est la maladie créée par la carence en vitamine D, est un mal de la civilisation. Au début des années 1930, le rachitisme était épidémique parmi les enfants qui grandissaient dans les villes; il affectait un enfant sur cinq. Cette maladie empêchait les os de se développer normalement, et à mesure que les

enfants prenaient du poids, les os avaient tendance à se fléchir. Il en résultait des jambes arquées, des genoux déformés, des articulations noueuses et autres malformations qui affectaient non seulement les jambes, mais aussi les bras, la poitrine, et la cage thoracique.

En fait, le rachitisme était déjà une vieille maladie à cette époque. Dans les villes industrielles surpeuplées et enfumées de l'Angleterre du XIXe siècle, cette maladie était si répandue parmi les enfants qu'on l'avait surnommée la maladie anglaise. Avant 1900, les médecins avaient compris que le manque de soleil dans ces villes sinistres était responsable de cette maladie et qu'une bonne exposition au soleil pouvait en stopper, voire même en inverser les symptômes.

Cependant, un médecin anglais, le Dr Edward Mellanby, était convaincu que les causes du rachitisme ne se limitaient pas à la privation de soleil. En 1918, il utilisa des chiots pour prouver que le rachitisme était provoqué par une déficience alimentaire à laquelle on pouvait remédier en consommant de l'huile de foie de morue. Quatre ans plus tard, les chercheurs de l'université du Wisconsin, qui avaient établi la différence entre vitamines hydrosolubles et vitamines liposolubles, montrèrent que l'huile de foie de morue permettait de prévenir le rachitisme même quand on la vidait de toute sa vitamine A. Ils prouvèrent ainsi l'existence d'une deuxième vitamine liposoluble, qu'ils nommèrent vitamine fixante du calcium, et par la suite vitamine D.

Les médecins du XIXe siècle, qui prescrivaient le soleil pour lutter contre le rachitisme, n'avaient cependant pas tort. Le soleil est en effet une source de vitamine D. Ses rayons ultra-violets transforment une substance grasse de notre peau (parente du cholestérol) en une vitamine D du même type que celle que l'on trouve dans la nourriture.

Dans l'organisme, la vitamine D est transformée en une hormone qui régule les taux de calcium et de phosphore dans le sang afin que des quantités satisfaisantes de ces minéraux soient disponibles pour la constitution des os. Sans cette hormone, les os des enfants ne peuvent se développer correctement, et les cartilages s'accumulent au niveau des articulations. Mais les os adultes, et notamment les os des personnes âgées, ont eux aussi besoin de ces minéraux. Sans eux, ils risquent de se ramollir (ostéomalacie) ou de devenir poreux et friables (ostéoporose).

Il est difficile de se procurer des quantités satisfaisantes de vitamine D *naturelle*, car on ne la trouve que dans quelques aliments, comme les œufs, les poissons gras et le foie. Ni le lait de vache, ni

le lait maternel ne contiennent toute la vitamine D dont les enfants ont besoin. En revanche, la vitamine D *synthétique* (sous forme de gouttes buvables) est très facile à trouver et peu coûteuse. Et c'est l'addition de cette substance au lait et aux autres aliments, plus que notre exposition au soleil, qui a permis de réduire considérablement les risques de rachitisme dans les pays occidentaux. Un certain nombre d'aliments sont donc renforcés de vitamine D, aux États-Unis. En France, la législation interdit l'adjonction de vitamine D dans les aliments.

LA VITAMINE E (tocophérol)

FONCTION   En tant qu'antioxydant, elle préserve l'organisme de l'action des radicaux libres. Contribue à la formation et à la protection des globules rouges, des muscles et d'autres tissus.

QUANTITÉ QUOTIDIENNE CONSEILLÉE POUR ADULTES *hommes* : 10 mg; *femmes* : 8 mg.

PERSONNES POUVANT BÉNÉFICIER DE SUPPLÉMENTS   Enfants prématurés.

SYMPTÔMES DE CARENCE   Aucun symptôme visible chez les adultes et les enfants en bonne santé, effet minime sur les globules rouges. Perte possible de tissus musculaires liée à une moins bonne digestion des graisses; d'autres symptômes peuvent se manifester chez les patients souffrant de troubles du foie et chez les enfants prématurés.

RISQUES DE TOXICITÉ   Faibles.

EFFETS TOXIQUES   Minimes; modification possible de l'activité hormonale, et risque éventuel de diminution de l'activité des globules blancs et des pouvoirs de coagulation, voire de troubles hépatiques.

Lorsque les expériences concernant la vitamine E furent entamées sur les animaux en 1922, il sembla tout d'abord que la science venait de découvrir une véritable supervitamine. Ce nouveau nutriment faisait réellement des merveilles chez les rats : ils semblaient incapables de se reproduire sans lui. Cette substance favorisait leur croissance et entretenait les muscles soutenant le squelette. De plus, en cas de privation de vitamine E, les rats et d'autres animaux de laboratoire souffraient de troubles cardiaques mortels, de maladies hépatiques et de détériorations du cerveau.

Cependant, chez les hommes et les femmes, la vitamine E ne s'est pas révélée être une telle panacée. Cela n'empêche pas les mythes de persister, et on prête encore de nos jours des vertus exagérées à cette vitamine, même si elle s'avère inefficace dans bien des cas. Elle ne saurait par exemple rétablir les facultés sexuelles ni les améliorer. Elle n'augmentera pas vos capacités athlétiques et ne vous aidera pas à résister à la myopathie, au cancer, aux troubles cardiaques, ni aux bouffées de chaleur de la ménopause. Elle ne saurait faire baisser le taux de cholestérol dans le sang ni prévenir les symptômes de vieillissement prématuré.

Il est difficile de trouver les bienfaits thérapeutiques précis de la vitamine E, mais les chercheurs estiment qu'elle peut amoindrir les risques de kystes bénins au niveau des seins, de claudication intermittente (un blocage artériel qui entraîne des douleurs dans les muscles des mollets), et certains symptômes du syndrome prémenstruel. Ces bienfaits, ainsi que la protection contre la fumée et la pollution que pourrait apporter cette vitamine aux poumons, correspondent bien à la fonction première de la vitamine E. C'est le plus puissant des antioxydants naturels.

La plupart d'entre nous tirent leur vitamine E des huiles végétales – l'huile de germe de blé en est l'une des meilleures sources –, ainsi que des haricots, des fruits, et des légumes. Le foie est également très riche en vitamine E, mais les graisses animales en contiennent relativement peu.

Les suppléments de vitamine E se vendent très bien chez les personnes intéressées par la nutrition, mais il ne semble pas que nous en ayons réellement besoin. Cette vitamine est présente dans de nombreux aliments de base, de sorte que les carences sont rares. Même dans les pays où la nutrition est difficile, d'autres déficiences apparaissent bien avant que le manque de vitamine E se fasse lui-même ressentir. Lors d'une étude effectuée sur six ans, au cours de laquelle des volontaires consommèrent des quantités minimes de cette vitamine, le pire symptôme que les chercheurs purent trouver après cinq ans de privation de vitamine E fut une certaine fragilité des globules rouges. Les hommes et les femmes dont l'organisme n'absorbe pas facilement les graisses peuvent manifester une réaction un peu plus forte, mais rien de plus qu'une légère perte de tissus musculaires.

Les principales victimes de l'avitaminose E sont de loin les nourrissons prématurés, qui sont nés avec des taux très faibles de vitamine E et de fer. Cette double carence provoque généralement une anémie; on peut aussi trouver des cas d'œdème, c'est-à-dire de rétention d'eau. Il semble maintenant que les suppléments de vitamine E puissent combattre les radicaux libres produits par la consommation de suppléments de fer et permettent par ailleurs de prévenir la fibroplasie qui est l'affection oculaire qui peut intervenir lorsque les enfants prématurés sont placés dans des couveuses où ils reçoivent de l'oxygène.

L'utilisation fréquente de surdoses de vitamine E a poussé les nutritionnistes à émettre des avertissements, même si la toxicité de la vitamine E semble minime. Il semble toutefois qu'à doses très excessives, par exemple dix fois le niveau quotidien conseillé, la vitamine E puisse perturber l'activité hormonale, modifier les taux de graisse dans le sang, empêcher les globules blancs de remplir leurs fonctions, et altérer la coagulation du sang.

LA VITAMINE K (phylloquinone)

FONCTION   Favorise la coagulation du sang et la formation des os.

QUANTITÉ QUOTIDIENNE CONSEILLÉE POUR ADULTES 70 à 140 mcg.

PERSONNES POUVANT BÉNÉFICIER DE SUPPLÉMENTS   Enfants nouveau-nés, adultes et enfants souffrant d'une baisse de l'activité des bactéries dans les intestins (souvent par suite de l'absorption d'antibiotiques).

SYMPTÔMES DE CARENCE   Mauvaise coagulation du sang et perturbation de la formation des os.

RISQUES DE TOXICITÉ   Faibles.

EFFETS TOXIQUES   Perte de globules rouges, jaunisse, risques de dommages au cerveau.

La vitamine K fut découverte au Danemark et nommée tout d'abord « vitamine de la coagulation » car elle favorise la coagulation du sang. Comme la plupart des autres vitamines liposolubles, la vitamine K travaille dans le foie, où elle collabore avec cinq ou six protéines qui participent à la fonction de coagulation.

Les sources alimentaires de vitamine K se limitent essentiellement aux légumes verts à feuilles, au fromage et, comme toujours, au foie, mais cela ne pose pas de problèmes importants à ceux qui détestent les légumes verts et le foie. En effet, la vitamine K est produite dans notre corps – mais pas *par* notre corps. Ce sont les bactéries présentes dans nos intestins qui produisent la vitamine K, et qui le font suffisamment bien pour que les carences n'apparaissent que dans des conditions anormales – par exemple quand les antibiotiques administrés pour combattre une infection intestinale réduisent la population bactérienne.

Les deux formes naturelles de cette vitamine – K_1, que l'on trouve dans les aliments, et K_2, produite dans les intestins – ne peuvent pas causer beaucoup de problèmes. Aucune d'elles ne s'est avérée très toxique, même en quantités exagérées. En revanche, les formes synthétiques et hydrosolubles de cette vitamine sont toxiques. En quantités trop fortes, elles entraînent une autodestruction des globules rouges et la production de pigment biliaire par le foie, susceptible d'endommager le cerveau.

Chapitre 6

MINÉRAUX : LES SEPT GRANDS

Parmi tous les éléments dont nous sommes constitués, les plus nombreux sont les minéraux. Ils existent à l'état naturel, et ce sont des substances que l'on trouve aussi bien dans l'écorce terrestre que dans notre corps. Il existe quarante-six éléments différents dans notre organisme, et toutes ces substances doivent nous parvenir, par le système digestif (mais pas nécessairement par la nourriture), car notre corps est incapable de produire lui-même des minéraux.

La plupart de ces minéraux sont présents en quantités infimes, mais il existe des substances plus importantes appelées macrominéraux : il s'agit du calcium, du phosphore, du magnésium, du sodium, du potassium, du chlore et du soufre. Ces sept minéraux réunis représentent environ 4 % de notre poids. Les macrominéraux sont les éléments constitutifs des os. Ils sont nécessaires pour l'entretien des niveaux de fluides dans l'organisme et pour son équilibre acide-alcalin, ainsi que pour la transmission des impulsions nerveuses, l'entretien des membranes cellulaires et la collaboration avec les enzymes.

Les trente-neuf autres minéraux présents dans notre organisme sont qualifiés de mineurs, car ils n'existent qu'en quantités infimes. Tous ces éléments combinés permettraient tout juste de remplir une cuiller à café, et ils ne représentent que 1 % de l'ensemble de nos minéraux.

Actuellement, quatorze éléments mineurs sont reconnus comme essentiels, et ils fonctionnent d'une manière semblable aux vitamines. Chacun d'eux remplit au moins un rôle spécifique, et à eux tous, ils prennent part à la plupart des entreprises métaboliques de notre corps. Ce sont des cofacteurs indispensables de certaines enzymes, ils participent de près aux opérations d'oxydation et de réduction (permettant aux cellules de convertir le carburant en énergie), ainsi qu'à la distribution de l'oxygène dans tout l'organisme.

La science a mis du temps à comprendre le nombre de minéraux mineurs qui sont indispensables, bien que l'importance du fer soit apparue très tôt. Le fer constitue un élément très présent par rapport aux autres minéraux mineurs; il représente plus de 2 grammes dans notre organisme, et même les anciens Grecs avaient conscience de son importance. L'un des plus anciens récits concernant la pharmacologie évoque en effet la manière dont Mélampus, qui était chirurgien à bord du vaisseau de Jason et des Argonautes, ajoutait au vin des dépôts des épées de fer afin d'aider ces marins à résister aux maladies du sang et à améliorer leurs capacités sexuelles. Au Moyen Âge, on piquait des clous de fer dans les pommes, et on les laissait rouiller afin de produire des suppléments de fer destinés aux enfants.

Le fer est néanmoins resté le seul minéral mineur considéré comme essentiel jusqu'en 1968, date à laquelle on y ajouta l'iode. Le zinc apparut en 1974 sur cette liste. Et six ans plus tard, on y ajouta six autres minéraux, sans parler cette fois de « Consommation quotidienne conseillée », mais plutôt de « Quantités considérées comme saines » car les médecins n'étaient pas certains que ces minéraux soient vraiment indispensables. Il s'agissait du cuivre, du manganèse, du fluor, du chrome, du sélénium et du molybdène. Ils sont regroupés en France sous l'appellation oligo-éléments.

On ne saurait blâmer les nutritionnistes de ne pas avoir compris l'importance de ces minéraux, puisqu'ils ignoraient leur présence dans l'organisme. Ce n'est en effet qu'au cours de ces dernières décennies que la technologie est devenue suffisamment perfectionnée pour nous permettre de détecter les quantités minimes de ces substances dans le corps humain. Pour démontrer les carences de ces minéraux, il faut élever des animaux de laboratoire dans un environnement abrité de la poussière, en leur administrant une nourriture purifiée : les chercheurs doivent s'assurer qu'aucun élément ne pénètre dans le système digestif par l'intermédiaire de la poussière ou d'autres contaminants.

Cependant, toutes les découvertes récentes concernant les déficiences en minéraux n'ont pas été effectuées en laboratoire. C'est une expérience à grande échelle menée dans la province chinoise de Guizhou qui révéla l'importance du sélénium dans l'alimentation. Cette expérience fut menée à la suite d'une épidémie de troubles cardiaques (appelée maladie de Guizhou), qui frappa plus particulièrement les jeunes garçons et les femmes enceintes.

Le rapport avec le sélénium fut établi par un spécialiste qui constata que le cœur d'une jeune victime faisait apparaître des symptômes semblables à ceux d'une maladie qui frappait les moutons australiens, et qui aurait été due au faible niveau de sélénium présent dans leurs pâturages.

Les Chinois avaient alors découvert que le sol du Guizhou avait très peu de sélénium à offrir aux graines qui y poussaient. Ils n'y voyaient cependant pas de raison de s'inquiéter, car les taux très faibles de sélénium ne semblaient pas présenter de risques pour les humains. En fait, des chercheurs néo-zélandais, dont le pays recèle également très peu de ressources de ce minéral, avaient cherché à établir une relation entre la maladie et le taux très faible de sélénium dans le sang, mais en vain. Mais à la suite de la découverte faite par le spécialiste chinois, son gouvernement entreprit une étude de quatre ans lors de laquelle on administra à 36 000 enfants des suppléments de sélénium. Les enfants qui bénéficiaient de ces suppléments commencèrent à se rétablir, la plupart de leurs symptômes disparurent, et leur taux de mortalité chuta brusquement. Les chercheurs chinois déclarèrent toutefois que cette maladie ne semblait pas uniquement due à un manque de sélénium. D'autres minéraux semblaient également en cause, et ils pensaient qu'il existait un rapport avec la surabondance de molybdène dans le sol de cette région chinoise aussi bien qu'avec une insuffisance de sélénium.

Les carences minérales fonctionnent souvent de cette manière. Il est important d'obtenir non seulement des doses satisfaisantes des minéraux dont nous avons besoin, mais aussi des quantités bien *équilibrées* de ces diverses substances. Et s'il est indispensable de se procurer des doses adéquates des minéraux essentiels, les surdoses sont dangereuses, car *à certains niveaux, tous les minéraux sont toxiques.*

LES MACROMINÉRAUX

Il est plus facile de comprendre les sept grands minéraux en pensant au travail qu'ils accomplissent. Le calcium, le phosphore et le magnésium travaillent ensemble à la construction des os; le sodium, le potassium et le chlore jouent le rôle d'électrolytes, c'est-à-dire des sels qui se dissolvent en fluides pour former le système électrique de l'organisme. Les électrolytes entretiennent le niveau des fluides dans le corps, ils conservent l'équilibre acide-alcalin à un niveau pratiquement neutre, et ils jouent un rôle déterminant dans la transmission des impulsions nerveuses et les contractions musculaires. Le soufre est un cas unique. Il est présent dans certains acides aminés et contribue à la formation de lubrifiants pour les articulations et de substances qui participent aux inflammations allergiques.

Naturellement, les tâches des macrominéraux ne se décomposent pas d'une manière aussi simple. La plupart d'entre eux excercent diverses fonctions annexes. Les minéraux constitutifs des os, c'est-à-dire le calcium, le phosphore et le magnésium, deviennent aussi de temps à autre des électrolytes, par exemple.

LES MINÉRAUX CONSTITUTIFS DES OS

LE CALCIUM

FONCTION Participe à la construction des os, essentiel à la coagulation sanguine et à la structure des membranes cellulaires. En tant qu'électrolyte, contribue à la régulation de l'équilibre des fluides et à la transmission des impulsions nerveuses.

QUANTITÉ QUOTIDIENNE CONSEILLÉE POUR ADULTES 800 mg.

PERSONNES POUVANT BÉNÉFICIER DE SUPPLÉMENTS Enfants en période de croissance; la plupart des adultes (hommes et femmes); les femmes à partir de 60 ans.

SYMPTÔMES DE CARENCE Sensation de picotement ou raideur dans les mains et les pieds, douleurs musculaires, crampes, spasmes, voire même convulsions. Retard dans la croissance et fragilité ou déformation des os chez les enfants; ostéoporose chez les adultes.

RISQUES DE TOXICITÉ Faibles.

EFFETS TOXIQUES Perte de l'appétit, nausées et vomissements, constipation, perte de poids, fièvre, faiblesse musculaire.

Un corps d'adulte en bonne santé comporte près d'un kilo et demi de calcium, et 99 % de ce calcium se trouvent dans les os et dans les dents. Naturellement, les femmes enceintes et les enfants en période de croissance ont besoin de quantités plus importantes de calcium, mais le besoin de ce minéral est présent chez tous les adultes, car la construction des os est permanente, l'ensemble du squelette étant renouvelé tous les sept à dix ans.

La consommation de calcium s'est beaucoup accrue ces dernières années, en raison des craintes de l'ostéoporose, car il semble maintenant qu'une femme sur cinq âgée de plus de soixante-cinq ans souffre de cette maladie. L'ostéoporose (la maladie des « os poreux ») provoque une détérioration des os à long terme. Sans action préventive, la masse osseuse d'une femme peut littéralement être divisée par deux entre quarante et quatre-vingts ans. Il en résulte fréquemment une fracture spontanée au niveau de la hanche ou des vertèbres.

Il est évident aujourd'hui que la plupart des femmes ont besoin d'augmenter leur consommation de calcium pour prévenir l'ostéoporose. Cependant, les hommes ont eux aussi besoin de calcium (et l'augmentation de l'espérance de vie des hommes à laquelle on assiste actuellement pourrait entraîner un accroissement des risques d'ostéoporose chez les hommes).

Pour des raisons exposées plus en détail au chapitre 21, il ne suffit pas de consommer une quantité adéquate de calcium pour se garantir une bonne santé osseuse pendant toute la vie. La force du squelette dépend de plusieurs facteurs : la vitamine D (apportée par le soleil ou l'alimentation), les hormones telles que les œstrogènes, le phosphore alimentaire (il en faut, mais les excès *entravent* l'action du calcium) et l'exercice. En fait, la pratique de l'exercice améliore l'aptitude du corps à conserver le calcium et contribue à la prévention de l'ostéoporose, alors qu'une vie sédentaire peut affaiblir les os.

Cependant, aucun programme de renforcement des os ne peut être efficace si votre nourriture ne comporte pas assez de calcium. De plus, le calcium permet de prévenir d'autres troubles que l'ostéoporose. Il semble maintenant presque certain que le calcium joue un rôle dans la régulation de la tension artérielle, et qu'il pourrait même avoir une action préventive contre le cancer du côlon.

La plupart des Occidentaux ne consomment sans doute pas tout le calcium dont ils auraient besoin (800 milligrammes par jour pour les adultes, 1200 pour les adolescents). Cette quantité équivaut à un litre de lait ou 120 grammes de fromage. Il existe naturellement d'autres sources de calcium, comme les légumes, les haricots secs, les arachides, ou les œufs, mais aucun de ces produits n'a la même valeur que les produits laitiers. Si vous voulez absolument obtenir tout le calcium dont vous avez besoin en consommant uniquement des légumes, les brocolis sont la meilleure source disponible. Mais il vous faudrait en manger près de 3 kilos par jour.

Si on considère notre consommation relativement faible de produits laitiers et nos difficultés d'absorption du calcium – nous n'utilisons qu'un tiers environ de notre consommation quotidienne –, les suppléments de calcium (carbonate de calcium, phosphore de calcium) semblent constituer une bonne solution.

L'ostéoporose n'est pas le seul symptôme d'une carence de calcium. En fait, il est l'un des derniers à apparaître. Une baisse du taux de calcium dans le sang peut provoquer des picotements ou une raideur dans les mains et les pieds, des douleurs musculaires ainsi que des crampes et des spasmes musculaires qui peuvent aller jusqu'aux convulsions.

Chez les enfants, le manque de calcium perturbe la croissance. Quand il n'affecte pas la taille des os, il peut avoir des conséquences sur leur résistance : en cas de déficience de calcium, les os peuvent devenir friables et fragiles ou mous et flexibles. De plus, les déformations osseuses provoquées par le rachitisme peuvent être dues à un manque de calcium aussi bien qu'à une carence de vitamine D ou de phosphore.

Dans les pays du tiers monde, où la consommation de calcium est nettement moins élevée que dans les pays occidentaux, les déficiences de calcium expliquent en partie pourquoi la croissance des enfants est beaucoup plus lente que dans les pays occidentaux.

Le premier des mécanismes qui permettent de compenser une faible consommation de calcium est la réaction de l'organisme. En cas de consommation relativement faible de calcium, le corps en absorbe proportionnellement davantage. L'exposition au soleil, plus importante dans les pays tropicaux et subtropicaux, augmente la production de vitamine D, favorisant ainsi une utilisation efficace du calcium. Il existe également d'autres sources alimentaires de calcium qui nous sont encore inconnues. La consommation d'argile, qui est fréquente dans de nombreux pays d'Asie, du Proche-Orient et d'Amérique du Sud, peut fournir du calcium à l'organisme. Mais l'addition de « poudre de pierre » (carbonate de calcium) au riz à Formose constitue une source de calcium beaucoup plus sûre, de même que l'hydroxyde de calcium utilisé au Mexique pour adoucir le maïs avant qu'il ne soit broyé.

Le calcium n'est pas un minéral particulièrement toxique, et l'hypercalcémie (un taux excessif de calcium dans le sang) est rarement provoquée par une consommation abusive. Le corps régule en effet le rythme d'absorption du calcium par les intestins pour prévenir l'hypercalcémie. Ce problème peut en revanche être provoqué par une période d'alitement prolongé (au cours duquel le corps résorbe le calcium des os), ou par un mauvais fonctionnement des reins, par une activité excessive de la glande parathyroïde (qui produit l'hormone stimulant l'absorption du calcium), ou encore par un excès de vitamine D. La toxicité du calcium se manifeste par une perte de l'appétit, des nausées et des vomissements, une constipation, une perte de poids, de la fièvre et un affaiblissement des muscles. L'hypercalcémie peut également causer la formation de calculs rénaux et perturber l'absorption du sodium, entraînant une perte de sodium et d'eau.

LE PHOSPHORE

FONCTION Participe à la constitution des os, contribue au maintien de l'équilibre acide-alcalin, joue un rôle essentiel dans la reproduction des cellules et la conversion en énergie des carburants de l'organisme.

QUANTITÉ QUOTIDIENNE CONSEILLÉE POUR ADULTES 800 mg.

SYMPTÔMES DE CARENCE Perte de l'appétit, faiblesses et douleurs osseuses ajoutées à une déminéralisation des os et à une perte de calcium. Une carence prolongée entraîne un ramollissement des os et, dans les cas extrêmes, elle peut provoquer des attaques.

RISQUES DE TOXICITÉ Modérés.

EFFETS TOXIQUES Baisse du taux de calcium dans le sang et diminution de la capacité de construction des os.

Le phosphore est après le calcium le minéral le plus présent dans l'organisme; il représente presque trois kilos, dont 80 % se trouvent dans les os et dans les dents. Mais le phosphore remplit également de nombreuses autres tâches. Il joue un rôle considérable dans le métabolisme. Les molécules contenant du phosphore constituent le carburant de l'organisme. Elles emmagasinent l'énergie produite par l'exploitation des carburants du corps, et on peut puiser dans ces molécules pour trouver l'énergie nécessaire à toutes les fonctions biologiques.

Un certain nombre d'enzymes et la plupart des vitamines B ne peuvent agir que si elles trouvent du phosphore. Ce minéral contribue au maintien de l'équilibre acide-alcalin dans le sang. Il décompose et transporte les graisses et les acides gras, et transforme les hydrates de carbone en énergie. Il participe par ailleurs à la reproduction des cellules et à la synthèse des protéines.

Il est difficile de développer une carence en phosphore simplement par une mauvaise alimentation, car il est présent dans de nombreux aliments. On le trouve dans les produits laitiers, en compagnie du calcium, ainsi que dans les viandes, les poissons, les graines, les arachides et les haricots. Mais les carences peuvent être dues à certains états pathologiques, notamment à des troubles rénaux ou hépatiques, à une incapacité de métaboliser correctement la vitamine D, et à des vomissements fréquents.

Les symptômes de carence en phosphore se manifestent par une perte d'appétit, des faiblesses et des douleurs musculaires. Les os commencent à se déminéraliser, et cela entraîne une perte de calcium. Un manque de phosphore dans le sang perturbe le transport de l'oxygène, endommageant les globules rouges et les petites structures cellulaires appelées plaquettes qui se trouvent dans le sang. Une carence très grave peut provoquer des attaques et entraîner le coma, tandis qu'une insuffisance de phosphore sur une période prolongée cause l'apparition de l'ostéomalacie (le ramolissement des os).

Un excès de phosphore réduit le taux de calcium dans le sang et entrave la construction des os. Ces niveaux toxiques peuvent être atteints non seulement par une mauvaise alimentation, mais aussi par une utilisation fréquente de laxatifs ou d'autres médicaments qui contiennent du phosphore. Il est important de ne pas oublier que le taux de calcium baisse à mesure que le taux de phosphore augmente, et qu'une élévation exagérée du taux de phosphore peut même entraîner une baisse mortelle du taux de calcium.

LE MAGNÉSIUM

FONCTION Participe à la construction des os, à la régulation du fonctionnement du cœur, active les enzymes, et participe à la conversion en énergie des carburants de l'organisme.

QUANTITÉ QUOTIDIENNE CONSEILLÉE POUR ADULTES Hommes : 350 mg; femmes : 300 mg.

SYMPTÔMES DE CARENCE Douleurs musculaires, tremblements et spasmes, vertiges et convulsions; altération du rythme cardiaque, apathie, dépression, délire.

RISQUES DE TOXICITÉ Faibles.

EFFETS TOXIQUES Troubles respiratoires et perturbation du fonctionnement du système nerveux central.

La plupart d'entre nous connaissent le magnésium sous sa forme de magnésie du lait qui a si mauvais goût ou comme l'un des composants des sels administrés en cas d'évanouissement, qui sont faits en réalité de sulfate de magnésium. Mais l'utilisation médicale de ce minéral s'étend aujourd'hui bien au-delà de ces remèdes du temps passé et de son rôle d'anticonvulsif connu depuis longtemps. Il semble bien établi maintenant qu'il existe un lien entre le manque de magnésium et les crises cardiaques, et une étude récente a montré qu'une injection de magnésium pouvait soulager complètement la douleur de certaines victimes d'infarctus et prévenir les dommages ultérieurs du muscle cardiaque.

Moins spectaculaire – mais pas pour les patients concernés – est l'utilisation de petites doses de magnésium pour prévenir la formation de la variété la plus commune de calculs rénaux. Dans une étude effectuée sur 149 patients atteints de calculs rénaux depuis longtemps, le magnésium permit de réduire la formation de ces calculs de plus de 90 %. Des tests ont prouvé que le magnésium permettait d'évacuer le calcium excédentaire.

Plus de la moitié du magnésium de notre organisme est consacré à la construction des os. Mais le magnésium remplit également d'importantes tâches, notamment en procurant à notre corps les ions essentiels au fonctionnement normal du cœur. Il active par ailleurs un certain nombre d'enzymes, et il est indispensable à la conversion du glucose, des graisses et des protéines en énergie. Le magnésium assure également le bon fonctionnement de l'hormone parathyroïde (qui contrôle la résorption du calcium des os) et un équilibre normal de certaines activités du calcium dans notre organisme.

Les adultes et les adolescents ont besoin de deux fois moins de magnésium que de calcium, les besoins des jeunes enfants en magnésium représentant le cinquième de leurs besoins en calcium. On peut trouver du magnésium dans les fruits de mer, les légumes secs, les céréales et le lait. Cependant, une partie de ce minéral est rendue inutilisable lors des divers traitements que subissent les aliments, de sorte qu'un tiers seulement du magnésium que nous consommons est transmis à notre sang.

Les symptômes d'une carence en magnésium apparaissent lentement (car l'organisme puise du magnésium dans les os pour maintenirr un niveau normal dans le sang). Lorsqu'une déficience intervient, elle peut être causée par la diarrhée ou la stéatorrhée (une présence excessive de graisses dans les fèces), l'alcoolisme, le diabète, des troubles rénaux, ou l'utilisation de diurétiques aussi bien que par une mauvaise alimentation. Une nourriture à base de protéines liquides risque d'entraîner une carence en magnésium, et une blessure grave ou une intervention chirurgicale importante épuisent les réserves de magnésium de notre corps. La déficience se manifeste par des douleurs et des crampes musculaires, des tics, des tremblements et des spasmes, des vertiges et des convulsions, tous ces symptômes révélant une mauvaise régulation neuromusculaire. Il peut en résulter des altérations dangereuses du rythme cardiaque, de même qu'une apathie, la dépression, voire même le délire.

Le pouvoir du magnésium est également apparent dans ses effets toxiques. Les taux très élevés de ce minéral qui peuvent résulter d'un mauvais fonctionnement des reins ou d'une surdose de sels de magnésium (une substance anticonvulsive) peuvent être mortels, perturbant à la fois le système respiratoire et le système nerveux central, ce qui peut entraîner le coma et la mort.

LES ÉLECTROLYTES

Pour fonctionner comme des électrolytes [1], les macrominéraux forment des sels qui se dissolvent en fluides dans des ions électriquement chargés. Les charges que portent ces ions leur permettent de maintenir l'équilibre des fluides dans l'organisme, de contrôler l'équilibre acide-alcalin de ces fluides, et de jouer des rôles déterminants dans la transmission des impulsions nerveuses et la contraction des muscles (y compris ceux du cœur). Les sept grands minéraux, excepté le soufre, fonctionnent comme des électrolytes, mais il est plus facile de considérer qu'il existe un groupe d'électrolytes distinct du groupe des minéraux constitutifs des os. Ces électrolytes sont le sodium, le potassium et le chlore.

Tous les électrolytes participent à la transmission des impulsions nerveuses, mais ce sont le sodium et le potassium qui jouent le rôle le plus important dans ce domaine. Leur concentration à l'intérieur et à l'extérieur des cellules détermine le potentiel électrique des cellules nerveuses et par conséquent leur capacité de transmission des impulsions. La charge électrique de tous les électrolytes – que l'on peut considérer comme les batteries de notre organisme – les rend également indispensables à l'activité musculaire.

L'organisme ne pouvant ni produire, ni emmagasiner les électrolytes, la régulation de leur niveau est une tâche délicate qui est confiée aux reins. Ils veillent à ce que les quantités de minéraux qui quittent l'organisme ne soient pas supérieures à celles qui sont absorbées par les intestins. En cas de consommation trop faible ou d'épuisement des réserves, les reins absorbent toute la quantité de minéraux dont l'organisme a besoin pour maintenir son équilibre électrolyte.

---

1. C'est-à-dire se décomposer dans le corps.

FONCTION Participe à la régulation de la tension artérielle et est indispensable à la transmission des impulsions nerveuses; participe également au métabolisme des protéines et des hydrates de carbone.

QUANTITÉ SAINE POUR ADULTES 1 100 à 3 300 mg.

SYMPTÔMES DE CARENCE *Modérée*: perte de l'appétit, soif, vomissements, crampes musculaires. *Extrême*: convulsions et coma.

RISQUES DE TOXICITÉ Faibles.

EFFETS TOXIQUES Déshydratation, élévation de la température, vomissements et diarrhée. Les doses mortelles provoquent une perturbation de la respiration et un accident circulatoire.

Le chlorure de sodium, ou sel de table (la forme la plus répandue du sodium), fut sans doute le premier des additifs alimentaires, utilisé à la fois pour parfumer et pour conserver les aliments. Aujourd'hui, le sodium a une très mauvaise réputation, en raison du lien qui semble exister entre une alimentation riche en sel et une élévation de la tension artérielle (voir chapitre 18). Mais quels que soient les risques que comportent les excès, il est très difficile de survivre sans sodium. Outre les fonctions qu'il partage avec les autres électrolytes – il fournit au sang la plupart de ses ions chargés positivement –, il participe au métabolisme des protéines et des hydrates de carbone.

On en trouve dans la plupart des aliments que nous consommons, du sodium placé à cet endroit par la nature et non par un quelconque traitement. Mais on en ajoute généralement aux aliments en conserve et aux plats cuisinés surgelés, aux céréales du petit déjeuner, ainsi qu'aux boissons sucrées, sans parler des produits très salés que sont les chips, la charcuterie, les arachides et autres amandes salées. A tout cela, il faut ajouter le sel que nous versons nous-mêmes sur les aliments, dans notre cuisine ou à table. Tout cela explique qu'une carence en sodium ne constitue pas un risque dans les pays occidentaux, excepté dans le cas de régimes sans sel que l'on adopte sans avis médical.

Des déficiences peuvent toutefois survenir en cas de diarrhée ou de troubles rénaux, à la suite de l'utilisation de diurétiques, ou en cas de transpiration abondante (mais il faut que ces conditions soient très accentuées et prolongées; les reins n'ont aucun mal à compenser la perte de sodium due à un ou deux sets de tennis disputés par un après-midi torride). Parmi les symptômes d'une carence en sodium, on peut citer la fatigue, la perte de l'appétit et la soif, des vomissements et d'importantes crampes musculaires. Dans les cas extrêmes, une carence grave peut mettre votre vie en danger. Cela peut provoquer des convulsions et une détérioration profonde du système circulatoire.

Les surplus de sodium dans l'organisme, qui s'accumule si vous ne buvez pas suffisamment d'eau par temps chaud ou si vos reins ne font pas correctement leur travail, entraînent une élévation de la température du corps et des éruptions cutanées, les membranes muqueuses deviennent sèches et collantes.

LE POTASSIUM

FONCTION Fonctionne avec le sodium pour réguler la tension artérielle et transmettre les impulsions nerveuses et avec le magnésium pour réguler le fonctionnement du cœur; participe également au métabolisme des protéines et des hydrates de carbone.

CONSOMMATION SAINE POUR ADULTES 1 875 à 5 625 mg/jour.

SYMPTÔMES DE CARENCE Vomissements et diarrhée, perte de l'appétit, fatigue, apathie, et dépression; irrégularité des battements du cœur, pouls affaibli, chute de la tension artérielle.

RISQUES DE TOXICITÉ Modérés.

EFFETS TOXIQUES Affaiblissement des muscles, rythme cardiaque anormal, troubles rénaux.

Le potassium apporte à l'organisme la plupart des ions positifs qui se trouvent *à l'intérieur* des cellules, afin d'équilibrer cette charge avec celle des ions du sodium qui se trouvent à l'extérieur des cellules. Par conséquent, tout comme le sodium, le potassium participe à la régulation de la tension artérielle. De même que le magnésium, il est indispensable au bon fonctionnement du muscle cardiaque et il participe au métabolisme des protéines et des hydrates de carbone.

La plupart des personnes en bonne santé obtiennent beaucoup de potassium par leur alimentation, car ce minéral est présent dans tous les produits, à l'exception des graisses et des sucres. Les agrumes, les bananes et les tomates sont de sources particulièrement riches de potassium, et ce minéral est normalement absorbé dans le système digestif pour passer dans le sang. Des carences peuvent toutefois survenir en cas d'utilisation de diurétiques, de transpiration excessive, de recours fréquent à des laxatifs, de troubles du conduit intestinal, de diabète incontrôlé, ou plus rarement d'alimentation extrêmement pauvre en calories. Les blessures et les brûlures graves provoquent une chute du taux de potassium, de même que l'alcoolisme et une maladie rénale rare qui peut être due à l'utilisation de tétracycline périmée ou à une consommation excessive de réglisse.

Les premiers symptômes de carence sont les vomissements et la diarrhée, tandis qu'une déficience plus prononcée affecte les reins, le cœur et les muscles. Ces effets se manifestent par un affaiblissement du pouls, un rythme cardiaque irrégulier et une chute de la tension artérielle, ainsi que par une perte de l'appétit, une constipation, une grande fatigue, l'apathie et la dépression. Une déficience en potassium non traitée peut aller jusqu'à provoquer la paralysie et des troubles cardiaques mortels.

Les athlètes doivent se méfier tout particulièrement du manque de potassium, et les personnes qui font de l'exercice ou des travaux fatigants par des températures élevées devraient également surveiller les signes d'une éventuelle carence. Une faiblesse ou une fatigue prolongée peut signifier que vous devriez consommer davantage de jus d'orange ou de bananes. Il faut cependant se montrer prudent en ce qui concerne les suppléments, car les risques de toxicité sont assez sérieux. Un excès de potassium, qui résulte généralement de troubles rénaux, provoque un affaiblissement des muscles et une anomalie du rythme cardiaque. La peau peut perdre sa couleur et paraître froide, tandis que l'on ressent un engourdissement ou des picotements dans les mains et les pieds.

LE CHLORE

FONCTION Travaille avec le sodium et le potassium pour assurer la transmission des impulsions nerveuses; aide les globules du sang à véhiculer l'oxyde de carbone.

CONSOMMATION SAINE POUR ADULTES 1 700 à 5 100 mg/jour.

SYMPTÔMES DE CARENCE Vomissements, diarrhée, transpiration importante, augmentation de l'alcalinité des fluides du corps.

RISQUES DE TOXICITÉ Faibles.

EFFETS TOXIQUES Difficiles à isoler, car ils surviennent généralement en cas d'excès de sels de sodium ou de potassium.

Nous obtenons la plus grande partie du chlore dont nous avons besoin par le sel (chlorure de sodium). Notre consommation et les

101

risques de carence sont pratiquement identiques pour le chlore et pour le sodium (la « consommation saine » étant similaire pour ces deux minéraux). Dans l'organisme, les ions de chlore jouent un rôle spécifique en stabilisant le potentiel électrique des cellules nerveuses et en aidant les cellules sanguines à transporter l'oxyde de carbone dans les poumons. Ces ions jouent également un important rôle d'amortisseurs, dans le maintien de l'équilibre acide-alcalin de notre organisme.

Les déficiences de chlore sont rares, mais elles peuvent néanmoins survenir de la même manière que les carences d'autres minéraux (en cas de vomissements, de diarrhée ou de transpiration) ou en raison d'une alimentation comportant très peu de sodium. Un manque de chlore peut rendre les fluides du sang et de l'organisme plus alcalins, et cela peut avoir des conséquences très graves.

Cependant, si la carence peut être dangereuse, l'excès de chlore est moins redoutable. Sous sa forme gazeuse, le chlore est utilisé comme gaz toxique, mais ce minéral n'est dangereux qu'à des doses extrêmement fortes.

Chapitre 7

LES MICROMINÉRAUX :
LE FER ET AUTRES ÉLÉMENTS MINEURS

Il y a quelques années, la carrière d'un célèbre basketteur professionnel américain, Bill Walton, semblait terminée. Il ne jouait plus de manière régulière depuis plusieurs saisons. Les radiographies de son pied gauche, cassé à deux reprises, montraient une petite fracture qui refusait obstinément de cicatriser. Mais elles révélaient aussi autre chose. Les os semblaient nettement manifester les symptômes de l'ostéoropose, une maladie généralement attribuée à un manque de calcium et plus fréquente chez les femmes âgées.

Ce n'était pourtant pas une carence de calcium qui avait rendu les os de Walton si fragiles. Avant sa première blessure au pied, il s'était cassé plusieurs doigts et orteils, une pommette, un poignet, une jambe, et le nez. Une analyse sanguine révéla chez lui un taux absolument nul de manganèse, les niveaux de cuivre et de zinc correspondant au tiers de la norme. En revanche, son sang était très riche en calcium, car son organisme rejetait dans le sang tout le calcium qu'il ne pouvait utiliser pour construire les os.

Les préférences alimentaires de Walton étaient bien connues. Il était végétarien, et consommait beaucoup de riz brun et de légumes verts, variant ses menus en y ajoutant tout au plus une ou deux tasses de lait par jour et occasionnellement un peu de poisson. Il en résultait des taux de manganèse et de cuivre trop faibles pour que son corps puisse produire les matériaux de renfort (comme le collagène) qui doivent être présents sur les lieux de construction des os pour que l'organisme puisse déposer les couches de calcium qui se solidifient. Walton avait également un régime qui maintenait son taux de zinc à un niveau trop bas pour que la cicatrisation s'effectue normalement.

Walton avala chaque jour des suppléments de minéraux et

ramena ainsi ses niveaux de cuivre et de zinc à la normale. Il retrouva également un taux de calcium normal, alors qu'il était excessif auparavant. Son taux de manganèse demeura très faible, mais sa blessure au pied cicatrisa et il se retrouva sur un terrain de basket-ball en six semaines.

L'histoire de Bill Walton donne deux renseignements au sujet des oligo-éléments. Tout d'abord, même s'ils sont présents en quantités négligeables dans l'organisme, ils sont absolument indispensables au bon fonctionnement des macrominéraux comme le calcium. De plus, *l'équilibre* entre ces différents oligo-éléments – entre eux et par rapport aux macrominéraux – est aussi important que leur niveau individuel.

Cet équilibre est déterminant car les minéraux ont tendance à s'entraver mutuellement bien plus que les vitamines. Si vous consommez beaucoup de zinc pour renforcer votre système immunitaire, vous risquez fort d'empêcher votre organisme d'absorber le cuivre dont il a besoin. Or, que se passe-t-il en cas d'insuffisance de cuivre? Cela entraîne une anémie, généralement provoquée par un manque de fer, et non de cuivre. Mais votre corps ne peut utiliser les réserves de fer dont il dispose sans l'aide du cuivre.

Malheureusement, les oligo-éléments ne se dissolvent pas facilement dans les fluides de l'organisme. Ils deviennent bien plus solubles, et par conséquent plus utilisables, quand ils sont liés à des molécules de sucre ou d'acides aminés. En revanche, lorsqu'un minéral est présent en quantités excessives, il risque de monopoliser la plupart des transporteurs moléculaires, de sorte que les autres minéraux ont alors du mal à se déplacer correctement dans votre corps. D'une manière générale, un excès du minéral Y peut entraîner une déficience du fonctionnement du minéral Z, même si votre alimentation est très riche en minéral Z.

C'est pourquoi on prescrit très rarement des suppléments d'un seul minéral; les suppléments de multiminéraux sont la règle. Mais pour comprendre leur rôle respectif, il est important d'examiner les oligo-éléments un par un. Ces minéraux remplissent quatre fonctions essentielles :

1. Ce sont des coenzymes pour certaines enzymes particulières, appelées coenzymes métal, qui doivent être liées à des ions métalliques pour pouvoir fonctionner.

2. Ils contribuent à l'utilisation des carburants de l'organisme par le processus chimique de l'oxydation.

3. Ils participent au transport de l'oxygène dans les globules rouges.

4. Ils forment une partie intégrante de la structure des protéines et des acides nucléiques.

LE FER

FONCTION Élément essentiel de l'hémoglobine (qui transporte l'oxygène dans les globules rouges) et de la myoglobine (qui remplit le même rôle dans les cellules musculaires).

QUANTITÉ QUOTIDIENNE CONSEILLÉE POUR ADULTES *Hommes*: 10 mg; *femmes*: 18 mg.

PERSONNES POUVANT BÉNÉFICIER DE SUPPLÉMENTS Toutes les femmes non ménopausées (plus particulièrement les femmes enceintes); nouveau-nés; enfants de 9 à 13 ans.

SYMPTÔMES DE CARENCE *Marginale*: diminution des capacités physiques et intellectuelles, perturbation de la faculté de lecture chez les enfants. *Anémie*: fatigue chronique, manque d'appétit, essoufflements, refroidissement des membres.

RISQUES DE TOXICITÉ Faibles.

EFFETS TOXIQUES Troubles hépatiques, augmentation des risques d'infection; peut être fatal.

La carence en fer est la plus fréquente dans les pays occidentaux, et l'anémie qui en résulte constitue le deuxième trouble alimentaire après l'obésité. Des enquêtes indiquent que 60 % de la population n'obtient pas tout le fer dont elle aurait besoin, et neuf femmes sur dix présentent des insuffisances de fer.

Le fer est le plus abondant des oligo-éléments, et l'organisme doit – ou devrait – en contenir entre trois et six grammes. Nous avons besoin de cette quantité de fer pour accomplir un certain nombre de tâches, dont la plus importante concerne le transport et la distribution d'oxygène.

Le fer est le principal constituant de l'hémoglobine, le transporteur moléculaire qui charge, véhicule et livre l'oxygène dans le sang. Considérez vos globules rouges comme des cargos remplis d'hémoglobine. Chez un homme adulte, l'hémoglobine représente environ un kilo (c'est, après l'eau, le principal composant du sang), et c'est dans cette hémoglobine que l'on trouve les trois quarts du fer de notre corps.

La myoglobine, qui s'apparente de près à l'hémoglobine par sa forme – un peu de fer entouré de protéines – agit dans les muscles, où elle transporte l'oxygène de l'hémoglobine dans les veines capillaires, puis dans les tissus. Dans les cellules des tissus, la myoglobine transmet son oxygène à des enzymes ferreux qui jouent un rôle déterminant dans le processus par lequel les cellules brûlent le carburant pour produire de l'énergie. Ce sont ces fonctions de transporteur d'oxygène et d'élément essentiel dans la consommation du carburant qui expliquent que ce minéral soit celui qui nous préoccupe le plus depuis quelques milliers d'années.

Normalement, notre organisme dispose de réserves de fer : une protéine appelée ferritine aménage des dépôts dans le foie, la rate et la moelle osseuse et préserve les cellules contre une surcharge de fer; cependant, ces réserves sont limitées. Une perte de fer relativement mineure suffit pour déclencher une carence, dont le premier symptôme est l'anémie. La perte d'hémoglobine réduit le flot d'oxygène dans l'organisme, par le sang, ce qui amoindrit la capacité des muscles et d'autres tissus à produire de l'énergie. Cela entraîne une fatigue chronique, une pâleur de la peau et des lèvres, un refroidissement des mains et des pieds, des essoufflements fréquents, un manque d'appétit, et un ralentissement général de toutes les fonctions vitales de l'organisme.

Cependant, la consommation relativement faible de fer dans nos pays signifie-t-elle que nous connaissons une épidémie d'anémie? Ce n'est naturellement pas le cas, même si le nombre de carences est probablement bien plus élevé que ne le pensent la plupart des médecins. Mais il est important de comprendre comment une baisse de fer dans le sang peut nous perturber bien avant que notre taux d'hémoglobine ne chute à un niveau d'anémie préoccupant. Comme l'ont montré les expériences menées chez les écoliers, les athlètes et d'autres personnes, il est impossible de se sentir aussi bien ou de travailler avec la même efficacité que d'habitude quand notre taux de fer est trop bas.

L'organisme comprend la valeur du fer et s'efforce de s'accrocher à toutes les ressources dont il dispose, en recyclant le fer après son utilisation. De faibles quantités de fer sont éliminées par les cheveux, les ongles, la transpiration et l'urine. Pour en perdre davantage, il faut saigner, car c'est par le sang que le corps perd le plus de fer. Les 15 à 20 milligrammes de fer que perdent les femmes pendant leurs règles correspondent à la moitié, voire aux deux tiers de l'ensemble du fer que l'on peut perdre chaque mois par d'autres moyens. De plus, le besoin de remplacer ce fer perdu chaque mois explique que les femmes doivent consommer presque deux fois plus de fer que les hommes.

Comment nous procurer le fer dont nous avons besoin? Si nous mangeons énormément d'épinards, nous risquons de nous en dégoûter avant d'obtenir tout le fer qu'il nous faudrait. Les légumes verts ne contiennent pas suffisamment de fer. Il faudrait avaler plus de quatre kilos de brocolis, par exemple, (ou plus d'un kilo et demi d'épinards) pour parvenir à notre consommation quotidienne normale de fer – et notre système digestif risquerait de se débarrasser au plus vite de cette importante quantité de fibres.

La viande (notamment les abats), le poisson (à signaler la richesse des moules) et la volaille sont les meilleures sources de fer dont nous disposons, car elles nous fournissent la meilleure forme de fer – le fer hémal. L'organisme absorbe le fer hémal environ trois fois plus vite qu'il n'absorbe le fer fourni par les œufs, les graines, et les haricots secs, et six fois plus vite que celui fourni par les épinards.

Cependant, les changements de la mode en matière de nutrition ont modifié notre manière de manger. La viande rouge est désormais considérée comme malsaine par beaucoup de jeunes gens attachés aux principes de la nutrition, et les abats n'ont jamais eu beaucoup de succès. La nouvelle cuisine est plus légère, et les régimes basses calories sont presque une nouvelle manière de vivre.

D'une manière générale, les aliments susceptibles de nous fournir du fer ne sont plus aussi appréciés que par le passé.

Le problème de la déficience s'étend jusqu'aux ustensiles de cuisine. Les poêles et les casseroles de fer qui ont fourni une bonne source de fer alimentaire aux générations qui nous ont précédés ont presque toutes été remplacées par des ustensiles d'acier inoxydable. Ces vieux récipients n'avaient pas que des qualités; ils élevaient en effet parfois le taux de fer de nos ancêtres jusqu'à des niveaux toxiques.

C'est la crainte des empoisonnements qui a poussé certains nutritionnistes à émettre des avertissements au sujet des suppléments, même si la carence en fer représente un problème réel. Il faudrait cependant consommer des doses cinq à dix fois plus fortes que les normes conseillées et pendant une période prolongée pour vous exposer à ce risque. De plus, votre tube digestif, qui n'absorbe pas très rapidement le fer, même quand il en a vraiment besoin, refuse d'en accepter davantage quand les réserves de votre organisme sont importantes. Dans des conditions normales, il empêche les doses toxiques d'atteindre le sang.

Il reste toutefois que des surdoses de fer se produisent de temps à autre et provoquent généralement des troubles hépatiques et des infections (car les bactéries se développent très vite dans un sang riche en fer). Ces surdoses peuvent intervenir en cas de transfusions sanguines répétées ou d'alcoolisme.

Il y a quelques années, un pathologiste de Los Angeles consulta ses confrères de Paris et de New York et découvrit que dans ces trois villes, des alcooliques succombaient à des cirrhoses du foie – mais que Los Angeles était la seule de ces villes où ces buveurs avaient un foie pratiquement surchargé de fer. Cette différence s'expliquait moins par un problème de géographie que par des raisons de goût et d'argent, car les alcooliques de Los Angeles avaient une préférence pour le vin blanc (des cépages américains), qui est riche en fer et en sucre. A New York, les alcooliques préféraient le whisky, qui ne contient ni sucre, ni fer, tandis que les Parisiens restaient attachés au vin rouge sec. C'est l'association du sucre et du fer (le sucre aidant à l'absorption du fer) qui expliquait la présence de dépôts importants de fer dans le foie des alcooliques californiens, déjà fortement endommagé.

LE CUIVRE

FONCTION Excrète le fer du foie; participe à la conversion des graisses et des hydrates de carbone en énergie; contribue à la construction des os et à l'entretien des nerfs et du muscle cardiaque.
CONSOMMATION SAINE POUR ADULTES 2 à 3 mg/jour.
PERSONNES POUVANT BÉNÉFICIER DE SUPPLÉMENTS Les végétariens et tous les gens qui consomment peu de viande rouge.
SYMPTÔMES DE CARENCE Anémie, anévrismes cardio-vasculaires, et problèmes osseux (particulièrement chez les jeunes enfants).
RISQUES DE TOXICITÉ Modérés.
EFFETS TOXIQUES Symptômes psychologiques semblables à ceux de la schizophrénie.

Même si vous consommez tout le fer dont votre organisme a besoin, vous n'êtes pas à l'abri de l'anémie si vous n'obtenez pas suffisamment de cuivre. En cas de manque de cuivre, le fer reste en effet prisonnier dans le foie, et n'est que très peu utilisé pour produire de l'hémoglobine. A part les enfants prématurés, les victimes de réelles déficiences de cuivre sont rares dans les pays occidentaux. Cependant, nous ne consommons généralement pas tout le cuivre qu'il nous faudrait, car les meilleures sources de ce minéral – les abats, les fruits de mer, les arachides et les haricots secs – ne sont ni très appréciés, ni très peu caloriques (excepté les fruits de mer).
Toutefois, une insuffisance de cuivre peut faire plus que réduire

votre énergie et saper votre dynamisme, car participe à un grand nombre de fonctions vitales de l'organisme. Il joue un rôle dans la conversion en énergie des graisses et des hydrates de carbone. Il est essentiel à la construction d'os résistants et de tissus conjonctifs solides. Le plus inquiétant est le risque de dommages au muscle cardiaque et aux artères. Il semble maintenant que le manque de cuivre augmente le risque de maladies cardiaques.

Le cuivre est nécessaire à un développement neurologique normal, et le manque de cuivre peut détériorer les gaines protectrices des nerfs. Notre alimentation actuelle, même si elle n'en contient pas énormément, nous procure néanmoins une quantité suffisante de ce minéral pour que les carences graves soient très rares.

Les surdoses de cuivre sont également rares, mais très toxiques. On trouve ce problème chez les victimes d'une maladie génétique, la maladie de Wilson, qui permet l'accumulation dans l'organisme de quantités dangereuses de cuivre. Cette surdose provoque des symptômes psychologiques similaires à ceux de la schizophrénie, qui disparaissent quand le taux de cuivre dans le sang est ramené à un niveau normal.

LE ZINC

FONCTION Favorise la cicatrisation et la croissance; entretient les fonctions immunitaires; activités métaboliques multiples.

QUANTITÉ QUOTIDIENNE CONSEILLÉE POUR ADULTES 15 mg.

PERSONNES POUVANT BÉNÉFICIER DE SUPPLÉMENTS Personnes âgées, au régime, alcooliques, femmes enceintes, jeunes enfants, victimes de blessures, de brûlures, ou d'infections.

SYMPTÔMES DE CARENCE Perte de l'appétit et du sens de l'odorat; inflammations autour de la bouche, de l'anus ou des organes génitaux ou sur les bras et les jambes. Apathie, dépression, amnésie, voire même paranoïa. Attardement mental ou physique chez les enfants en cas de carence importante et prolongée.

RISQUES DE TOXICITÉ Modérés.

EFFETS TOXIQUES Nausées, enflements, crampes, diarrhée, fièvre. En cas de surdose exceptionnellement élevée, hémorragies et anémie.

Si notre corps ne dispose pas de suffisamment de cuivre, il ne peut pas utiliser son fer. S'il contient trop de cuivre, il ne peut obtenir tout le zinc dont il a besoin. Le cuivre et le zinc se complètent lors de l'absorption par le système digestif, et une surdose d'un de ces minéraux entrave l'activité de l'autre.

Les suppléments de zinc sont très à la mode aujourd'hui, et il semblerait que le cuivre soit sur le point de perdre la compétition. Mais les petites carences de zinc sont au moins aussi fréquentes que les petites carences de cuivre, et chez les personnes âgées, celles qui suivent un régime (temporaire ou permanent) et les alcooliques, les carences de zinc sont assez fréquentes. De plus, les besoins de zinc sont plus élevés pendant la grossesse, l'enfance, certaines maladies, et la convalescence à la suite d'une blessure ou d'une infection.

La popularité dont jouit actuellement le zinc est justifiée. Il peut redonner de l'élan à votre système immunitaire, et il est évident qu'il favorise le développement physique des enfants (même avant la naissance). Il fait partie des quelque deux cents enzymes différentes qui participent à la conversion des carburants de l'organisme en énergie, la production d'anticorps, et l'entretien des os et de la peau.

Une étude effectuée à l'université du Colorado a révélé que les adolescents dont le taux de zinc était inférieur à la normale perdaient non seulement des facultés immunitaires, mais aussi une bonne partie de leur appétit. Il semble que le zinc joue un rôle déterminant sur notre sens de l'odorat et sur celui du goût. Si on perd ces sens, l'appétit disparaît. Si on perd l'appétit, on mange moins, ce qui réduit encore les taux de zinc dans le sang et nos réactions immunitaires.

Cependant, les suppléments de zinc présentent certains dangers. Il a été prouvé récemment que les surdoses pouvaient provoquer des nausées, des gonflements, des crampes, des diarrhées, et de la fièvre, ces surdoses n'atteignant pas dix fois les quantités conseillées. Les excès plus importants peuvent provoquer des hémorragies et éventuellement entraîner l'anémie.

Les carences en zinc ne sont pas rares dans les pays occidentaux, mais les nutritionnistes ont du mal à en évaluer l'ampleur. La plupart de nos aliments contiennent du zinc, mais les meilleures sources restent les produits d'origine animale et les céréales complètes. Toutefois, l'absorption est bien meilleure pour le zinc provenant des aliments d'origine animale que pour celui qui est issu de produits végétaux.

FONCTION Travaille avec le cuivre et le zinc à la construction des os. Multiples tâches métaboliques. Entretient les nerfs et le pancréas. Favorise l'activité musculaire.

CONSOMMATION SAINE POUR ADULTES 2,5 à 5 mg/jour.

PERSONNES POUVANT BÉNÉFICIER DE SUPPLÉMENTS Les végétariens et toutes les personnes dont l'alimentation comporte peu de viande rouge.

SYMPTÔMES DE CARENCE Affaiblissement des os, ostéoporose.

RISQUES DE TOXICITÉ Faibles.

EFFETS TOXIQUES Troubles neurologiques.

Le manganèse est un minéral qui travaille avec un grand nombre d'enzymes, reformant les hydrates de carbone, synthétisant les graisses, transformant le glucose en énergie, formant des cellules nerveuses, assurant l'entretien du pancréas, et aidant les muscles à accomplir leurs tâches. Il s'associe également au cuivre et au zinc pour construire les os.

Il semble maintenant que le manque de manganèse puisse poser des dangers particuliers aux os. Les chercheurs de l'université de San Diego ont découvert que les rats dont l'alimentation ne contenait pratiquement pas de manganèse manifestaient une porosité osseuse. Ensuite, une étude effectuée sur vingt-huit femmes – dont la moitié seulement étaient atteintes d'ostéoporose – révéla que la seule différence entre elles se situait au niveau du taux de manganèse dans le sang. Les femmes souffrant d'ostéoporose avaient un taux de manganèse équivalent *au quart* du taux de manganèse des femmes non atteintes par cette maladie.

Les recherches effectuées sur les femmes indiquent qu'un grand nombre d'entre elles n'obtiennent pas des quantités satisfaisantes de manganèse. De plus, si elles prennent des suppléments de calcium sans y ajouter de manganèse, le calcium risque d'entraver l'absorption du manganèse et de faire baisser ce taux davantage encore.

Il est difficile de se procurer suffisamment de manganèse par des sources autres que la viande rouge, bien que ce minéral soit présent dans la plupart des fruits, des légumes et des graines. Les recherches effectuées récemment par le Dr Constance Kies de l'université du Nebraska indiquent que le manganèse provenant de sources non animales est deux fois moins facile à absorber que celui qui est issu de sources animales, l'absorption étant même très souvent inférieure à ce chiffre.

Les suppléments de manganèse (sous forme d'ampoule d'oligo-élément vendue en pharmacie) peuvent s'avérer utiles pour certaines personnes, c'est pourquoi il est encourageant de noter que les cas de toxicité du manganèse sont rares. Ils peuvent cependant apparaître en cas de consommation vraiment excessive, et les mineurs du Chili, qui inhalent littéralement du manganèse toute la journée, souffrent fréquemment de troubles neurologiques sérieux semblables à ceux que provoque la maladie de Parkinson.

L'IODE

FONCTION   Aide la glande thyroïde à réguler le métabolisme basal.

QUANTITÉ QUOTIDIENNE CONSEILLÉE POUR ADULTES   150 mg.

PERSONNES POUVANT BÉNÉFICIER DE SUPPLÉMENTS   Tous les gens qui n'utilisent pas de sel iodé (en particulier les femmes enceintes et les enfants en période de croissance).

SYMPTÔMES DE CARENCE   Goitre (dilatation de la glande thyroïde), et crétinisme chez les bébés dont la mère manifeste une déficience en iode.

RISQUES DE TOXICITÉ   Faibles.

EFFETS TOXIQUES   Perturbation du fonctionnement de la glande thyroïde.

L'iode ne remplit qu'une fonction dans l'organisme : il forme une partie des hormones thyroïdiennes qui sont les principaux régulateurs du métabolisme basal, déterminant le rythme du fonctionnement des systèmes de l'organisme. Lorsque le corps ne dispose pas de quantités suffisantes d'iode, la glande thyroïde se dilate, formant au niveau du cou une protubérance caractéristique appelée goitre.

Les Chinois traitaient autrefois le goitre par des algues et des éponges brûlées. Cela se passait il y a environ 5 000 ans. Cependant, bien qu'un médecin suisse, le Dr J.R. Coindet, ait suggéré en 1820 que la réponse se trouvait peut-être dans l'iode, la communauté médicale ne testa cette théorie qu'en 1917. Les recherches montrèrent alors que les humains, comme les animaux, risquaient beaucoup moins de souffrir de goitre s'ils vivaient à proximité de l'océan, où le sol était plus riche en iode et où ils consommaient plus fréquemment des fruits de mer.

D'autres éléments de l'alimentation influencent également l'apparition du goitre. Au début du siècle, était très fréquent à l'intérieur des terres aux États-Unis, mais cela n'était pas dû uniquement au manque d'iode dans le sol et à la faible consommation de fruits de mer. Dans ces régions, les gens consommaient beaucoup de choux-fleurs, de brocolis et de choux, et tous ces légumes de la même famille contiennent des molécules organiques qui perturbent l'utilisation de l'iode par la thyroïde. Par conséquent, l'excès de ces légumes, tout comme le manque d'iode, peut entraîner l'apparition du goitre, mais les risques sont naturellement plus grands quand ces deux facteurs sont associés.

Lorsque le rapport entre l'iode et le goitre fut établi, de nombreux pays décidèrent que le sel de table devait être enrichi d'iode. Aujourd'hui, on trouve du sel iodé dans toutes les grandes surfaces et le goitre a pratiquement disparu grâce à ce procédé. Mais il affecte toujours quelque deux cents millions de personnes dans le monde, et pas seulement dans les pays en voie de développement.

Les excès d'iode semblent perturber le fonctionnement de la thyroïde aussi bien que les carences.

LE FLUOR

FONCTION Construction des dents et des os.
CONSOMMATION SAINE POUR ADULTES 1,5 à 4 mg/jour.
PERSONNES POUVANT BÉNÉFICIER DE SUPPLÉMENTS Femmes enceintes, enfants et victimes de l'ostéoporose.
SYMPTÔMES DE CARENCE Caries dentaires et affaiblissement des os.
RISQUES DE TOXICITÉ Modérés.
EFFETS TOXIQUES Décoloration des dents. A plus fortes doses, les os peuvent devenir cassants ou éventuellement se déformer.

Le fluor est devenu célèbre avec la polémique concernant son éventuelle addition à l'eau de consommation. Depuis 1950, cette règle est en vigueur aux États-Unis, le fluor étant présent à raison d'une partie par million dans les eaux domestiques, et le débat continue de faire rage pour savoir les risques exacts que cela peut entraîner. En France, le problème est réglé, il est interdit d'enrichir eau ou aliment en quelques minéraux ou vitamines que ce soit, mais nous disposons d'une eau de source naturellement riche en fluor, il s'agit de la Badoit.

Une chose est pourtant claire aujourd'hui. Le fluor a fait baisser considérablement le nombre de caries dentaires aux États-Unis. Si nul n'a jamais mis en doute la capacité du fluor à renforcer les dents et peut-être même les os, le problème reste de savoir si nous avons besoin d'autant de fluor que nous en obtenons aujourd'hui. La plupart des dentifrices que l'on trouve sur le marché sont renforcés au fluor, et l'eau fluorée ajoute encore à notre consommation quotidienne. Cependant, la fluorose – le jaunissement ou le noircissement des dents – n'apparaît que dans les régions où l'eau est naturellement très riche en fluor.

C'est toutefois dans ces régions que les médecins ont décelé les premiers indices concernant l'utilisation du fluor pour combattre l'ostéoporose. En fait, des études effectuées en Finlande ont montré que même au niveau normal de fluoration de l'eau – une partie par million – le fluor pouvait réduire de 50 % les risques d'ostéoporose chez les femmes ménopausées.

AUTRES OLIGO-ÉLÉMENTS ESSENTIELS

Le chrome

Il n'est pas surprenant que des symptômes semblables à ceux du diabète apparaissent en cas de carence de chrome, car ce minéral a notamment pour tâche de rendre les cellules de l'organisme plus sensibles à l'insuline. Il participe également à la régulation de la synthèse des acides gras et du cholestérol dans le foie, ainsi qu'à la digestion des protéines dans l'intestin. Une carence entraîne notamment une élévation des taux d'acides gras et de cholestérol dans le sang, une mauvaise utilisation du glucose, voire même une dégénérescence des nerfs.

Les meilleures sources de chrome dans l'alimentation sont la levure, le vin, la viande et la bière.

Le sélénium

Comme la vitamine E, le sélénium est connu pour son action destructrice contre les radicaux libres, car il s'associe à une enzyme qui protège les membranes cellulaires dans le foie, le cœur, les reins et les poumons. Le poisson, les céréales complètes (en particulier le blé) et, d'une manière générale, tous les légumes qui poussent dans un sol riche en sélénium constituent de bonnes sources de ce minéral. Les carences sont très rares dans les pays occidentaux; elles se manifestent par une maladie cardiaque, mais on s'interroge beaucoup actuellement au sujet des possibles liens existant entre une carence de sélénium et diverses autres maladies comme l'athérosclérose, l'hypertension artérielle, la myopathie, la fibrose cystique, la cirrhose du foie, et le cancer. L'hypothèse d'une relation avec le cancer est très sérieuse (voir chapitre 19).

Les excès de sélénium sont aussi rares que les carences dans les pays occidentaux, mais on a pu se faire une idée assez précise des dangers que pouvait présenter une surdose en sélénium avant 1930, lorsqu'il est devenu évident qu'une certaine herbe, très riche en sélénium, était toxique. Les animaux qui la paissaient manifestaient de graves symptômes : ils devenaient raides sur leurs pattes et boitaient, étaient parfois paralysés et aveugles, et ils finissaient par mourir.

Le molybdène

Il est difficile pour des personnes en bonne santé et dont l'alimentation est tant soit peu équilibrée de manquer de molybdène, car ce minéral est présent dans un grand nombre d'aliments. Cependant, en 1981, un patient de chirurgie à qui on avait administré une formule riche en acides aminés chargés de soufre, mais manquant de molybdène, manifesta une accélération du rythme cardiaque et de la respiration, une cécité crépusculaire, des maux de tête, des troubles mentaux, des nausées et des vomissements. L'addition de molybdène à la formule soulagea ces symptômes.

Cependant, pour la plupart d'entre nous, la surdose de molybdène représente sans doute un risque plus élevé que la carence, car cela priverait notre organisme de cuivre. Là aussi, des chercheurs chinois de la province de Guizhou ont émis l'hypothèse selon laquelle une épidémie de maladies cardiaques dans cette région pourrait être liée à la surabondance de molybdène dans le sol aussi bien qu'à une déficience de sélénium.

Le cobalt

Seul le cobalt présent dans la vitamine B_{12} peut avoir une valeur nutritive. Mais il doit être consommé en tant que composant de cette vitamine. Par conséquent, les suppléments de cobalt n'ont aucune valeur et peuvent être dangereux. La surdose de cobalt peut provoquer le goitre ainsi qu'une stimulation excessive de la moelle osseuse et une augmentation considérable de l'hémoglobine.

3e partie

TOUT SUR L'ALIMENTATION

Chapitre 8

TIRER LES NUTRIMENTS
DE LA NOURRITURE

Malgré les problèmes et les risques que cela représente, nous nous contentons d'alimenter notre organisme au moyen de nourriture, car le fait de manger ne répond pas seulement à des besoins nutritifs : cela nous permet de satisfaire notre sens du goût et favorise notre vie sociale et sexuelle, en nous fournissant une base pour le rituel de notre vie quotidienne.

Cependant, ce que nous mangeons ne correspond pas uniquement aux besoins de notre corps. Le matin, personne ne bondit du lit en s'écriant : « Si je prenais un peu de glucose? » (même si nos réserves de glucose sont souvent affaiblies à la suite d'une nuit de sommeil). De même, dans la journée, nous ne décidons pas de nous offrir le soir un délicieux dîner à base d'acides aminés garnis de divers micronutriments.

Nos accès de faim et nos envies concernent des aliments comme les fraises ou les tomates, le steak ou le saumon poché, la pizza ou les pâtes, la glace ou la tarte aux fruits. Cela reflète certains besoins nutritifs, mais d'une manière plutôt lointaine. Cependant, ces envies se rapportent beaucoup plus à notre mode d'alimentation (comment, où et quand nous mangeons), à notre culture, notre éducation, nos revenus et notre état d'esprit. Notre alimentation est un étonnant reflet de notre culture. En tant qu'individus, nous avons tous des préférences personnelles, mais notre choix est déterminé par notre culture.

CONNAÎTRE VOS BESOINS ET Y RÉPONDRE

Il nous est difficile de nous fier à notre instinct ou à nos goûts pour nous assurer que notre organisme reçoit tous les nutriments dont il a besoin; en outre, plus notre choix est vaste, plus nous avons tendance à opter pour des produits assez malsains. Dans ces conditions, comment veiller à fournir à notre corps tout ce qu'il lui faut sans le surcharger de calories et de graisses? De toute évidence, nous avons besoin de directives et nous devons apprendre à les suivre.

Les tableaux relatifs aux aliments que vous trouverez dans ce chapitre et dans l'appendice vous aideront à établir un régime alimentaire qui vous fournira tous les nutriments dont vous avez besoin sans vous surcharger de calories. Cependant, quand on achète des aliments traités, leur valeur nutritive ne correspond pas toujours à ce qu'on attend. Certains produits ne contiennent pas un nutriment qui devrait pourtant y être présent. Les étiquettes peuvent vous indiquer le contenu réel du produit.

LA QUÊTE DE VARIÉTÉ

Comme le répètent les nutritionnistes depuis des années, l'élément clé d'une bonne nutrition est la variété. Il n'y a pas si longtemps, on recommandait aux écoliers et aux adultes de s'assurer une alimentation équilibrée en consommant chaque jour plusieurs parts de produits issus des « quatre grandes catégories » d'aliments. Dans la catégorie du lait, dont chaque part fournissait autant de calcium qu'une tasse de lait ou de yaourt, les enfants devaient consommer trois parts de ces aliments chaque jour, la consommation des adolescents étant équivalente à quatre ou cinq parts et celle des adultes à deux parts. Chacun devait prendre chaque jour deux parts d'aliments de la famille des viandes une part correspondant à 75 grammes de viande maigre, de poisson ou de volaille, ou l'équivalent en œufs (1), ou en fromage (50 g). La ration quotidienne était de quatre parts pour la catégorie des fruits et légumes, dont une part au moins d'un aliment riche en vitamine C et une part d'un produit riche en vitamine A soit deux fruits et deux plats de légumes. Il fallait également consommer chaque jour quatre parts de produits de la famille des céréales, chaque part consistant en une tranche de pain complet, 30 grammes de céréales sèches ou 100 grammes de riz, de pâtes, ou de céréales cuites (soit 4 cuillerées à soupe).

D'une manière générale, on peut considérer ce « système des quatre familles » comme une manière raisonnable d'organiser un régime alimentaire équilibré. Mais il présente l'inconvénient que possèdent toutes les formules alimentaires trop simplifiées : il suppose que si on se contente d'absorber quelques nutriments essentiels, la variété de la nourriture se chargera du reste. Par conséquent, on risque toujours, en respectant un tel programme, de manquer de certains nutriments, comme la vitamine B₁₂ et l'iode.

Par ailleurs, le problème inhérent à ce système tient au fait que peu de gens font quatre repas quotidiens de nos jours. Notre mode de vie a beaucoup évolué depuis la création de ce programme, et notre mode d'alimentation a également beaucoup changé. Aujourd'hui, peu d'entre nous appartiennent encore à des familles qui respectent les traditions en prenant chaque jour deux ou trois repas cuisinés à la maison. La plupart d'entre nous consomment des aliments surgelés, ou dînent régulièrement dans des restaurants chinois, italiens ou japonais. De même, nous choisissons souvent (pour des raisons variées) de réduire le nombre de calories ou la quantité de viande rouge que nous consommons.

Pour être certain que, quel que soit votre mode d'alimentation, vous ayez accès à tous les nutriments essentiels, consultez les tableaux des pages 126 à 129 qui signalent la valeur nutritive et la richesse des différents aliments et qui constituent un guide pour les informations que vous trouverez dans l'appendice. Ces renseignements vous aideront à obtenir tous vos nutriments par des sources variées. Cependant, il ne faut pas oublier quelques détails complexes concernant la manière dont nous tirons les nutriments de la nourriture.

Considérez d'abord ce que contient la nourriture. Il y a de l'eau, le premier de nos nutriments, qui représente plus de la moitié du poids des aliments (les fruits et les légumes sont même composés d'eau à 80 ou 90 %). Puis viennent les graisses, les protéines, les hydrates de carbone et les divers vitamines et minéraux.

Toutefois, les aliments ne contiennent pas uniquement des nutriments. Ils comportent aussi certaines substances non nutritives, qui donnent aux aliments la plus grande part de leur couleur et de leur goût, ainsi que des substances potentiellement toxiques qui sont présentes en quantités minimes dans la plupart des aliments naturels. Il ne faut pas non plus oublier le composant volumineux des aliments d'origine végétale, c'est-à-dire les fibres.

Les fibres sont définies comme un hydrate de carbone complexe non assimilable par l'organisme et se présentent sous deux formes différentes : solubles et insolubles. Le son, par exemple, est une excellente source de cellulose, l'une des fibres insolubles qui se déplacent dans le tube digestif en collectant de l'eau pour donner aux déchets la masse dont ils ont besoin pour traverser rapidement le côlon. (Ce genre de fibres peut prévenir la constipation et peut-être même réduire les risques de cancer du côlon et de diverticulose.) Les fibres solubles, présentes dans l'avoine, le seigle, les haricots secs et certains fruits et légumes, contribuent à la régulation du taux de sucre dans le sang et de la quantité de cholestérol qui atteint le sang. (Voir : « Les différents types de fibres », p. 123).

Enfin, il ne faut pas oublier que les hommes et les femmes « moyens » sont loin d'être « moyens » par certains aspects. Chacun d'entre nous a ses besoins nutritifs particuliers, qui résultent de l'hérédité, du mode de vie, du mode d'alimentation, de notre âge, de notre sexe, des exigences que nous infligeons à notre organisme, et de celles que nous ne lui infligeons pas. Les chapitres suivants traiteront des divergences que nous pouvons présenter par rapport aux normes établies; nous évoquerons les besoins alimentaires particuliers pendant la grossesse, l'enfance, l'adolescence et la vieillesse, ainsi que les modes d'alimentation qui peuvent amoindrir les risques de maladie.

LA CONSTITUTION D'UN RÉGIME DE BASE

N'oubliez pas qu'il faut veiller à ce que la nourriture que vous consommez généralement (pour des raisons de goût, de commodité, ou de mode de vie) vous procure les nutriments essentiels dont votre organisme a besoin sans vous fournir une surcharge de calories. Après tout, au-delà d'une certaine dose de calories par jour, il est fatal que l'on prenne du poids.

Il faut également s'assurer un bon équilibre de nutriments énergétiques. Il ne s'agit pas d'abuser des graisses ni de consommer tous vos hydrates de carbone sous forme de sucres simples : cela augmenterait les risques d'obésité et vous exposerait à diverses maladies graves. Par conséquent, il est préférable de ne pas trop s'éloigner des objectifs préconisés par tous les spécialistes :

• Répondre à 50 % au moins de vos besoins énergétiques par des hydrates de carbone, mais limiter votre consommation de sucres raffinés à 10 % seulement.

• Ne pas consommer plus de 35 % de vos calories sous forme de graisses, et 10 % seulement sous forme de graisses saturées (celles qui sont riches en acides gras saturés). Il faut également limiter le cholestérol, même si on peut parfois excéder légèrement les 250 milligrammes quotidiens préconisés par les nutritionnistes.

• Tirer 15 % de vos calories des protéines.

• Tout en restant dans ce cadre, obtenir toutes les vitamines et tous les minéraux dont vous avez besoin.

LES DIFFÉRENTS TYPES DE FIBRES

Les fibres ne sont ni uniques, ni simples, mais les différents types de fibres proviennent tous des parois cellulaires des plantes. Elles ne peuvent être digérées par notre organisme, et à l'exception d'une seule, elles ont toutes les caractéristiques des hydrates de carbone, constitués de molécules de sucre.

On peut se passer de fibres. Ce ne sont pas des nutriments essentiels. Mais une vie sans fibres ne serait pas très agréable, car elles jouent un rôle primordial en facilitant l'opération de digestion. Elles fournissent aux intestins la masse organique dont ils ont besoin pour fonctionner correctement. Elles peuvent également prévenir l'obésité, les troubles cardiaques et le cancer du côlon. Les différents types de fibres remplissent des tâches différentes dans l'organisme; les fibres des oranges et des haricots verts accomplissent des travaux que ne font pas les fibres du son.

Les fibres se présentent sous deux formes principales : celles qui sont solubles dans l'eau et celles qui ne le sont pas.

Les fibres appelées **cellulose, hémicellulose** et **lignine** ne sont pas solubles dans l'eau. En revanche, elles peuvent *absorber* l'eau comme des éponges. Cela signifie qu'elles gonflent et ajoutent à la masse des aliments, ce qui facilite l'élimination des déchets par les intestins. Les céréales du petit déjeuner et les céréales complètes sont riches en fibres non solubles; c'est également le cas du son, traditionnellement utilisé pour combattre la constipation, et qui est dérivé de la couverture extérieure des graines.

En assurant un bon fonctionnement des intestins, les fibres non solubles pourraient également permettre de prévenir la diverticulose (un trouble digestif) et le cancer du côlon. En effet, si les substances pouvant devenir cancérigènes qui se trouvent dans l'intestin sont dégagées rapidement, elles devraient avoir moins de temps pour causer des dommages. Ces fibres peuvent également limiter l'absorption de graisses par l'organisme en débarrassant les intestins de ces dernières avant qu'elles ne soient totalement digérées.

Les fibres hydrosolubles jouent un rôle plus subtil en ce qui concerne le métabolisme des graisses. Ces fibres peuvent s'associer chimiquement aux acides biliaires, produits par la vésicule biliaire à partir du cholestérol. Lorsque ces sucs biliaires sont chassés de l'organisme, celui-ci compense cette perte en en produisant davantage, et il doit pour cela puiser du cholestérol dans le sang. Il existe deux principaux types de fibres hydrosolubles : les **pectines**, que l'on trouve dans les pommes, les agrumes et certains légumes, et les **gommes**, que l'on trouve dans les graines d'avoine et les haricots (et qui sont également utilisées comme épaississants dans les glaces et les assaisonnements de salade).

Toutes les fibres peuvent ralentir l'absorption du glucose dans le sang, car elles sont associées aux hydrates de carbone digestes dont le glucose est extrait. La pectine et les gommes peuvent également freiner l'absorption des sucres dans les intestins. Ces deux effets peuvent être très bénéfiques pour les diabétiques.

Les fibres, comme tous les autres aliments, ne doivent pas être consommées en excès; cela peut provoquer des flatulences, des gonflements et des diarrhées. Certaines risquent par ailleurs de perturber l'absorption des oligo-éléments (Voir : « Les interactions des aliments », p. 186). La plupart d'entre nous ne risquent pas une surdose, mais plutôt une insuffisance. Les cancérologues recommandent une consommation quotidienne de 20 à 35 grammes de fibres, mais nous n'en consommons en moyenne que 10 grammes. (Une pomme et une tranche de pain complet contiennent chacune environ 2 grammes de fibres; une demi-tasse de brocoli en contient 3 grammes.)

Les différentes fibres ayant des effets variés sur l'organisme, la solution la plus sûre consiste à consommer des quantités raisonnables de chacune d'entre elles dans les pains complets, les céréales au son et à l'avoine, le riz brun, les légumes secs, et plus particulièrement les fruits frais et les légumes verts. Le tableau ci-dessous cite les aliments qui constituent les meilleures sources de fibres solubles et non solubles. Il indique le nombre de grammes de fibres pour 100 grammes de ces divers aliments (et *non par part*). Le son sec en contient plus que des pommes du même poids, mais cela ne signifie pas que vous en tirerez moins d'une pomme que du son ou de l'avoine de vos céréales; une pomme est en effet beaucoup plus lourde. Ces chiffres ne concernent qu'un type de fibres particulier : par exemple, les « 0,8 » gramme indiqués face à l'avoine cuite (celle des flocons d'avoine) ne font référence qu'aux fibres solubles que contient cet aliment, et ne tiennent pas compte des fibres non solubles qu'il recèle également.

Les sources alimentaires de fibres

Aliments	Fibres solubles (pour 100 g)	Aliments	Fibres non solubles (pour 100 g)
Son sec	7,2	Son complet	24,9
Haricots blancs secs	1,7	Germe de blé	15,0
Pois cassés secs	1,6	Froment	10,2
Fraises	0,8	Orge	7,4
Avoine (flocons)	0,8	Asperges	2,8
Pommes	0,7	Choux de Bruxelles	2,7
Bananes	0,6	Choux	2,3
Pamplemousses	0,5	Haricots verts	2,3
Oranges	0,4	Carottes	1,9
		Brocolis	1,7

Source: Dr James W. Anderson, *les Fibres dans l'alimentation* (Lexington, KY; Fondation de recherche sur le diabète, 1986).

Un autre objectif, bien qu'il soit plus difficile à quantifier, est de parvenir à une consommation de kilocalories qui vous permette de conserver (ou d'atteindre) un poids qui vous convienne. Il s'agit d'obtenir les nutriments dont vous avez besoin sans les alourdir de kilocalories excessives. C'est une forme d'économie de kilocalories que les nutritionnistes décrivent comme un choix d'aliments riches en nutriments, et dont la valeur nutritive est relativement plus élevée que la valeur calorique.

Le riz blanc, par exemple, est une bonne source d'hydrates de carbone. Mais si vous cherchez à vous procurer des protéines grâce au riz, vous devez payer 225 kilocalories pour 4 grammes de protéines, alors qu'une côte d'agneau vous fournirait cinq fois plus de protéines pour moins de calories. Vous pouvez tirer de la vitamine C d'un demi-avocat, mais elle est assortie de 160 kilocalories, alors qu'une tasse de jus de pamplemousse contient neuf fois plus de vitamine C et 95 kilocalories seulement. En revanche, le demi-avocat contient deux fois plus de potassium que le jus de pamplemousse, deux fois plus d'acide folique (vitamine B_9), et trente fois plus de vitamine A. Trouver le juste équilibre dans votre consommation de kilocalories revient un peu à équilibrer votre compte en banque, car il s'agit de calculer ce que vous devez payer en kilocalories pour répondre aux besoins de votre organisme, tout en veillant à ce qu'il vous reste une marge raisonnable pour les petits écarts de gourmandise.

Quand vous regardez votre alimentation, vous avez peut-être du mal à vous représenter sa valeur nutritive exacte. Tout d'abord, vous ne consommez pas toujours des produits « nature ». Le rosbif est souvent accompagné de sauce et les salades sont assaisonnées. On peut aussi penser aux quiches, aux pizzas, aux plats en sauce, aux gâteaux et aux crèmes, ainsi qu'à de nombreux autres aliments qui contiennent des ingrédients multiples. Mais il ne faut pas oublier que nous tirons des nutriments précieux de tous les aliments que nous consommons, et que tous les produits peuvent être utiles.

Principaux nutriments dans certains aliments

Aliment	Quantité	Calories (kcal)	% de calories sous forme de		
			Protides	Lipides	Glucides
Côte d'agneau grillée	1	340	26	74	0
Poulet avec peau, rôti	100 g	239	47	53	0
Crevettes frites	100 g	225	37	45	18
Porc et haricots, sauce tomate	225 g	255	17	14	69
Emmenthal	30 g	115	24	75	1
Spaghettis poids cru :	60 g	216	14	3	83
Riz blanc poids cru :	40 g	150	7	1	92
Biscuit maison	1	103	9	42	49
Brocolis	75 g	25	36	9	55
Avocat	1/2 moyen	160	5	79	16
Huile d'olive	1 c. à soupe	119	0	100	0
Pomme	1	80	1	5	94
Dattes	10	230	1	0	99
Lait entier	150 ml	150	21	49	30
Bière	33 cl	163	0	0	100

Les tableaux des pages 126-129 ne constituent pas un guide absolu de la nutrition. Vous trouverez des informations bien plus détaillées dans les tableaux de l'appendice. En revanche, ces chiffres vous permettront de vous faire une idée plus précise du contenu nutritif et de la valeur des divers aliments, qui pourront vous permettre d'obtenir les nutriments qui vous manquent et de mettre au point un régime de base assez varié pour remédier à ces carences.

Vitamines et minéraux dans certains aliments

Nutriment et CQC (Hommes-Femmes)	Aliment	Quantité	Quantité de nutriment	% CQC (H-F)	Kilocalories
Vitamine A (1000 ER/ 800 ER)	Foie de génisse sauté	85 g	9 000 ER	900/1 125	185
	Melon	1/2 petit	510 ER	54/64	60
	Brocolis	100 g	170 ER	17/21	25
	Mozzarella (au lait entier)	30 g	68 ER	7/9	80
	Persil cru	1 c. à soupe	30 ER	3/4	2
Thiamine B1 (1,4 mg/ 1,0 mg)	Côte porc grillée	1 moyenne	0,8 mg	57/80	300
	Pomme de terre vapeur	1 belle	0,2 mg	14/20	140
	Pain blanc	30 g	0,1 mg	7/10	65
	Blanc de poulet rôti	1/2 blanc	0,08 mg	6/8	220
	Pamplemousse	1/2	0,04 mg	3/4	39
Riboflavine B2 (1,6 mg/ 1,2 mg)	Hamburger double	1	0,54 mg	34/45	670
	Lait entier	150 ml	0,40 mg	25/33	150
	Choux de Bruxelles surgelés	150 g	0,17 mg	11/14	63
	Orange	1 moyenne	0,05 mg	3/4	60
Niacine B3 ou Vitamine PP (18 mg/ 13 mg)	Cacahuètes salées	100 g	19,6 mg	109/151	660
	Salade de thon + 1 cuil. d'huile	100 g	10,2 mg	57/78	340
	Chips	30 g	5,0 mg	28/38	110
	Champignons crus	100 g	3,0 mg	17/23	20
Vitamine B6 (2,2 mg/ 2,0 mg)	Flocons de son	30 g	0,5 mg	23/25	90
	Côtes d'agneau maigres	2 (120 g)	0,4 mg	18/20	240
	Jus de raisin, en bouteille	150 ml	0,16 mg	7/8	155
	Lait écrémé	150 ml	0,1 mg	4,5/5	86
	Flocons de maïs	30 g	0,06 mg	2,7/3	145

Nutriment et CQC (Hommes-Femmes)	Aliment	Quantité	Quantité de nutriment	% CQC (H-F)	Kilocalories
Acide folique (0,4 mcg)	Pois chiches	30 g	125 mcg	31	110
	Pointes d'asperges, conserve	100 g	85 mcg	21	16
	Ananas, jus	150 ml	58 mcg	15	140
	Yaourt maigre sucré	1	25 mcg	6	144
	Petit pain	1 (60 g)	13 mcg	3	175
Vitamine B12 (3 mcg)	Foie	30 g	24,3 mcg	810	45
	Thon à l'huile	50 g	2,2 mcg	73	200
	Lait entier	150 ml	0,9 mcg	30	150
	Hamburger	1 normal	0,8 mcg	27	250
	Œuf dur	1	0,6 mcg	20	80
Vitamine C (60 mg)	Jus d'orange	150 ml	125 mg	208	110
	Brocolis	100 g	50 mg	83	25
	Pommes de terre vapeur	1 belle	30 mg	50	140
	Salade verte	100 g	5 mg	8	10
	Lait entier	150 ml	2 mg	3	150
Calcium (800 mg)	Sardines à l'huile	85 g (2)	370 mg	46	170
	Lait entier	150 ml	290 mg	36	150
	Fromage frais 40%	200 g	126 mg	16	217
	Brocolis	200 g	90 mg	11	50
	Petit pain au son	1 (50g)	55 mg	7	110
Phosphore (800 mg)	Sole poêlée	100 g	344 mg	43	202
	Pois chiches	60 g	212 mg	27	220
	Glace vanille	200 g	134 mg	17	270
	Pamplemousse	1	20 mg	3	60
	Pop-corn	30 g	20 mg	3	40
Fer (10 mg/ 18 mg)	Huîtres	6	7,2 mg	72/40	60
	Steak grillé	125 g	4,5 mg	45/25	330
	Petit pain	1 (60 g)	1,6 mg	16/9	175
	Haricots secs poids cru	30 g	1,2 mg	12/7	90
	Brocolis	100 g	0,7 mg	7/4	25
Zinc (15 mg)	Steack grillé	125 g	7,5 mg	50	330
	Emmenthal	100 g	3,1 mg	21	403
	Dinde rôtie	100 g	3 mg	20	208
	Petite brioche	1	0,4 mg	3	135

Nutriment et CQC (Hommes-Femmes)	Aliment	Quantité		Quantité de nutriment	% CQC (H-F)	Kilocalories
Potassium	Banane	1 moyenne		450 mg	8/24	105
(1875/	Betteraves	200 g		290 mg	5/15	60
5625 mg)	Thon au naturel	50 g		275 mg	5/15	130
Sodium	Pain blanc	1/2	480 mg	15/44	120	
(1100/	Pois, conserve	ficelle	200 mg	6/17	75	
3300 mg)	Figues	100 g	180 mg	5/16	212	
	Eau gazeuse *	4	78 mg	2/7	0	
	Pilon de poulet	30 cl 1	44 mg	1/4	120	
Cuivre	Chair de homard	100 g		1,6 mg	53/80	90
(2/3 mg)	Avocat	1 moyen		0,4 mg	13/20	320
	Jambon	85 g		0,3 mg	10/15	250
	Céréales au froment	30 g		0,13 mg	4/7	99
	Pommes de terre	75 g		0,1 mg	3/5	72

* Perrier est la seule eau gazeuse qui ne contienne pas de sodium.

FAUT-IL PRENDRE DES SUPPLÉMENTS?

Même si votre alimentation est relativement équilibrée, vous pouvez avoir besoin de suppléments de vitamines et de minéraux – même s'il ne s'agit que d'une mesure de sécurité.

Pour certaines personnes, les suppléments sont recommandés ou même indispensables. Les gens qui suivent un régime basses calories, ou dont l'alimentation n'est pas équilibrée (comme les végétariens stricts) ne tirent pas toujours de la nourriture toutes les substances dont ils ont besoin. Le fait de boire de l'alcool ou de fumer peut puiser dans vos réserves de nutriments, de même que l'absorption de certains médicaments. Par ailleurs, il existe des besoins particuliers en fonction de votre âge, de l'enfance à la vieillesse. Vous trouverez dans les chapitres suivants consacrés aux carences, à la maladie et aux besoins précis selon les catégories d'âge et le mode de vie, des suggestions concernant ces suppléments.

Si vous avez besoin de prendre des suppléments multivitamines, voici quelques conseils fondamentaux:

- Choisissez une formule *équilibrée*, qui contienne toute la gamme des vitamines et des minéraux essentiels, sans abuser d'un seul nutriment.
- D'une manière générale, choisissez une formule qui corresponde à environ 100 % des besoins pour chaque nutriment préconisé dans les tableaux des apports journaliers conseillés, à l'exception du calcium, du phosphore et du magnésium. Les doses quotidiennes recommandées pour ces minéraux ne peuvent pas et ne *doivent pas* être absorbées en une seule fois. Votre formule peut également comporter des oligo-éléments et elle devrait contenir au moins 5 milligrammes de manganèse.
- Il n'est pas toujours nécessaire de prendre des suppléments chaque jour. Examinez votre régime alimentaire et essayez d'en évaluer la qualité. Vous constaterez peut-être que l'absorption d'un supplément tous les deux ou trois jours vous apporte une assurance largement suffisante.
- Vérifiez la date d'expiration sur ces produits. Les vitamines, comme les médicaments, ne conservent pas leurs vertus éternellement.
- N'oubliez pas qu'une pilule ne saurait se substituer à une alimentation saine. Cependant, la plupart d'entre nous semblent déjà conscients de ce fait. Des études ont révélé que les gens qui prennent des suppléments ont tendance à mieux prendre soin d'eux-mêmes que les autres dans tous les domaines (y compris celui de l'alimentation équilibrée). Il semble que la plupart d'entre nous prennent des suppléments de vitamines et de minéraux pour trouver un mode de vie plus sain.

N'oubliez pas que les normes de consommation quotidienne conseillée n'incluent pas tous les nutriments dont nous avons besoin. De plus, les quantités de certains nutriments qu'elles préconisent ne sont pas suffisantes pour certaines personnes. Par exemple, les femmes enceintes ont besoin de beaucoup plus de fer et de doses plus élevées de la plupart des nutriments. Par conséquent, un supplément multivitamines et minéraux ne procure pas toujours une assurance absolue à chacun de nous.

Chapitre 9

LE MODE D'ALIMENTATION

Chacun d'entre nous se nourrit d'une manière distincte, (mais pas nécessairement unique). C'est ce qu'on appelle le mode d'alimentation. C'est un aspect du mode de vie qui est dicté par nos goûts et nos attitudes reflètent un grand nombre d'influences extérieures : la région que nous habitons, notre origine ethnique, notre religion, notre éducation; par ailleurs, nous avons acquis certaines habitudes alimentaires depuis notre plus tendre enfance. La manière dont nous mangeons est également déterminée par l'importance que nous accordons à la nourriture, par ce que nous attendons de cette nourriture, ainsi que par l'endroit où nous prenons nos repas, le moment où nous mangeons, et les personnes avec qui nous partageons les repas.

Nos goûts alimentaires se manifestent très tôt. Les bébés, dès qu'ils reçoivent des aliments solides, révèlent très rapidement leurs préférences, généralement par un rejet actif ou passif des aliments qui leur déplaisent (quand ce rejet est actif, nous retrouvons par exemple les carottes sur le sol). Le mot « gâteau » est souvent l'un des premiers que les enfants prononcent, immédiatement après « papa » et « maman ». Et ce goût instinctif des sucreries est rapidement suivi de l'acquisition d'autres préférences qui constituent les premiers pas d'un mode d'alimentation distinct. Les jeunes enfants traversent tous des périodes difficiles sur le plan de l'alimentation, refusant de goûter des produits qu'ils ne connaissent pas et limitant souvent leur horizon à quelques aliments qu'ils apprécient plus particulièrement : le beurre, le fromage, les frites, ou une marque de céréales bien précise.

Les adolescents dépendent toujours des choix alimentaires de leur famille, mais ils consomment beaucoup de nourriture en dehors des repas et tirent environ un cinquième de leurs calories des friandises qu'ils mangent fréquemment aussi bien chez eux qu'à l'extérieur. Ce mode de nutrition n'est pas nécessairement mauvais. La plupart de ces friandises qu'apprécient les adolescents n'ont pas une énorme valeur nutritive, mais certaines, comme les « barres de chocolat pleines d'énergie » sont renforcées par d'importants nutriments. Par ailleurs, certains produits qui ont mauvaise réputation, comme la pizza, présentent un équilibre nutritif étonnant. En revanche, le poulet rôti et les frites risquent de déséquilibrer leur alimentation, non seulement par les calories excessives qu'ils apportent, mais aussi par leur surplus de graisse.

Le mode d'alimentation des étudiants de l'enseignement supérieur reflète un mélange de nourriture traditionnelle et d'écarts alimentaires qui subsistent de l'adolescence; en revanche, les jeunes adultes (qu'ils vivent seuls ou ensemble) adoptent des alimentations très variées. Leur régime est surtout influencé par les contraintes de temps et par leurs revenus, la répugnance à cuisiner, la formation de leur palais de gourmets, leur préoccupation pour la condition physique, et le rôle social très important des repas. Cette période, qui est généralement leur première occasion de se nourrir librement, est celle où ils risquent le plus de déroger à la règle des trois repas par jour (qu'ils ne respectaient pas toujours pendant leur adolescence), et d'adopter des heures de repas qui s'accordent le mieux avec les exigences de leurs études ou leurs ambitions sociales.

Chez les familles qui ont de jeunes enfants, les repas se prennent généralement à heures fixes et ils dînent assez tôt, mais on assiste de plus en plus souvent à une modification de ces habitudes qui reflète bien l'absence aujourd'hui fréquente d'une personne en permanence au foyer. Les parents célibataires et les jeunes couples qui travaillent n'ont généralement pas le temps de préparer les repas avec autant de soin que les parents au foyer, de sorte qu'ils adoptent fréquemment des solutions de facilité et des repas tout préparés. Cela peut avoir des conséquences importantes sur la nutrition, mais cet impact n'est pas toujours négatif. Des sondages récents indiquent que les enfants dont les mères travaillent à l'extérieur ont tendance à manger moins de sucreries et de friandises salées que ceux dont la mère reste à la maison. En revanche, les enfants dont les parents travaillent ont tendance à consommer plus de graisses et risquent davantage de connaître des carences de fer que ceux dont l'un des parents reste à la maison, selon des recherches effectuées à l'université américaine de Cornell.

Le mode d'alimentation des parents qui avancent vers l'âge mûr reflète les attractions opposées que représentent d'une part la condition physique, et d'autre part la « bonne vie » (les bons repas, qui sont généralement riches); leur nourriture est également influencée par les contraintes de temps et par les autres pressions professionnelles et familiales. C'est semble-t-il dans cette catégorie d'âge que les gens prennent du poids prématurément.

Chez les personnes âgées, la sédentarité est un facteur déterminant du mode d'alimentation. Ces gens perdent leur intérêt pour la nourriture, non seulement parce que leur appétit diminue et parce que leur sens gustatif est moins développé, mais aussi en raison de la solitude, de la dépression, et des occasions moins nombreuses de faire des repas entre amis ou en famille. A mesure que les personnes âgées oublient les repas réguliers et répondent principalement à leurs besoins énergétiques par des petites bouchées avalées à tout moment de la journée, elles risquent de manifester d'importantes carences. Comme leur capacité d'absorption des nutriments est également amoindrie dans la plupart des cas, ils ont besoin de toute l'aide nutritive que l'on peut leur apporter pour tirer des bienfaits maximaux de leur organisme moins performant.

Outre l'âge, la mode affecte également beaucoup notre alimentation. Or, la mode a récemment créé un conflit entre la nourriture dite saine et la nourriture agréable, même si ces deux pôles ne sont plus nécessairement opposés.

La nourriture considérée comme saine n'a pas la réputation d'être très attirante. On pense parfois qu'il s'agit d'adopter un régime ascétique en éliminant pratiquement la viande rouge, en réduisant les graisses au maximum, et en se nourrissant presque exclusivement d'hydrates de carbone complexes (pâtes, haricots et céréales complètes). Cependant, on assiste d'autre part à un réveil du goût pour des aliments tels que pâtisseries, desserts à la crème, sans oublier les fromages.

Toutefois, les gourmets d'aujourd'hui découvrent de nouvelles solutions. La nouvelle cuisine favorise aussi bien le respect de la saveur naturelle des aliments que l'originalité des recettes et la diversité des goûts. Cela représente un changement intéressant par rapport aux repas sains, mais ennuyeux, et aux plats succulents, mais bien trop caloriques.

TIRER LE MEILLEUR PARTI DE VOTRE ALIMENTATION

Nos habitudes alimentaires subissent des transformations complexes. Il s'agit d'une évolution *générale* de la consommation, et non de modifications qui interviennent dans chaque famille. Beaucoup d'entre nous ont en effet réduit leur consommation de bœuf et de porc. En revanche, d'autres achètent plus de steaks et de côtelettes que par le passé. Le recours plus fréquent aux fruits et aux légumes frais, s'il est très répandu, n'est pas généralisé. Les sondages font bien ressortir ces différences importantes dans nos choix alimentaires (voir « Ce que nous mangeons aujourd'hui », p. 137).

Cependant, quel que soit notre mode d'alimentation, il nous permet généralement de répondre à nos besoins nutritifs. C'est parfois difficile si vous prenez tous vos repas au « fast-food » ou si vous vous limitez à un nombre restreint de plats que vous appréciez. Toutefois, d'une manière générale, vous devriez être en mesure de rester dans les limites d'un régime alimentaire de base qui réponde à tous vos besoins, même si votre mode d'alimentation est limité par des restrictions ou autres privations.

Il ne devrait pas non plus être nécessaire de surveiller de très près tout ce que vous absorbez, pourvu que vous soyez conscient de l'importance de la diversité et de la modération dans la nourriture. Ces deux principes vous fournissent la meilleure assurance dont vous puissiez rêver. Si vos repas sont suffisamment variés, et si vous vous contentez de quelques excès occasionnels, vous ne risquez pas de nuire beaucoup à la qualité de votre nutrition. Il existe néanmoins des solutions susceptibles de vous permettre de tirer le meilleur profit nutritif de votre alimentation.

LES REPAS PRÉPARÉS A LA MAISON

Le fait de préparer vos repas vous-même vous permet de contrôler très facilement votre alimentation. Cela vous aide également à retirer le meilleur – ou le pire – de ce que vous préparez.

Désormais, beaucoup de cuisiniers se préoccupent des questions de santé et mettent l'accent sur les fruits et les légumes frais et/ou surgelés. Ils sont riches en vitamines A et C ainsi qu'en acide folique, ils améliorent le goût et l'aspect des plats, et ils ont une forte teneur en fibres – ce qui vous permet de vous rassasier rapidement pour une consommation minime de calories.

Il est évident qu'il faut tirer autant de vitamines que possible de vos légumes. Cela ne signifie pas qu'il soit nécessaire de les consommer crus. En fait, il y a dans les fruits et les légumes crus certaines substances dont il vaut mieux se débarrasser, comme une enzyme présente dans le chou rouge, les choux de Bruxelles, les myrtilles et les mûres, qui risque de perturber l'absorption de la thiamine si elle n'est pas détruite par la cuisson.

Toutefois, certains modes de cuisson peuvent aussi détruire les vitamines, notamment la vitamine C et la riboflavine. Plus la chaleur est intense et plus le temps de cuisson est long, plus ces pertes seront importantes. Il semble que la cuisson au four à micro-ondes réduise la déperdition de vitamines à un minimum. Et de toute évidence, il vaut mieux faire cuire les aliments à la poêle ou à la vapeur que les faire bouillir. Cependant, si vous les faites bouillir, conservez l'eau de cuisson (car certaines vitamines hydrosolubles s'y trouvent encore) pour l'utiliser comme bouillon de base d'un potage.

N'oubliez pas par ailleurs que même si la cuisson peut détruire certaines vitamines, elle rend aussi généralement la nourriture plus digeste. Autrement dit, elle rend certains nutriments, en particulier les hydrates de carbone et les protéines, plus accessibles aux enzymes chargées de les transformer en molécules plus petites qui peuvent être acheminées du tube digestif dans le sang. La cuisson est particulièrement importante pour les fruits et les légumes, qui possèdent des parois cellulaires de cellulose rigide que les enzymes ont du mal à traverser. La chaleur et l'eau provoquent une ouverture rapide de ces cellules.

Si vous voulez surveiller votre consommation de graisses, soyez vigilant quant à l'huile de cuisson que vous utilisez. Les acides gras saturés, comme ceux que l'on trouve dans le beurre, sont indispensables pour rendre appétissantes les pâtes à tartes et autres pâtisseries. Mais pour les aliments que vous consommez plus fréquemment, la substitution de graisses non saturées présentes dans les huiles végétales (comme l'huile de maïs et l'huile de tournesol) peut vous aider à réguler votre taux de cholestérol. Soyez également attentif à la quantité totale d'huile que vous employez. Il est souvent possible de réduire les quantités préconisées par les recettes, surtout si vous utilisez une poêle au revêtement antiadhésif.

Ces dernières années, certains se sont demandés si le fait de chauffer les graisses non saturées ne risquait pas de produire des radicaux libres (les molécules destructrices qui pourraient être liées au cancer). Mais cela ne semble être dangereux que si l'on fait chauffer l'huile jusqu'à des températures extrêmement élevées, pendant une période prolongée, et si l'on répète cette opération fréquemment. Or, dans ces conditions, l'huile dégage une odeur désagréable qui la rend de toute façon inutilisable.

La friture des aliments pose cependant toujours un problème chimique. Les graisses non saturées ayant tendance à fumer aux températures nécessaires à ce mode de cuisson, il faut faire appel à des graisses saturées. Or, les graisses saturées augmentent les risques d'athérosclérose, c'est-à-dire de durcissement des artères. Même les graisses végétales solides utilisées pour la friture sont très saturées; elles sont faites d'huiles végétales rares, comme l'huile de noix de coco qui contiennent plus d'acides saturés que les graisses animales. C'est pourquoi une alimentation qui met l'accent sur les frites, les beignets et autres mets de ce type n'est pas compatible avec une préoccupation sérieuse de prévention des troubles cardiaques.

L'élimination des graisses

Pour éliminer des graisses de cuisson sans nuire au goût des aliments, vous pouvez retirer toute la graisse visible des viandes et éliminer la graisse qui s'est accumulée dans la poêle (car elle a déjà apporté sa contribution au goût de votre plat). Ce procédé est encore plus facile avec les volailles, dont la plupart des graisses sont accumulées dans l'abdomen et dans la peau, où il est très possible de les écarter. Un demi-blanc de poulet frit avec la peau contient 9 grammes de graisse. Si vous faites rôtir le même blanc de poulet après en avoir retiré la peau, il ne contient plus que 3 grammes de graisse. Et si la cuisson est parfaite, la chair du poulet sans peau deviendra dorée et croustillante, mais pas sèche.

Si vous préparez de la viande rouge, il faut surveiller le morceau que vous achetez et la préparation pour réduire votre consommation de graisse. C'est particulièrement important, car 40 à 50 % des acides gras de la viande rouge sont saturés, contre 30 % environ de la graisse de poulet.

N'importe quelle viande rouge peut être maigre, si vous savez la choisir. Les viandes les plus maigres peuvent vous paraître fermes, mais elles sont délicieuses quand elles sont coupées en tranches fines et cuites assez longuement. Votre choix de morceau peut vous permettre de réduire votre consommation de graisse de 30 %. Pour manger moins de graisses, vous pouvez également remplacer certains produits préconisés dans les recettes par d'autres; ainsi, le blanc de dinde remplace avantageusement le veau, et le blanc de dinde haché peut se substituer au steak haché.

La surveillance des graisses ne s'opère pas uniquement lors de la préparation des repas, mais aussi à table. Si vous utilisez de l'huile pour l'assaisonnement des salades, essayez de varier votre recette classique. Au lieu d'une cuillerée de vinaigre pour trois cuillerées d'huile, essayez une cuillerée de vinaigre pour une ou deux cuillerées d'huile. Considérez les recettes traditionnelles comme trop avares en ce qui concerne le vinaigre, et bien trop dépensières avec l'huile, et inversez-les. Par ailleurs, n'abusez pas de l'assaisonnement. Une cuillerée à soupe par personne suffit largement si votre salade est bien remuée.

Quant au beurre, à la margarine et à la crème fraîche, leur valeur nutritive pourrait vous surprendre. En fait, la margarine contient autant de graisse et de calories que le beurre. Et si un morceau de margarine est aussi ferme qu'un morceau de beurre à température ambiante, c'est qu'elle a subi un traitement chimique appelé hydrogénation, qui a transformé les acides gras non saturés en graisses saturées.

Toutefois, si la margarine contient plus de graisses qu'on ne le croit généralement, la crème fraîche en contient moins. Une grosse goutte de crème fraîche sur une pomme de terre cuite au four dans sa peau vous apporte trois fois moins de graisses que n'en fournirait le beurre. Et si vous remplacez la crème fraîche par du fromage blanc frais à 20 % vous consommerez encore moins de graisse et de calories.

CE QUE NOUS MANGEONS AUJOURD'HUI

L'évolution de nos habitudes alimentaires n'indique pas une démarche plus ou moins saine que par le passé. En revanche, notre alimentation a subi d'importantes modifications dans d'autres domaines.

Selon les chiffres de l'INSEE compilés et analysés par I. Ciachetti, chargé de recherche au CNRS, parus dans *L'alimentation et la vie*, la consommation des Français a radicalement changé ces vingt dernières années.

Le pain, qui, il y a vingt ans, en 1967, représentait la première source énergétique de la nation, à raison de 87,5 kilos par personne et par an, a vu sa consommation se réduire jusqu'à 66,7 kilos par an.

La consommation de **viande**, quant à elle, est en hausse : 49,8 kilos par personne et par an en 1967 contre 61,8 kilos en 1985. Avec une préférence pour le bœuf et le porc, cela malgré les recommandations des diététiciens et des nutritionnistes ! Parallèlement à cette augmentation, la **volaille** a suivi le même essor : 24,5 kilos par personne et par an en 1967 pour 27,7 kilos en 1985. Les Français mangent davantage de viande.

Pour continuer dans le groupe des viandes-poissons-œufs, les sources de protéines animales en clair, on note également une augmentation de la consommation de **poisson** plus discrète, hélas, à l'heure où les spécialistes recommandent de manger du poisson deux fois par semaine : 14 kilos en 1967 pour 15,65 kilos en 1985...

La consommation d'**œufs** a régulièrement augmenté : 10,4 kilos par personne et par an, contre 15,15 kilos en 1985.

Il en va de même avec les **produits laitiers** : en 1967 on buvait 95 litres de lait frais, on en boit aujourd'hui 111 litres. Même constat pour les yaourts : de 4,2 kilos par personne nous sommes passés à 16,2 kilos. Les achats de beurre quant à eux sont restés stables : 9,8 kilos en 1967 / 10,4 kilos en 1985. Heureusement, car les augmentations de consommation que nous venons d'évoquer sont pour beaucoup dans l'élévation des maladies cardio-vasculaires.

Notre consommation de **fruits et légumes frais** a diminué en faveur des produits surgelés et en conserve : légumes frais : 71 kilos en 1967, 66,2 kilos en 1985; légumes surgelés : 0,2 en 1967, 4,12 en 1985; légumes en conserve : 11,3 en 1967, 20,6 en 1985; fruits frais : 64,6 en 1967, 58,5 en 1985; fruits en conserve : 2,2 en 1967, 4,5 en 1985. Globalement, tout de même, nous consommons davantage de légumes.

Les **pommes de terre**, comme le pain, disparaissent peu à peu de nos menus : de 100,7 kilos par personne en 1965, notre consommation est passée à 63,6 kilos. Si la consommation de pâtes est stable, celle du riz (1,96 kilo en 1967, 3,65 kilos en 1985) et des semoules (0,87 kilo en 1967 et 1,39 kilo en 1985) augmente.

Tout comme aux États-Unis, notre consommation de **sucre** est en régression : de 19,7 kilos nous sommes passés à 12,3 kilos par personne et par an en 1985. Ces chiffres correspondent au sucre « de bouche » mais si on regarde la consommation de sucre de bouche ajoutée au sucre incorporé dans les produits, la consommation est pratiquement inchangée : 33,27 kilos contre 33,87 kilos en 1985.

Évolution de la consommation alimentaire des résidents en France

	1967	1976	1985
Semoule de maïs et blé dur	0,87 kg	1,46 kg	1,39 kg
Farine de froment	3,12 kg	3,42 kg	3,62 kg
Prod. amylac. : tapioca, fécule	0,26 kg	0,19 kg	0,10 kg
Riz	1,96 kg	2,92 kg	3,65 kg
Biscottes	1,93 kg	2,06 kg	1,86 kg
Biscuits, pains d'épice	4,61 kg	6,96 kg	8,93 kg
Farines simples et composées	0,98 kg	1,48 kg	1,83 kg
Entremets, desserts instant.	0,29 kg	0,51 kg	0,55 kg

	1967	1976	1985
Pâtes alimentaires	6,34 kg	6,25 kg	6,30 kg
Pain	87,45 kg	73,31 kg	66,67 kg
Pommes de terre	100,71 kg	73,14 kg	63,62 kg
Légumes frais	71,26 kg	67,00 kg	66,26 kg
Légumes surgelés	0,21 kg	1,24 kg	4,12 kg
Légumes secs	2,30 kg	1,97 kg	1,60 kg
Conserves de légumes	11,30 kg	16,45 kg	20,58 kg
Bananes	7,72 kg	7,29 kg	6,58 kg
Agrumes	15,43 kg	17,16 kg	15,83 kg
Autres fruits frais	41,25 kg	42,97 kg	36,26 kg
Fruits surgelés	0,06 kg	0,02 kg	0,12 kg
Fruits secs	1,88 kg	2,39 kg	2,20 kg
Conserves de fruits	2,23 kg	2,74 kg	4,54 kg
Confitures et gelées	1,63 kg	2,09 kg	2,05 kg
Porc frais	7,73 kg	9,12 kg	10,11 kg
Jambon	4,00 kg	4,79 kg	5,62 kg
Charcuterie	8,23 kg	9,65 kg	10,94 kg
Triperie	4,46 kg	5,06 kg	5,16 kg
Conserves de viande	0,66 kg	1,04 kg	1,37 kg
Bœuf	15,38 kg	16,85 kg	19,25 kg
Veau	6,13 kg	5,23 kg	5,18 kg
Mouton, agneau	2,03 kg	2,72 kg	3,12 kg
Cheval	1,17 kg	1,12 kg	0,73 kg
Volailles	13,05 kg	14,98 kg	18,03 kg
Volailles, gibiers, viandes et abats surgelés	6,09 kg	0,52 kg	2,46 kg
Lapin, gibier	5,45 kg	6,06 kg	7,22 kg
Œufs	10,44 kg	13,01 kg	15,15 kg
Poissons, crustacés, coquillages	10,94 kg	10,61 kg	10,65 kg
Poissons et crustacés surgelés	0,57 kg	0,96 kg	1,80 kg
Conserves de poisson	2,49 kg	2,91 kg	3,20 kg
Lait frais	95,10 kg	93,65 kg	111,01 kg
Crème fraîche	0,72 kg	0,72 kg	1,80 kg
Yaourts	4,62 kg	10,13 kg	16,26 kg
Fromages	11,08 kg	16,15 kg	20,29 kg
Lait concentré en poudre	2,69 kg	4,20 kg	3,39 kg
Beurre	9,77 kg	9,72 kg	10,46 kg
Huile	8,95 kg	9,62 kg	10,06 kg
Margarine et autres graisses végétales	1,98 kg	2,07 kg	2,22 kg
Saindoux, autres graisses animales	0,28 kg	0,25 kg	0,26 kg

	1967	1976	1985
Sucre	19,71 kg	17,16 kg	12,38 kg
Chocolat et cacao	1,99 kg	2,73 kg	2,43 kg
Confiserie de sucre	3,13 kg	3,35 kg	2,95 kg
Confiserie de chocolat	0,67 kg	1,10 kg	1,89 kg
Miel	0,29 kg	0,32 kg	0,39 kg
Crèmes glacées	1,12 l	4,08 l	5,91 l
Bouillons et potages	0,50 l	0,92 l	0,89 l
Préparations diverses surgelées	0,06 l	0,92 l	3,19 l
Vins courants	103,18 l	84,05 l	57,20 l
Vins A.O.C.	8,79 l	11,03 l	17,18 l
Vins doux naturels	1,10 l	1,38 l	1,06 l
Champagne	1,11 l	1,75 l	1,78 l
Apéritifs, vins de liqueurs	3,19 l	4,28 l	4,05 l
Eaux de vie et liqueurs	2,47 l	2,58 l	2,49 l
Bière	41,06 l	48,61 l	40,00 l
Cidre	18,96 l	20,01 l	15,61 l
Eaux minérales	32,96 l	50,16 l	54,89 l
Boissons gazeuses	15,57 l	26,26 l	27,93 l
Jus de fruits	2,34 l	2,07 l	2,79 l
Café	3,56 l	4,20 kg	3,69 kg
Thé	0,05 l	0,12 kg	0,17 kg
Population (en millions)	49,5	52,9	55,2

Source : Annuaire statistique de la France, INSEE, 1987; tiré de l'étude d'Ismène Giachetti, l'Alimentation et la vie (consommation alimentaire des Français : constantes, évolution et signification physiologique, 1988.

LES ALIMENTS SURGELÉS

Les fruits et les légumes surgelés constituent généralement l'équivalent nutritif des produits dits « frais », qui sont le plus souvent cueillis avant leur maturité et qui ont voyagé pendant une semaine avant d'atteindre le rayon où vous les trouvez. Les fruits et les légumes surgelés ne sont toutefois pas équivalents à ceux que vous cueillez dans votre jardin. En revanche, les viandes ne semblent pas être trop endommagées par la surgélation (même si ce traitement risque d'affecter leur goût), et un poisson surgelé à bord d'un bateau-usine est sans doute nettement préférable au poisson « frais » qui a passé toute la semaine écoulée au fond d'une cale. Par conséquent, les produits surgelés présentent l'avantage d'être pratiques sans souffrir d'une déperdition nutritive trop importante.

Quant aux plats complets surgelés, leur qualité semble s'être nettement améliorée ces dernières années. De nombreux plats diététiques surgelés nous sont maintenant proposés; en général, la valeur nutritive de ces plats est assez élevée, ils apportent beaucoup de protéines et des quantités raisonnables de graisse. Même les produits non diététiques ont une teneur calorique limitée, parfois au point de laisser un adulte actif sur sa faim. Le principal inconvénient de ces aliments sur le plan nutritif, du moins pour les personnes souffrant d'hypertension, tient à leur taux de sodium, souvent très élevé par rapport au nombre de calories.

MANGER AU RESTAURANT

Si vous prenez plus d'un repas par jour au restaurant, vous augmentez les risques de déséquilibre de votre alimentation, car il est très possible dans ces conditions que vous consommiez un trop grand nombre de vos calories dans les protéines et les graisses, et trop peu par les hydrates de carbone. Pour équilibrer vos repas pris au restaurant, vous pouvez par exemple varier les restaurants, en prenant plus souvent des repas chinois, japonais ou indiens. Ces cuisines utilisent traditionnellement beaucoup de céréales et de légumes, agrémentés de viande ou de poisson. Les restaurants italiens ou espagnols peuvent aussi vous aider à trouver le juste équilibre, si vous savez vous contenter de pâtes et d'une salade, ou d'un riz aux fruits de mer.

Chaque type de cuisine comporte des avantages et des inconvénients qu'il est nécessaire de connaître.

La cuisine chinoise

La cuisine chinoise est riche en hydrates de carbone. Un sondage effectué récemment à Pékin a révélé que le régime de base d'un Chinois se compose à 69 % d'hydrates de carbone, à 10 % de protéines, ce qui laisse seulement 21 % de graisses. Les restaurants chinois dans nos contrées utilisent plus de viande et de sauces que ceux qui sont établis en Chine, mais leur cuisine reste tout de même assez raisonnable sur le plan des graisses et riche en légumes. Les légumes revenus à la poêle, c'est-à-dire rapidement sautés dans une poêle légèrement huilée et très chaude, conservent mieux leurs vitamines que ceux qui sont préparés longuement, de manière traditionnelle. La cuisine chinoise pose le problème – du moins pour les hypertendus – d'être assez riche en sodium, aussi bien par ses sauces salées (comme la sauce aux huîtres ou la sauce au soja), et en glutamate de sodium. Certaines personnes peuvent en effet manifester une allergie à ce dernier (voir chapitre 14).

La cuisine indienne

Cette cuisine est riche en légumes verts, en légumes secs, et en yaourt. Cependant, beaucoup de plats indiens, les curries à la viande ou au poisson notamment, trempent dans une sorte de beurre clarifié ou dans l'huile de noix de coco, l'une des seules huiles végétales composée presque entièrement (à 96 %) d'acides gras saturés. Vous pouvez éviter ces pièges en vous limitant aux curries de légumes au yaourt et au poulet cuits dans un four spécial, appelé tandori.

La cuisine japonaise

Cette cuisine contient très peu de graisses, et elle est fondée sur des produits voisins du soja et riches en protéines, sur le poisson, les légumes verts, les pâtes et le riz. (C'est sans doute l'une des raisons qui expliquent le taux de maladies cardiaques extrêmement faible au Japon.) Les algues utilisées dans la préparation des poissons crus et des plats cuisinés japonais sont riches en calcium, en magnésium et en iode. Toutefois, le régime japonais traditionnel contient beaucoup de produits salés, fumés ou macérés, qui pourraient avoir un lien avec le taux élevé d'attaques et de cancer de l'estomac dans ce pays.

La cuisine italienne

Cette cuisine – du moins la cuisine d'Italie du Sud – est réputée pour être l'une des plus saines du monde. Elle est essentiellement fondée sur les pâtes (riches en hydrates de carbone complexes) et sur l'huile d'olive (non saturée à 78 %), ainsi que sur les légumes, les fruits et le poisson. Toutefois, la cuisine d'Italie du Nord est beaucoup plus riche, et comporte davantage de bœuf et de veau, de beurre et de crème. Comme l'ont montré des études récentes, les habitants des villes du nord de l'Italie souffrent bien plus souvent de troubles cardiaques que leurs compatriotes des régions méridionales.

Il faut savoir par ailleurs que les restaurants qui proposent toutes sortes de salades ne constituent pas toujours la solution idéale. En effet, des chercheurs de l'université du Mississippi ont constaté que les clients de la cafétéria de leur université qui remplissaient leurs plateaux au comptoir des salades consommaient en moyenne 100 calories de plus par déjeuner que ceux qui optaient pour un repas chaud (comprenant un plat comme du poisson frit accompagné de spaghettis à la sauce tomate). Les adeptes des salades composées consomment en même temps que les légumes de petits morceaux de jambon, des œufs, du fromage, des olives, etc. et un assaisonnement riche en graisses.

Les graisses sont également le principal problème auquel on se heurte dans les « fast-food » (et le sodium que contiennent les plats servis dans ces établissements peut également inquiéter les hypertendus). Un repas classique servi dans un « fast-food » offre 50 % de ses calories sous forme de graisses. Il est cependant possible de déjeuner chaque jour dans un « fast-food » tout en conservant une alimentation saine, à condition de choisir avec soin les aliments que vous commandez et de les équilibrer avec vos petits déjeuners et vos dîners. Les ingrédients qui manquent aux repas des « fast-food » sont les nutriments présents dans les fruits frais et dans les légumes, ainsi que le calcium (à moins que vous ne buviez du lait ou des milk-shakes avec vos hamburgers). Par conséquent, même si vous vous contentez d'une pomme et d'un yaourt comme en-cas dans la journée, vous équilibrez en partie votre repas du midi, à condition d'avoir pris un petit déjeuner copieux et équilibré (lait ou produit laitier, pain ou céréales, fruits).

Chapitre 10

TOUT SUR LA GRAISSE CORPORELLE

Imaginez le scénario suivant : on vous propose deux pilules, et on vous dit que l'une d'elles vous fera grossir, tandis que l'autre vous fera maigrir. Vous n'aurez aucun effort à faire, et vous ne risquez aucun effet secondaire (c'est garanti!). De plus, vous pouvez décider du nombre de kilos que vous voulez gagner ou perdre : un léger changement ou une transformation totale. Que choisiriez-vous? Grossir, maigrir, ou rester tel que vous êtes?

Posez cette question à un groupe de personnes, et vous recevrez une réponse pratiquement unanime. La plupart des gens opterons pour l'amaigrissement. Certains seront sans opinion, mais *pratiquement personne* ne répondra vouloir grossir.

Nous sommes tellement conditionnés pour penser que la minceur est une qualité que ces réactions n'ont rien de surprenant. Toutefois, beaucoup de populations considèrent ce désir de maigrir – en particulier chez les femmes – comme un phénomène très étrange.

Dans la plupart des pays du monde, ce sont les formes, et non leur absence, qui font l'attrait des femmes. Une étude anthropologique a révélé que 81 % des cinquante-huit pays considérés établissaient un lien entre les rondeurs et la beauté féminine. Les réserves de graisse sont essentielles dans l'aptitude d'une femme à avoir des enfants. C'est pourquoi les femmes sont biologiquement constituées pour être plus « fortes » que les hommes; les petites filles ont déjà 10 à 15 % de graisse de plus que les garçons, et cette différence entre les sexes s'accentue visiblement au moment de l'adolescence.

Dans ces conditions, pourquoi notre culture a-t-elle inversé les paramètres de la séduction? Il est possible que nous ayons compris que dans nos pays riches, la suralimentation constituait un danger plus important que la malnutrition. Il est vrai que l'obésité entraîne certains risques, et ce problème est de plus en plus important dans nos sociétés.

Cependant, les racines de notre préférence pour la minceur, surtout chez les femmes, vont sans doute bien au-delà des préoccupations pour notre santé. Ce n'est qu'au cours des années 1950 que les médecins ont lancé des avertissements concernant les risques de l'obésité, mais la mode de la minceur avait débuté dans les années 1920, les années folles.

Les sociologues se sont demandés si la minceur n'avait pas une signification symbolique pour les femmes, si elle ne représentait pas un rejet du rôle traditionnel et maternel de la femme. En effet, pendant les années 1920, lorsque la minceur est devenue à la mode, les mouvements féministes ont également accompli de grands progrès. Les années 1960 ont vu l'essor de ces forces de libération, accompagné d'un goût de plus en plus développé pour la minceur, voire même la maigreur, qui subsiste encore aujourd'hui.

Quelles que soient les raisons de cette tendance, les femmes continuent de lutter plus que les hommes contre les kilos. Et cette lutte est d'autant plus difficile pour elles qu'il s'agit de surmonter une tendance biologique à l'embonpoint. Un récent sondage a révélé que la moitié des femmes interrogées suivaient un régime, ce qui n'était le cas que pour un quart des hommes.

La préoccupation de la minceur commence très tôt : 80 % environ des petites filles de 10 à 11 ans ont déjà suivi un régime, selon une étude effectuée à l'université de San Francisco. D'autres chercheurs américains ont constaté que des enfants de 8 et 9 ans suivaient déjà un régime. Cette pratique très précoce pourrait expliquer les problèmes alimentaires que connaissent actuellement les jeunes femmes (voir chapitre 25).

Il est étonnant que les femmes soient plus préoccupées que les hommes par les questions de poids, dans la mesure où les risques posés par l'obésité sont moins graves pour les femmes. Mais les impératifs culturels sont si puissants, et si ancrés dans notre esprit, que nous ne savons même pas toujours pourquoi nous souhaitons être minces. Tous ceux qui se préoccupent de leur poids (c'est-à-dire la plupart d'entre nous) devraient déterminer leurs objectifs avec précision. Cela se résume à quatre questions fondamentales :

- Quelle est la fourchette de poids qui serait saine pour moi?
- Quel poids *aimerais*-je atteindre?
- Quel poids puis-je espérer avec réalisme?

• Enfin, d'une manière générale, comment trouver le compromis entre les trois réponses aux questions précédentes?

Les nouvelles recherches indiquent qu'il est important de se fixer des objectifs réalistes. Il semble qu'un tour de taille de 65 cm et une taille de 36 en vêtements ne soient pas à la portée de la plupart d'entre nous. L'essentiel est d'être bien dans sa peau, d'avoir une silhouette qui nous plaise, mais sans essayer de maigrir au-delà des limites imposées par la génétique.

Du point de vue de la santé, on peut également douter que chacun d'entre nous possède un poids idéal très précis. Il semble plutôt que chacun puisse se situer dans une *fourchette* de poids qui lui convienne. Et les risques de dépasser cette fourchette sont plus importants pour certains que pour d'autres : cela dépend de votre âge, de votre hérédité, et de la répartition de vos kilos excédentaires sur votre corps.

Si vous décidez d'essayer de maigrir, il existe maintenant des stratégies qui vous aideront à améliorer vos chances de réussite. Les démarches traditionnelles, consistant à réduire votre consommation de calories et à modifier vos habitudes alimentaires, peuvent être efficaces, surtout si vous n'avez que 5 ou 10 kilos à perdre. Cependant, la bataille serait sans doute plus facile si vous modifiez la composition de votre alimentation, et cette transformation pourrait être très saine, indépendamment de ses conséquences sur votre poids. Cependant, le principal problème d'une perte de poids importante ne concerne pas tant l'amaigrissement lui-même que le maintien de ce nouveau poids, et dans ce domaine, l'exercice semble être un élément déterminant.

Pour comprendre les différents aspects du contrôle du poids, il faut d'abord connaître les mécanismes dont dispose votre organisme pour réguler son poids et les raisons physiologiques qui expliquent que les régimes alimentaires se soldent si souvent par des échecs.

LES RÉGIMES, LA FAIM ET LE MÉTABOLISME

La plupart d'entre nous évoquent la question du contrôle du poids comme s'il s'agissait d'un simple problème de volonté. On pense que si on est assez déterminé, il ne doit pas être difficile de manger moins et de maigrir.

D'une certaine manière, il est vrai que l'amaigrissement est un problème assez simple. Si vous consommez moins de calories que votre organisme n'en a besoin pour fonctionner, il puisera dans ses réserves, tirant des calories de sa graisse et de ses tissus musculaires pour combler ce déficit. Le problème vient du fait que le corps finit toujours par se rebeller contre cette situation, et qu'il l'emporte bien souvent.

Toutes les personnes qui suivent un régime ont entendu dire que, dans la plupart des cas, ceux qui maigrissent de cette manière regagnent leurs kilos tôt ou tard et que ceux qui essaient de perdre un nombre assez élevé de kilos excédentaires finissent par échouer dans leur entreprise.

On pourrait supposer que les personnes qui connaissent ces échecs manquent tout simplement de volonté. Mais le problème va bien au-delà de la volonté. Les tissus gras sont bien plus importants pour notre corps que pour notre esprit, et l'organisme se bat pour les conserver.

Vous considérez la graisse comme un excédent de bagages dont vous aimeriez vous débarrasser. Mais votre corps, programmé par des millénaires d'évolution, les considère comme un entrepôt d'énergie précieux, une réserve indispensable à laquelle il n'est pas prêt à renoncer. Pour l'organisme, les calories ont une importance primordiale. Au cours des périodes de famine, qui ont constitué des menaces tout au long de notre évolution et qui existent malheureusement encore dans les pays en voie de développement, ce sont les calories qui font toute la différence entre la vie et la mort.

Quand vous adoptez le dernier régime basses calories à la mode, vous envisagez d'acheter une nouvelle garde-robe, mais votre corps, lui, crie famine. Cela signifie que les restrictions alimentaires imposées sont inacceptables pour l'organisme et qu'il doit économiser ses réserves de calories.

Deux choses se produisent alors. Tout d'abord, vous éprouvez une sensation de faim – une faim réelle et physiologique. Beaucoup de personnes au régime pensent que cette faim n'est que le produit d'une imagination fertile et un signe de faiblesse de leur part, ou encore un accès de désir à l'égard des aliments dont ils se privent. En fait, cette faim est un appel au secours de leur corps, son signal de besoin de nourriture. Bien que personne ne sache exactement ce qui déclenche la faim et l'appétit, ces réactions sont déterminées par des facteurs physiologiques aussi bien que psychologiques (voir Pourquoi vous sentez-vous affamé ou rassasié? ci-dessous).

Deuxièmement, quand vous suivez un régime, votre rythme métabolique de base commence à ralentir. Le rythme métabolique se mesure au nombre de calories que votre corps utilise par jour pour répondre à ses besoins physiologiques fondamentaux : respiration, battements de cœur, température du corps, réparation des tissus, toutes les réactions chimiques qui vous maintiennent en vie. Ces fonctions réunies vous font éliminer les deux tiers des calories que vous absorbez; le reste est essentiellement dépensé par l'activité physique.

Les dépenses caloriques du métabolisme sont généralement évaluées par la quantité d'oxygène que vous utilisez lors d'une période donnée. Il faut de l'oxygène pour brûler les carburants de l'organisme, de sorte qu'il existe une relation directe entre l'utilisation de l'oxygène et les calories que votre corps transforme en énergie.

Tandis que votre rythme métabolique ralentit, votre corps parvient à se contenter d'un nombre restreint de calories, et votre régime à basses calories perd de son efficacité. C'est l'une des raisons pour lesquelles les personnes qui suivent un régime atteignent une phase dite « de plateau » et s'aperçoivent après quelques semaines qu'elles ne maigrissent plus aussi rapidement, et parfois même que leur poids s'est stabilisé. Il existe une autre raison à ce phénomène : la perte de fluides provoquée par une production accrue d'urine n'est que provisoire. Cette phase « de plateau » peut être particulièrement difficile pour les femmes, dont le rythme métabolique est de toute façon plus faible que celui des hommes (car elles ont moins de tissus musculaires, et les tissus musculaires brûlent plus de calories que les tissus gras).

On ne peut fixer avec précision le temps qu'il faut au corps pour freiner son métabolisme, mais un régime draconien devrait en principe aboutir à un ralentissement considérable en deux semaines. Cependant, les régimes répétés améliorent cette réaction de compensation du métabolisme. Il semble que plus vous suivrez de régimes, plus votre organisme reconnaît rapidement ce phénomène et ralentit par conséquent votre rythme métabolique. A chaque régime, vous maigrissez plus lentement et vous regagnez vos kilos plus vite. Finalement, votre rythme métabolique peut se trouver ralenti en permanence.

Ce phénomène pourrait permettre d'expliquer un fait étrange. Beaucoup d'obèses affirment ne pas manger de manière excessive. Les médecins sont souvent restés assez sceptiques devant ces déclarations mais ce sont des faits qui ont effectivement été confirmés par des études très sérieuses menées dans des cliniques d'amaigrissement et autres environnements surveillés. L'une de ces enquêtes fut effectuée dans le cadre d'une grande propriété en Angleterre, où chaque morceau avalé par les vingt-neuf sujets était noté avec précision. Ces personnes ne pouvaient pas quitter la propriété sans être accompagnées, et leurs bagages étaient systématiquement fouillés pour trouver d'éventuels aliments cachés. Cette étude montra que beaucoup de femmes conservaient en effet le même poids en consommant tout juste 1 500 kilocalories par jour, et que les femmes dont le rythme métabolique était si faible étaient celles qui avaient suivi le plus grand nombre de régimes. D'autres chercheurs affirment que les femmes qui suivent régulièrement des régimes peuvent faire baisser leurs besoins caloriques nettement sous la barre des 1 500 kilocalories quotidiennes.

Les risques des régimes

Si vous maigrissez, puis reprenez vos kilos avant de suivre un nouveau régime, et si vous répétez cette opération très souvent, vous risquez d'amoindrir vos besoins caloriques jusqu'à un niveau tel que vos régimes vous priveront de certains nutriments indispensables. Ce système du yoyo des régimes peut également présenter d'autres risques pour la santé. En raison des modifications de votre métabolisme, vous aurez tendance à reprendre davantage de kilos à la suite d'un régime que vous n'en avez perdu en vous privant. (C'est ainsi que vous pouvez commencer un régime à 75 kilos, atteindre 80 kilos à la suite de ce premier régime, et peut-être 90 kilos au terme du cinquième régime.) Il semble également que ces bouleversements infligés à l'organisme risquent d'augmenter les dangers d'hypertension artérielle à long terme.

Les questions évidentes que l'on peut se poser sont les suivantes : Comment l'organisme régule-t-il son poids ? Qu'est-ce qui lui donne précisément le signal de déclencher la faim et de ralentir son métabolisme ?

Sur le plan physiologique, les réponses à ces questions ne sont toujours pas très claires. Il semble que la faim tout comme le rythme métabolique soient gouvernés par différentes parties du cerveau, notamment par l'hypothalamus, qui contrôle également la soif, le plaisir, le désir sexuel et d'autres impulsions. Cependant, personne ne sait exactement par quel mécanisme le cerveau apprend que vous consommez moins de calories, à temps pour adapter si rapidement le déclenchement de la faim et le ralentissement du métabolisme.

Outre ces adaptations à court terme au régime que vous lui imposez, l'organisme organise également une bataille à long terme pour regagner la graisse perdue si l'amaigrissement est très important. Des chercheurs de l'université Rockefeller à New York ont étudié plusieurs membres des Obèses Anonymes qui avaient réussi à passer d'un poids supérieur à 100 kilos à un poids normal. Lorsqu'elles se sont stabilisées à leur nouveau poids, ces personnes ne suivent plus réellement un régime, c'est-à-dire qu'elles ne privent plus leur organisme de calories.

Toutefois, un grand nombre de ces anciens obèses sont différents des personnes qui n'ont jamais connu l'obésité. Leur rythme métabolique est nettement plus faible, et ils éliminent environ 25 % de calories de moins chaque jour. Leur taux de globules blancs est plus bas et leur tension artérielle est plutôt faible; par ailleurs, les femmes n'ont plus de règles. De plus, ils affirment être continuellement affamés, et certains font même des obsessions au sujet de la nourriture.

Selon ces chercheurs, les personnes qui parviennent à perdre autant de poids risquent de manifester des symptômes proches de ceux des anorexiques, qui se privent de nourriture jusqu'à atteindre une maigreur extrême. Les personnes de ces deux catégories semblent vivre à un poids inférieur à celui qui leur conviendrait sur le plan biologique, et cela entraîne des souffrances aussi bien physiques que mentales.

Les études de ce genre révèlent deux faits : Tout d'abord, la rébellion de l'organisme contre l'amaigrissement – du moins un amaigrissement important, supérieur à 25 kilos – se fait à long terme. Le besoin de regagner les kilos continue de se faire sentir bien longtemps après que le régime est terminé. Cela explique pourquoi beaucoup de gens regagnent les kilos perdus après être restés minces pendant un an ou davantage.

Ensuite, ces travaux semblent indiquer que chaque individu est biologiquement programmé pour se maintenir à un poids bien précis, et qu'un poids considéré comme normal peut être trop bas pour une personne faite pour être plus forte. Cette idée fait encore l'objet de nombreuses recherches, mais beaucoup de scientifiques commencent à évoquer la possibilité d'un « poids fixe » prévu pour chacun, en fonction de la quantité de graisse que nous devons porter.

Il peut être extrêmement difficile de maigrir au-delà de ce poids fixe, mais cette théorie comporte au moins une note positive. Pour certaines personnes, il devrait dans ce cas être tout aussi difficile de grossir beaucoup au-delà de ce poids déterminé. Ce fait a été prouvé par des expériences lors desquelles des volontaires ont tenté de grossir. Lorsqu'ils atteignaient un poids nettement supérieur à celui qui leur était habituel, ils perdaient l'appétit, et leur rythme métabolique s'accélérait – leur organisme tentant semble-t-il de ramener leur poids à un niveau normal.

Selon cette théorie, notre poids fixe est essentiellement déterminé par l'hérédité, mais d'autres paramètres entrent aussi en jeu. L'exercice, par exemple, pourrait faire baisser ce poids, permettant à l'organisme de se fixer confortablement à un poids inférieur. En revanche, les régimes ne semblent pas avoir une très forte influence sur ce poids fixe, qu'ils se contentent de combattre.

POURQUOI VOUS SENTEZ-VOUS AFFAMÉ OU RASSASIÉ?

En 1912, un grand médecin appelé Walter Cannon pensa détenir la réponse à cette question. Il expliqua que, quand l'estomac est vide, ses parois musculaires se contractent, et on éprouve une sensation de faim; en revanche, quand l'estomac est plein, on se sent rassasié. Toutefois, des études entreprises par la suite montrèrent que les contractions de l'estomac n'ont pratiquement aucun rapport avec la sensation de faim.

Au cours des années 1950, des chercheurs découvrirent que l'hypothalamus, situé dans le cerveau, est sensible au taux de sucre présent dans le sang et peut réagir à un taux de glucose trop faible en déclenchant l'impression de faim. Mais ce n'est pas tout. Il est clair aujourd'hui que les mécanismes qui gouvernent la faim sont trop complexes pour être expliqués par une hypothèse unique.

Il est évident que l'hypothalamus joue un rôle essentiel, mais d'autres éléments du système nerveux sont également concernés. Les chercheurs pensent aujourd'hui que plus d'une dizaine de signaux chimiques (y compris le taux de sucre dans le sang) jouent un rôle dans le déclenchement de la faim. Les impressions de faim et de satiété ne sont pas gouvernées par un simple mécanisme semblable à un interrupteur, mais résultent plutôt d'une lutte acharnée entre différentes tendances dans l'organisme. L'une de ces tendances vous pousse à manger, l'autre vous pousse à cesser de manger, et c'est l'équilibre de chaque instant entre ces forces qui influence votre comportement. Ce système complexe semble logique sur le plan de l'évolution de l'homme. Après tout, la faim est un élément essentiel de la survie, et le système très compliqué dont nous semblons équipés permet à l'organisme de conserver un appétit sain.

L'absorption des aliments et la digestion se font par étapes, et à chacune de ces étapes, des signaux physiologiques différents affectent notre impression de faim. Naturellement, l'odeur de la nourriture, son aspect, ou même une simple pendule qui indique l'heure du déjeuner, jouent un rôle dans notre appétit. Mais il existe également des signaux internes. Certains ont émis l'hypothèse selon laquelle les endorphines – des substances chimiques voisines de la morphine qui se trouvent dans le cerveau et qui participent à nos réactions à la douleur et au plaisir – pouvaient accentuer notre faim et qu'une hormone, l'insuline, joue dans le cerveau le rôle de stimulant de l'appétit.

Il semble également que de petites quantités d'adrénaline et d'autres substances voisines puissent agir sur certaines parties de l'hypothalamus pour augmenter la faim. En revanche, ces substances peuvent provoquer une réaction inverse si elles sont présentes en quantités très importantes. Cela pourrait expliquer que certaines drogues, comme les amphétamines, qui imitent le comportement de ces substances naturelles, parviennent à réduire l'appétit.

Que dire de cette impression de satisfaction que les nutritionnistes appellent satiété? Quand on entame un repas, quel mécanisme nous pousse à cesser de manger après un certain temps? On n'arrête pas de manger à cause d'un estomac plein; en fait, si on avalait des aliments jusqu'à ce que l'estomac soit distendu, on ferait des excès à chaque repas. Bien avant ce phénomène, certains aliments atteignent l'intestin grêle, et c'est cet intestin lui-même qui semble envoyer des signaux qui nous commandent de cesser de manger.

Des petites molécules de protéines appelées peptides et produites dans l'intestin semblent participer au processus de suppression de la faim. L'une de ces peptides, la cholécystokinine, exercerait cette même influence en stimulant le nerf vague, qui relie l'intestin au cerveau. Le volume des aliments dans l'estomac peut également envoyer un signal commandant l'arrêt de l'appétit. En fait, certains traitements contre l'obésité ont pour but de réduire l'appétit au moyen de substances sans calories qui remplissent l'estomac, comme les fibres.

Tous ces éléments entrent en jeu pendant le temps qu'il faut pour consommer un bon repas. Mais il existe également des systèmes de régulation de la faim qui agissent à long terme. Ainsi, il est presque certain que l'état de vos cellules de graisse affecte votre appétit.

LES CELLULES DE GRAISSE ET LE DESTIN

Chacun d'entre nous dispose de réserves de milliards de cellules de graisse, même si ces réserves sont plus développées chez certains que chez d'autres. Quand nous consommons plus de calories que nous n'en dépensons, nous ajoutons de la graisse à notre organisme, et cette graisse remplit et agrandit chaque cellule. Quand nous maigrissons, ces cellules diminuent de volume. Mais la compression et l'extension de ces cellules sont soumises à certaines limites.

Les recherches effectuées sur les cellules de graisse indiquent que les cellules elles-mêmes semblent envoyer des signaux chimiques au cerveau, en lui demandant de les remplir quand elles sont trop vides. Le régime peut réduire la taille des cellules de graisse de façon importante. Tant que ces cellules n'ont pas leur dimension normale, les signaux persistent. Cela pourrait expliquer pourquoi les personnes qui ont suivi un régime souffrent encore d'une faim vorace et d'un ralentissement de leur rythme métabolique pendant plusieurs mois, ou même plusieurs années, après avoir maigri.

Ces cellules ne sont pas de simples réceptacles passifs pour la graisse; les triglycérides qui les composent sont constamment désintégrés et reconstitués. Quand l'organisme absorbe plus de calories qu'il ne peut en utiliser, les cellules de graisse forment des triglycérides pour entreposer les excédents. Quand le corps a besoin d'énergie, les cellules de graisse désintègrent les triglycérides et libèrent leurs acides gras dans le sang afin qu'ils y soient utilisés comme carburant. L'un des signaux chimiques qui commandent au cerveau de compenser un amenuisement excessif des cellules de graisse est probablement la concentration des acides gras dans le sang.

Il est difficile de réduire la taille des cellules de graisse, mais il est plus difficile encore de les faire disparaître complètement. Par conséquent, le nombre de vos cellules de graisse semble déterminer une quantité minimale de graisse que votre organisme est destiné à transporter. En fait, des études ont montré que des enfants et des adultes dont le nombre de cellules de graisse était étonnamment élevé éprouvaient des difficultés énormes à perdre du poids. La question qui vient ensuite est celle-ci : Qu'est-ce qui détermine le nombre de nos cellules de graisse, et peut-on agir pour modifier cet état de fait?

Il y a quelques années, beaucoup de spécialistes pensaient que de nouvelles cellules de graisse pouvaient se former en cas d'excès alimentaires, mais uniquement à certaines périodes de la vie, et plus particulièrement au cours de l'enfance. On pensait qu'en donnant trop de nourriture aux jeunes enfants, on risquait de multiplier leurs cellules de graisse et de les faire devenir obèses et malheureux. Cette hypothèse était cependant surtout fondée sur des expériences effectuées sur des rats, qui développent en effet un surcroît de cellules de graisse si on les nourrit de manière excessive au cours des trois premières semaines de leur vie.

Chez les humains, ce processus pourrait être assez différent. Mais pour un certain nombre de raisons, il est difficile de déterminer avec précision comment et à quel moment nous développons de nouvelles cellules de graisse.

Malgré cette incertitude, les spécialistes semblent s'accorder quant à la manière dont les cellules de graisse évoluent au cours de la vie. De nouvelles cellules de graisse peuvent apparaître à tout âge, mais il semble désormais que la plupart des jeunes enfants n'acquièrent pas de nouvelles cellules de graisse au cours de leur première année; ils remplissent simplement celles dont ils disposaient depuis leur naissance. Toutefois, le nombre de cellules de graisse risque davantage d'augmenter lors de la deuxième année, puis pendant l'adolescence.

La graisse s'accumule plus rapidement chez certains enfants que chez d'autres, et le phénomène de la multiplication des cellules de graisse semble déterminé en grande partie par l'hérédité. Chez les jeunes enfants obèses qui manifestent une tendance héréditaire à prendre du poids, l'augmentation du nombre de cellules de graisse peut survenir dès la première année, puis s'accélérer très vite. Après quelques années, les enfants très obèses peuvent avoir autant de cellules de graisse qu'un adulte, et ces cellules peuvent également être plus grosses que la normale.

A l'âge adulte, comme pendant l'enfance, le hasard de l'hérédité attribue à certains d'entre nous une tendance à l'obésité plus développée que celle des autres. La génétique peut augmenter les risques d'obésité en nous fournissant un nombre important de cellules de graisse, un rythme métabolique lent, ou les deux à la fois. Si l'un de vos parents était obèse, vous avez 40 % de risques d'être obèse vous-même; si vos deux parents étaient obèses, ce risque s'élève à environ 80 %. (En revanche, si vos deux parents étaient minces, votre risque n'est que de 10 % à peine.)

Personne ne peut dire ce qu'il faut avant tout incriminer : l'hérédité ou des habitudes familiales qui incitent à une activité physique minime et à une consommation importante de calories. Toutefois, les études effectuées par le psychiatre Albert Stunkard et ses collègues indiquent que l'obésité pourrait être liée davantage à la nature qu'à la nourriture. L'enquête qu'ils ont menée sur 540 adultes danois qui avaient été adoptés dans leur enfance a démontré que la morphologie de ces personnes adoptées, qu'elles soient très minces, très obèses, ou d'un poids intermédiaire, était très semblable à la morphologie de leurs parents *naturels*. En revanche, la silhouette des parents adoptifs, qui avaient fourni l'environnement familial, était sans rapport avec celle des enfants qu'ils avaient élevés. De même, une étude au sujet des jumeaux, retrouvée dans les archives de l'armée américaine, montre que les vrais jumeaux, qui partagent les mêmes gènes, ont une morphologie beaucoup plus similaire que celle des faux jumeaux, qui ne se ressemblent pas davantage sur le plan génétique que des frères ou des sœurs ordinaires.

La nature exacte de ce lien avec l'hérédité fait toujours l'objet de multiples recherches. Il semble que le risque d'obésité soit particulièrement important chez les femmes dont la mère était obèse, alors que chez les hommes dont le père était obèse il est nettement moindre, même si personne ne peut apporter une explication satisfaisante à cette situation. Il apparaît également que la tendance génétique à l'obésité ne se révèle parfois qu'à un âge relativement avancé : ainsi, une personne mince à trente ans peut être obèse à cinquante ans. C'est pourquoi on peut résumer en deux mots le conseil de Stunkard aux personnes dont les parents étaient eux-mêmes obèses : vigilance permanente.

La génétique n'est cependant pas une fatalité. Nos gènes fixent des limites à notre minceur ou à notre embonpoint, mais ils nous laissent malgré tout une certaine marge de liberté. Une simple réduction des calories consommées ne représente pas le meilleur moyen de parvenir au poids souhaité. Toutefois, le fait de consommer moins de calories que vous n'en dépensez, notamment en modifiant la composition de votre alimentation, et en entamant un programme régulier d'exercice, pourra sans doute vous aider à perdre du poids, d'une manière naturelle et sans brutaliser votre organisme.

La décision de grossir ou de maigrir, ou tout simplement de vous maintenir à votre poids actuel, doit commencer par une évaluation de votre situation. Tout d'abord, la question la plus importante : votre poids actuel est-il dangereux pour votre santé?

L'OBÉSITÉ EST-ELLE DANGEREUSE?

Tout le monde a vu ces tableaux de poids et de taille publiés dans la plupart des magazines, sur les balances, voire affichés dans les cabinets médicaux. Ils sont censés vous indiquer votre poids idéal, en fonction de votre taille et de votre constitution. L'idée du poids le plus souhaitable fut lancée à l'origine par les compagnies d'assurance, dans le but de savoir si leurs assurés présentaient des risques plus élevés au-delà d'un certain poids. Dans les années 1950, vingt-six compagnies américaines se réunirent pour entreprendre une vaste enquête portant sur plusieurs millions de polices d'assurance vie placées au cours des décennies écoulées. Ces enquêteurs possédaient des données précises concernant la taille et le poids des assurés au moment de la souscription du contrat et l'âge auquel ces personnes étaient décédées. Cela leur permit d'établir pour chaque taille le poids qui semblait associé à la plus longue espérance de vie.

Pour chaque taille, les statisticiens qui analysèrent les résultats complets de cette enquête constatèrent une augmentation de la mortalité aux deux extrémités de l'éventail des poids. Les assurés obèses présentaient un taux de mortalité élevé, de même que les assurés très maigres. Les poids intermédiaires semblaient correspondre à une moindre mortalité et une plus grande longévité.

Ces données furent utilisées pour constituer un tableau des poids les plus souhaitables pour les différentes tailles, qui fut publié en 1959. Mais les spécialistes se heurtèrent à divers problèmes. Tout d'abord, ils constatèrent qu'il existait une large fourchette de poids – environ 15 à 20 kilos pour chaque catégorie de taille – qui ne semblaient pas dangereux pour la santé. Il ne semblait pourtant pas normal qu'un homme mesurant 1,80 m puisse être en aussi bonne santé à 90 kilos qu'à 72 kilos. Ils décidèrent donc que le poids le plus faible associé à chaque taille devait convenir aux personnes de constitution frêle, le poids le plus élevé étant approprié pour les plus robustes.

L'inconvénient de ces normes tenait au fait qu'il n'existe aucun moyen scientifique de définir la constitution d'un individu, et la plupart des utilisateurs de ces tableaux finirent par se dire qu'ils devaient avoir une constitution robuste qui leur permettait quelques kilos supplémentaires. Lorsqu'un nouveau tableau fut élaboré à partir de nouveaux chiffres et publié en 1983, il était accompagné d'une notice d'instructions destinées à nous aider à évaluer notre constitution osseuse en mesurant la largeur de notre coude. Toutefois, cette mesure n'avait pas été effectuée sur les assurés dont les poids et les tailles avaient permis d'établir le tableau, de sorte que l'exactitude des rapports qui sont indiqués dans ces données entre le poids et la longévité demeure discutable.

Malgré ces critiques, ces tableaux représentent toujours la plus grande enquête menée dans le domaine de la relation entre le poids et l'espérance de vie. Mais quelles conclusions peut-on en tirer?

Tout d'abord, il est évident qu'une obésité extrême est dangereuse pour la santé. Une étude menée chez les hommes obèses – ceux dont le poids est environ le double de celui que préconisent les tableaux des assurances vie – indique que le risque de décès entre vingt-cinq et trente-quatre ans est onze fois plus important chez ces hommes que chez ceux dont le poids est normal.

D'une manière générale, les organismes américains de santé ont établi qu'un poids supérieur de 20 % au poids moyen pour les personnes de constitution moyenne devait être considéré comme dangereux (voir chapitre 2). Mais comme nous le verrons, les risques individuels peuvent dépendre de différents facteurs.

Par ailleurs, il semble également qu'un poids *insuffisant* puisse réduire l'espérance de vie. C'est ce qu'ont révélé plusieurs enquêtes, et diverses explications ont été avancées, la plus répandue consistant à affirmer que les personnes très minces fument davantage que les obèses. Mais plusieurs chercheurs ont décelé des risques de la maigreur qui n'avaient rien à voir avec le tabac.

Enfin, il n'y a pas de raison de faire une obsession sur un poids idéal bien précis. La fourchette des poids qui peuvent vous permettre de vivre en excellente santé peut être très étendue.

Cependant, pour bien comprendre le poids qui vous convient le mieux, il faut aller au-delà des tableaux classiques. Il est en effet nécessaire de prendre en compte trois éléments qu'ils négligent : votre âge, la répartition de la graisse dans votre corps et votre hérédité.

Les tableaux établis par les assurances vie semblent estimer qu'il n'y a aucune raison de prendre du poids après vingt-cinq ans. Pourtant, l'expérience nous prouve que la plupart des gens en prennent en vieillissant, et des études effectuées en laboratoire indiquent que le rythme métabolique baisse de 2 à 5 % à chaque décennie au-delà de trente ans. Récemment, certains chercheurs ont laissé entendre qu'un léger gain de poids au fil des années pouvait être à la fois naturel et sain.

L'un des principaux adeptes de cette hypothèse est le Dr Reubin Andres, directeur du Centre de recherches gérontologiques à l'Institut américain du vieillissement. Andres a examiné les résultats de différentes études. Comme ces statistiques indiquent l'âge des assurés, Andres a procédé à de nouveaux calculs pour obtenir les poids souhaitables en fonction de l'âge et de la taille. Il a établi un nouveau tableau, donnant les mêmes poids pour les hommes et pour les femmes et en laissant de côté la constitution osseuse (qui n'avait jamais été mesurée précisément dans les enquêtes).

Le tableau d'Andres n'est pas unanimement accepté, mais il

montre en quoi l'âge peut aider à déterminer le poids le plus sain. Selon cette analyse, les tableaux classiques concernant les poids et les tailles sont assez exacts – mais pour une personne de quarante ans. En revanche, pour avoir une meilleure espérance de vie, une personne de soixante ans devrait avoir un poids nettement plus élevé, le poids idéal étant par contre bien plus faible chez une personne de vingt ans.

Vient ensuite la question de la répartition du poids : la proportion de muscle, la proportion de graisse et leur emplacement sur le corps. Les tableaux ne citent que les kilos, mais aucun chercheur n'a jamais affirmé que le poids était dangereux; seule l'obésité entraîne des risques. Un athlète de 110 kilos est sans doute en bien meilleure santé qu'un spectateur du même poids qui reste chez lui pour regarder les matches à la télévision.

Le plus étonnant, cependant, est que l'*endroit* où se trouvent vos réserves de graisse constitue également un facteur déterminant pour votre santé. Des recherches effectuées récemment aux États-Unis et en Suède indiquent que l'organisme possède deux catégories différentes d'entrepôts pour la graisse, les hanches et l'abdomen. C'est la graisse accumulée au niveau des hanches qui est la plus difficile à perdre, et elle est entreposée à cet endroit dans un but très précis, essentiellement pour fournir de l'énergie en période de grossesse et d'allaitement. (Les femmes ont d'ailleurs souvent bien plus de graisse au niveau des hanches que les hommes.) En revanche, la graisse accumulée sur l'abdomen est plus facile à éliminer au moyen d'un régime alimentaire associé à la pratique de l'exercice.

La graisse située sur l'abdomen semble maintenant bien plus dangereuse que celle des hanches. Autrement dit, les personnes en forme de pomme sont plus menacées que celles dont la silhouette évoque une poire.

Les chercheurs ont abouti à cette conclusion en mesurant la taille et les hanches de différents sujets et en comparant ces chiffres aux risques de manifestation de diverses maladies. (Le rapport entre les deux chiffres est plus élevé pour les personnes dont le ventre est rond.) A l'université de Milwaukee, dans le Wisconsin, le Dr Ahmed Kissebah a constaté que les femmes dont le rapport entre la taille et les hanches était supérieur à 0,85 risquaient trois fois plus de souffrir du diabète que celles dont le rapport était de 0,75 ou moins. En Suède, le Dr Per Björntorp a montré que les hommes pour lesquelles ce rapport était supérieur à la moyenne de 0,9 à 0,95 risquaient davantage de souffrir de troubles cardio-vasculaires ou d'attaques. En fait, la répartition de la graisse sur le corps était dans ce cas un élément plus significatif que la quantité totale de graisse.

La graisse abdominale si dangereuse est plus facile à perdre, car l'abdomen semble emmagasiner les surplus en dilatant ses cellules de graisse, qui peuvent aussi se contracter, jusqu'à un certain point. En revanche, les hanches retiennent la graisse dans un grand nombre de cellules plus petites, qui ne peuvent pas se contracter énormément et qu'il est impossible de chasser.

Finalement, l'importance de l'élimination de graisse à laquelle vous devez éventuellement procéder dépend essentiellement de votre constitution biologique et de votre hérédité. Certaines maladies graves sont associées à l'obésité. Mais il ne s'agit que d'un facteur parmi d'autres. Le poids joue toutefois un rôle déterminant dans l'apparition du diabète à l'âge adulte (voir chapitre 20) et est considéré comme un facteur de risque pour l'hypertension artérielle (voir chapitre 18), les troubles coronaires (voir chapitre 17) et plusieurs types de cancer (voir chapitre 19).

Les recherches récentes indiquent cependant que les risques provoqués par l'obésité peuvent varier considérablement d'un individu à l'autre. L'obésité est un danger pour de nombreuses personnes, mais elle n'augmente pas systématiquement les risques de cancer, de diabète, d'hypertension ou de troubles cardiaques.

Il faut également souligner un autre point important. Si vous êtes vraiment préoccupé par votre santé, il est essentiel de corriger votre poids au moyen d'un régime alimentaire sain.

Certains régimes amaigrissants risquent d'être dangereux. Les régimes très basses calories – par exemple, les formules à base de protéines liquides, n'excédant pas 300 calories par jour – peuvent augmenter les risques de crises cardiaques. Les régimes sans hydrates de carbone sont souvent très riches en graisses, ce qui peut entraîner une augmentation du taux de cholestérol. Par ailleurs, le phénomène de yoyo du poids au fil des régimes peut lui aussi aboutir à une élévation de la tension artérielle à longue échéance.

La meilleure manière de perdre du poids est différente; il faut employer une méthode plus modérée et plus équilibrée, qui associe une alimentation riche en hydrates de carbone complexes et à faible teneur en graisses ainsi qu'un bon programme d'exercice. Ce genre de régime présente deux avantages : il vous donne les meilleures chances de réduire les dépôts de graisse de votre organisme, et il peut directement aider à prévenir ou à traiter les maladies liées à l'obésité.

Cette démarche pourtant très simple n'est pas toujours facile à suivre. On trouve tant de nouvelles pilules, de nouveaux régimes et de gadgets de ce genre chaque année qu'on se demande si une simple réduction des graisses dans l'alimentation ne serait pas plus efficace ou plus rapide qu'aucun d'entre eux. Mais, comme nous le verrons au chapitre suivant, les arguments contre les régimes draconiens sont très solides. De plus, les avantages physiologiques d'une démarche plus modérée s'avèrent plus importants encore qu'on ne le croyait.

QUEL EST VOTRE POIDS IDÉAL?

Ce tableau est établi en fonction de la taille et du squelette, qui peut être léger, moyen ou lourd selon l'ossature et les muscles.

	HOMME				FEMME		
Taille en cm	*Squelette léger*	*Squelette moyen*	*Squelette lourd*	*Taille en cm*	*Squelette léger*	*Squelette moyen*	*Squelette lourd*
167	55,9-59,9	58,6-64,4	62,3-70,3	155	44,9-48,6	47,2-52,6	50,8-58,1
168	56,5-60,6	59,2-65,1	62,9-71,1	156	45,4-49,1	47,7-53,2	51,3-58,6
169	57,2-61,3	59,9-65,8	63,6-72,0	157	46,0-49,6	48,2-53,7	51,9-59,1
170	57,9-62,0	60,7-66,6	64,3-72,9	158	46,5-50,2	48,8-54,3	52,4-59,7
171	58,6-62,7	61,4-67,4	65,1-73,8	159	47,1-50,7	49,3-54,8	53,0-60,2
172	59,4-63,4	62,1-68,3	66,0-74,7	160	47,6-51,2	49,9-55,3	53,5-60,8
173	60,1-64,2	62,8-69,1	66,9-75,5	161	48,2-51,8	50,4-56,0	54,0-61,5
174	60,8-64,9	63,5-69,9	67,6-76,2	162	48,7-52,3	51,0-56,8	54,6-62,2
175	61,5-65,6	64,2-70,6	68,3-76,9	163	49,2-52,9	51,5-57,5	55,2-62,9
176	62,2-66,4	64,9-71,3	69,0-77,6	164	49,8-53,4	52,0-58,2	55,9-63,7
177	62,9-67,3	65,7-72,0	69,7-78,4	165	50,3-53,9	52,6-58,9	56,7-64,4
178	63,6-68,2	66,4-72,8	70,4-79,1	166	50,8-54,6	53,3-59,8	57,3-65,1
179	64,4-68,9	67,1-73,6	71,2-80,0	167	51,4-55,3	54,0-60,7	58,1-65,8
180	65,1-69,6	67,8-74,5	71,9-80,9	168	52,0-56,0	54,7-61,5	58,8-66,5
181	65,8-70,3	68,5-75,4	72,7-81,8	169	52,7-56,8	55,4-62,2	59,5-67,2
182	66,5-71,0	69,2-76,3	73,6-82,7	170	53,4-57,5	56,1-62,9	60,2-67,9
183	67,2-71,8	69,9-77,2	74,5-83,6	171	54,1-58,2	56,8-63,6	60,9-68,6
184	67,9-72,5	70,7-78,1	75,2-84,5	172	54,8-58,9	57,5-64,3	61,6-69,3
185	68,6-73,2	71,4-79,0	75,9-85,4	173	55,5-59,6	58,3-65,1	62,3-70,1
186	69,4-74,0	72,1-79,9	76,7-86,2	174	56,3-60,3	59,0-65,8	63,1-70,8
187	70,1-74,9	72,8-80,8	77,6-87,1	175	57,0-61,0	59,7-66,5	63,8-71,5
188	70,8-75,8	73,5-81,7	78,5-88,0	176	57,7-61,9	60,4-67,2	64,5-72,3
189	71,5-76,5	74,4-82,6	79,4-88,9	177	58,4-62,8	61,1-67,8	65,2-73,2
190	72,2-77,2	75,3-83,5	80,3-89,8	178	59,1-63,6	61,8-68,6	65,9-74,1

QUEL EST VOTRE POIDS DE FORME?

En France, nous parlons plus volontiers de « poids de forme » : le poids auquel l'individu se sent bien dans son corps, sans s'exposer aux risques liés à un surpoids ou à une dénutrition.

Poids de forme pour les femmes

Taille en cm	limite inférieure	limite supérieure
150	42,5	55,3
152	43,5	56,7
155	44,9	58,1
157	46,6	59,4
160	47,6	60,8
162	49	62,6
165	50,3	64,4
167	51,7	66,2
170	53,5	68
172	55,3	69,9
175	57,2	71,7

Poids de forme pour les hommes

160	53,5	65
162	54	66
165	55	69
168	57	71
170	58	73
172	59,5	74
175	61,5	77
178	64	79
180	66	82
182	67	84
185	72	90
188	75	93
190	78	95

Chapitre 11

LE CONTRÔLE DU POIDS

Vous avez probablement déjà acheté un livre consacré à un régime alimentaire. Vous avez peut-être passé quelques semaines à éviter les hydrates de carbone et à boire huit grands verres d'eau par jour. Peut-être avez-vous vécu de fruits, en alternant le pamplemousse, la pastèque et l'ananas. Il est également possible que vous ayez tenté un régime modéré sur le plan des kilocalories. Certains ont même totalement renoncé aux aliments au profit de formules en poudre, ou simplement essayé le jeûne.

Quelle qu'ait été votre expérience, elle a sans doute été efficace – tant que vous avez suivi ce régime. Comme le savent tous ceux qui ont suivi un régime, il est bien plus facile de perdre des kilos que de les empêcher de revenir. Le problème tient au fait que la plupart des régimes visent un *amaigrissement* à court terme, alors qu'il vaudrait mieux chercher un programme de *contrôle* permanent du poids – ce que les spécialistes de l'amaigrissement appellent « l'apprentissage de nouvelles habitudes alimentaires et physiques ».

La méthode classique pour perdre du poids consiste à compter les kilocalories; il s'agit de noter soigneusement toutes les kilocalories que vous ingérez et de choisir vos aliments en fonction de ce critère. Pour cela, il est important de connaître vos besoins caloriques quotidiens. Si vous utilisez la méthode du journal évoquée au chapitre 2 et si vous surveillez votre balance, vous pourrez déterminer quelle est votre consommation et si elle vous fait perdre ou gagner du poids. Toutefois, le calcul quotidien du nombre de kilocalories est généralement une entreprise trop fastidieuse pour être poursuivie très longtemps.

Une autre stratégie consiste à adopter de petites modifications du comportement quotidien : manger lentement, bien mâcher les aliments, placer la nourriture dans des assiettes plus petites afin que les portions semblent plus importantes. De nombreux programmes de traitement pour les obèses se sont appuyés sur des méthodes de ce genre. Cependant, certaines études indiquent que les obèses ne manifestent pas nécessairement un appétit anormal (par exemple, ils ne mangent pas plus vite que les personnes minces). De plus, les recherches effectuées sur des périodes prolongées montrent que ceux qui perdent du poids par ces méthodes de modification du comportement regagnent leurs kilos de la même manière que ceux qui suivent des régimes, même si ce regain de poids est légèrement plus lent dans leur cas.

Une autre démarche, qui est dangereuse, consiste à prendre des amphétamines et autres médicaments voisins pour éviter de gagner du poids. Cependant, si vous cessez de prendre ces produits quand vous atteignez le poids désiré, vous reprendrez vos kilos perdus plus vite que si vous aviez suivi un régime. De plus, pour la plupart des gens, une thérapie médicale de ce genre poursuivie pendant toute la vie présente plus de risques que l'obésité elle-même (voir : Le problème des pilules amaigrissantes, pp. 166-167).

La meilleure solution de contrôle du poids pour les personnes dont l'obésité n'excède pas 40 % semble être une démarche en trois étapes.

Tout d'abord, vous devez vous fixer un objectif réaliste, en utilisant les directives du chapitre 10. Si votre corps est constitué de manière à être à son aise aux alentours de 70 kilos, il ne serait sans doute pas raisonnable d'essayer d'atteindre 50 kilos.

Ensuite, il faut éliminer un certain nombre de kilocalories par l'exercice. Contrairement au régime, l'exercice peut se pratiquer toute la vie. Et comme nous le verrons par la suite, ses effets sont particulièrement efficaces dans le contrôle du poids.

Enfin, vous pourrez peut-être amoindrir votre consommation de kilocalories sans avoir l'impression de vous imposer des privations extrêmes, en adoptant une alimentation à faible teneur en graisses et riche en hydrates de carbone complexes.

Il s'agit de trouver un régime qui vous permette de bien manger, de vous sentir rassasié après les repas, tout en conservant le poids qui vous convient. Pour beaucoup de gens, cet objectif est accessible, à condition de procéder de la bonne manière. Cela signifie avant tout qu'il faut savoir résister aux tentations des régimes draconiens, même s'ils vous promettent tous de vous rendre svelte sans aucune difficulté.

LES RÉGIMES DRACONIENS

Les livres de régimes alimentaires connaissent un grand succès car ils vous promettent un nouveau corps très mince au moyen d'une méthode infaillible et indolore. Cependant, quand on comprend le mécanisme de ces régimes – ainsi que certaines réalités de la nutrition –, on trouve très rapidement leurs défauts.

Ces livres s'appuient le plus souvent sur des rapports anecdotiques, et non sur des faits scientifiques. Les auteurs affirment que des dizaines, ou des centaines, ou des milliers de gens ont réussi à maigrir grâce à leur méthode. Cependant, si ces déclarations ne sont pas soutenues par des recherches publiées, il n'y a aucune raison de les croire.

N'oubliez pas non plus que même si les prétentions d'amaigrissement réussi sont exactes, elles n'ont pas une grande signification. Il est relativement facile de faire maigrir des gens, en particulier si on utilise une nouvelle méthode. Le plus difficile consiste à empêcher les kilos de revenir.

Beaucoup d'ouvrages affirment qu'une abondance d'une certaine catégorie de nutriments aux dépens d'une autre est le secret de l'élimination des graisses. Le professeur La Chance, de l'université Rutgers aux États-Unis, qui a étudié tous ces régimes affirme : « Ces régimes ne feront mourir personne, mais ils peuvent entraîner des troubles physiques sérieux, en particulier sur une période prolongée. »

Naturellement, ces régimes sont rarement destinés à une utilisation prolongée. Ils visent à vous faire perdre vos kilos excédentaires en une, deux ou trois semaines. Il est peu probable que de sérieuses carences nutritives puissent survenir en si peu de temps. Cependant, ces régimes présentent de multiples lacunes. Outre le ralentissement du métabolisme qui accompagne toujours les amaigrissements rapides (voir chapitre 10), il reste la question du *type* de kilos que vous perdez. Si l'organisme est privé de calories, il peut éliminer soit ses graisses, soit les protéines qui sont dans les muscles pour se procurer du carburant; les muscles représentent 30 % des calories entreposées dans l'organisme. Si vous réduisez considérablement votre consommation d'hydrates de carbone, votre corps sera obligé de puiser dans ses protéines pour remplir les fonctions chimiques qui sont normalement assurées par les hydrates de carbone.

Il s'avère que la rapidité de l'amaigrissement indique directement la quantité de muscle et de graisse que vous éliminez. C'est une loi physiologique : *plus vous maigrissez vite, plus vous perdez d'eau et de muscles, et moins vous perdez de graisse.*

L'explication est simple : dans le corps humain, comme sur la table du dîner, les graisses constituent un dépôt de calories plus concentré que les tissus maigres. Il faut donc se priver de plus de calories sur une période plus prolongée pour éliminer un kilo de graisse que pour éliminer un kilo de muscle.

Imaginons que vos besoins caloriques quotidiens, en fonction de votre métabolisme et de votre activité physique, s'élèvent à 2 000 kilocalories et que vous suiviez un régime qui ne vous accorde que 1 500 kilocalories. Avec ce manque de 500 kilocalories par jour, il vous faudrait théoriquement plus d'une semaine pour éliminer 500 grammes de graisse, qui contiennent plus de 4 000 kilocalories. En revanche, si vous n'éliminez que du muscle, vous pourriez perdre les mêmes 500 grammes en trois jours. Autrement dit, un amaigrissement rapide ne constitue pas un signe positif, mais au contraire une preuve que vous éliminez des tissus maigres au lieu de vous débarrasser de la graisse que vous souhaitez perdre.

Même lorsqu'on connaît tous ces faits, il est parfois difficile de résister aux attraits des nouveaux régimes. Leurs promesses semblent fascinantes, leurs théories paraissent solides. Il devient cependant plus facile de juger objectivement tous ces régimes quand on sait que la plupart d'entre eux n'ont rien de nouveau. Il s'agit généralement de variantes de méthodes d'amaigrissement anciennes et qui se sont avérées inefficaces. Les vieux régimes ne meurent jamais, ils sont recyclés. Voici une brève liste des solutions les plus répandues au problème de l'obésité – et de tous leurs inconvénients.

LES FAUX ESPOIRS :
LE PROBLÈME DES PILULES AMAIGRISSANTES

Il est compréhensible que beaucoup de gens, lassés des régimes, cherchent une solution dans les pilules amaigrissantes. Ces pilules existent depuis des dizaines d'années, mais elles demeurent inefficaces, voire même dangereuses.

Les premières pilules amaigrissantes furent naturellement les amphétamines, souvent prescrites pour la perte de poids dans les années 1940. Elles furent même considérées comme si efficaces à un certain moment que les médecins les prescrivaient aux deux tiers de leurs patients obèses. Ils recommandaient même ces médicaments aux femmes enceintes pour leur éviter de gagner trop de poids.

Cependant, depuis lors, l'utilisation des amphétamines et d'autres médicaments voisins a considérablement baissé : les amphétamines, qui réduisent l'appétit tout en augmentant le rythme métabolique, se sont révélées peu efficaces pour l'amaigrissement. Des études médicales ont fait apparaître qu'amphétamines et autres pilules amaigrissantes ne semblaient faire maigrir les gens que de quatre kilos environ mais que ces kilos réapparaissaient dès l'interruption du traitement.

La plupart des coupe-faim utilisés actuellement ont une composition chimique similaire à celle des amphétamines. Même si ces produits sont sans doute moins dangereux que les amphétamines, ils ne sont pas inoffensifs. Entre autres effets secondaires, ils peuvent entraîner la nervosité, une certaine irritabilité, des insomnies, des troubles de la vision, des vertiges, des palpitations, une hypertension, des sueurs, des nausées, des vomissements, et parfois des diarrhées ou au contraire une constipation.

Un médicament voisin des amphétamines, la phénylpropanolamine, ou PPA, est considéré comme assez inoffensif pour être vendu sans prescription médicale. Toutefois, ce PPA est lié lui aussi à un certain nombre d'effets secondaires, notamment l'anxiété, les malaises et une élévation de la tension artérielle et son utilisation n'est pas recommandée aux personnes atteintes d'hypertension, de diabète ou de maladies du cœur, de la thyroïde ou des reins.

Dans ces conditions, il n'est pas surprenant que de nombreux chercheurs soient actuellement en quête d'un coupe-faim plus efficace et moins dangereux, voire même d'un produit assez inoffensif pour être utilisé toute la vie. Mais jusqu'à présent, ces recherches se sont avérées infructueuses.

Les régimes à faible teneur en hydrates de carbone

Au mépris de toutes les lois de la nutrition, les régimes à faible teneur en hydrates de carbone sont ceux qui ont connu le plus grand succès au cours des dernières décennies. En fait, cette mode avait commencé bien avant, dans l'Angleterre du milieu du XIXe siècle. Le premier rapport écrit concernant un programme d'amaigrissement à l'époque moderne fut la *Lettre sur la cor-*

pulence adressée au public, écrite par un certain William Banting, qui décrivait un régime à faible teneur en hydrates de carbone que le célèbre Dr William Harvey avait recommandé à l'auteur.

Ce régime n'a aucun sens; pour un poids semblable, les hydrates de carbone contiennent deux fois moins de kilocalories que les graisses. Même le sucre reste une faible source de calories dans notre alimentation. Un kilo de sucre ne contient pas plus de kilocalories qu'un kilo de riz, de farine ou de céréales de maïs, et le morceau de sucre que vous ajoutez chaque matin à votre café ne contient que 15 kilocalories.

Cependant, les régimes à faible teneur en hydrates de carbone *semblent* toujours fonctionner rapidement. Ils ont un effet diurétique prononcé, ce qui entraîne une perte d'eau très rapide, et par conséquent une perte de poids. L'amélioration considérable qu'indique la balance encourage les personnes qui suivent ces régimes à les poursuivre. Cependant, dès que les habitudes alimentaires redeviennent normales, la rétention d'eau intervient.

Les régimes de ce genre présentent un autre aspect plus inquiétant. Ils augmentent la production de cétones par l'organisme (voir chapitre 3), et les amateurs de régimes affirment que cela réduit l'appétit. En fait, les personnes qui jeûnent, qui connaissent une cétose, font souvent part d'une perte d'intérêt pour la nourriture. Mais rien ne prouve que les cétones agissent sur l'appétit. Elles pourraient, en fait, produire des nausées en même temps que la sensation de faim.

Les régimes à faible teneur en hydrates de carbone présentent un autre inconvénient. Si les calories ne viennent pas des hydrates de carbone, elles doivent venir des graisses ou des protéines. Or, les excès de graisse dans l'alimentation sont dangereux pour la santé. Quant aux excès de protéines, sur une période prolongée, ils peuvent perturber le métabolisme du calcium et provoquer l'urémie, imposant une fatigue extrême aux reins ou déclenchant des crises de goutte.

Les régimes associés

Dans beaucoup de régimes on affirme que certaines associations d'aliments dans un même repas peuvent jouer un rôle dans l'utilisation de leurs nutriments par l'organisme. C'est sans doute vrai dans une certaine mesure, comme nous le verrons au chapitre 13. Par exemple, le fait de boire du jus d'orange pendant les repas améliore l'absorption du fer. Toutefois, ces régimes vont bien au-delà de ces simples interactions, en affirmant que l'association de certains aliments peut avoir des effets considérables sur la digestion des protéines, des amidons et des graisses, et pas seulement sur l'absorption des micronutriments.

Ces régimes conseillent généralement de séparer les différents groupes d'aliments en fonction de critères très stricts, afin que ces produits ne se perturbent pas mutuellement. Ainsi, un régime qui a connu un grand succès conseillait de ne manger que des fruits avant midi et des légumes (accompagnés d'une faible quantité de protéines ou d'amidons) de midi à vingt heures. Ce type de régime ne repose sur aucune donnée scientifique précise.

UN RÉGIME POUR LA VIE

Aussi étranges que paraissent certains régimes, on peut comprendre que beaucoup de gens désirent y croire. La promesse de la minceur et de la possibilité de la conserver sans être affamé est séduisante pour la plupart d'entre nous. De plus, certaines personnes ont fini par croire que le contrôle du poids ne se limitait pas à un simple calcul de calories. Elles pensent que certains aliments leur posent plus de problèmes que d'autres.

Les recherches récentes indiquent que ces personnes pourraient avoir raison. On a émis l'hypothèse selon laquelle les sucres raffinés sont particulièrement néfastes pour la ligne parce qu'ils augmentent la faim en provoquant une élévation du taux d'insuline dans le sang. Les aliments gras peuvent favoriser le gain de poids, non seulement parce qu'ils constituent des réservoirs concentrés de calories, mais en raison de leurs effets sur l'appétit et le métabolisme. En revanche, les aliments riches en hydrates de carbone complexes, comme les fruits et les légumes, les graines, les légumes secs, le pain, les pâtes et autres amidons, peuvent vous aider à contrôler votre poids d'une manière efficace.

Un régime amaigrissant doit toujours, d'une manière ou d'une autre, réduire la consommation de kilocalories. Mais un régime riche en hydrates de carbone complexes et contenant très peu de graisses permet de réduire votre consommation de kilocalories sans fournir de gros efforts. Les fibres que contiennent ces aliments prennent du volume dans l'estomac sans apporter de calories digestes. Par conséquent, ces hydrates de carbone semblent donner une impression de satiété plus rapidement que ne le feraient d'autres aliments.

Plusieurs études ont prouvé ce fait. L'une d'elles, effectuée à l'université du Michigan, a permis à des étudiants de perdre du poids sans difficulté en consommant douze tranches de pain riche en fibres par jour, auxquelles s'ajoutaient les autres aliments qu'ils appréciaient. Il semble que le pain ait permis d'amoindrir leur appétit pour les autres aliments.

A l'université d'Alabama, des chercheurs ont comparé la consommation de kilocalories chez des volontaires qui prenaient des repas riches en hydrates de carbone, avec des aliments tels que le riz brun, les brocolis, le poulet, les pains au froment et les fruits frais, à la consommation calorique des mêmes étudiants lorsqu'ils adoptaient un régime plus « classique ». On leur permettait dans tous les cas de manger ce qu'ils voulaient, et ces volontaires consommaient 1 570 kilocalories par jour pour se rassasier lorsqu'ils adoptaient le régime riche en hydrates de carbone, et 3 000 kilocalories par jour lorsqu'ils prenaient davantage de graisses, de sucre et de protéines.

Naturellement, il est possible de faire des excès avec de l'orge et des brocolis. Les régimes trop riches en fibres peuvent entraîner des troubles intestinaux, mais on pourrait facilement consommer davantage d'hydrates de carbone que nous ne le faisons actuellement sans risquer ce genre de problèmes. Et une augmentation de notre consommation de fibres améliorerait probablement notre santé. Pour trouver une alimentation bien équilibrée, il faut envisager à la fois les aliments à restreindre dans votre régime et ceux qu'il faudrait lui ajouter.

Les travaux de la psychologue Judith Rodin, de l'université de Yale, indiquent que le sucre pourrait bien aiguiser l'appétit et que la restriction de ce produit pourrait être utile dans le contrôle du poids. Selon son hypothèse, l'insuline augmente notre appétit, et la consommation de sucre peut entraîner une rapide élévation du taux d'insuline dans le sang. Au cours de l'une de ses expériences, elle a prouvé que les personnes qui prenaient une boisson sucrée vers l'heure du petit déjeuner étaient plus affamées, et mangeaient davantage, lorsqu'on leur proposait un déjeuner copieux. Selon l'hypothèse de cette psychologue, la substitution de produits voisins du sucre ne résoudrait pas le problème. Elle pense que la saveur douce des arômes artificiels peut également déclencher une élévation du taux d'insuline (comme un réflexe conditionné).

D'une manière générale, on a sans doute exagéré la valeur des produits de substitution du sucre dans le contrôle du poids. Aucune preuve ne permet encore d'affirmer que les substituts du sucre peuvent aider à perdre du poids. Une étude effectuée sur plus de 78 000 femmes a montré que les personnes qui utilisaient des substituts de sucre risquaient *davantage* de prendre du poids sur une période d'un an que celles qui n'en consommaient pas.

Quelles que soient les actions du sucre, il reste notre parfum favori pour les desserts, et c'est sans doute son aspect le plus négatif. Les travaux d'Adam Drewnowski, de l'université du Michigan, qui utilisait le sucre pour aromatiser les crèmes épaisses et riches en corps gras, ont montré que notre goût nous attire en moyenne plus souvent vers les produits gras et sucrés que vers les friandises sans graisses. Par conséquent, si vous ajoutez du sucre à votre café, vous serez peut-être tenté d'y mettre plus de crème que vous ne le feriez si votre café n'était pas sucré. Or, c'est la crème, bien plus que le sucre, qui vous fera grossir. Drewnowski a également montré que les femmes obèses ont une préférence encore plus marquée pour les graisses que les femmes minces.

Naturellement, les graisses ne sont pas uniquement une calamité. Ce sont des nutriments essentiels; nous en avons donc besoin. Toutefois, un surplus de graisses dans l'alimentation risque de contribuer à l'obésité bien plus qu'un surplus d'un autre nutriment.

Tout d'abord, les graisses sont des sources concentrées de calories. Un gramme de graisse contient plus de deux fois plus de kilocalories qu'un gramme de protéines ou d'hydrates de carbone. Les graisses sont les véhicules du goût des aliments. La plupart des molécules qui donnent aux aliments leur arôme et leur goût sont dissoutes dans les graisses alimentaires.

Enfin, des recherches récentes indiquent que notre organisme utilise plus d'énergie lors de la digestion si notre régime est riche en hydrates de carbone que s'il contient beaucoup de graisses. Ce type d'alimentation ne permet cependant que l'élimination d'un nombre restreint de calories – pas plus de 10 % de notre consommation calorique quotidienne.

Il est également plus facile à l'organisme d'entreposer les graisses que les hydrates de carbone. Les graisses alimentaires peuvent en effet être stockées immédiatement sous forme de graisses corporelles. En revanche, les hydrates de carbone emmagasinés représentent moins de 1 % de votre poids. Tout le reste doit être transformé en graisse pour pouvoir être emmagasiné, et pour cela, il faut de l'énergie.

Un régime riche en hydrates de carbone complexes présente un autre avantage par rapport à tous les autres programmes amaigrissants. Il est susceptible d'améliorer votre santé générale plutôt que de la menacer. Un tel régime peut aider à prévenir ou à traiter les maladies cardiaques, le diabète, voire même le cancer. Il existe cependant un autre aspect essentiel de la prévention de la maladie : l'exercice, qui peut contribuer au rétablissement de taux d'insuline normaux chez les diabétiques, faire baisser la tension artérielle, et amoindrir les taux de cholestérol dans le sang. Par ailleurs, l'exercice est considéré de plus en plus fréquemment comme l'élément clé du contrôle du poids.

L'IMPORTANCE DE L'EXERCICE

La plupart d'entre nous pensent que l'obésité est due à une alimentation excessive. Il semble cependant que l'inactivité en soit un facteur tout aussi déterminant.

Plusieurs études ont mesuré le niveau d'activité des jeunes enfants (jaugé par des instruments semblables à des podomètres disposés sur les bras et les jambes), la participation des adolescents aux sports organisés dans les camps de vacances, et les habitudes de marche à pied chez les adultes. Même si les résultats ne sont pas totalement fiables, ils indiquent clairement que les personnes minces sont généralement plus actives que les obèses.

Quelles que soient les raisons de l'obésité de chaque individu, l'exercice peut généralement jouer un rôle déterminant dans la perte de poids, et un rôle plus significatif encore dans le maintien de la minceur. Ce fait est vérifié même dans les cas d'obésité héréditaire. Les chercheurs se sont livrés à des études très sérieuses sur des souris de laboratoire qui manifestaient une prédisposition génétique à l'obésité dans des conditions de laboratoire normales. Les travaux récents ont montré que même ces animaux se maintiennent à un poids stable si on les laisse faire de l'exercice sur des roues mobiles dès leur sevrage.

C'est une bonne nouvelle pour tous ceux qui désirent perdre du poids, car l'exercice peut constituer un complément attrayant du régime. Le régime peut apporter une aide immédiate pour l'élimination des kilos. Mais à mesure qu'il se poursuit, la personne qui le suit éprouve des accès de faim ou d'irritabilité et risque malheureusement de renoncer tôt ou tard. L'exercice entraîne précisément des effets opposés. Il est difficile de commencer. Mais lorsqu'une routine est établie, elle apporte des récompenses psychologiques considérables. (Des psychologues ont montré qu'un programme d'exercice pouvait aider à surmonter les légères dépressions et les crises d'angoisse.)

Le bienfait le plus évident de l'exercice concerne les calories qu'il permet d'éliminer, davantage encore que ne le croient ceux qui s'adonnent au sport. En effet, au premier abord, le nombre de calories dépensées à pratiquer la course, le cyclisme, ou tout autre sport ne semble pas très impressionnant. Il faut par exemple savoir que deux kilomètres de jogging ne vous débarrassent que d'une centaine de kilocalories, soit environ la valeur d'une belle pomme.

Cependant, un corps actif continue à éliminer les calories excédentaires même quand l'exercice est interrompu. L'activité augmente le rythme métabolique et le maintient à ce niveau élevé.

Si vous pratiquez un sport d'une manière suffisamment intense, vous pourrez même manger davantage que par le passé tout en restant mince ou en maigrissant davantage. (Les marathoniens entraînés peuvent consommer 5 000 ou 6 000 kilocalories par jour sans prendre un gramme.)

Toutefois, l'avantage de l'exercice ne tient pas seulement au fait qu'il permet d'éliminer des calories, mais à ce qu'il tire ces calories des tissus que vous désirez vraiment voir diminuer de volume, c'est-à-dire des graisses, et non des muscles, qui sont parmi les premiers tissus attaqués quand vous suivez un simple régime alimentaire pour maigrir.

L'exercice permet à l'organisme d'éliminer exclusivement ses graisses et peut même vous faire gagner des muscles. Lors d'une étude entreprise par Judith Stern à l'université de Californie, des adolescents obèses subirent un programme d'amaigrissement pendant tout un été. Après sept semaines d'un régime à 1 200 kilocalories par jour, avec cinq heures d'exercice quotidiennes, ils avaient perdu en moyenne douze kilos chacun, la plus grande partie sous forme de graisse.

La pratique du sport peut vous faire perdre votre graisse excédentaire sans pour autant provoquer une baisse de poids. En effet, les muscles pèsent plus lourd que la graisse, de sorte que vous pouvez devenir mince sans être nécessairement plus léger, car vous perdez de la graisse et gagnez des muscles. C'est pourquoi les personnes qui souhaitent voir baisser leur poids ne doivent pas se fier uniquement aux chiffres qu'indique leur balance, mais plutôt à l'image que leur renvoie leur miroir; elles peuvent aussi estimer leur nouvelle minceur au moyen d'un centimètre, ou simplement d'après la manière dont elles se sentent dans leurs vêtements.

Néanmoins, le plus important est sans doute la manière dont l'exercice peut vous aider à prévenir le retour des kilos éliminés. Une chercheuse de l'université de Berkeley, en Californie, a récemment interrogé plusieurs centaines de femmes qui suivaient un régime dans une institution spécialisée. Elle a constaté que celles qui parvenaient à rester minces au-delà de la durée du régime étaient celles qui pratiquaient constamment l'exercice, d'une manière presque quotidienne.

Quel type d'exercice est le plus efficace? Les sports aérobiques sont les meilleurs pour maigrir. Ils accélèrent le rythme cardiaque sur une période assez prolongée. Le jogging, le cyclisme, la natation, le ski de fond et la marche rapide sont aérobiques (à condition que vous marchiez assez vite pour transpirer). Les rameurs hydrauliques apportent aussi de nombreux bienfaits aérobiques, même s'ils risquent d'accélérer le rythme cardiaque davantage que les autres types d'exercices aérobiques. L'objectif de ces sports est d'élever votre rythme cardiaque jusqu'à 70 à 85 % de son maximum, le maximum étant le nombre obtenu en soustrayant votre âge de 220, et ce pendant au moins vingt minutes trois fois par semaine.

La plupart des exercices de culture physique, de même que les épreuves très brèves et intenses que vous imposez à votre corps sur les machines de musculation, sont déconseillés. Ils mobilisent votre énergie rapidement, mais n'élèvent votre rythme cardiaque que pendant une période très courte et n'accélèrent pas réellement votre rythme métabolique. Par conséquent, ils sont moins efficaces pour l'élimination des graisses, même s'ils peuvent augmenter votre masse musculaire.

Le sport que vous pratiquez est cependant moins important que votre assiduité à vous y livrer. Il est donc essentiel de choisir un sport, ou plusieurs sports, qui soient à la fois agréables et accessibles.

Toutes les études effectuées dans ce domaine montrent que les gens qui pratiquent l'exercice quatre à cinq fois par semaine maigrissent trois fois plus vite que ceux qui ne font du sport que trois fois par semaine.

Pour être efficace, l'exercice doit faire partie intégrante de votre vie, et pour toujours. Quand les kilos sont perdus et ne reviennent pas, l'organisme s'adapte à son « nouveau » poids normal. En revanche, si vous cessez de faire du sport, le corps revient à son poids antérieur.

Pour que l'exercice devienne une pratique régulière, les parents (notamment s'ils connaissent eux-mêmes des problèmes de poids) feraient bien d'encourager l'activité physique chez leurs enfants dès un très jeune âge. Les habitudes physiques d'une famille, tout comme ses habitudes alimentaires, peuvent établir une base pour l'avenir des enfants.

Le simple fait de moins regarder la télévision peut apporter des bienfaits. Un pédiatre de l'université américaine de Tufts, le Dr William Dietz, a montré qu'il existe une corrélation directe entre une passion excessive pour la télévision et l'obésité, probablement parce que les enfants qui regardent beaucoup la télévision sont relativement inactifs (et grignotent souvent des friandises très caloriques tout en suivant leurs feuilletons favoris).

Le temps passant, l'activité physique devient particulièrement importante dans le contrôle du poids. Entre vingt-cinq et cinquante-cinq ans, chacun d'entre nous gagne en moyenne 6 à 10 kilos. Même les personnes qui ne prennent pas de poids peuvent gagner de la graisse. Il semble cependant que ce phénomène soit dû à l'inactivité tout autant qu'au ralentissement normal du rythme métabolique. Une étude effectuée au sujet des bûcherons norvégiens, qui restent très actifs, même au-delà de soixante ans, montre qu'ils ne gagnent pratiquement pas de graisse malgré une alimentation très calorique, et qu'ils ne prennent pas un kilo tant qu'ils travaillent. Ce n'est qu'au moment de la retraite que leur poids commence à augmenter.

Cet exemple est difficile à imiter, mais il est cependant significatif. Les avantages d'une vie active semblent encore plus importants que ne le croient les adeptes du jogging.

Chapitre 12

L'EXERCICE :
L'ALLIÉ DE VOTRE RÉGIME

De toute évidence, l'énergie que vous dépensez chaque jour et la manière dont vous la dépensez influencent énormément votre condition physique et votre santé. Mais l'activité affecte également de manière directe vos besoins nutritionnels et peut permettre à l'organisme de tirer le meilleur parti des nutriments que vous lui fournissez.

L'exercice vous permet non seulement de vous sentir mieux, mais il peut aussi vous aider à mieux fonctionner en imposant aux différents systèmes de l'organisme des exigences qui augmentent leur efficacité.

Une augmentation, même modérée, de votre activité physique, peut, par exemple, réactiver votre intérêt pour la sexualité. Citant un autre avantage non négligeable de l'exercice, Judith Stern, professeur de diététique et directrice de laboratoire à l'université de Davis, en Californie, ajoute : « L'exercice permet de manger plus. » Vous pouvez consommer plus de nourriture et en tirer plus de plaisir (ou moins de culpabilité) tout en profitant des nutriments.

N'oubliez pas que la pratique de l'exercice vous permet d'absorber « gratuitement » un plus grand nombre de calories que vous n'en dépensez lors de votre activité (voir chapitre 11). Il ne s'agit pas simplement de la centaine de calories que vous avez éliminées en faisant deux kilomètres à bicyclette. Cela ne représente pas en effet une valeur considérable – puisque c'est l'équivalent d'un biscuit, ou d'un demi-sandwich (sans beurre). Le plus important est que votre organisme continue à éliminer des calories après que vous avez rangé votre bicyclette au garage.

L'exercice présente deux avantages : vous dépensez des calories en marchant, en courant, en pédalant, ou en pratiquant l'activité de votre choix. Et il faut y ajouter les calories supplémentaires que votre métabolisme accéléré permet d'éliminer (en puisant dans vos réserves de graisse).

Les bienfaits les plus importants de l'exercice viennent avec la pratique, ce que les sportifs appellent l'entraînement, et pour cela, il faut vous pousser continuellement plus loin, afin d'augmenter votre rythme cardiaque jusqu'à un niveau correspondant à 70 à 85 % de son maximum, et le maintenir à ce taux élevé pendant vingt à trente minutes tous les deux jours. Vous dépenserez à peine plus de 1 000 kilocalories par semaine en faisant une heure et demie de jogging, de natation ou de bicyclette. Mais si vous pratiquez ces sports plus longtemps, vous éliminez environ 1 600 kilocalories par semaine, et la progression de votre capacité d'absorption de l'oxygène s'élève jusqu'à se stabiliser à 25 % environ au-dessus du niveau des personnes sédentaires.

L'entraînement épaissit et renforce les muscles, y compris le muscle cardiaque. Il ralentit le pouls. La tension artérielle baisse généralement elle aussi, et le nombre de globules rouges augmente, à mesure que l'organisme est capable d'absorber et d'utiliser de plus grandes quantités d'oxygène. Par conséquent, ce n'est pas seulement en luttant contre l'obésité que l'exercice vous préserve des maladies cardiaques.

Un cœur plus résistant, un pouls plus lent, une tension artérielle moindre, et une amélioration du transport de l'oxygène dans le corps : tous ces éléments amoindrissent les risques de troubles cardiaques. De plus, la pratique du sport agit sur les taux de substances grasses dans le sang. Elle réduit l'importance de la sorte de cholestérol qui risque plus particulièrement de provoquer l'athérosclérose et entraîne une augmentation de celle qui semble aider à prévenir cette maladie.

L'exercice peut favoriser le traitement et la prévention du diabète, non seulement en vous aidant à contrôler votre poids, mais en augmentant les facultés de l'organisme à utiliser ses réserves d'insuline. Cette maladie est provoquée par un taux relativement faible de l'hormone qu'est l'insuline (qui régule la distribution du glucose dans l'organisme), ainsi que par une inaptitude des cellules à réagir à cette situation. Or, l'exercice peut permettre aux cellules de retrouver une partie de leur sensibilité à l'insuline.

La prévention de l'ostéoporose passe par une bonne construction des os pendant la jeunesse et par une conservation de cette masse osseuse au-delà des années de formation des os. Même si la pratique régulière du sport ne rend pas les os plus volumineux, elle les rendra plus résistants et plus lourds, c'est-à-dire plus denses.

Le sport favorise la préservation de la densité osseuse, alors que l'immobilité provoque une déperdition des os. Quand des patients restent très longtemps alités, leurs os ont tendance à perdre du calcium, l'organisme puisant dans ses réserves pour utiliser ce minéral dans d'autres domaines, *sans les remplacer*. La pratique du sport peut amoindrir les risques d'ostéoporose, et les activités qui nécessitent de lever ou de pousser des objets lourds, en soumettant par conséquent les os à un certain stress, présentent des bienfaits évidents.

Le sport aérobique apporte également les plus grands bienfaits sur le plan psychologique, car il produit dans l'organisme des modifications chimiques qui accélèrent la production de certains neurotransmetteurs (les messagers chimiques qui transmettent les informations de et vers les cellules nerveuses), ceux-là mêmes qui semblent les plus efficaces pour surmonter l'angoisse ou la dépression. De plus, l'exercice fournit un exutoire sain pour les sentiments de colère ou de frustration que l'on accumule, ainsi qu'un moyen de prendre confiance en soi. L'amour-propre progresse à mesure que l'image du corps change, et les personnes qui étaient timides et obèses prennent confiance en elles en devenant fières de leur souplesse et de leur silhouette retrouvées.

COMMENT PRATIQUER LE SPORT, ET JUSQU'A QUELLES LIMITES?

Pour apporter des bienfaits durables, l'exercice ne doit pas être pratiqué de manière épisodique. Tout comme il existe un effet d'entraînement, il existe également un effet inverse.

Le rythme métabolique, qui s'accélère lorsqu'on pratique une activité sportive, revient rapidement à son niveau antérieur quand on ne la pratique plus de manière régulière. L'exercice, qui a donc un effet considérable sur le poids, peut permettre de contrôler de nombreux aspects du vieillissement, mais uniquement si on reste actif pendant toute la vie.

Pour entrer dans nos habitudes, l'exercice doit être aussi agréable que possible, et ressembler à un jeu plus qu'à un devoir. De plus, sa pratique doit être aisée. Une étude effectuée dans une université a démontré que les professeurs qui pratiquaient régulièrement une activité physique étaient ceux dont le bureau se situait à proximité du gymnase. Tout le monde ne dispose pas de telles facilités, mais les centres et les clubs de sports sont nombreux aujourd'hui et l'on peut associer un sport de plein air tel que la bicyclette à des activités physiques dans des salles où l'on trouve entre autres des bicyclettes fixes et des tapis roulants. Certains de ces centres disposent aussi d'une piscine, de courts de tennis, de terrains de basket-ball, et autres équipements sportifs. Ils offrent souvent des cours de gymnastique et sont parfois équipés de machines de musculation. Il faut toutefois savoir que même si ces machines sont excellentes pour prendre des muscles, elles ne fournissent généralement pas l'activité aérobique qui accélère le rythme métabolique et l'absorption d'oxygène.

Les habitudes sportives doivent se prendre très tôt, avant même que les enfants ne fréquentent l'école. Pendant leur petite enfance, ils ont besoin d'aide pour développer leurs facultés motrices et leur coordination, et il faut les encourager à participer aux activités sportives de la famille.

Les adolescents qui pratiquent le sport ont une plus grande confiance en eux. L'exercice physique fournit aux filles l'occasion de rester minces ou de le devenir et aux garçons une chance de se constituer une masse musculaire; les sports d'équipe leur donnent l'occasion de développer leurs facultés d'adaptation et leur esprit de décision.

A l'entrée dans la vie active, les contraintes de temps et les obligations de toutes sortes surviennent, et il devient difficile de se livrer au sport avec assiduité. C'est alors qu'il faut fournir un effort conscient pour continuer à le faire.

Cependant, il y a des limites à ne pas dépasser. Le point extrême semble être celui où vous éliminez environ 3 500 kilocalories par semaine en pratiquant un sport et en vous livrant à vos activités quotidiennes (comme la marche et l'ascension des escaliers). Cette limite est confirmée par les travaux du Dr Ralph S. Paffenbarger qui s'est livré à une étude très prolongée sur 17 000 étudiants de Harvard (voir chapitre 17), et il a constaté que les étudiants qui éliminaient 3 500 kilocalories par semaine – l'équivalent de six heures de basket-ball ou de football, d'environ 70 kilomètres de bicyclette, de 12 kilomètres à la nage, de 40 kilomètres de jogging ou de 50 kilomètres de marche – avaient réduit au maximum leurs risques de maladie.

Pour les femmes, la distance limite en jogging doit être moins longue. Celles qui courent plus de 30 kilomètres par semaine peuvent souffrir d'aménorrhée (interruption du cycle menstruel), car leur masse grasse est alors trop faible pour leur permettre d'assurer une production normale d'œstrogènes. Or, un taux trop faible d'œstrogènes rend difficile la conservation du calcium par l'organisme et entraîne une détérioration des os. Dans ces conditions, la pratique du sport accélère l'arrivée de l'ostéoporose au lieu de la prévenir.

En ce qui concerne le poids, quatre à cinq séances d'exercice aérobique de trente minutes chaque semaine semblent être trois fois plus efficaces (et permettre un amaigrissement trois fois plus important) que trois séances hebdomadaires. Les études ont démontré qu'au-delà de cinq séances par semaine et si leur durée est prolongée de quinze minutes, soit quarante-cinq minutes d'exercice, les résultats sont moins positifs.

Chapitre 13

LES ÉTAPES DE LA DIGESTION

Tout commence par la nourriture, et par ce que nous choisissons de manger et de ne pas manger. Cependant, mettre des aliments dans notre bouche n'équivaut pas à mettre des nutriments dans notre organisme. La nourriture doit en effet être décomposée en nutriments, puis les nutriments doivent être absorbés par les intestins, et les déchets doivent être excrétés.

A chaque étape, des problèmes digestifs peuvent entraver l'utilisation des nutriments par l'organisme, ou limiter le choix des aliments que nous pouvons consommer sans risque ou sans inconfort. Par conséquent, la digestion n'est pas un procédé automatique, mais plutôt un phénomène complexe qui fonctionne d'une manière variable selon les individus. Les hasards de la digestion peuvent affecter sensiblement nos habitudes alimentaires. De plus, nos choix alimentaires – y compris la manière dont nous associons les différents produits pour préparer nos repas – peuvent affecter l'absorption des nutriments dans notre organisme (voir : Les interactions des aliments, pp. 186-187).

La digestion consiste essentiellement à faire passer diverses substances de l'extérieur à l'intérieur du corps. Le Dr Jerrold Olefsky, de l'université de San Diego, l'un des grands spécialistes du diabète, explique que « l'estomac ne fait pas partie de l'intérieur du corps ». Il décrit le tube digestif comme « un long tube ouvert à chaque extrémité ». D'une certaine manière, explique-t-il, « sa surface fait partie de l'extérieur du corps », puisque les nutriments doivent sortir du tube digestif et passer dans le sang pour pouvoir nous être utiles.

Examinons de plus près ce qui arrive aux aliments après que nous les avons avalés – à chaque étape du tube digestif.

DE LA BOUCHE À L'ESTOMAC

Tout débute dans la bouche. Les dents – au nombre de trente-deux chez l'adulte – ont un rôle mécanique : elles écrasent les aliments et les réduisent en fragments de petite taille. De son côté la salive – déversée par trois paires de glandes salivaires (la parotide, la sous-maxillaire et la sublinguale) – humecte la nourriture mâchée et la transforme en une bouillie semi-liquide appelée bol alimentaire qui sera avalée par bouchées successives. La salive est un liquide transparent, filant, faiblement acide qui renferme plus de 99,5 % d'eau, des sels minéraux et des enzymes; la ptyaline est la plus importante d'entre elles : elle commence la digestion des sucres d's l'intérieur de la bouche.

En o ittant la bouche, les aliments descendent un mince tube d'une trentaine de centimètres, l'œsophage, grâce à diverses contractions musculaires. Lorsqu'ils atteignent l'estomac, ils y restent parfois jusqu'à une demi-heure. Un muscle situé à l'extrémité de l'œsophage, le cardia – le sphincter inférieur de l'œsophage – empêche le contenu de l'estomac de remonter.

Dans l'estomac, les aliments perdent une bonne partie de leur identité. Cette poche musculaire réduit son contenu à une masse semi-liquide à laquelle s'ajoutent les sucs gastriques. Une enzyme, la pepsine, s'attaque aux protéines, tandis que l'acide chlorhydrique (autre nom de l'acide gastrique) contrôle le taux de bactéries et maintient un environnement gastrique suffisamment acide pour que la pepsine puisse accomplir son travail.

De temps à autre, il se crée dans l'estomac une acidité excessive, qui entraîne l'indigestion. Dans ce cas, si le sphincter de l'œsophage n'est pas en mesure de maintenir l'acide hors de celui-ci, on éprouve cette sensation désagréable que l'on appelle brûlure d'estomac. Un certain nombre de raisons peuvent expliquer ce fait. Les pressions abdominales tendent à décontracter ce muscle, de sorte que le fait de trop manger, ou l'obésité, accroissent les risques de brûlures d'estomac. Des vêtements trop serrés peuvent également augmenter suffisamment la pression abdominale et avait le même résultat. Il faut par ailleurs tenir compte des modifications hormonales qui ont tendance à laisser de l'acide gastrique s'échapper dans l'œsophage, ce qui explique que les femmes enceintes souffrent souvent de brûlures d'estomac.

Un certain nombre de décontractants chimiques affectent le sphincter. La nicotine et l'alcool en font partie, et on en trouve également dans les graisses, l'huile, le chocholat, la menthe et les boissons gazeuses. De plus, certains aliments particuliers peuvent provoquer des brûlures d'estomac chez chacun de nous. Cette liste comprend fréquemment les oignons, les poivrons et les plats exotiques très épicés.

Pour soulager l'estomac, il suffit souvent de diluer l'acide coupable dans de l'eau ou de le renvoyer d'où il vient grâce à quelques bouchées de nourriture. Tout ce qui est moins acide que le suc gastrique permet de soulager cette acidité, non seulement dans l'œsophage, mais aussi dans l'estomac. C'est pourquoi les antacides alcalins tels que le bicarbonate de soude, le Phosphalugel et le Gelox sont si utiles. En revanche, il est tout à fait inutile de s'étendre après les repas, car cette position contribue beaucoup à maintenir les acides gastriques en place.

Cependant, les sucs gastriques, même s'ils restent dans l'estomac, peuvent provoquer des troubles. L'hyperacidité peut entraîner des irritations et des douleurs. Ce problème est souvent lié au stress. La tension ou l'angoisse stimulent l'hormone appelée gastrine qui augmente sa production de sucs digestifs. Le fait de manger très rapidement signifie que les aliments ne sont pas mâchés correctement, de sorte que l'estomac doit travailler davantage pour les décomposer. L'alcool en irrite les parois internes, de même que le café (même décaféiné) et un certain nombre de médicaments, à commencer par l'aspirine, des remèdes contre l'arthrite, l'asthme et l'hypertension ainsi qu'un grand nombre d'antibiotiques.

La gastrite – l'inflammation de l'estomac – peut être soignée en évitant les aliments irritants et les médicaments et en neutralisant l'acidité excessive de l'estomac. D'une manière générale, les antacides liquides sont plus efficaces que les cachets. Les chercheurs de l'université du Texas ont constaté que la meilleure stratégie contre la gastrite consistait à prendre deux cuillerées à soupe d'antacide une heure après chaque repas, à renouveler cette opération trois heures plus tard, puis avant de se coucher - soit un total de quatorze cuillerées à soupe d'antacide par jour. Si cette quantité d'antacide ne suffit pas à soulager vos symptômes après une semaine, il est temps de consulter votre médecin.

Une hyperacidité prolongée ou chronique peut provoquer des ulcères, soit dans l'estomac, soit dans le duodénum, la poche située à l'entrée de l'intestin grêle, qui constitue l'étape suivante des aliments dans le tube digestif. Les symptômes des ulcères, outre la présence de sang dans les selles, sont assez similaires à ceux de la gastrite et comportent des douleurs violentes et constantes. Mais au lieu des antacides, les médecins prescrivent souvent de la cimétidine (commercialisée sous l'appellation Taganet en France), un médicament qui bloque l'action de l'histamine, la substance chimique qui déclenche la production d'acide gastrique.

Les médecins espéraient à une certaine époque qu'ils pourraient accélérer la cicatrisation des ulcères en prescrivant des régimes principalement composés de laitages, de purées fades et de potages sans saveur, tout aliment un tant soit peu assaisonné étant formellement interdit. Aujourd'hui, les conseils donnés aux patients victimes d'ulcères se limitent généralement à des recommandations concernant l'alcool, la nicotine, le café, l'aspirine et les médicaments contre l'arthrite, qu'il vaut mieux éviter pendant la cicatrisation.

Il s'avère que les régimes d'autrefois, fortement dominés par les laitages, risquaient davantage d'aggraver les ulcères que de les cicatriser, car les protéines et le calcium qui se trouvent dans le lait et dans les produits laitiers stimulent la production d'acide gastrique. Des chercheurs de l'université de San Diego ont testé le lait par rapport à divers autres liquides, y compris le café (caféiné et décaféiné), ainsi que la bière, pour découvrir les boissons qui étaient particulièrement susceptibles de stimuler la production d'acide gastrique. Le lait est arrivé en tête, à égalité avec la bière.

A l'université d'Irvine, en Californie, des chercheurs ont émis l'hypothèse selon laquelle notre préférence croissante pour les huiles végétales par rapport aux graisses animales pourrait expliquer le nombre décroissant de victimes d'ulcères à l'estomac. Leurs travaux indiquent que les composés hormonaux appelés prostaglandines, que l'organisme produit à partir de l'acide linoléique (un composant de l'huile végétale), peuvent aider à prévenir les ulcérations de l'estomac provoquées par l'aspirine, l'alcool, la bile et autres substances irritantes.

LES INTERACTIONS DES ALIMENTS

Les aliments agissent en effet les uns sur les autres, parfois d'une manière positive, parfois d'une manière négative. Certains favorisent leur absorption conjointe, alors que d'autres s'entravent mutuellement.

Il existe quatre interactions fondamentales entre les aliments. Ils peuvent se lier chimiquement les uns aux autres. Ils peuvent empêcher ou faciliter le transport des autres des intestins dans le sang. Ils peuvent altérer l'activité des enzymes qui transforment les nutriments en substances utilisables par l'organisme. Enfin, ils peuvent se détruire les uns les autres. Voici quelques exemples de fonctionnement de ces interactions.

La liaison

Quand certains nutriments se lient chimiquement, ils forment des composés que les fluides de l'organisme ne peuvent dissoudre. Ces substances insolubles ne peuvent pas être absorbées, et elles sont évacuées de l'organisme par les selles. Des recherches récentes ont donné des résultats surprenants à ce sujet. Une substance présente dans les œufs crus se lie à la vitamine biotine, la rendant inutilisable. Les fibres et l'acide phytique, qui sont présents dans un grand nombre de légumes et de graines, se lient au calcium et aux oligo-éléments, les évacuant du corps. L'acide oxalique présent dans les épinards remplit la même fonction, et en cas d'excès de pectine (la fibre soluble qui se trouve dans les agrumes, les pommes, les courgettes et les fraises) dans l'intestin, une partie de cette pectine se lie à la vitamine B_{12}. Les tanins présents dans le vin rouge, le thé et le sorgho ainsi que dans d'autres céréales peuvent se lier au fer et l'empêcher de parvenir dans le sang.

Toutefois, dans certains cas, le lien entre les nutriments peut aussi être utile. Les fibres peuvent jouer un rôle positif en se liant au cholestérol et en l'évacuant dans les selles, ce qui l'empêche de s'accumuler dans les artères.

De plus, certaines molécules de nutriments se lient à des minéraux et les rendent ainsi plus solubles dans le sang et par conséquent plus faciles à utiliser par l'organisme. Il est plus facile au calcium et aux oligo-éléments de traverser les parois intestinales pour arriver dans le sang quand ils sont liés à des sucres et à des acides aminés. Les composés ainsi formés sont plus solubles dans les fluides de l'organisme que le calcium ou les oligo-éléments pris individuellement. De même, la vitamine C aide le corps à absorber le fer en se liant à ce minéral pour former une substance complexe plus soluble que le fer seul.

Ce mécanisme entraîne cependant une lutte entre certains minéraux dans l'organisme. Par exemple, un excès de calcium se lie à tant de sucre et à tant d'acides aminés qu'il ne reste que très peu de ces molécules pour aider les autres minéraux à prendre une forme soluble et utilisable. C'est l'un des dangers des suppléments alimentaires déséquilibrés; l'abus d'un minéral diminue la disponibilité de certains autres.

Le transport

Les vitamines liposolubles – A, D, K et E – ont besoin de graisses pour traverser les parois intestinales et arriver dans le sang. C'est pourquoi les personnes qui ont du mal à digérer les graisses peuvent présenter certaines carences vitaminiques. Même si elles prennent des suppléments de vitamines liposolubles, elles n'absorbent pas les matières grasses qui permettraient à leur organisme d'utiliser ces nutriments. Les gens qui suivent un régime alimentaire à très faible teneur en matières grasses peuvent également manquer de certaines de ces vitamines.

L'activité des enzymes

Les fibres, que l'on trouve dans la plupart des aliments qui contiennent des hydrates de carbone digestes, peuvent affecter la manière dont ces hydrates de carbone arrivent dans l'organisme. Les molécules de fibres peuvent en effet éloigner en partie les hydrates de carbone des enzymes qui les transforment en glucose. C'est pourquoi les aliments riches en fibres tendent à libérer plus lentement le glucose dans le sang – une propriété qui les rend très utiles dans l'alimentation des diabétiques (voir chapitre 20).

La destruction

Le chou cru, le poisson et les huîtres peuvent littéralement détruire la thiamine, rendant cette vitamine inactive avant même qu'elle n'arrive dans le sang. L'alcool est également un fléau pour les nutriments et il bloque l'action de la thiamine, de l'acide folique, de la vitamine B_{12}, de la vitamine D et du calcium.

UN PARCOURS DE SEPT MÈTRES

De l'estomac les aliments traversent le duodénum pour accéder à l'intestin grêle. C'est dans cette portion de sept mètres du tube digestif que sont décomposés la plupart des aliments et que les nutriments sont absorbés dans le sang.

L'intestin grêle est l'organe vital de la digestion. On peut vivre sans estomac ou sans gros intestin tout en se nourrissant normalement. En revanche, sans intestin grêle, la seule manière de procurer à l'organisme les nutriments qui lui sont indispensables est le recours à la nutrition parentérale.

Les composants alimentaires doivent être décomposés en molécules de nutriments suffisamment petites pour être absorbées dans le sang. Cette absorption se fait par des millions de minuscules protubérances, appelées villosités, qui couvrent les parois de l'intestin grêle. Ces villosités ne mesurent pas plus d'un millimètre de long, et sont recouvertes d'autres petits poils encore plus petits appelés microvillosités qui peuvent absorber le glucose et les acides aminés. Chaque villosité contient un vaisseau sanguin qui transporte ces nutriments dans le sang.

Les nutriments quittent le tube digestif de manières diverses et en des endroits variables. Au moment où ils atteignent l'intestin grêle, les hydrates de carbone ont déjà été partiellement digérés par les enzymes de la salive. D'autres enzymes poursuivent ce processus dans l'intestin, jusqu'à ce que les hydrates de carbone soient réduits à des sucres simples qui peuvent pénétrer le sang. Les différents sucres sont traités de manières différentes : le glucose est transporté par les villosités, alors que le fructose suit une voie de diffusion plus lente et plus passive, à travers la paroi intestinale. Non seulement le glucose est le premier à atteindre le sang, mais il peut être immédiatement utilisé par les cellules, alors que le fructose doit faire un détour de plusieurs minutes et passer par le foie pour y être converti en glucose qui est alors utilisable.

La décomposition des protéines est directe. Les enzymes du pancréas et de l'intestin grêle travaillent dans le duodénum à la division des protéines en acides aminés. Ces acides aminés sont ensuite absorbés par les villosités.

Que dire des graisses? Leur décomposition est plus complexe que celle des hydrates de carbone et des protéines, et ce processus dure plusieurs heures. Tout d'abord, elles ralentissent le transport des aliments hors de l'estomac; plus un repas est riche en matières grasses, plus il lui faut de temps pour atteindre l'intestin grêle. Puis, lorsqu'il y parvient enfin, les graisses doivent être décomposées et préparées à entrer dans le sang en plusieurs étapes.

Leur arrivée dans l'intestin déclenche la libération d'enzymes venues du pancréas. Ces enzymes décomposent les triglycérides par étapes (d'abord en diglycérides, puis en glycérides), jusqu'à ce qu'il ne reste que des acides gras et une molécule de glycérol. Ces molécules n'étant pas solubles dans l'eau, elles ne peuvent pas passer directement dans les villosités.

La solution trouvée par l'organisme réside dans la bile, sécrétée par la vésicule biliaire. Les sels présents dans la bile s'associent avec les acides gras pour former un composé soluble que les villosités peuvent absorber. Une fois à l'intérieur des villosités, le glycérol et les acides gras se lient à nouveau pour constituer des triglycérides, qui sont rassemblés dans de nouveaux composés solubles dans l'eau appelés lipoprotéines, qui contiennent des protéines et du cholestérol (cela est décrit plus en détail au chapitre 17).

Le conduit qui transporte la bile de la vésicule biliaire jusqu'à l'intestin est étroit. Quand des calculs (formés par le cholestérol et d'autres substances) obturent ce passage, il peut en résulter des douleurs très pénibles. Jusqu'à une époque récente, les médecins pensaient que les repas riches en graisses provoquaient une production plus importante de bile et pouvaient ainsi occasionner la formation de calculs. Mais il semble clair aujourd'hui que les calculs apparaissent sans raison précise, et qu'il n'est pas nécessaire de renoncer à toute graisse alimentaire.

La plupart des enzymes digestives remplissent leurs fonctions dans l'intestin grêle. Cependant, nous ne disposons pas tous de la totalité de celles dont nous avons besoin. Le manque d'une enzyme se traduit par une intolérance à l'égard de l'aliment qu'elle est chargée de digérer.

Le plus important est de savoir qu'une intolérance alimentaire *n'est pas* une réaction allergique à la nourriture. Les réactions allergiques sont des réactions de résistance à un toxique, alors que les intolérances correspondent à une *incapacité de l'organisme* à digérer une substance spécifique.

Les intolérances

L'exemple le plus fréquent est l'intolérance au lactose. Elle est provoquée par l'absence de lactase, l'enzyme qui décompose le lactose, c'est-à-dire le sucre du lait. Cette intolérance est si fréquente chez les adultes, qu'il est difficile de la considérer comme un trouble ou un réel problème. On estime que 70 % environ des adultes du monde entier perdent une partie ou la totalité de leur aptitude à produire de la lactase en vieillissant.

La plupart des adultes présentant une intolérance au lactose sont généralement capables d'accepter sans difficulté de petites quantités de lait, car ils produisent toujours de petites doses de lactase (entre 5 et 10 % de ce qu'ils produisaient dans leur enfance). Cependant, la consommation de plus de 15 à 20 centilitres de lait au cours d'un repas risque fort d'entraîner des troubles intestinaux. Le lactose traverse l'intestin grêle sans être digéré et arrive dans le côlon, où il absorbe de l'eau et provoque des gonflements, des crampes et des diarrhées. Ce sucre du lait non digéré est converti en acides gras par des bactéries et se transforme ensuite en gaz que le côlon doit expulser.

Il existe un certain nombre de solutions pour les personnes présentant des intolérances au lactose et qui souhaitent ou ont besoin de boire du lait. Elles peuvent par exemple recourir au yaourt plus facile à digérer que le lait. Il semble que les bactéries présentes dans le yaourt produisent de la lactase, mais les bactéries que contiennent d'autres produits laitiers fermentés (comme le petit-lait et la crème fraîche) ne possèdent pas cette qualité.

Pour les personnes ne supportant pas le lactose, il existe aux États-Unis des tablettes de lactase à ajouter aux laitages et de la lactase liquide ou en poudre à mélanger aux céréales du petit déjeuner ou à votre café. De plus, on trouve maintenant sur le marché américain du lait à faible teneur en lactose, ainsi que du fromage frais et des glaces débarrassés de leur excès de lactose. En France on ne trouve du lait à faible teneur en lactose qu'en pharmacie (AL 110 Nestlé) ainsi que quelques produits diététiques n'en possédant qu'une faible teneur.

Beaucoup de gens manifestent des intolérances à l'égard d'autres aliments. Un manque de l'enzyme chargée de digérer le sucre et appelée invertase peut rendre impossible la digestion du sucrose. Par ailleurs, si le pancréas ne produit pas suffisamment de lipase, une enzyme destinée à la digestion des graisses, il en résulte une mauvaise digestion de ces matières grasses qui risquent de s'accumuler dans l'intestin.

Si les mécanismes de la plupart des intolérances alimentaires sont assez faciles à comprendre, certains troubles métaboliques restent mystérieux. C'est le cas de l'intolérance au gluten, l'une des principales protéines des graines. Cette maladie, dite cœliaque, semble dans certains cas, mais pas toujours, être une véritable allergie.

Lorsque les personnes atteintes de ce trouble consomment du gluten, les conséquences vont bien au-delà des crampes et des ballonnements, car cette maladie détruit les villosités de l'intestin grêle. C'est pourquoi les enfants atteints de cette maladie manifestent des symptômes de malnutrition générale ainsi qu'un certain nombre de carences spécifiques. Leur croissance est mauvaise, ils ont peu d'appétit, leur ventre grossit, et ils souffrent de diarrhées persistantes et malodorantes.

Il faut du temps pour contrer les dommages de la malnutrition, mais cette maladie est facile à contrôler dès qu'on élimine le gluten de l'alimentation. Cela signifie qu'il faut renoncer à la plupart des pâtisseries et des pâtes ainsi qu'aux aliments préparés à partir de mélanges de graines, épaissis à la farine, ou qui contiennent du malt ou de l'extrait de malt. Les seules céréales qu'il reste alors sont le maïs, le riz et le millet. Les pommes de terre peuvent cependant se substituer à certaines graines, ainsi que le soja.

L'ARTISAN DES « GROS TRAVAUX »

La dernière étape du tube digestif est le côlon, c'est-à-dire la partie principale du gros intestin, qui emmagasine provisoirement les aliments non digérés. Le gros intestin est plein de bactéries (qui sont nourries par les aliments partiellement digérés ou non digérés). Ce sont ces bactéries qui provoquent les gaz.

Le côlon a besoin de travailler pour vivre. Mais il est prévu pour les gros travaux, et non les menues tâches. Il peut avoir du mal à expulser les déchets, ce qui provoque la constipation, lorsqu'il dispose de trop peu de fibres ou d'eau pour déplacer ces déchets. Si on ne lui fournit pas les outils nécessaires à son travail, le côlon doit parfois se contracter pour travailler. Ces contractions excessives entraînent des crampes et parfois des diarrhées – le syndrome communément appelé irritation du côlon. Pour prévenir la constipation, il a généralement besoin de quantités suffisantes de matières non digestes – le plus souvent des fibres –, qui accroissent le volume des déchets et en permettent l'évacuation rapide.

La diarrhée peut être un trouble plus complexe. On lui connaît trois causes principales. Tout d'abord, un empoisonnement alimentaire peut endommager les pompes cellulaires qui régulent l'équilibre de l'eau dans le gros intestin. Il s'ensuit une forte accumulation d'eau dans le tube digestif, qui ne peut être résorbée par le côlon. Cette eau doit être expulsée.

Enfin, un excès de graisses non digérées dans l'intestin peut littéralement le graisser, ce qui provoque des diarrhées. C'est ce qui arrive lorsque la digestion des graisses se fait mal, et c'est pourquoi l'huile minérale joue un rôle de laxatif.

Les troubles du côlon sont souvent dus à de petites poches, appelées diverticules, qui se forment le long des parois de l'intestin. La formation de ces poches, une maladie appelée diverticulose, présente généralement très peu de symptômes, bien que certaines personnes souffrent en alternance de constipation et de diarrhée, de flatulences, et de douleurs au point inférieur gauche de l'abdomen (où se trouve la dernière section du côlon). Cependant, lorsque des particules de déchets se trouvent emprisonnées dans ces poches et provoquent une inflammation ou une infection, il en résulte un trouble très douloureux appelé diverticulite. Les personnes qui en souffrent ressentent des crampes dans la partie inférieure gauche de l'abdomen, ainsi que des nausées et des vomissements, et dans certains cas de la fièvre et des saignements rectaux.

Ces problèmes sont bien la preuve que le choix considérable d'aliments qui nous est offert nous conduit dans la mauvaise direction, car ils n'existaient pas au siècle dernier, et ils restent relativement rares dans les pays où l'alimentation comporte peu de viande et beaucoup de céréales complètes et de légumes verts. En revanche, aux États-Unis, un tiers de la population âgée de plus de quarante-cinq ans et deux tiers des personnes de plus de soixante ans souffrent de diverticulose. Et chaque année, 200 000 Américains sont hospitalisés pour des diverticulites.

Les fibres jouent un rôle essentiel dans la prévention de la diverticulose et son traitement lorsqu'elle est apparue. C'est le manque de fibres qui provoque en premier lieu l'apparition des poches diverticulaires. Lorsque le côlon doit exercer une pression inhabituelle pour assurer la circulation des déchets, car il ne dispose pas de quantités suffisantes de fibres pour leur donner un volume satisfaisant, les endroits faibles de l'intestin sont soumis à des tensions très importantes et gonflent. Ces gonflements subsistent souvent après que le côlon s'est décontracté, et ils se transforment en poches diverticulaires.

Le traitement de la diverticulose commence par une alimentation riche en fibres et la prise de laxatifs légers. Généralement, les patients augmentent progressivement leur consommation de fibres, ajoutant peu à peu du son et d'autres céréales complètes ainsi que des aliments très riches en eau et en fibres (comme les pommes, les carottes, les oranges et la salade). Il faut toutefois éviter les aliments qui contiennent des pépins ou de petits noyaux qui risqueraient de se prendre dans les poches diverticulaires. C'est notamment le cas des tomates et du raisin, des fraises et des framboises.

Malgré sa fréquence, la diverticulose n'est sans doute pas le trouble du côlon le plus répandu. Cet honneur revient probablement aux gaz qui provoquent les flatulences, un désagrément qui est presque universel.

Éclaircissons le problème des gaz. Le sentiment de ballonnement dans le ventre n'est pas provoqué par les haricots ou par d'autres aliments particuliers. Il vient de l'air que vous avalez quand vous mangez ou qui parvient à votre estomac quand vous buvez des boissons gazeuses, de la bière, ou que vous mangez de la crème fouettée. En revanche, les gaz dont vous vous débarrassez sont bien causés par les haricots et par un certain nombre d'autres aliments qui sont digérés par des bactéries dans le gros intestin.

Ce sont les sucres complexes présents dans les haricots qui sont responsables de tous les gaz que les bactéries en extraient. Il est impossible à l'organisme de métaboliser ces sucres, mais ils ne posent aucun problème aux bactéries. Il faut ajouter que les haricots ne sont pas les seuls aliments qui en contiennent. Une étude a permis de découvrir que les oignons, le chou cuit, les pommes crues et les radis provoquent davantage de flatulences que les haricots. Les raisins secs et le jus de pomme doublent la production de gaz, tandis que les bananes l'augmentent de 50 %.

L'intolérance au lactose est également une cause importante de flatulences. Sans lactase dans l'intestin grêle, le lactose passe dans le côlon, où les bactéries entreprennent de digérer ses sucres simples. Leur action équivaut en fait à une fermentation, et cette fermentation produit des gaz.

Les gaz n'entraînent pas de conséquences médicales, mais ils peuvent en avoir, et de fort déplaisantes, sur le plan social. Il n'existe cependant aucun remède en dehors du régime alimentaire. Et si vous êtes amateur de haricots ou fasciné par leur extraordinaire valeur nutritionnelle (ils sont source de fibres, de protéines et de glucose à assimilation lente), vous devez suivre les conseils de Alfred Olson, un chimiste qui travaille pour le ministère américain de l'Agriculture en Californie.

La solution de Olson pour se débarrasser d'au moins 90 % des sucres responsables des gaz dans les haricots consiste d'abord à les rincer abondamment. Puis – et c'est là qu'est le secret – il faut verser de l'eau bouillante sur les haricots et les laisser tremper pendant au moins quatre heures. Enfin, videz l'eau dans laquelle les haricots ont trempé et faites-les cuire en démarrant la cuisson à l'eau froide et en maintenant ensuite une ébullition douce.

Chapitre 14

QUAND LES ALIMENTS
SONT VOS ENNEMIS :
ALLERGIES ET SENSIBILITÉS

Les gens manifestent toutes sortes de réactions négatives à l'égard des aliments : des aversions, des intolérances et des sensibilités. Cependant, les véritables allergies alimentaires sont rares et n'affectent pas plus de 2 % de la population adulte. Elles sont un peu plus fréquentes chez les enfants de moins de trois ans, puisqu'elles affectent environ 7 % d'entre eux. La différence entre les allergies et les aversions alimentaires tient à la participation du système immunitaire, c'est-à-dire à la résistance de l'organisme à l'agression de microbes ou de produits toxiques. En fait, ce problème est dû à une réaction excessive de ce système. Il considère certaines substances alimentaires comme des envahisseurs dangereux.

Le corps ne lance pas une offensive aussi violente contre les allergènes (ces substances inoffensives qu'il prend pour des ennemis) que celle qu'il lance contre les infections. Les anticorps qui combattent les bactéries se jettent littéralement sur les germes, et finissent par les détruire. Les anticorps qui combattent les allergènes – rassemblés sous le terme générique d'immunoglobuline E (IgE) – bombardent leurs adversaires au moyen d'agents chimiques appelés médiateurs, et ces médiateurs perturbent les fonctions normales de l'organisme.

Les médiateurs déclenchés par l'IgE peuvent provoquer l'anaphylaxie, une grave réaction allergique qui entraîne un gonflement des lèvres, de la langue, du visage, ou même du corps entier. Les personnes atteintes d'anaphylaxie sont souvent enrouées et ont des difficultés à respirer. Les réactions extrêmes peuvent entraîner un choc anaphylactique très dangereux, se manifestant par une perte de connaissance pouvant aller jusqu'au coma profond en passant par des épisodes de diarrhées de vomissements et de fièvre.

Les allergies alimentaires provoquent rarement des réactions aussi graves. Lorsque les médiateurs déclenchés par les IgE réagissent aux aliments, ils doivent le plus souvent restreindre leur activité au tube digestif. Ils peuvent néanmoins occasionner des poussées d'urticaire, des éruptions cutanées, des écoulements nasaux, des crises d'asthme, voire même des crises d'arthrite et des migraines.

Si on considère la grande diversité des réactions allergiques, il est possible de rendre les aliments responsables de tous les maux dont on peut souffrir. Mais on a souvent du mal à faire une différence entre ce qui est une réaction allergique et ce qui ne l'est pas.

Seules les réactions provoquées par les anticorps IgE sont de réelles *allergies* alimentaires, et toutes les réactions dont les causes sont physiologiques sont considérées comme des *intolérances* alimentaires. (Cela correspond aussi bien à l'allergie au lait des jeunes enfants qu'à l'intolérance au lactose des adultes.) Toutes les réactions négatives aux aliments peuvent être décrites comme des *sensibilités* aux aliments, même si leur cause est plus psychologique que physiologique.

Toutes les formes de rejet de la nourriture – de l'anorexie au simple refus de manger des choux de Bruxelles – peuvent être mises sur le compte d'une sensibilité, d'une intolérance ou d'une allergie par des personnes qui sont pourtant spécialisées dans ce domaine. En revanche, les victimes de ces pseudo-allergies alimentaires ne comprennent pas toujours que leur sensibilité est provoquée par des raisons psychiques, et non physiques. Leur médecin n'en est souvent pas conscient non plus, car les réactions phychosomatiques à la nourriture peuvent aussi déclencher des réactions violentes qui ressemblent à des vraies allergies.

La réalité est la suivante : une réaction psychosomatique n'apparaît que lorsque le prétendu allergène est servi sous une forme reconnaissable, et non quand il est dissimulé. A l'Institut américain d'immunologie et de médecine respiratoire de Denver, des allergologues testent des enfants de trois mois à dix-neuf ans qui manifestent de fortes réactions à l'égard de certains aliments. Lors de cette expérience « à l'aveuglette » (voir : Les vrais et les faux tests révélateurs des allergies alimentaires, p. 198), on donne à ces enfants des capsules contenant divers aliments. Ni l'enfant, ni la personne qui administre la capsule ne sait si celle-ci contient ou non un extrait de l'aliment à l'égard duquel l'enfant a manifesté des réactions allergiques. Après avoir testé ainsi 290 enfants, les allergologues ont constaté qu'un tiers d'entre eux seulement souffraient de réelles allergies, alors que 60 % ne manifestaient aucun signe d'allergie véritable.

Une pseudo-allergie alimentaire n'est pas toujours due à des troubles affectifs. Il peut également s'agir d'un simple réflexe conditionné. Une série d'expériences effectuées à l'institut psychiatrique de l'université de San Francisco fournit une indication précieuse concernant la manière dont ces réactions psychosomatiques pourraient fonctionner.

Au cours de ces expériences, les chercheurs sensibilisèrent des cobayes à une protéine appelée BSA, afin qu'un contact futur avec cette protéine déclenche chez ces animaux une réaction allergique. En mesurant le taux d'histamine dans le sang – l'histamine étant le principal médiateur des réactions allergiques – les chercheurs pourraient ainsi déterminer l'importance de cette réaction.

Les cobayes furent ensuite conditionnés pour associer une odeur particulière, mais sans aucun rapport – par exemple une odeur de poisson ou de soufre – avec la BSA et par conséquent à leur réaction allergique. En quelques semaines, les scientifiques parvinrent à élever les taux d'histamine chez les cobayes sans faire appel à la BSA, simplement en leur faisant sentir l'odeur qu'ils avaient appris à associer à la BSA.

Les tests d'allergies alimentaires

Il existe différentes manières de tester les allergies alimentaires, mais aucune n'est vraiment simple, directe et sûre. De plus, les résultats des tests ne fournissent pas nécessairement des indications précises permettant d'établir un régime. Après tout, si vous semblez manifester une réaction allergique aux huîtres, aux cornichons ou à l'origan, pouvez-vous oublier les démangeaisons et les éruptions même si un test vous indique que c'est votre esprit, et non votre système immunitaire, qui est le seul responsable? Bien sûr que non! Quelle que soit leur cause, ces réactions sont bien réelles et provoquent des désagréments indéniables.

La tenue d'un journal et des éliminations successives d'aliments permettent cependant de déterminer d'une manière pratique les vraies et les fausses allergies alimentaires. Tenir un journal sur ses propres réactions aux aliments exige une précision scrupuleuse et une grande objectivité; de plus, il n'est pas toujours facile de déceler ainsi les allergènes qui se dissimulent sous forme d'ingrédients dans de nombreux aliments.

Les régimes par élimination sont assez fastidieux. Ils vous obligent à limiter considérablement ce que vous mangez, en éliminant tous les aliments susceptibles d'entraîner des réactions allergiques. La liste de ces produits est longue, et il est indispensable d'éviter tous ceux qui y figurent pendant deux à trois semaines. Vous pourrez alors commencer à consommer de nouveau des aliments qui pourraient causer vos allergies, en ajoutant un nouveau produit tous les trois à sept jours et en découvrant ainsi ceux qui provoquent éventuellement des réactions négatives.

Les chercheurs ont identifié un certain nombre d'aliments particulièrement susceptibles de provoquer des allergies immédiates. Il s'agit des œufs, du lait et des laitages, du blé, des cacahuètes, du soja, des noix, du poulet, du poisson et des fruits de mer. D'autres produits ont la réputation de causer des réactions allergiques plus rares et figurent souvent en tête de liste dans les régimes par élimination. L'agneau et le riz sont ceux que l'on considère comme les moins nocifs, et les pommes de terre épluchées, les carottes, la salade verte et les poires ont également bonne réputation.

Certains éléments extérieurs à l'alimentation peuvent aggraver les réactions allergiques. C'est le cas de l'aspirine, ainsi que celui de l'exercice. Il est en effet arrivé que des gens ne manifestent aucun symptôme d'allergie en consommant des aliments auxquels ils étaient pourtant allergiques, et qu'ils tombent dans un choc anaphylactique en pratiquant l'exercice peu de temps après la fin du repas. L'enseignement que l'on peut en tirer pour les allergiques qui sont aussi des sportifs est celui d'oublier leur bicyclette, leurs chaussures de jogging ou leur court de tennis pendant au moins deux heures à la suite des repas.

LES VRAIS ET LES FAUX TESTS RÉVÉLATEURS DES ALLERGIES ALIMENTAIRES

Les tests révélateurs des allergies alimentaires sont à la fois compliqués et très controversés. Il existe cependant au moins une sorte de test que les allergologues considèrent comme sûre : le **test du défi**. C'est un procédé très long, qui nécessite que les patients suivent d'abord un régime par élimination en renonçant à tous les aliments suspects.

Après trois semaines environ de restrictions, les patients sont « mis au défi » par la réapparition progressive des allergènes en puissance. Pour que la réaction éventuelle soit bien une allergie, on utilise des capsules ou on masque les aliments soupçonnés. Pour les besoins de la recherche, ces tests se font souvent à l'aveuglette, c'est-à-dire que ni les chercheurs ni les patients ne savent ce que contiennent les capsules.

On peut également utiliser de simples **tests par élimination,** lors desquels on se contente d'éliminer les allergènes en puissance de l'alimentation. Il existe un autre type de tests : les **tests cutanés.** Il s'agit d'une procédure de diagnostic fréquente pour les allergies qui ne sont pas d'origine alimentaire, mais elle peut également révéler ces dernières réactions. Les allergologues insèrent des quantités minimes des allergènes soupçonnés sous la peau du patient et ils surveillent la réaction éventuelle (enflement ou inflammation).

Il existe par ailleurs deux autres procédures de test des allergies alimentaires, que certains allergologues considèrent comme étant sans valeur. Tout d'abord les **tests sublinguaux** : il s'agit de placer un extrait d'une substance soupçonnée sous la langue du patient et de surveiller ses réactions; c'est une pratique assez dangereuse pour les personnes susceptibles de manifester de très fortes réactions allergiques. Les **tests cytotoxiques** mettent en présence des échantillons de sang du patient et des extraits de produits présumés allergènes. On considère alors qu'il y a allergie si les globules blancs du patient explosent. Cependant, les immunologistes soulignent qu'il n'existe pas de relation entre cette réaction en éprouvette et la manière dont un aliment peut réellement affecter les cellules d'un patient dans son organisme.

LES ALLERGIES ALIMENTAIRES CHEZ LES ENFANTS

Les enfants sont plus susceptibles que les adultes de manifester de réelles réactions allergiques, et une récente étude effectuée à l'université américaine de Duke indique que les éruptions et l'eczéma chez les enfants sont souvent provoqués par des allergies alimentaires. Les principaux allergènes découverts pour les trente-trois sujets examinés lors de cette étude étaient les œufs et le lait, suivis de près par les cacahuètes. Certains symptômes furent également liés au blé, au seigle, aux pois, au bœuf et au poisson.

Les enfants qui souffrent d'éruptions cutanées et de démangeaisons à la suite d'allergies alimentaires peuvent également connaître des nausées, des douleurs abdominales, des diarrhées, des congestions nasales et des difficultés respiratoires. On recommande généralement des régimes par élimination aux jeunes enfants allergiques. Voici cependant une bonne nouvelle pour les parents : les enfants se débarrassent généralement de leurs intolérances alimentaires avant l'âge de cinq ans.

LES ALLERGIES ALIMENTAIRES ET LES MIGRAINES

Il semble maintenant qu'il existe une relation entre les allergies alimentaires et les maux de tête, même si celles-là ne sont naturellement pas les seules causes de migraines. Elles pourraient même ne provoquer qu'un nombre restreint de ces douleurs qui affectent un grand nombre d'entre nous. Cependant, des études de plus en plus nombreuses prouvent un lien entre les deux.

Une expérience effectuée sur des enfants britanniques qui souffraient de maux de tête fréquents a permis de constater que 93 % d'entre eux ne connaissaient plus ces douleurs lorsqu'on leur administrait un régime par élimination. En réintroduisant progressivement les aliments soupçonnés d'être allergènes, les chercheurs purent découvrir ceux qui causaient ces migraines, et leurs constatations furent ensuite confirmées par des tests à l'aveuglette soigneusement surveillés. Cette étude montra par ailleurs que beaucoup d'aliments provoquaient non seulement des maux de tête, mais aussi des douleurs abdominales, des crises d'asthme et des éruptions d'eczéma.

Plus de cinquante aliments figuraient dans la liste des « coupables » établie par cette étude, le lait de vache, les œufs, le chocolat, les oranges et le blé arrivant en tête. Ils étaient suivis de près par le fromage, les tomates et le seigle. La farine blanche de froment ne provoquait pas plus d'allergies que l'agneau et le riz, qui sont généralement considérés comme non allergènes. Il est particulièrement intéressant de noter que cette étude montra que les enfants éprouvent un attrait particulier pour les aliments qui provoquent leurs migraines et qu'ils les consomment en grandes quantités quand on les y autorise.

LES ALLERGIES ALIMENTAIRES ET L'ASTHME

Il semble bien exister un lien entre les allergies alimentaires et certaines formes d'asthme, car les œufs, le poisson, les noix et le chocolat provoquent des crises d'asthme chez les enfants dont des tests cutanés ont révélé l'allergie à ces aliments. Des études effectuées sur des enfants britanniques ont montré qu'un grand nombre d'entre eux manifestaient des crises d'asthme après avoir bu du soda.

Il existe également un rapport entre les laitages et l'asthme, car les personnes qui en souffrent semblent généralement se porter beaucoup mieux quand on retire le lait de leur alimentation.

Les conservateurs sont eux aussi incriminés. La sensibilité envers ces antioxydants alimentaires est d'ailleurs si répandue que leur utilisation a récemment été interdite aux États-Unis sur les fruits et les légumes frais, y compris les tomates, la salade verte, et autres produits proposés par les restaurants. La sensibilité aux sulfites, qui provoque des crises de toux, des troubles respiratoires et des essoufflements chez les asthmatiques, peut également déclencher d'autres symptômes allergiques chez les personnes qui ne souffrent pas d'asthme, en provoquant par exemple des douleurs abdominales, des gênes respiratoires et même éventuellement un choc anaphylactique.

LES ALLERGIES ALIMENTAIRES ET l'ARTHRITE

Depuis que les allergologues ont commencé à étudier la possibilité d'un lien entre l'alimentation et la polyarthrite rhumatoïde, certains chercheurs ont acquis la quasi-certitude que des aliments pouvaient déclencher des réactions à retardement, qui ne se manifestent qu'un à trois jours plus tard, sous forme de douleurs arthritiques. Cependant, beaucoup de rhumatologues restent sceptiques sur cette analyse.

Il n'en reste pas moins que la polyarthrite rhumatoïde est bien une maladie d'origine immunitaire, c'est-à-dire une attaque lancée par un système trop actif contre les tissus de l'organisme. Par conséquent, une véritable réaction allergique pourrait bien aggraver les symptômes de l'arthrite en accélérant encore l'activité du système immunitaire. Cependant, si c'est une allergie alimentaire qui est en cause, il faut établir un régime soigneusement étudié, et non se contenter de régimes simplistes à base de vinaigre, de pamplemousse et autres produits qui constituent le fondement des régimes prétendument destinés à combattre l'arthrite.

AUTRES RÉACTIONS ALIMENTAIRES

Un certain nombre de substances alimentaires peuvent provoquer des réactions semblables à des allergies mais qui n'en sont pas réellement. Ce n'est pas surprenant, dans la mesure où l'histamine elle-même (le principal médiateur déclenché par les anticorps IgE) ainsi que d'autres substances voisines sont présentes dans des aliments comme les bananes, les tomates, les avocats, le fromage, le chocolat, l'ananas, les saucisses et le vin rouge. L'histamine des vins, des fromages fermentés et des saucisses peut entraîner des crises d'urticaire, et c'est également le cas des substances voisines des histamines que l'on trouve dans les fraises et les fruits de mer. Certaines amines du fromage, du chocolat et des agrumes peuvent provoquer une élévation de la tension artérielle et seraient liées aux migraines, de même que les nitrates utilisés comme conservateurs dans la fabrication de certaines saucisses.

D'autres aliments pourraient par leur nature même entraîner des troubles intestinaux. C'est le cas des pruneaux, du soja et des oignons, qui peuvent occasionner des problèmes digestifs très similaires aux allergies.

Le fivisme, endémique dans les pays d'Afrique du Nord et du Proche-Orient, est une légère forme d'anémie provoquée par une réaction aux fèves. Une toxine présente dans la peau de ces graines peut détruire les globules rouges des personnes prédisposées à ce type d'allergie.

Nous connaissons mieux l'étrange cas de la sensibilité au glutamate de sodium, également appelée syndrome des restaurants chinois. Cette histoire a débuté voici une vingtaine d'années, lorsqu'un médecin qui souffrait d'engourdissement, de faiblesse et de palpitations à la suite d'un repas chinois adressa à une publication médicale de Nouvelle-Angleterre une lettre évoquant son expérience. Cette lettre fut publiée, d'autres personnes qui avaient connu les mêmes troubles se présentèrent, et l'arôme artificiel qu'est le glutamate de sodium, fréquemment utilisé pour parfumer la cuisine chinoise, fut rapidement désigné comme le coupable. Les premières recherches montrèrent que des sujets auxquels on administrait du glutamate de sodium pouvaient en effet développer une série de symptômes comprenant des éruptions cutanées, des démangeaisons et des maux de tête.

Des études effectuées plus récemment à l'aveuglette indiquent que beaucoup de gens qui se croient sensibles au glutamate de sodium sont dans l'erreur. Il n'en reste pas moins qu'il existe des fondements physiologiques précis permettant d'expliquer les réactions au glutamate de sodium. Si celui-ci est consommé à un rythme plus rapide que celui auquel l'organisme peut l'assimiler, il peut être transformé en une substance neurotransmettrice. De plus, il peut lui-même affecter les cellules nerveuses. Par conséquent, cette substance semble bien capable de provoquer des troubles. D'une manière générale, les réactions au glutamate de sodium interviennent lorsqu'on consomme à jeun un aliment aromatisé à l'aide de ce produit, et on peut souvent l'éviter en prenant d'abord d'autres aliments.

Chapitre 15

LA NOURRITURE ET NOS HUMEURS

Les influences de la nourriture sur nos humeurs sont connues depuis 4 000 ans au moins (c'est-à-dire depuis que les Égyptiens prescrivaient des oignons comme substances soporifiques et du sel comme aphrodisiaque). Pour expliquer un comportement étrange ou inhabituel, nous avons l'habitude de dire : « C'est sans doute que j'ai mangé quelque chose qui ne passe pas. »

A l'exception des hallucinogènes comme certains champignons, des sucs de plantes exotiques et du foie de certains poissons du Pacifique, il semble cependant peu probable que les aliments puissent avoir des influences spectaculaires sur nos humeurs. Les recherches effectuées jusqu'à présent indiquent que notre alimentation n'exerce qu'une influence assez subtile sur notre comportement. Lorsque les aliments affectent de manière spécifique notre état mental, c'est généralement en modifiant le niveau des neurotransmetteurs dans le cerveau – ces substances chimiques qui transmettent les signaux entre les cellules nerveuses. Le lien entre l'alimentation et la chimie du cerveau n'est établi que depuis peu de temps, et nous le comprenons encore très mal.

Nous en savons cependant assez pour comprendre que la plupart des croyances populaires concernant le rapport entre la nourriture et les humeurs n'ont aucun fondement scientifique. Les allergies alimentaires ne semblent pas agir de manière considérable sur notre comportement, même s'il s'agit d'une idée très répandue. De même, rien ne prouve que l'idée, acceptée par certains partisans de la nourriture saine, ainsi que par des sociologues et même certains diététiciens, selon laquelle la consommation excessive de sucre entraînerait un comportement violent, soit justifiée. En fait, les recherches indiquent maintenant que le sucre serait plus susceptible de nous calmer que de nous énerver.

En revanche, une baisse du taux de sucre *dans le sang* peut avoir des conséquences importantes sur les fonctions mentales. Mais ce taux de sucre est déterminé davantage par l'ensemble de l'alimentation que par l'absorption de sucre ou d'un autre nutriment isolé. Une baisse brutale du taux de glucose dans le sang peut provoquer une irritabilité, un ralentissement du fonctionnement nerveux et un sentiment de dépression. C'est pourquoi il est important de prendre des repas à intervalles réguliers.

Pendant notre sommeil, notre taux de glucose est maintenu à un niveau plus faible que durant l'état de veille par libération de petites quantités de glucose emmagasinées dans le foie. Quand nous nous réveillons, il est temps de renouveler ces réserves en prenant un bon petit déjeuner.

Notre taux de sucre sanguin commence à baisser entre deux heures et demie et trois heures après un repas, c'est pourquoi on éprouve alors l'envie d'un remontant. Il suffit pour cela de manger très peu. Des études effectuées par le Conseil britannique de recherche médicale montrent qu'un repas de 300 kilocalories permet de rétablir un taux de glucose normal.

Le fait de prendre un déjeuner très lourd peut être aussi néfaste que de « sauter » complètement le repas. Les chercheurs de l'université anglaise du Sussex ont en effet constaté qu'un repas lourd consommé à midi avait tendance à accentuer la petite fatigue naturelle que la plupart d'entre nous ressentent en début d'après-midi. Après un repas copieux (de plus de 1 000 kilocalories), des pilotes d'avion ont manifesté des baisses sensibles de la perception visuelle et du temps de réaction, tout comme s'ils avaient passé une nuit blanche. Il semble également qu'à la suite d'un repas trop riche, les vaisseaux sanguins qui irriguent l'estomac se dilatent, attirant du sang vers les intestins et l'éloignant par conséquent du cerveau, provoquant une baisse de l'attention et des facultés de concentration.

L'influence du taux de sucre sanguin sur le comportement est particulièrement évidente dans le cas de l'hypoglycémie, une faiblesse grave et chronique du taux de glucose que l'on a rendue responsable d'un grand nombre de troubles, notamment des troubles d'ordre psychologique. Il existe toutefois un monde de différence entre les variations du taux de sucre sanguin d'un repas à l'autre et les effets d'une véritable hypoglycémie chronique, qui est un trouble bien plus rare qu'on ne le pense généralement.

L'HYPOGLYCÉMIE

La véritable hypoglycémie – une baisse du taux de glucose provoquée par une sécrétion excessive de l'hormone régulatrice du glucose, l'insuline – entraîne d'autres symptômes (notamment des maux de tête, une faiblesse générale et un appétit développé, ainsi que des modifications du comportement. Les diabétiques, qui dépendent d'un apport extérieur d'insuline peuvent souffrir d'hypoglycémie lorsqu'ils mangent insuffisamment pour équilibrer leur absorption d'insuline, ou lorsqu'ils pratiquent l'exercice d'une manière trop vigoureuse (voir chapitre 20). Leur baisse du taux de glucose (parfois appelée choc à l'insuline) doit rapidement être neutralisée par la consommation de sucre et d'autres aliments qui rétablissent rapidement un taux de sucre sanguin normal; dans le cas contraire, ces personnes risquent de perdre connaissance.

L'hypoglycémie peut également être provoquée par des tumeurs du pancréas qui entraînent une libération d'insuline, des troubles hépatiques graves, de fortes fièvres, ainsi que par l'alcoolisme et certaines carences hormonales.

Il est courant de mettre la fatigue, la dépression et toutes sortes d'autres maux sur le compte de l'hypoglycémie. Si on essaie d'expliquer à un prétendu hypoglycémique que ce trouble est en réalité très rare, il répond généralement que les spécialistes se trompent. Il affirmera que l'hypoglycémie n'est pas seulement très répandue, mais aussi responsable de toutes sortes de perturbations mentales et de comportements irrationnels. De plus, les prétendus hypoglycémiques qui établissent eux-mêmes leur diagnostic ne sont pas les seuls à avoir cette conviction. Certains sociologues affirment que la plupart des délinquants juvéniles et des criminels (jusqu'à 90 % d'entre eux) souffrent d'une faiblesse chronique du taux de glucose, même si l'agressivité et le comportement violent qu'ils attribuent à l'hypoglycémie ne constituent pas des symptômes caractéristiques de cette maladie.

La popularité de l'hypoglycémie vient, du moins en partie, de l'absence de symptômes précis qui pourraient la caractériser. Les tremblements, les vertiges ou les sueurs dus à un taux de glucose trop *faible* peuvent tout aussi bien se manifester en cas de taux de glucose trop *élevé*. Ils peuvent résulter, par exemple, d'une angoisse aiguë, qui déclenche une production de l'hormone appelée adrénaline et par conséquent une élévation du taux de sucre sanguin.

La plupart des médecins s'efforcent maintenant de convaincre leurs patients que leurs vertiges ou leurs maux de tête, leurs sueurs, leurs tremblements ou leurs palpitations ne sont pas toujours – et ne sont généralement pas – dus à l'hypoglycémie. Cependant, certains médecins continuent de diagnostiquer ce trouble chez des personnes qui n'en sont pas vraiment atteintes et à prescrire le régime recommandé pour les vrais hypoglycémiques : une alimentation riche en protéines, contenant peu d'hydrates de carbone et de graisses, sans sucreries, et avec des repas très fréquents (six au moins par jour).

Le test le plus souvent effectué pour dépister l'hypoglycémie est le test de tolérance au glucose, également utilisé pour évaluer la réaction des diabétiques aux sucres alimentaires. Il s'agit d'administrer au patient une solution riche en glucose à la suite d'un jeûne d'une journée. On prélève alors des échantillons de sang au cours des cinq heures suivantes, et on analyse le taux de glucose présent dans le sang. En cas de véritable hypoglycémie, une forte dose de glucose peut entraîner une production excessive d'insuline; cette insuline peut à son tour faire baisser le taux de glucose jusqu'à un taux plus faible encore que la normale. En revanche, si l'organisme tolère facilement une dose importante de glucose, c'est que le patient ne souffre pas d'hypoglycémie.

L'ALIMENTATION ET LES FONCTIONS MENTALES

Malgré l'obsession dont le sucre fait actuellement l'objet, la plupart des recherches concernant l'influence de l'alimentation sur le comportement portent désormais sur un autre type de nutriments : les acides aminés. Plusieurs acides aminés (ainsi que quelques autres nutriments) sont nécessaires à la production des substances chimiques du cerveau, appelées neurotransmetteurs, qui gouvernent toutes les fonctions mentales. Cependant, la relation existant entre la quantité d'acides aminés consommée et le taux de neurotransmetteurs dans le sang semble très complexe.

Les neurotransmetteurs sont produits et libérés par les cellules nerveuses comme des signaux moléculaires qui sont transmis à d'autres cellules nerveuses, aux muscles et aux glandes. Un célèbre endocrinologue de l'Institut de technologie du Massachusetts (MIT), le Dr Richard Wurtman, ainsi que ses collaborateurs, a consacré presque vingt ans à l'étude de la manière dont l'alimentation peut influencer le taux de neurotransmetteurs dans le cerveau.

Leurs recherches indiquent que la quantité de l'acide aminé tryptophane (entrant dans la composition des protides) qui atteint le cerveau dicte dans une large mesure le rythme auquel les cellules de celui-ci produisent le neurotransmetteur appelé sérotonine. (La sérotonine est un messager chimique qui favorise le sommeil, réduit la sensibilité à la douleur et diminue l'appétit.) Par ailleurs, un autre acide aminé, la tyrosine, détermine les taux de dopamine et de norépinéphrine, deux neurotransmetteurs qui jouent un rôle dans le comportement et les réactions au stress. En plus de ces acides aminés, la choline, présente dans la graisse corporelle appelée lécithine, établit le rythme de production du neurotransmetteur qu'est l'acétylcholine, qui semble lié de près aux fonctions de la mémoire. (Ainsi, les personnes atteintes de la maladie d'Alzheimer ont un taux d'acétylcholine très faible dans le cerveau.)

Cependant, le simple fait de consommer des aliments qui contiennent ces nutriments n'affectera pas nécessairement vos neurotransmetteurs comme vous pourriez le croire. Wurtman et ses collègues ont tout d'abord administré à des rats des protéines riches en tryptophane, en pensant que cette alimentation entraînerait une élévation du taux de sérotonine. En fait, les taux de sérotonine et de tryptophane dans le cerveau chutèrent.

Ce paradoxe fut expliqué lorsque les chercheurs comprirent que le tryptophane lutte contre plusieurs autres acides aminés pour être transporté du sang jusqu'au cerveau. La plupart des protéines contiennent davantage d'acides aminés autres que le tryptophane, de sorte qu'un repas riche en protéines crée une plus grande concurrence pour effectuer ce transport et amoindrit les chances pour le tryptophane d'atteindre son but.

En fait, les aliments les plus efficaces pour amener le tryptophane jusqu'au cerveau sont ceux qui contiennent des hydrates de carbone. Un repas à forte teneur en hydrates de carbone élève le taux d'insuline, ce qui extrait la plupart des acides aminés du sang pour les faire passer dans les tissus musculaires. Lorsque le taux d'insuline est élevé, les niveaux d'acides aminés chutent, à l'exception du taux de tryptophane. Cet acide aminé doit ainsi faire face à une concurrence moindre pour se déplacer, et passe plus facilement du sang aux neurones du cerveau.

Cela signifie que quand vous prenez un déjeuner riche en hydrates de carbone – comprenant par exemple des pâtes et du pain –, votre taux de sérotine s'élève, et vous risquez d'être plus indolent, plus assoupi et moins alerte que si vous consommiez un repas riche en protéines. En revanche, si vous cherchez un type d'aliments susceptibles de vous aider à vous endormir facilement le soir, vous pouvez grignoter une friandise riche en hydrates de carbone. Le verre de lait que prennent certaines personnes avant de se coucher est une bonne source de tryptophane, et le lactose (le sucre) qu'il recèle est également riche en hydrates de carbone, ce qui en fait une boisson favorable au sommeil.

Une dose relativement forte de tryptophane seul vous aiderait sans doute mieux encore à combattre l'insomnie, mais ce soporifique pourrait comporter certains risques. Les chercheurs ont en effet constaté que si des doses de 1 à 4 grammes de tryptophane constituaient des somnifères efficaces qui ne troublaient pas la mémoire ni les différentes phases du sommeil et qui ne vous laissaient pas plongé dans une profonde torpeur au réveil, une utilisation régulière pouvait provoquer des dommages au foie.

Il est possible d'élever la production de sérotonine en augmentant la production de tryptophane au moyen d'une alimentation riche en hydrates de carbone, mais aucune stratégie alimentaire ne saurait fournir suffisamment de tyrosine ou de choline pour modifier considérablement les taux des neurotransmetteurs dans le cerveau. Par ailleurs, les spécialistes ne sont pas encore prêts à conseiller l'utilisation thérapeutique régulière de fortes doses de tyrosine ou de choline, tout comme ils ne veulent pas recommander des doses trop élevées de tryptophane. Ils pensent qu'il est nécessaire de procéder avant tout à de nombreux travaux et expériences en laboratoire.

Le tryptophane, la tyrosine et la choline jouent manifestement des rôles primordiaux dans la production des neurotransmetteurs, mais ce ne sont pas les seuls nutriments concernés. Il faut également ment disposer de quantités adéquates de vitamines C, B_6 et B_{12} pour maintenir les messagers du cerveau en parfait état de fonctionnement. Les carences de ces vitamines entraînent des conséquences psychologiques. Cependant, les tentatives de traitement des problèmes psychiatriques par des doses très élevées de vitamines se sont avérées vaines et ont peut-être exposé les patients à des risques d'effets toxiques (voir : Faux espoirs : Des vitamines contre la schizophrénie? p. 211).

L'HYPERACTIVITÉ

Aux États-Unis, on estime que 5 à 20 % des enfants, généralement des garçons, pourraient souffrir d'hyperactivité. Ce diagnostic est difficile à établir, car les symptômes de l'hyperactivité comprennent un certain nombre de comportements anormaux. Cependant, les enfants hyperactifs ont généralement tendance à être extrêmement agités et souvent turbulents, leur durée de concentration est très limitée, et ils ont un penchant très net pour les actions impulsives.

En 1975, un pédiatre allergologue de Californie, le Dr Ben F. Feingold, publia un ouvrage consacré à ce sujet, dans lequel il accusait l'alimentation. Feingold expliquait précisément aux parents quels aliments les enfants hyperactifs devaient éviter pour parvenir à contrôler leur comportement. Il soulignait les dangers des colorants et des arômes artificiels.

Des milliers de parents essayèrent le régime Feingold et pensèrent qu'il était efficace pour leurs enfants. Toutefois, il est possible que ces effets positifs aient résulté de l'alimentation tout autant que d'une relation nouvelle entre les enfants et leurs parents, ceux-ci leur accordant, en raison du traitement, une attention permanente.

Pour tester le régime lui-même, les instituts américains de la santé financèrent plusieurs études très importantes. Au cours de ces expériences, ni les enfants, ni leurs parents ne savaient si la nourriture consommée contenait des additifs artificiels. Contrairement aux affirmations de Feingold, ces substances ne semblèrent pas capables d'influencer l'hyperactivité.

Plus récemment, on a soupçonné une consommation excessive de sucreries d'être la principale cause de l'hyperactivité. Cependant, la relation entre la consommation d'hydrates de carbone et le taux de sérotonine dans le cerveau indique que le sucre serait plus susceptible de calmer les enfants que de les énerver. De fait, des tests cliniques très sérieux ont révélé que tel était bien le cas, et ont disculpé le sucre de toute accusation dans ce domaine.

FAUX ESPOIRS : DES VITAMINES CONTRE LA SCHIZOPHRÉNIE ?

Les traitements alimentaires peu orthodoxes semblent particulièrement populaires en ce qui concerne les maladies pour lesquelles il n'existe pas de traitement classique efficace. Ainsi, on assiste à un défilé permanent de nouveaux remèdes miracles par la nutrition qui permettraient de vaincre le cancer. On a constaté la même tendance pour la schizophrénie, qui est peut-être la plus destructrice et la moins connue des maladies mentales.

Les thérapies à base de doses massives de vitamines contre la schizophrénie apparurent pendant les années 1950, et elles étaient à l'origine fondées sur une théorie concernant cette maladie qui fut abandonnée par la suite. A l'époque, certains chercheurs pensaient que le neurotransmetteur épinéphrine pouvait être transformé par une certaine réaction chimique en un composé toxique qui provoquait les hallucinations dont souffrent certains schizophrènes. On pensait que la niacine, sous forme d'acide nicotinique ou de nicotamide – à des doses plusieurs dizaines, voire plusieurs centaines de fois supérieures aux normes –, pouvait perturber cette réaction chimique et ramener les schizophrènes sur terre.

En 1968, Linus Pauling, un célèbre biochimiste, lauréat de deux prix Nobel, publia un article indiquant que des déficiences, même minimes, de certaines vitamines, pouvaient entraîner des troubles mentaux. Selon Pauling, une consommation de vitamines conforme aux normes pouvait convenir parfaitement à la plupart des individus, mais être insuffisante pour les personnes présentant des vulnérabilités héréditaires particulières. Il affirmait que la solution aux problèmes mentaux de ces personnes consistait à leur fournir un «environnement moléculaire optimal pour l'esprit». Il qualifia cette démarche de psychiatrie «orthomoléculaire».

Les partisans du traitement à base de niacine découvrirent alors une nouvelle théorie qui correspondait parfaitement aux principes de Pauling. Ils affirmèrent que la schizophrénie était une maladie due à un manque de niacine non décelé chez ces malades. Ils soulignaient que la pellagre – une véritable carence de niacine, très grave – s'accompagnait fréquemment d'une forme de psychose (voir chapitre 4). Ils ajoutaient que la psychose de la pellagre n'était qu'une forme de schizophrénie non diagnostiquée – une affirmation que l'immense majorité des psychiatres mettaient en doute.

En fait, le traitement à base de niacine ne s'est tout simplement jamais révélé vraiment efficace lors des études très sérieuses qui ont été faites. Certains travaux effectués à l'origine par les partisans de cette théorie donnèrent quelques résultats positifs, mais les autres chercheurs ne sont jamais parvenus aux mêmes conclusions.

Les travaux de Pauling ont cependant révélé un indice intéressant : le rôle possible des autres vitamines B dans le traitement de l'autisme, cette maladie du comportement qui atteint les enfants et qui se rapproche par certains aspects de la schizophrénie des adultes. Plusieurs études effectuées au cours des années 1970 indiquent que des doses importantes de vitamine B_6 avaient pu aider un petit groupe d'enfants autistiques, 10 % environ de l'ensemble des enfants testés. Cependant, en l'absence de nouvelles et plus récentes études, la plupart des psychiatres restent sceptiques sur le rôle de la vitamine B_6 dans le traitement de l'autisme.

LE SYNDROME PRÉMENSTRUEL

Le syndrome prémenstruel comporte un certain nombre de symptômes : ballonnements, sensibilité des seins, douleurs abdominales, constipation, impression de lourdeur, maux de tête, fatigue, insomnies, fringales de sucreries et d'aliments salés. Il peut également affecter considérablement le comportement, causant irritabilité et aggressivité, angoisse ou dépression. Les médecins ne connaissent pas réellement les causes de ce syndrome, mais il est difficile de penser qu'il résulte d'autre chose que de modifications hormonales inhérentes au cycle menstruel.

Pour amoindrir les effets de ce syndrome et des conséquences qu'il entraîne sur le comportement, on a proposé un certain nombre de thérapies alimentaires. Mais à ce jour, ces remèdes n'ont pas encore fait leurs preuves, et l'un d'entre eux au moins s'est avéré dangereux.

On a essayé la vitamine E pour lutter contre le syndrome prémenstruel. Mais rien ne prouve qu'elle soit vraiment efficace, et les doses très fortes de cette vitamine sont toxiques.

La vitamine B_6 a également été essayée et beaucoup de femmes ont affirmé qu'elle leur apportait un soulagement considérable. Cependant, les tests à l'aveuglette effectués par la suite n'ont pas révélé de meilleurs résultats chez les femmes qui recevaient de la vitamine B_6 que chez celles qui n'en recevaient pas. De plus, les doses massives de vitamine B_6 administrées ont provoqué dans de nombreux cas des troubles neurologiques (voir chapitre 4).

Les femmes souffrant de ce syndrome et dont le taux de magnésium était faible semblent connaître moins de symptomes lorsque leur taux de magnésium redevient normal, mais cela ne prouve pas que le magnésium puisse soulager les femmes qui n'ont pas de carences. L'idée selon laquelle il faudrait réduire la consommation de calcium afin de favoriser l'absorption du magnésium est particulièrement dangereuse : cela entraîne en effet une détérioration des os et accroît les risques d'ostéoporose.

On recommande parfois une diminution de la consommation de sodium pour éviter la rétention d'eau, les ballonnements et le gain de poids. Or la rétention d'eau est un élément rare dans le syndrome prémenstruel et les ballonnements qui affectent les reins et l'abdomen sont d'origine circulatoire.

DU CHOCOLAT POUR LES AMOUREUX

Même s'il existe de toute évidence des liens entre l'alimentation et le comportement, la science ne comprend pas encore parfaitement les rapports entre la nutrition et l'affectivité et cela donne lieu à toute sortes de malentendus. Prenons pour exemple l'hypothèse concernant le rôle du chocolat dont parle Michael Liebowitz, professeur assistant de psychiatrie à l'université de Columbia, dans son livre *La chimie de l'amour.*

Liebowitz savait que la phényléthylamine (un acide aminé) pouvait jouer un rôle significatif dans l'excitation sexuelle; comme le chocolat regorge de phényléthylamine, il se demanda si les boîtes de friandises traditionnellement offertes à la Saint-Valentin ne servaient que les sentiments. Les amours pouvaient-ils être favorisés par la consommation de quelques morceaux de chocolat?

Cette hypothèse fut largement diffusée par la presse. Cependant, lorsque Liebowitz la testa sérieusement, sur des chercheurs de l'Institut américain de la santé mentale qui durent consommer du chocolat en quantité, il n'obtint pas les résultats escomptés. Les taux de phényléthylamine dans le cerveau ne furent pas affectés par cette surconsommation de chocolat. Les chercheurs n'obtinrent pas de succès foudroyants dans leur vie amoureuse : ils ne récoltèrent que de fortes migraines.

Chapitre 16

LES PLAISIRS TOXIQUES

Notre âge, notre sexe, notre taille, notre mode de vie et notre mode d'alimentation déterminent nos besoins nutritionnels et nos choix alimentaires. Nos habitudes alimentaires sont en réalité indissociables de toutes nos autres habitudes, et, quoi que nous puissions avaler, tout ce que nous ingérons entre dans le tableau général de notre nutrition.

Certaines substances agréables au goût, mais toxiques, que nous consommons régulièrement, affectent à la fois nos besoins alimentaires et les interactions des nutriments. En tête de liste on trouve l'alcool, la caféine et la nicotine. Naturellement, ce ne sont pas les seuls plaisirs toxiques qui influencent notre manière de nous nourrir et ce que nous mangeons. Certaines drogues ont également un impact considérable sur notre alimentation. Par exemple, la cocaïne et les amphétamines réduisent l'appétit à un tel point que les toxicomanes souffrent souvent de malnutrition. Ce sont pourtant l'alcool, la caféine et la nicotine – les trois principaux plaisirs toxiques – qui préoccupent le plus les nutritionnistes.

L'ALCOOL

L'alcool peut être toxique, mais si on le consomme modérément, il n'est pas nécessairement nuisible. Pour la plupart des gens, une quantité raisonnable d'alcool – jusqu'à deux boissons alcoolisées par jour (deux verres de vin par jour et surtout pendant les repas) – peut en fait améliorer la santé et prolonger la vie. A ce niveau, l'alcool réduit les risques de crise cardiaque, surtout en aidant les artères à se débarrasser des dépôts de cholestérol, sans élever la tension artérielle.

215

Cependant, ce n'est pas par préoccupation de leur santé que la plupart des gens boivent, malgré les traditionnels « remontants » de grand-mère et les bienfaits très connus des grogs. On boit en général parce que l'alcool soulage les tensions et les inhibitions, crée une sensation de bien-être, aiguise l'appétit et permet de mieux apprécier les plaisirs de la table. Même si la consommation d'alcool décline légèrement depuis quelques années, la plupart d'entre nous prennent toujours un verre de temps à autre, et savent généralement maintenir leur consommation dans des limites raisonnables.

Il n'en reste pas moins que le nombre des alcooliques est réellement alarmant. Quel que soit le critère auquel on se réfère lorsqu'on parle de l'alcool – le nombre d'alcooliques, les décès qu'il provoque, l'ampleur de la criminalité qui en résulte, de la violence, le nombre d'accidents, frais médicaux et psychiatriques et la baisse de productivité –, il possède un impact plus puissant dans notre société que n'importe quelle drogue. L'alcool est un assassin réel, responsable de 30 à 50 % des décès dus aux accidents de la circulation, de la plupart des chutes mortelles, et d'un à deux tiers des homicides. De plus, à fortes doses – nettement plus de deux verres par jour –, l'alcool devient lui-même un fléau, s'attaquant au foie, affaiblissant le cœur, élevant la tension artérielle, endommageant le cerveau et accroissant les risques de cancer.

L'alcool présente un autre danger évident, même pour une consommation très minime : il peut causer de sérieux dommages à un fœtus. L'abstinence est de rigueur chez les femmes enceintes, car il est impossible de savoir précisément le mal qu'il peut faire à l'enfant avant sa naissance. Les dommages extrêmes dus à l'alcoolisme sont bien entendu provoqués par une forte consommation d'alcool, mais une étude effectuée en Californie sur des femmes enceintes a révélé qu'un ou deux verres d'alcool par jour seulement pendant le premier trimestre de la grossesse pouvaient accroître de manière considérable les risques de retard dans la croissance et dans le développement mental de l'enfant à venir.

Des effets rapides

Tous ceux qui ont déjà bu une boisson alcoolisée savent à quelle vitesse on en ressent les effets, car l'alcool est absorbé très rapidement à partir de l'estomac et de l'intestin grêle. Il pénètre dans le sang quelques minutes à peine après que vous l'avez avalé. C'est au moins le cas d'une partie de cet alcool, car l'absorption dépend de la personne, de la nature de la boisson (et de la nourriture qui peut l'accompagner), du moment pendant lequel on boit et de la rapidité avec laquelle on enchaîne les verres.

Les effets toxiques de l'alcool se mesurent par le taux d'alcoolémie (voir : La progression du taux d'alcool dans le sang, p. 221). Quand ce taux atteint 0,05 – ce qui signifie qu'il y a dans le sang cinq parties d'alcool pour 10 000 parties d'autres éléments (niveau atteint par un buveur moyen après une ou deux boissons alcoolisées) –, l'alcool vous fournit tous les bienfaits qu'il peut apporter. Vous vous sentez détendu, légèrement euphorique, mais pas ivre. A mesure que le taux d'alcoolémie s'élève, vous commencez à perdre votre facilité d'élocution, votre sens de l'équilibre et votre maîtrise de vous-même. Lorsque le taux d'alcoolémie atteint 0,1, vous êtes considéré comme ivre par la loi, et à 0,2 vous pouvez être victime d'évanouissements. Lorsque le taux atteint 0,3, vous risquez de sombrer dans le coma.

La taille, le sexe, et l'âge ont une influence sur l'absorption de l'alcool. Plus vous êtes lourd, plus vous possédez d'eau pour diluer l'alcool dans votre sang. Les femmes, dont l'organisme contient proportionnellement moins d'eau et plus de graisse que celui des hommes, ont besoin d'une quantité moindre d'alcool pour que leur taux d'alcoolémie augmente (les modifications hormonales qui surviennent juste avant la menstruation entraînent une élévation plus rapide encore de ce taux). Quant aux buveurs plus âgés, ils semblent avoir une tolérance à l'alcool moins importante que les personnes plus jeunes.

Même si la quantité d'alcool présente dans un verre de whisky et dans un verre de vin ou une canette de bière est sensiblement la même, leur effet sur le taux d'alcoolémie n'est pas similaire. Plus l'alcool est dilué, plus il est absorbé lentement. C'est pourquoi le taux d'alcoolémie augmente moins vite quand vous consommez de la bière, du vin ou d'autres boissons de ce genre que quand vous prenez un whisky sec ou un autre alcool du même type.

De même, la nourriture ralentit l'absorption de l'alcool. La concentration d'alcool dans le sang est deux fois moins importante si vous buvez après un repas que si votre estomac est vide. Les graisses présentes dans la viande, le fromage et les amuse-gueules que vous pouvez manger avant ou après avoir bu, sont particulièrement efficaces pour ralentir l'absorption de l'alcool.

Cependant, quelle que soit la rapidité de l'absorption de l'alcool, votre taux d'alcoolémie continuera à s'élever si vous ne cessez pas de boire, ou si vous buvez plus rapidement que votre foie ne peut le supporter. Même un foie en excellente santé ne peut métaboliser plus de 15 centilitres d'alcool environ par heure, le transformant en carburant utilisable par l'organisme. Lorsque le foie est surchargé, l'alcool continue de circuler dans le sang, et le taux d'alcoolémie reste élevé.

Double danger

Des excès d'alcool répétés provoquent une accélération du métabolisme de l'alcool et augmentent la tolérance du buveur, de sorte qu'il a besoin de plus en plus d'alcool pour obtenir les mêmes effets. Cependant, le foie ne peut pas supporter indéfiniment les conséquences néfastes de l'alcool. Avec le temps, des inflammations périodiques détruisent des cellules qui sont remplacées par des cicatrices. Ainsi, la maladie du foie diminue l'aptitude de cet organe à métaboliser l'alcool, de sorte que la tolérance des alcooliques est restreinte. Dans leur cas, il suffit d'une moindre quantité d'alcool pour soulager leurs tensions, et ils atteignent très rapidement un état d'ivresse critique.

Une consommation abusive d'alcool est de toute évidence dangereuse, non seulement pour le foie, mais aussi pour le cerveau, le cœur et d'autres organes. Comment situer le seuil de la quantité abusive ou dangereuse d'alcool? Au-delà de 75 centilitres d'alcool quotidiens, des personnes en parfaite santé peuvent subir des dommages, même si elles sont bien nourries par ailleurs. En revanche, 40 centilitres par jour semblent ne pas poser de problèmes à la plupart des gens. Cela équivaut environ à une demi-bouteille de vin, ou quatre « demis » de bière normalement alcoolisée (4,5 % d'alcool) pour les hommes; les femmes dont le seuil de tolérance est moindre supportent 2/3 de ces quantités.

Il faut toutefois savoir que si vous buvez une telle quantité d'alcool, vous serez sans doute « éméché », du moins si vous le faites chaque jour. Il est donc heureux que l'on puisse bénéficier des apports positifs de l'alcool à des doses bien moins fortes. Dans ce domaine, la modération doit être la règle, et un certain nombre d'études très importantes ont prouvé que les personnes qui boivent modérément connaissent une existence plus longue et plus saine que les gens qui ne boivent pas ou ceux qui font des excès.

L'alcool peut protéger le cœur

En ce qui concerne précisément les bienfaits de l'alcool, des travaux menés aussi bien aux États-Unis qu'en Europe ont permis de constater que les buveurs modérés ont un cœur plus sain que les non-buveurs. Cette qualité de l'alcool fut mise en évidence pour la première fois par le Dr Arthur Klatsky de l'hôpital d'Oakland, en Californie. En se fondant sur les dossiers de plus de 120 000 patients, Klatsky et ses collaborateurs découvrirent que ceux qui prenaient en moyenne deux boissons alcoolisées par jour avaient un risque d'hospitalisation pour crise cardiaque réduit de 40 % par rapport aux non-buveurs.

Les chercheurs ne savent pas encore exactement de quelle manière l'alcool protège le cœur, mais les explications les plus vraisemblables nous viennent de l'université de Stanford, en Californie, où l'on a constaté que les sujets qui buvaient deux ou trois boissons alcoolisées par jour avaient un taux de cholestérol HDL particulièrement élevé; le cholestérol HDL est celui qui *préserve* l'organisme des maladies coronaires (voir chapitre 17). Le taux de cholestérol HDL dans le sang augmentait lorsque ces sujets buvaient de l'alcool et chutait lorsqu'ils cessaient de boire. Selon l'équipe de chercheurs de Stanford, le taux de cholestérol HDL est actuellement le meilleur indicateur des maladies coronaires. Plus ce taux de cholestérol est élevé, plus les risques s'amoindrissent.

Les recherches de Klatsky indiquaient que cet avantage disparaissait au-delà de deux ou trois boissons par jour. Ceux qui prenaient trois à cinq boissons alcoolisées quotidiennes présentaient un taux de mortalité 50 % plus élevé que les non-buveurs. En examinant la situation de la tension artérielle, Klatsky constata qu'à deux verres par jour, la tension des buveurs était au moins aussi basse que celle des non-buveurs. En revanche, la tension montait régulièrement au-delà de trois verres par jour. Chez les patients qui buvaient six verres d'alcool par jour, les risques d'hypertension étaient doublés.

L'alcool et la nutrition

Il existe un lien très étroit entre l'alcoolisme et la nutrition, même si l'alimentation n'est naturellement pas responsable de l'accoutumance à l'alcool. L'alcoolisme semble essentiellement influencé par l'environnement, l'idée que se font les jeunes de l'alcool et sa perception par les adultes qui peuvent le considérer comme une partie normale de la vie ou au contraire comme un élément distinct de l'existence quotidienne. Cependant, il semble bien aujourd'hui qu'il existe aussi une certaine prédisposition héréditaire à l'alcoolisme.

Si l'alcoolisme est préoccupant du point de vue de la nutrition, c'est en raison des risques de déficience nutritionnelle auxquels les alcooliques sont exposés. En fait, même si c'est l'abus d'alcool qui est lui-même responsable de la plus grande partie des dommages dont souffrent les alcooliques, les effets des carences nutritives sont généralement les premiers à apparaître.

Alors qu'une consommation modérée d'alcool aiguise l'appétit (car elle stimule le flux des sucs gastriques), les excès entraînent une perte d'intérêt pour la nourriture. C'est pourquoi certains alcooliques tirent jusqu'à la moitié de leurs calories quotidiennes de la boisson. Même si cela leur permet de répondre à leurs besoins d'énergie, ils manquent souvent de façon alarmante de la plupart des nutriments essentiels.

Les alcooliques manifestent souvent des carences de vitamines B et d'oligo-éléments, et peuvent développer certaines maladies carentielles très rares – y compris le scorbut et la pellagre. L'alcool semble amoindrir la capacité générale de l'intestin grêle à absorber les nutriments. Et les alcooliques extraient un grand nombre de leurs calories d'une source dont la valeur nutritionnelle est pratiquement nulle.

On trouve une quantité négligeable de vitamines dans le vin, et des traces d'hydrates de carbone dans les bières les plus alcoolisées. Mais ce sont à peu près les seules substances que recèlent les boissons alcoolisées, du moins dans nos sociétés industrialisées où elles sont généralement filtrées, clarifiées, ou distillées. En revanche, dans les pays non industrialisés, les boissons alcoolisées peuvent apporter bien plus de nutriments. Les bières brutes non traitées contiennent des résidus riches et une forte quantité de houblon, source de protéine et de vitamine B.

Le principal inconvénient de l'excès des boissons alcoolisées est l'obésité. L'alcool est riche en calories; pour un même poids, l'alcool est bien plus calorique que les hydrates de carbone, même s'il reste inférieur aux graisses. La plupart des buveurs ajoutent l'alcool à la nourriture, donc des calories à leur alimentation quotidienne. En revanche, les véritables alcooliques, ceux qui perdent l'appétit, risquent davantage l'amaigrissement excessif que l'obésité.

LA PROGRESSION DU TAUX D'ALCOOL DANS LE SANG

Le taux d'alcoolémie indique clairement à quel point vous risquez d'être ivre après un certain nombre de verres. Ce tableau montre la progression du taux d'alcoolémie (pour différents poids) en fonction du nombre de boissons consommées. Chaque boisson équivaut à 3,5 cl d'alcool fort, ou 33 cl de bière, ou 8 cl de vin. Comme le sang évacue l'alcool avec le temps, on peut soustraire 0,01 du taux d'alcoolémie à intervalles de 40 minutes après la consommation.

Taux d'alcoolémie approximatif
Poids du corps en kilos

Nbre de boissons	45	55	65	70	80	90	100	110
Une	0,04	0,04	0,03	0,03	0,02	0,02	0,02	0,02
Deux	0,09	0,07	0,06	0,06	0,05	0,04	0,04	0,04
Trois	0,13	0,11	0,09	0,08	0,07	0,07	0,06	0,06
Quatre	0,18	0,15	0,13	0,11	0,10	0,09	0,08	0,07
Cinq	0,22	0,18	0,16	0,14	0,12	0,11	0,10	0,09
Six	0,26	0,22	0,19	0,17	0,15	0,13	0,12	0,11
Sept	0,31	0,26	0,22	0,19	0,17	0,15	0,14	0,13
Huit	0,35	0,29	0,25	0,22	0,20	0,18	0,16	0,15
Neuf	0,40	0,33	0,28	0,25	0,22	0,20	0,18	0,17
Dix	0,44	0,37	0,31	0,28	0,24	0,22	0,20	0,18

LE CAFÉ

Les chercheurs sont à l'affût de la moindre preuve qui indiquerait que la caféine est une substance dangereuse pour la santé, car *il semble* qu'elle devrait être nocive. Cependant, les travaux effectués jusqu'à présent ne montrent que des effets négatifs très limités. De plus, le soupçon le plus effrayant de tous – selon lequel la caféine augmenterait les risques de cancer – semble aujourd'hui être sans fondement. Par conséquent, pour le moment au moins, rien ne paraît devoir interdire aux adultes en bonne santé de boire quelques tasses de café par jour, ou encore un peu plus de thé, de sodas, de chocolat au lait ou de cacao (voir : La caféine dans nos boissons et nos aliments, ci-dessous).

La caféine est un stimulant assez puissant. Pour les personnes qui n'y sont pas habituées, deux tasses de café suffisent à affecter à la fois la tension artérielle et le rythme cardiaque. La respiration s'accélère, le taux d'adrénaline s'élève et la production d'urine augmente. La caféine agit à la fois comme un vasoconstricteur et comme un vasodilatateur, de sorte qu'elle provoque une contraction des vaisseaux sanguins du cerveau et une dilatation de ceux qui environnent le cœur. Cependant, les personnes qui boivent régulièrement du café développent une plus grande tolérance à la caféine, qui ne provoque alors que très rarement une brève accélération de leurs rythmes métaboliques. Naturellement, le prix de cette tolérance est constitué par des symptômes de manque en cas d'interruption de cette consommation, et les grands buveurs de café peuvent souffrir de maux de tête assez importants lorsqu'ils cessent brusquement de consommer leur boisson favorite.

Quant à la toxicité, une dose de 5 à 10 grammes de caféine peut être fatale. Mais pour atteindre ce niveau, il faudrait avaler entre 75 et 100 tasses de café en une seule journée.

Le pire et le meilleur des effets de la caféine – c'est-à-dire l'énervement et la sensation de regain d'énergie – sont dus à la stimulation qu'exerce cette substance sur le système nerveux. Ce principe n'a été vraiment compris qu'en 1981, lorsqu'une équipe de chercheurs de l'université américaine de Johns Hopkins en expliqua le mécanisme. Ces scientifiques constatèrent que la caféine est similaire sur le plan de la structure moléculaire à l'adénosine, un agent tranquillisant naturel qui peut réduire l'activité des cellules du cerveau en les rendant moins sensibles aux neurotransmetteurs. En bloquant les effets de l'adénosine, la caféine empêche les cellules du cerveau de recevoir les signaux de ralentissement envoyés par cette substance.

Bien qu'elle fonctionne de toute évidence à l'encontre de la tendance naturelle de l'organisme (l'adénosine s'efforce de vous calmer quand vous êtes soumis à un stress), elle n'est pas dangereuse sur ce plan. Elle peut, par exemple, améliorer l'efficacité de l'aspirine, du paracétamol et d'autres analgésiques.

Il ne faut cependant pas se laisser séduire par son côté apparemment bénin. N'oubliez pas qu'elle provoque le caféinisme, une intoxication très faible, mais chronique, qui peut vous rendre nerveux et irritable, et vous donner des insomnies ainsi que des palpitations cardiaques. Elle n'est pas non plus très bonne pour les ulcères (car elle stimule la production de sucs gastriques).

La caféine peut traverser le placenta, de sorte qu'elle représente une menace particulière pour les femmes enceintes. Les études effectuées sur les animaux indiquent qu'elle peut provoquer des malformations chez le fœtus. La plupart des médecins conseillent aux femmes enceintes de renoncer au café. Les risques semblent particulièrement importants au cours du premier trimestre de la grossesse; une seule tasse de café très fort par jour peut alors pratiquement doubler les risques d'avortement spontané.

Étant donné son influence sur le métabolisme, le système nerveux et le cœur, la caféine est naturellement soupçonnée d'accroître les risques de maladies cardiaques. Mais dans ce domaine, les indications sont très mitigées. Un certain nombre de travaux à long terme, en particulier la célèbre étude Framingham (qui a débuté en 1948 et se poursuit encore), n'ont pas permis de constater une élévation des risques de crises cardiaques en cas d'utilisation modérée de la caféine.

En revanche, certaines études récentes ont donné des résultats différents. Le cardiologue Thomas Pearson a examiné plus de 1 100 étudiants de l'école de médecine de l'université Johns Hopkins aux États-Unis. En tenant compte de tous les autres facteurs de risques (tabagisme, hypertension, cholestérol, âge) chez les victimes de troubles coronaires appartenant à ce groupe, Pearson découvrit que les personnes qui prenaient plus de cinq tasses de café par jour avaient un risque de maladie cardiaque deux fois et demie supérieur à celui des gens qui évitaient le café.

Le café et la nutrition

Le rapport entre la caféine et les maladies coronariennes devient plus facile à comprendre lorsqu'on connaît le lien qui été établi récemment entre le café et le cholestérol. Trois études indiquent que notre taux de cholestérol est égal ou légèrement supérieur à ce qu'il était autrefois. Lors d'une de ces études, deux tasses de café quotidiennes semblaient suffisantes pour l'élever chez les hommes, tandis qu'une autre expérience faisait apparaître une augmentation de ce taux chez les femmes à partir de quatre tasses de café par jour, même lorsqu'elles suivaient un régime alimentaire à faible teneur en graisses.

Ce lien avec le cholestérol peut provenir d'une fonction importante remplie par la caféine dans l'organisme : elle aide certaines enzymes à extraire les graisses corporelles de leurs réserves et à les faire circuler dans le sang. Lorsque vous avez besoin de brûler des graisses pour produire de l'énergie, ce phénomène peut être bénéfique, et c'est pourquoi certains athlètes de haute compétition ont recours à la caféine. En revanche, si vous n'éliminez pas beaucoup de graisses, votre corps n'a aucune raison particulière de mobiliser ses ressources, et cela peut même être dangereux.

La caféine entraîne également d'autres effets sur la nutrition. Elle perturbe la résorption du calcium dans les reins. Il faudrait pour les adultes ajouter une demi-tasse de lait à leur café pour compenser cette perte.

Le café vous coûtera également des réserves de fer. Mais dans ce cas, ce n'est pas la caféine qui est à blâmer. C'est plutôt un groupe de composés organiques appelés polyphénols, qui se lient au fer dans le tube digestif et empêchent son absorption. Si vous buvez du café avec vos repas ou immédiatement après, vous risquez de réduire votre absorption de fer de presque 40 %. En revanche, une tasse de café une heure avant les repas (ce qui ne semble pas attirer la plupart d'entre nous) paraît avoir des effets très limités sur l'absorption.

La substitution du thé au café pris aux heures des repas ne donne pas de meilleurs résultats. Le tanin, un autre polyphénol présent dans le thé, perturbe également l'absorption du fer. Bien que le thé soit lui-même riche en manganèse et en zinc, le tanin empêche aussi ces minéraux de pénétrer dans le sang. En revanche, si vous ajoutez du lait à votre thé, la caséine du lait (sa principale protéine) se lie avec le tanin et libère les autres minéraux.

La caféine dans nos boissons et nos aliments

Boisson/Aliment	Caféine (mg)
Café torréfié (15 cl)	130
Café instantané (15 cl)	60
Café décaféiné (15 cl)	3
Thé, infusé 1 minute (15 cl)	28
Thé, infusé 5 minutes (15 cl)	46
Coca-Cola (30 cl)	38
Chocolat à cuire (30 g)	35
Friandise au chocolat au lait (30 g)	6
Cacao chaud (des distributeurs de boissons) (18 cl)	5

N.B.: Ces chiffres constituent des moyennes pour les différents produits.

LE TABAC

Contrairement à l'alcool et à la caféine, la nicotine – l'alcaloïde du tabac – semble présenter des risques, quelle que soit la quantité que l'on utilise, et ne comporte pas le moindre avantage. La nicotine et les autres substances créées par la fumée peuvent sérieusement endommager les poumons, et la nicotine qui circule dans le sang entraîne des effets considérables sur les tissus de l'organisme, libérant de l'adrénaline qui accélère le rythme cardiaque et élève la tension artérielle. Dans le cerveau, cette substance joue un rôle de neurotransmetteur et peut vous rendre soit plus alerte, soit plus détendu, selon le niveau qu'elle atteint.

Le tabagisme crée certains besoins nutritionnels particuliers. Les gros fumeurs ont besoin de suppléments de vitamine C. En effet, leur organisme épuise ses réserves de vitamine C à un rythme qui peut être 50 % supérieur à celui des non-fumeurs. De plus, le tabagisme semble entraîner d'autres conséquences sur l'alimentation.

Même si beaucoup d'obèses fument la cigarette, le tabac paraît freiner le gain de poids. Les recherches ont prouvé que le poids moyen des fumeurs est inférieur de trois à quatre kilos au poids des non-fumeurs. Cependant, ce point positif disparaît dès que l'on cesse de fumer, puisque les personnes qui renoncent au tabac gagnent en moyenne quatre kilos.

Même si on ne sait pas exactement pour quelle raison le tabac affecte le poids, il existe plusieurs possibilités, qui peuvent toutes comporter une part de vérité. Il semblerait que le tabac accélère le rythme métabolique de l'organisme, qui élimine ainsi plus de calories. (Cette hypothèse paraît sensée, en raison du rôle stimulant de la nicotine.) Certaines recherches indiquent que c'est le ralentissement du rythme métabolique qui entraîne le gain de poids chez les personnes qui cessent de fumer, même si elles ne mangent pas plus qu'auparavant.

Il semblerait également que le tabac amoindrisse l'appétit, peut-être en limitant le goût pour les sucreries. Lors d'une expérience effectuée dans un centre de recherches gouvernementales de Bethesda, dans le Maryland, on administra de la nicotine à des rats. Ces animaux consommèrent alors moins de sucreries et gagnèrent moins de poids que leurs congénères qui n'étaient pas drogués. Dans le même centre, on donna à des fumeurs un choix entre divers aliments sucrés, salés et neutres, et ils optèrent pour un mélange nettement moins sucré que celui que choisissaient les non-fumeurs.

Le contrôle du poids ne saurait cependant constituer un argument en faveur du tabagisme, en raison de tous les risques qui s'yrattachent. De plus, la nicotine n'a aucun bienfait à offrir en échange de sa toxicité. Dans le cas de l'alcool et du café, la modération fournit une sécurité suffisante, mais il n'existe pas de niveau ne présentant pas de danger en ce qui concerne la nicotine.

4e partie

L'ALIMENTATION ET LA SANTÉ

Chapitre 17

LA PRÉVENTION
DES MALADIES CARDIAQUES

Les maladies cardiaques ou cardio-vasculaires demeurent la principale cause de décès dans les pays occidentaux, mais elles entraînent moins de morts qu'elles ne le faisaient il y a vingt ans. Aux États-Unis, le taux de mortalité par maladies cardio-vasculaires a baissé de 36 % entre 1963 et 1983, et ce pays, qui arrivait au deuxième rang mondial dans ce domaine en 1969, a aujourd'hui rétrogradé à la huitième place. La France occupe la cinquième place et le taux de mortalité prématuré (entre soixante et soixante-dix ans) est en baisse de 5 %.

La diminution du taux de mortalité par maladies cardio-vasculaire est due en grande partie à l'amélioration des soins médicaux, qu'il s'agisse des unités de soins coronaires ou des techniques de réanimation cardio-pulmonaire ou encore des médicaments qui permettent de contrôler les maladies de l'artère coronaire et l'hypertension. Cependant, la plus grande partie de cette réduction de la mortalité – pas moins de 60 % – est attribuée à l'amélioration des conditions d'hygiène, de l'alimentation et du comportement. Les chercheurs ont identifié plus de deux cents facteurs de risques, mais les principaux sont sans aucun doute le tabagisme, un taux élevé de cholestérol dans le sang, l'hypertension artérielle, l'obésité, le diabète et le manque d'exercice.

Aux États-Unis, la baisse du nombre des fumeurs, en particulier dans la portion de la population la plus vulnérable aux maladies cardiaques – les hommes âgés de trente-cinq à soixante-quatre ans – a sans doute fait baisser le taux de mortalité par maladies cardiaques d'une manière significative. Cependant, la plupart des spécialistes pensent également que les modifications alimentaires ont joué un rôle prépondérant.

Les principaux facteurs d'augmentation des risques de maladies cardiaques – un taux élevé de cholestérol dans le sang, l'hypertension artérielle et l'obésité – peuvent être modifiés par l'alimentation. Le diabète qui apparaît chez les adultes peut également être contrôlé par les choix et les habitudes alimentaires (voir chapitre 20). Certaines modifications alimentaires pourront sans doute être utiles aux personnes particulièrement exposées aux risques de maladies cardiaques.

Toutefois, l'importance de ces modifications et les meilleurs choix alimentaires varient d'une personne à l'autre. Ceux dont les risques de maladies cardiaques sont faibles (en raison, par exemple, d'un taux de cholestérol très bas) n'ont sans doute pas lieu de se préoccuper de leur régime. Les causes de maladies cardiaques étant très diverses, les choix alimentaires qui conviendront à une personne pourront être tout à fait inutiles à une autre.

Toutes les maladies cardiaques menacent le bon fonctionnement du cœur. Pour que le sang fournisse à toutes les parties du corps l'oxygène et les nutriments nécessaires, le myocarde (le muscle du cœur) se contracte environ 100 000 fois par jour. La maladie cardiaque la plus répandue, qui provoque les crises cardiaques et que les médecins qualifient d'ischémie, endommage précisément le myocarde. La maladie cardiaque ischémique est provoquée par un trouble dans les artères coronaires (ainsi nommées parce qu'elles entourent le cœur comme une couronne) qui apportent le sang au myocarde. Le mauvais fonctionnement de ces artères détruit une partie du muscle cardiaque en interrompant son irrigation en sang et en oxygène. Il en résulte un infarctus du myocarde, qui réduit l'aptitude du muscle à se contracter.

Deux troubles sont généralement responsables de ces dommages : l'athérosclérose (ou durcissement des artères) et l'hypertension. Ces maladies peuvent fonctionner ensemble ou séparément, car l'arthérosclérose est l'un des facteurs qui contribuent à l'hypertension (et ces deux problèmes sont affectés par l'obésité). Cependant, l'hypertension (voir chapitre 18) comporte un certain nombre de modifications physiologiques spécifiques et représente une menace pour le cœur sans pour autant le priver d'oxygène. Par conséquent, nous nous limiterons pour le moment à l'étude de l'athérosclérose, qui est responsable du rétrécissement ou de l'obturation des artères qui partent du cœur et que l'on considère comme le principal coupable des maladies coronaires.

L'ATHÉROSCLÉROSE

L'athérosclérose se produit durant toute la vie et dans l'ensemble du corps. Cependant, elle est particulièrement dangereuse lorsqu'elle affecte les artères coronaires. Ce trouble, qui est toujours le même, où qu'il se produise, implique la formation de dépôts de graisse et d'autres débris le long des parois artérielles.

Les chercheurs ont émis de nombreuses hypothèses dans ce domaine, mais ils ne savent pas encore exactement de quelle manière ces dépôts se forment. Il pourrait par exemple s'agir de l'œuvre des radicaux libres (des molécules d'oxygène instables) qui endommageraient la fine couche de cellules constituant la tunique interne des artères. Pour réparer les dommages causés à cette paroi interne, l'organisme pourrait alors créer une sorte d'enduit. Quoi qu'il en soit, il en résulte un dépôt ou une protubérance sur la paroi artérielle, sur laquelle toutes sortes de matériaux peuvent s'agglutiner. Des dépôts se forment également aux jointures des artères, même si la paroi de ces artères n'est pas endommagée.

La formation des plaques d'athérome

La matière qui se dépose la première et qui s'accumule progressivement est le cholestérol, un composé gras des aliments qui est produit par l'organisme lui-même. (On le trouve dans toutes les cellules du corps et il est indispensable à la formation de certaines hormones, de la bile et de la vitamine D produite sous la peau par l'exposition au soleil.) Outre le cholestérol, ces dépôts contiennent également un bon nombre de particules sanguines appelées plaquettes. Elles s'ajoutent aux dépôts parce qu'elles sont collantes (c'est l'assemblage des plaquettes qui assure la coagulation du sang). Le collagène et d'autres matières s'accumulent également dans les artères. Le calcium peut durcir ces dépôts, formant des excroissances où viennent encore s'assembler de nouveaux débris.

Au fil du temps, ces dépôts rétrécissent les artères. Ils peuvent finalement les boucher, interrompant le flux de sang et d'oxygène. Cela peut se produire lorsqu'une artère déjà rétrécie par l'athérosclérose est obturée par un caillot de sang, qui peut être formé d'un assemblage de plaquettes qui se sont échappées d'un autre dépôt situé à un autre endroit des artères. C'est parfois une hémorragie des tissus situés sous le dépôt qui provoque cette obstruction en chassant le dépôt de la paroi de l'artère.

Si le cholestérol n'est pas l'unique ingrédient des dépôts d'athérosclérose, il est sans aucun doute le plus important, car le rythme d'évolution des dépôts dépend essentiellement de la quantité de cholestérol qui s'y accumule. Cette quantité est déterminée dans une certaine mesure par le taux qui circule dans le sang, et c'est pourquoi un taux élevé représente un tel risque.

Pour mieux évaluer les risques de maladies cardiaques, il est utile de savoir non seulement quelle quantité de cholestérol circule dans vos artères, mais aussi quel moyen de transport il utilise. Les graisses n'étant pas solubles dans l'eau, elles ont besoin d'une protection pour voyager dans le sang. Les protéines apportent cette protection dans les composés porteurs de graisses appelés lipoprotéines.

Il est facile de comprendre le fonctionnement des lipoprotéines si on les considère comme des noyaux de graisse enrobés dans une enveloppe de protéines, à la manière de ces friandises constituées d'une cacahuète (la graisse) enveloppée de chocolat (les protéines). La chimie des lipoprotéines est cependant plus complexe, et plusieurs types de véhicules transporteurs de graisses sont créés, différents par la taille, la composition, la fonction et la densité. Ils se composent presque exclusivement de protéines, de cholestérol et de triglycérides (les assemblages d'acides gras qui se forment pour la mise en réserve et le transport). Cependant, deux lipoprotéines seulement participent à la formation des dépôts : les lipoprotéines à faible densité (LDL, *low density lipoproteins*) et les lipoprotéines à forte densité (HDL, *high density lipoproteins*).

Les lipoprotéines LDL, principaux transporteurs du cholestérol, sont des véhicules très fragiles qui acheminent le cholestérol jusqu'aux cellules. Les lipoprotéines HDL sont bien plus robustes, et elles retirent généralement davantage de cholestérol des cellules qu'elles n'y en déposent (elles transportent ensuite ce cholestérol jusqu'au foie, où toutes les graisses de l'organisme sont traitées). En raison notamment de la quantité relativement faible de protéines qu'elles contiennent, les lipoprotéines LDL sont non seulement moins denses que les HDL, mais également très vulnérables. Lorsqu'elles voyagent très rapidement dans les artères, les LDL peuvent se rompre et répandre du cholestérol le long des parois des artères, et c'est généralement ainsi que les dépôts d'athérosclérose augmentent de volume.

La proportion des lipoprotéines LDL par rapport aux HDL dans le sang semble affecter le développement de l'athérosclérose plus directement que le taux global de cholestérol sanguin. En fait, on considère habituellement le cholestérol LDL comme le « mauvais cholestérol », et le HDL comme le « bon cholestérol ». D'une manière générale, les deux tiers du cholestérol circulant dans le sang sont transportés par des lipoprotéines LDL. Mais plus la quantité véhiculée par les lipoprotéines HDL est importante, plus les risques de maladies cardiaques sont limités. Ainsi, les femmes possèdent généralement un taux de cholestérol HDL plus élevé que les hommes, et ce taux est également plus fort chez les non-fumeurs que chez les fumeurs. L'exercice est lié au taux de cholestérol HDL, ainsi que l'utilisation modérée de l'alcool (à raison de deux boissons alcoolisées par jour pendant les repas), tandis que l'obésité entraîne souvent un taux HDL assez faible.

Les médecins mesurent le plus souvent le taux global et la proportion de lipoprotéines HDL. Le résultat est exprimé comme un rapport : le nombre total de milligrammes de cholestérol (pour 100 millilitres de sang) par rapport au cholestérol HDL. (Un résultat de 200/50 serait normal pour un jeune adulte, mais pas nécessairement inoffensif). Même sans le calcul du cholestérol HDL, le taux global de cholestérol dans le sang est significatif, et il ne fait plus aucun doute maintenant que le risque de maladies cardiaques augmente lorsque ce taux dépasse le seuil des 200 à 220 milligrammes.

Les médecins ont récemment pris conscience de la relation étroite qui existe entre le taux de cholestérol dans le sang et les maladies cardiaques. Dans l'étude américaine Framingham, menée à très long terme, les hommes dont le taux moyen est proche de 260 milligrammes ont un taux de crises cardiaques trois fois plus élevé que ceux dont le taux est inférieur à 195 milligrammes. Des travaux effectués aux États-Unis montrent que les hommes dont le taux de cholestérol appartient aux 10 % les plus élevés (263 milligrammes ou davantage) présentent quatre fois plus de risques que les autres de souffrir d'une maladie cardiaque. Cette étude, menée sur 350 000 hommes âgés de trente-cinq à cinquante-sept ans, a également permis de constater un risque de maladies cardiaques plus élevé chez ceux dont le taux de sérum cholestérol se situait dans les 25 % supérieurs (au-dessus de 238 milligrammes).

Les chercheurs de l'école de médecine de l'université de Californie du Sud ont réussi à démontrer que la réduction du taux de cholestérol dans le sang, au moyen d'un traitement médical associé à un régime, permettait d'amoindrir les dépôts d'athérosclérose. Toutefois, ces résultats positifs ne furent obtenus que par un nombre relativement faible de sujets.

D'une manière générale, les médecins ne se sont pas toujours vraiment préoccupés de la possibilité de réduire les risques en faisant baisser le taux de cholestérol dans le sang, car la moitié des patients dont le taux de cholestérol est élevé ne succombent pas à une maladie cardiaque, et la moitié des victimes de maladies cardiaques n'ont pas un taux de cholestérol très élevé.

Sept ans d'enquête

En 1984, les conclusions d'une étude très sérieuse furent publiées et ainsi fut mis en évidence le fait qu'un taux élevé de cholestérol accroît effectivement les risques. Pendant plus de sept ans, les chercheurs d'un organisme officiel américain (l'Institut américain du cœur, des poumons et du sang) enregistrèrent les effets de l'alimentation et des médicaments sur des hommes d'âge moyen dont le taux de cholestérol dans le sang était élevé (supérieur à 265 milligrammes), mais qui n'avaient jamais manifesté de symptômes de maladie cardiaque avant le début de cette étude. Les 3 806 sujets examinés furent divisés en deux groupes, et suivirent tous un régime destiné à faire baisser leur taux de cholestérol. 1 907 d'entre eux reçurent également un médicament permettant d'abaisser ce taux, tandis que les 1 899 autres recevaient des placebos (c'est-à-dire une préparation sans activité pharmacologique).

Cette expérience permit de prouver qu'un taux élevé de cholestérol *accroît* bien les risques. Elle montra, pour la première fois, que le fait d'abaisser ce taux entraîne une *diminution* des risques. En fait, elle permit de constater une réduction de 2 % de l'incidence des maladies coronaires pour 1 % de diminution du taux de cholestérol. Les patients qui reçurent le médicament en plus du régime tirèrent vraiment le maximum de bienfaits de cette expérience. En effet, ils manifestèrent une baisse moyenne de 15 % du taux de cholestérol pendant la durée de l'étude. Ils souffraient également de nettement moins de troubles cardiaques que ceux qui prenaient un placebo, dont la baisse du taux de cholestérol atteignit en moyenne 5 %.

Ces résultats prouvèrent qu'il était possible d'amoindrir les risques, mais ils ne permirent pas de constater qu'une intervention alimentaire, sans assistance de médicaments, pouvait ramener le taux de cholestérol à un niveau assez bas pour faire baisser les risques. (De plus, la baisse assez faible de ce taux chez les sujets qui suivaient seulement un régime aurait pu résulter de leur perte de poids, et non de la composition de leur régime, à faible teneur en cholestérol et en graisses.)

Les médias s'emparèrent très rapidement de cette information.

On lut un peu partout que la réduction de la consommation du cholestérol (présent surtout dans les œufs, les laitages et les abats), et celle de toutes les graisses, notamment les graisses saturées, permettrait de faire baisser le taux de cholestérol et de réduire ainsi les risques de maladies cardiaques. Le célèbre magazine américain *Time* fit même paraître en couverture un visage confectionné avec les aliments coupables : une assiette d'œufs dont les jaunes formaient les yeux, la bouche étant représentée par une fine tranche de lard. L'Institut américain de la santé réunit ses membres afin de discuter de ces résultats, et conseilla à chacun d'adopter une alimentation à faible teneur en graisse et surtout en cholestérol. Cette recommandation s'adressait à toutes les personnes âgées de plus de deux ans – donc même aux enfants –, bien que les sujets cobayes de cette étude aient tous été des hommes d'âge moyen, dont le taux de cholestérol était déjà élevé. Cette étude ne précisait pas quels effets une alimentation à faible teneur en cholestérol pourrait avoir sur une personne dont le taux de cholestérol sanguin était faible ou normal. De même, on ne disposait pas de données très précises quant aux bienfaits de la diminution de ce taux chez les femmes, les enfants ou les personnes âgées.

LE MYSTÈRE DU CHOLESTÉROL

La publicité faite par de nombreux responsables de la santé publique en faveur d'une alimentation à faible teneur en graisses et en cholestérol reflète toute la difficulté que l'on rencontre lorsqu'il s'agit de traduire en conseils diététiques des découvertes complexes faites dans le domaine de la nutrition. Il existe sans aucun doute un lien entre ce que nous mangeons et le taux de cholestérol qui circule dans notre sang. Cependant, cette relation est loin d'être simple et directe. De plus, rien ne prouve que les modifications alimentaires conseillées (même si elles peuvent présenter d'autres avantages pour la santé) puissent à elles seules réduire les risques de maladies cardiaques de façon notable pour la plupart d'entre nous.

Les préoccupations au sujet du lien entre l'alimentation et les maladies cardiaques ont atteint leur apogée ces dernières années, mais les chercheurs avaient débuté leurs travaux dans ce domaine dès le lendemain de la Deuxième Guerre mondiale. Le Dr Angel Keys, de l'université du Minnesota, qui avait remarqué les conséquences pour la santé des différences d'alimentation existant entre les Italiens du Nord et ceux du Sud, établit une étude portant sur seize groupes de population dans sept pays différents. Ce célèbre projet examina l'impact de différents facteurs de risques sur des hommes âgés de quarante à cinquante-neuf ans; il permit notamment de découvrir une association significative entre la consommation de graisses saturées, le taux de cholestérol dans le sang et le nombre des maladies cardiaques.

Ces relations entre l'alimentation et les maladies cardiaques resurgirent régulièrement lors des études comparatives entre différentes populations. Il ne manquait qu'une preuve clinique de la relation de cause à effet entre ces phénomènes, que les chercheurs essayaient de découvrir dans leurs expériences menées sur des animaux depuis le début du siècle. C'est alors que des chercheurs soviétiques avaient découvert pour la première fois que le fait d'administrer à des animaux une alimentation très riche en cholestérol pouvait élever le taux de cette substance jusqu'à produire l'athérosclérose. Depuis cette époque, les scientifiques ont effectué des expériences sur pratiquement tous les animaux connus, des chimpanzés jusqu'aux cailles. Les herbivores naturels, comme les lapins, se sont révélés particulièrement sujets à l'athérosclérose produite par l'alimentation, alors que les carnivores (dont l'alimentation quotidienne contient du cholestérol) sont plus à l'abri. Toutefois, ces travaux ont pratiquement soulevé autant de questions que de réponses.

Tout compte dans l'alimentation

Pour élever le taux de cholestérol dans le sang, il ne suffit pas d'ajouter des aliments en contenant à la portion quotidienne des animaux. La consommation totale de graisses est également déterminante, et plus un aliment est riche en acides gras saturés, plus il élève le taux de cholestérol sanguin. Les protéines entraînent une élévation de ce taux chez les lapins – même les protéines dégraissées – et les protéines de la dinde sont deux fois plus susceptibles d'en provoquer la hausse que celles du soja. Tout cela prouve, selon le Dr Kritchevsky, que « tout compte dans l'alimentation ».

Les expériences alimentaires effectuées sur des sujets humains, généralement dans des instituts spécialisés, ont permis de constater que le taux de cholestérol dans le sang peut être modifié par le type et la quantité de matières grasses ingérées. Cependant, la réaction des patients à ces régimes varie considérablement. L'alimentation qui suscite une brusque élévation du taux de cholestérol chez certains patients peut n'avoir aucune conséquence sur la cholestérémie des autres.

Une chose semble claire : il existe des grosses différences dans la

236

manière dont notre organisme fait face au cholestérol. C'est pourtant une substance que le corps produit lui-même en quantité limitée – environ 800 à 1 000 milligrammes par jour (ce qui équivaut, comme 55 % environ du cholestérol alimentaire est absorbé, à 1 600 ou 2 000 milligrammes tirés de la nourriture) – et il constitue environ 0,2 % de notre poids total.

Des facteurs génétiques

Lorsque nous avons un surplus de cholestérol, notre organisme peut réagir de différentes manières : en en réduisant la production dans le foie, en convertissant les excès en bile et en l'évacuant par les intestins, ou encore en faisant circuler les surplus dans le sang ou en les entreposant dans les cellules. Des études effectuées à l'université Rockefeller sur des hommes adultes ont permis de constater que les deux tiers d'entre eux ne manifestaient pas de fluctuation sensible du taux de cholestérol lorsque leur consommation de cette substance passait de 250 à 800 milligrammes par jour. En revanche, pour un tiers des sujets, cette consommation accrue entraînait une hausse de plus de 10 % de ce taux. Lors d'une étude similaire, dans laquelle on avait augmenté la proportion des graisses saturées dans l'alimentation, plus d'un tiers des sujets réagirent par une élévation du taux de cholestérol supérieure à 10 %.

Il est évident que l'hérédité joue un rôle déterminant dans notre capacité à traiter le cholestérol. Les chercheurs en sont conscients depuis 1939, date de la découverte de l'origine génétique de l'hypercholestérémie familiale. Sous ses formes graves, cette maladie produit des taux de cholestérol LDL dans le sang six fois supérieurs à la normale. Cela entraîne des crises cardiaques qui peuvent frapper les enfants dès l'âge de deux ans et qui surviennent presque immanquablement avant que les victimes de cette maladie n'atteignent l'âge de vingt ans.

Récemment, les travaux de Michael S. Brown et Joseph L. Goldstein (qui leur valurent le prix Nobel de médecine en 1985), ont montré que le taux du cholestérol LDL circulant dans le sang est contrôlé par des récepteurs de LDL, particulièrement dans le foie, qui en régulent le retrait. Les chercheurs de l'université du Texas ont découvert que la tare génétique responsable de l'hypercholestérémie familiale empêchait les victimes de la forme la plus commune de cette maladie de produire plus de la moitié de ces récepteurs, les personnes atteintes de ce trouble sous sa forme la plus grave étant incapables de synthétiser le moindre récepteur.

Brown et Goldstein pensent qu'une grande partie des cas d'athérosclérose pourrait résulter de facteurs héréditaires plus subtils, comme des anomalies de la production hormonale mais aussi des influences alimentaires qui limitent aussi la production des récepteurs LDL.

Le rôle du stress

Outre les influences physiologiques, notre taux de cholestérol peut également être affecté par des effets psychologiques. Ainsi, le stress en provoque une élévation dans le sang. Les premiers indices concernant ce phénomène furent découverts par les cardiologues Ray Rosenman et Meyer Friedman. En étudiant un groupe de comptables, ils remarquèrent que leur taux de cholestérol, qui était en moyenne de 212 milligrammes tout au long de l'année, s'élevait jusqu'à 230 milligrammes environ au moment des bilans annuels et des déclarations de revenus.

Dans les études animales, l'élévation de ce taux provoquée par le stress a été prouvée chez les singes en déplaçant des mâles alpha (le mâle alpha est le chef de la cage, et son taux de cholestérol est généralement plus faible que celui de ses congénères). Plusieurs mâles alpha réunis réagissent à cette situation pour eux instable, et deviennent plus réceptifs à une alimentation riche en cholestérol.

De même que la tension artérielle, le taux de cholestérol peut augmenter rapidement en cas de stress. Il est influencé par le système nerveux sympathique. Celui-ci réagit au stress en commandant une production accrue d'adrénaline et de cortisone. Ces deux hormones mobilisent des réserves d'énergie pour faire face à la crise qui a donné lieu à cette alarme en libérant dans le sang du glucose et des graisses entreposées dans l'organisme. Elles libèrent également du cholestérol, et la cortisone pourrait même provoquer une augmentation de la production de celui-ci par le foie.

LA RÉACTION À UN TAUX DE CHOLESTÉROL ÉLEVÉ

Le taux de cholestérol constituant un signe très réel des risques de maladies cardiaques, il semble raisonnable de le faire vérifier à intervalles réguliers. C'est particulièrement important s'il existe dans votre famille des cas de maladies coronaires. Si vos proches parents (grands-parents, parents, ou frères et sœurs) ont souffert de crises cardiaques à un âge très jeune, il est peu probable que vous apparteniez à la portion de la population qui bénéficie d'une certaine protection génétique contre les maladies cardiaques (et pour qui un taux de cholestérol élevé ne présente qu'assez peu de risques). Si les facteurs héréditaires sont en votre défaveur, il serait sans doute préférable de faire vérifier votre taux de cholestérol chaque année, dès votre adolescence.

N'oubliez pas qu'il varie selon les époques. Il se modifie pendant la journée, et aussi pendant l'année. Pour des raisons que personne ne comprend, il a généralement tendance à atteindre son point le plus haut en janvier et février. Lors d'une étude effectuée sur cinq ans par le Pentagone américain, les 177 officiers examinés manifestèrent des fluctuations de leur taux pouvant aller jusqu'à 100 %, alors que certains autres conservèrent un taux absolument stable. Si vous n'admettez pas que le taux de cholestérol peut varier et qu'un taux assez élevé n'est pas toujours significatif, vous risquez de vous imposer un stress suffisant pour accroître encore le vôtre.

Selon l'Institut américain de la santé, il existe des risques modérés de maladies cardiaques à des taux de cholestérol relativement normaux. N'oublions pas que c'est le même institut qui préconisait un régime à faible teneur en cholestérol pour toutes les personnes âgées de plus de deux ans, de sorte que cette estimation des risques est sans doute très subtile. Les membres de cet institut conclurent qu'au-delà de vingt ans, un taux de cholestérol supérieur à 200 milligrammes indique un risque modéré, de même qu'un taux de plus de 220 milligrammes après trente ans. Après quarante ans, les risques modérés commencent à 240 milligrammes et les risques importants à 260 milligrammes. Selon ces chercheurs, les risques graves pour les personnes très jeunes commencent dès que le taux atteint 185 milligrammes pendant l'enfance et l'adolescence, 220 milligrammes entre vingt et vingt-neuf ans, et 240 milligrammes entre trente et trente-neuf ans.

Comment faire baisser le taux de cholestérol

Si votre taux de cholestérol vous rapproche du seuil critique, il existe plusieurs solutions pour le faire baisser. Toutes ne seront peut-être pas efficaces dans votre cas. L'hérédité, on l'a vu, joue en effet un rôle important dans ce domaine. Toutefois, un taux élevé, surtout s'il s'accompagne d'un taux de cholestérol HDL très faible, peut indiquer un défaut dans votre manière de vivre ou de vous alimenter. Si vous fumez, c'est le moment d'arrêter (même si cela n'entraîne pas de répercussions spectaculaires, votre taux de lipoprotéines HDL pourrait s'en trouver renforcé). De même, si vous ne vous situez pas dans les limites du poids normal pour votre âge et votre taille, vous devriez essayer de perdre vos kilos excédentaires. L'obésité provoque en effet une élévation du taux de cholestérol chez certaines personnes, et les études ont fréquemment prouvé les effets bénéfiques de l'amaigrissement sur ce taux.

En ce qui concerne l'alimentation, vous devriez au moins rester dans la limite des recommandations adressées à l'ensemble de la population. Ces recommandations fixent des plafonds pour la consommation de cholestérol, de graisses saturées, de graisses en général, de protéines, de sodium et d'alcool. Elles réduisent la consommation quotidienne de cholestérol à 100 milligrammes pour 1 000 kilocalories, la limite maximale étant de 300 milligrammes (soit une quantité légèrement supérieure à ce que contiennent un seul œuf ou deux beaux steaks). Il ne faut pas prendre plus de 10 % de vos calories quotidiennes sous forme de graisses saturées, et les spécialistes soulignent que c'est là le point le plus important de cette réduction de la consommation des graisses. Nous obtenons aujourd'hui en moyenne 7 % de nos calories des graisses poly-insaturées et environ 16 % des graisses mono-insaturées (voir : Les graisses et les huiles ci-dessous), mais à l'heure actuelle, 14 % de nos calories proviennent des graisses saturées. Les spécialistes déclarent que seules les graisses saturées ont une influence négative directe sur le taux de cholestérol, et leurs conseils visent à réduire l'ensemble des calories et par conséquent à permettre un meilleur contrôle du poids.

Selon ces spécialistes, les protéines devraient représenter 15 % de nos calories quotidiennes, les hydrates de carbone en constituant 55 %. Quant au poids, ces scientifiques estiment que nous devrions respecter les normes établies (voir chapitre 10). En ce qui concerne l'alcool – pas plus de deux verres par jour –, ils reconnaissent les bienfaits possibles d'une consommation modérée tout en établissant une limite qui éviterait d'accroître les risques d'hypertension artérielle. Pour le sodium, cette limite est fixée à 1 000 milligrammes (soit environ une demi-cuillerée à café de sel) pour 1 000 kilocalories, le plafond se situant à 3 000 milligrammes, et il s'agit là aussi de combattre l'hypertension plus que l'athérosclérose.

Pour nous permettre de respecter leurs recommandations, il est préférable d'éviter les côtes et côtelettes de viande (bœuf, porc, veau, mouton), de ne consommer de la charcuterie (50 grammes) qu'une fois par semaine et de choisir de préférence des produits laitiers demi-écrémés (ou se limiter à 30 grammes de fromage à 45 % de matière grasse); à condition de manger du poisson une ou deux fois par semaine, on peut consommer 10 grammes de beurre au petit déjeuner. Par ailleurs, si les huiles végétales (à l'exception de l'huile de palme et de l'huile de noix de coco) sont acceptables, les assaisonnements tout prêts et le chocolat sont à exclure, mais la plupart des fruits et des légumes sont autorisés (avec certaines exceptions évidentes, comme les avocats).

LES GRAISSES ET LES HUILES

Les conseils des spécialistes américains du cœur (dont le but n'est pas de faire *baisser* le taux de cholestérol, mais de l'empêcher de s'élever), sont fondés sur l'idée selon laquelle les principaux facteurs déterminants du taux de cholestérol sanguin sont les quantités de cholestérol et de graisses saturées que nous consommons. En l'état actuel des connaissances, cela paraît juste. Mais d'autres aspects de la nutrition affectent également ce taux, et le rôle des graisses est bien trop complexe pour être résumé par la définition toute simple : « Graisses saturées à proscrire, graisses non saturées acceptables. »

Examinons de plus près les graisses que nous trouvons dans la nourriture. Il y a le cholestérol, qui est chimiquement assez différent des autres graisses, et que l'on ne trouve que dans les aliments d'origine animale (viande, poisson, lait, œufs). Ensuite, on distingue les acides gras saturés et non saturés des triglycérides (décrits en détail dans Les différentes sortes de graisses, p. 50). Il est important de comprendre que tous les acides gras sont constitués d'atomes de carbone liés, qui forment une chaîne. Deux atomes d'hydrogène sont généralement attachés à chaque maillon de la chaîne, un de chaque côté. Dans les graisses saturées, *tous* les atomes de carbone sont encadrés d'atomes d'hydrogène. Dans les graisses non saturées, certains atomes d'hydrogène sont absents. Les graisses mono-insaturées manquent d'une paire d'atomes d'hydrogène, alors qu'il en manque plusieurs paires dans le cas des graisses poly-insaturées.

Les différences de composition chimique des acides gras expliquent toutes leurs autres différences. Un acide gras saturé forme une ligne droite, contrairement à un acide gras non saturé, qui peut former une courbe (car les atomes d'hydrogène manquants peuvent provoquer une sorte de déséquilibre). Par conséquent, les acides saturés peuvent s'accumuler plus nombreux dans les cellules. Leur point de fusion est également plus élevé, c'est pourquoi l'hydrogénation (le procédé d'addition des atomes d'hydrogène manquants) permet de solidifier les huiles végétales non saturées présentes dans la margarine par exemple, même à température ambiante.

Outre le cholestérol, les aliments d'origine animale contiennent généralement plus d'acides gras saturés que les autres produits. Mais ils recèlent aussi des acides gras non saturés. De plus, il existe un grand nombre de graisses saturées dans certains aliments d'origine végétale, tels que les haricots secs, les arachides, les graines et les huiles végétales (voir : « Les acides gras et le cholestérol dans certains aliments », p. 245). L'huile de noix de coco, par exemple, est la graisse la *plus saturée* que l'on connaisse, et l'huile de palme la suit de très près, mais elles sont peu consommées.

Les travaux effectués récemment indiquent que les graisses non saturées jouent un rôle bien plus actif dans la réduction du taux de cholestérol que les nutritionnistes ne le pensaient. De plus, le type de graisses non saturées que vous consommez peut influencer le type de cholestérol que vous réduisez. Les recherches du Dr Scott M. Grundy à l'université de Dallas et du Dr Fred H. Mattson à l'université de San Diego indiquent que le remplacement des graisses saturées par des graisses mono-insaturées ou poly-insaturées provoque une baisse relativement équivalente du taux de cholestérol sanguin. Cependant, les graisses poly-insaturées réduisent aussi bien le cholestérol HDL et le cholestérol LDL, alors que les graisses mono-insaturées se concentrent essentiellement sur le LDL, laissant intactes les réserves de HDL. Autrement dit, les graisses mono-insaturées ont tendance à éliminer le « mauvais » cholestérol, et à épargner le « bon ».

L'huile d'olive, très riche en graisses mono-insaturées, (de même que l'huile d'arachide), peut remplacer le lard ou le bacon plus avantageusement que l'huile de maïs ou de tournesol, dont la plupart des graisses sont poly-insaturées. Le nombre faible de maladies cardiaques dans le sud de l'Italie ainsi qu'en Grèce pourrait bien être le reflet de l'aptitude de l'huile d'olive à réduire le cholestérol LDL, car cette huile constitue la base de l'alimentation dans ces régions.

L'exemple des Eskimos

La quantité extraordinairement minime de maladies cardiaques chez un autre groupe de population, qui tire la plus grande partie de ses calories des protéines et des graisses, a permis de découvrir une famille de graisses poly-insaturées dont le pouvoir de réduction du cholestérol est particulièrement efficace. Cette population est celle des Eskimos du Groenland, qui peuvent consommer une livre de viande de phoque ou de baleine par jour, à laquelle s'ajoutent de la graisse de baleine, quelques poissons et très peu de légumes; pourtant, leur taux de mortalité par maladies cardiaques n'excède pas 3,5 %, et leur espérance de vie moyenne est supérieure à soixante ans. Des chercheurs danois ont constaté que le sang des Eskimos présentait non seulement un taux de cholestérol très faible, mais aussi des proportions très réduites de *toutes les graisses*. L'ingrédient magique de leur alimentation s'est avéré être l'huile de poisson.

Plusieurs études ont confirmé par la suite ces capacités bienfaisantes d'une alimentation riche en poisson et l'aptitude des huiles de poisson à restreindre le taux de cholestérol et les triglycérides dans le sang. Des travaux ont notamment été effectués aux Pays-Bas, où des chercheurs ont observé la consommation de poisson chez des hommes d'âge moyen pendant vingt ans (commençant bien avant que les scientifiques danois ne découvrent les effets de l'huile de poisson sur la santé des Eskimos du Groenland).

Chez les poissons, toutes les graisses doivent être fluides (dans le cas contraire, elles gèleraient dans l'eau froide), c'est pourquoi l'huile de poisson est systématiquement de type poly-insaturé. Mais elle contient également un groupe d'acides gras, désignés sous l'appellation omega-3, dont les plus importants sont l'acide eicosapentaenoïque (EPA, *eicosapentaenoic acid*) et l'acide docosaeinoïque (DHA, *docosahexaeonic acid),* dont les caractéristiques sont assez différentes de celles des acides gras de type omega-6 (comme l'acide linoléique) présents dans les graines et les huiles végétales. Non seulement ces acides sont trois à cinq fois plus efficaces en ce qui concerne la réduction du taux de cholestérol, mais ils préservent également les artères contre les dépôts par d'autres actions. Les acides gras omega-3, et en particulier l'acide EPA, produisent des substances qui rendent les plaquettes sanguines moins collantes, moins susceptibles de s'agglutiner pour former des caillots. Cet aspect de l'EPA présente un inconvénient, car les Eskimos du Groenland ont tendance à se blesser facilement, et leurs coupures ou leurs égratignures saignent plus longtemps que celles des autres populations.

Les acides gras omega-3 sont particulièrement abondants dans les poissons des mers froides ou profondes, comme le saumon, le maquereau, le thon, les sardines, ainsi que chez certains poissons d'eau douce, comme la truite arc-en-ciel. 180 grammes de ces poissons chaque semaine fournissent généralement une quantité suffisante d'acides omega-3 pour permettre l'effet anticoagulant, mais il faut réellement les consommer en quantités énormes pour obtenir une réduction du taux de cholestérol. Peu de personnes, à l'exception des Eskimos, sont capables d'inclure tant de poisson dans leur alimentation. Par conséquent, la meilleure solution semble consister à remplacer tout simplement certaines des graisses que vous consommez actuellement sous forme de bœuf, de porc, ou même d'huiles végétales, par quelques tranches de poisson chaque semaine.

Pour conclure au sujet des graisses, il est important de comprendre que la science ne sait pas encore tout quant aux influences de l'alimentation sur le taux de cholestérol dans le sang. Lorsque les trois principales études à long terme qui sont encore en cours (l'étude Framingham et deux autres études similaires à grande échelle entreprises à Hawaii et à Porto Rico) ont examiné des sujets qui avaient souffert de crises cardiaques et les ont comparés à d'autres personnes qui n'avaient pas connu de problèmes, elles ont révélé trois différences significatives dont aucune n'était liée à la consommation de cholestérol ou de graisses. Les victimes de crises cardiaques consommaient toujours moins d'hydrates de carbone, moins d'amidons, et buvaient moins d'alcool (bien qu'une consommation excessive d'alcool augmente les risques au lieu de les diminuer). Comme le note le Dr Kritchevsky, les graisses ne constituent qu'un élément de cet ensemble. « D'autres facteurs sont à prendre en considération », souligne-t-il.

Les acides gras et le cholestérol dans certains aliments

Aliment	Total des graisses (g)	Acides gras (g)			Kilo-calories
		Saturés	Mono-insaturés	Poly-insaturés	
Huile d'olive (4 c. à soupe)	56	7,6	41,2	4,8	500
Avocat (1 moyen)	30	4,5	19,4	3,5	305
Noisettes (30 g)	18	1,3	13,9	1,7	180
Aloyau de bœuf (85 g)	15	6,4	6,9	0,6	240
Croissant	12	3,5	6,7	1,4	235
Emmenthal (30 g)	9	6,0	2,7	0,3	115
Lait entier (15 cl)	8	5,1	2,4	0,3	150
Daurade (100 g)	8	3,2	1,5	0,5	202
Lait, demi-écrémé (150 ml)	5	2,9	1,4	0,2	140

Aliment	Total des graisses (g)	Cholestérol (mg)	Kilocalories
Quiche lorraine (1 part)	48	285	600
Œuf, gros (1)	6	274	80
Gâteau à la crème (1/6)	17	169	330
Côte d'agneau gigot (80 g)	16	78	235
Blanc de poulet poché (1/2, sans peau, 85 g)	3	73	142
Saumon au four (85 g)	5	60	140
Pizza au fromage (1 part)	9	56	290
Beurre salé (1 c. à soupe)	11	31	100
Fromage frais à 40 % MG (200 g)	9	31	215

AUTRES STRATÉGIES ALIMENTAIRES

Le taux de cholestérol dans le sang est influencé par des modifications alimentaires autres qu'une simple réduction de la consommation de cholestérol et de graisses saturées. L'addition de fibres à votre alimentation peut en favoriser la baisse, et le Dr James Anderson, professeur de médecine et de nutrition à l'université du Kentucky, a constaté que l'addition d'une demi-tasse de flocons d'avoine secs à notre alimentation par ailleurs riche en graisses pouvait réduire considérablement ce taux, et que les résultats apparaissaient rapidement. De plus, l'avoine semble extraire le cholestérol LDL du sang en épargnant le cholestérol HDL. Les autres sources de fibres, notamment les fèves et les haricots, paraissent presque aussi efficaces. L'avoine, associée à une alimentation à faible teneur en graisse, est aussi bienfaisante que le son, et l'orge a également fait la preuve de son pouvoir de réduction du taux de cholestérol (même s'il ne s'agissait que d'études effectuées sur des animaux).

Il semblerait que l'ail – dans des quantités supérieures à celles que nous consommons habituellement, même pour les amateurs – soit capable de réduire ce même taux et des chercheurs y ont trouvé une substance qui, comme l'acide EPA, ralentit le processus de coagulation du sang. Les oignons pourraient également être utiles dans ce domaine. Selon le Dr Victor Gurewich, professeur de médecine à l'université Tufts et directeur du laboratoire de recherches vasculaires à l'hôpital St Elizabeth de Boston, le jus d'un seul oignon blanc ou jaune consommé quotidiennement peut élever le taux de cholestérol HDL de 30 % dans le sang de patients par ailleurs en bonne santé. Une carence en cuivre peut faire monter le taux de cholestérol (cela s'est vérifié lors d'expériences animales), et il semblerait que des doses thérapeutiques de niacine puissent avoir autant d'efficacité que les autres médicaments habituellement prescrits pour le faire baisser.

Les bienfaits de l'alcool ont été souvent démontrés (voir chapitre 16). Les chercheurs de l'hôpital Kaiser Permanente d'Oakland, en Californie, furent les premiers à révéler que les personnes qui consomment en moyenne deux boissons alcoolisées par jour ont des chances supérieures de 40 % à celles des non-buveurs d'éviter l'hospitalisation pour maladie cardiaque. Des études effectuées par la suite à l'université de Stanford ont révélé un taux de cholestérol HDL particulièrement élevé chez les sujets qui consommaient deux à trois boissons alcoolisées par jour, et ce niveau retombait dès qu'ils cessaient de boire. Cependant, cet avantage des buveurs commence à diminuer dès que la consommation quotidienne dépasse trois verres. Au niveau de trois à cinq boissons alcoolisées par jour, la mortalité par maladies cardio-vasculaires est supérieure de 50 % chez les buveurs à ce qu'elle est chez les non-buveurs.

LE RÔLE DE L'EXERCICE

Les preuves les plus évidentes de la capacité de l'exercice à réduire non seulement la mortalité par maladies cardio-vasculaires, mais la mortalité en général, sont apparues au printemps de 1986, lorsque les résultats d'une étude à long terme menée sur presque 17 000 étudiants d'Harvard furent publiés. Le Dr Ralph S. Paffenbarger et ses associés des universités de Stanford et d'Harvard parvinrent à montrer que la pratique modérée de l'exercice constitue l'élément clé de la longévité. L'élimination de 2 000 kilocalories au moins par semaine amoindrissait d'un quart à un tiers le taux de mortalité des hommes examinés lors de cette étude. Les chercheurs ont tenu compte non seulement de l'exercice volontaire, comme le jogging, qui permet d'éliminer environ 500 kilocalories par heure, mais aussi de l'exercice « inconscient », comme la marche que l'on fait chaque matin pour aller travailler (70 kilocalories par kilomètre), ou l'ascension des escaliers (4 kilocalories par volée de marches). Les crises cardiaques chez ceux qui éliminaient ainsi plus de 2 000 kilocalories par semaine étaient réduites de plus d'un tiers.

Pour fournir des données à leur étude, le Dr Paffenbarger et son équipe recrutèrent au cours des années 60 17 000 personnes âgées de trente-cinq à soixante-quatorze ans et surveillèrent l'évolution de leur santé et de leur mode de vie jusqu'à 1978. A cette époque, 1 413 d'entre eux étaient décédés, dont 45 % par maladies cardiaques. En analysant leurs découvertes, les chercheurs constatèrent qu'un mode de vie sédentaire (une dépense de kilocalories hebdomadaire inférieure à 2 000) représentait un danger moindre qu'une tension artérielle trop élevée. En revanche, c'était plus dangereux que l'obésité, le tabagisme ou une disposition héréditaire aux maladies cardiaques. De plus, l'exercice permettait de réduire de moitié les risques engendrés par l'hypertension artérielle et de diminuer d'un tiers les dangers du tabagisme. Il réussissait même à minimiser les risques posés par la prédisposition génétique à la maladie.

Les résultats de l'étude de Harvard confirmèrent ceux du Dr Paffenbarger, obtenus par l'étude d'un échantillon assez différent de la population masculine : les dockers de San Francisco. Utilisant des données réunies par le Bureau des maladies chroniques de Californie concernant le tabagisme, l'obésité, et le diabète chez ces ouvriers du port, il ajouta une analyse de leur travail afin d'évaluer le nombre de kilocalories qu'il leur faisait dépenser. Il obtint un total de plus de 8 500 kilocalories par semaine (soit environ l'énergie nécessaire pour courir trois marathons). Leur vie active valait à ces hommes de connaître environ deux fois moins de crises cardiaques que les personnes plus sédentaires.

Pour amoindrir les risques de maladies cardiaques, les activités de musculation ou les haltères sont bien moins efficaces que les exercices aérobiques comme la course, la natation, le cyclisme, le tennis ou le basket-ball. C'est l'exercice soutenu, y compris la marche, qui améliore la capacité de l'organisme à absorber et à utiliser l'oxygène. De même que les maladies coronaires détruisent les tissus du muscle cardiaque en les privant d'oxygène, la fourniture d'oxygène supplémentaire à ces tissus améliore le fonctionnement du cœur. Au fil du temps, la pratique de l'activité aérobique améliore la tonicité musculaire et augmente la masse musculaire, de sorte que le cœur devient plus fort et plus résistant au stress. De plus, la pratique de l'exercice aérobique à raison d'une dépense d'environ 2 000 kilocalories par semaine permet également l'élévation du taux de cholestérol HDL et la baisse du cholestérol LDL. (En fait, l'activité aérobique modérée entraîne les mêmes effets sur les taux de cholestérol HDL et LDL que la consommation modérée de l'alcool.)

Les dockers de San Francisco étudiés par le Dr Paffenbarger en 1969 éliminaient nettement plus de calories que la plupart des étudiants de Harvard. Cependant, l'étude effectuée par la suite démontra une augmentation plus faible des bienfaits pour la santé de la pratique de l'exercice au-delà d'une dépense hebdomadaire de 3 500 kilocalories. A ce niveau, les risques de mortalité étaient réduits de 50 %. Au-delà, ces risques ne diminuaient pas davantage.

Les recherches du Dr Paffenbarger n'étaient pas les premières à révéler à quel point l'exercice peut réduire les risques de maladies cardiaques. Parmi les travaux les plus récents, les plus fascinants sont ceux qu'a entrepris l'Institut américain de la santé, qui a observé plus de 16 000 sujets faisant partie des trois grandes études entreprises actuellement sur les maladies cardiaques (l'étude Framingham, celle de Porto Rico et celle d'Honolulu) pendant environ six ans. Dans ce groupe, aucun sujet n'avait manifesté de maladies cardiaques au début de cette période, et les hommes dont la consommation calorique était plus élevée firent apparaître un risque *moindre* de développer une maladie coronaire que les hommes dont la consommation calorique était modérée. Il semble que les calories n'aient pas d'importance, mais que le poids du corps en ait. Pour expliquer cette anomalie apparente, les auteurs suggérèrent que les hommes dont la consommation calorique était élevée connaissaient peut-être « les bienfaits d'une activité physique plus intense ».

EN RÉSUMÉ :
LES POINTS ESSENTIELS DE LA PRÉVENTION

Le taux de cholestérol dans le sang constitue un facteur de risque important en ce qui concerne les maladies des artères coronaires, mais ce n'est pas le seul, ni le seul qui puisse être modifié par des changements dans l'alimentation et le comportement. Le tabagisme, l'obésité et l'inactivité sont d'autres éléments de risque indépendants, de même que l'hypertension artérielle (voir chapitre 18). Le tabagisme élève les risques de crises cardiaques de manière significative. Il en va de même avec un poids supérieur de 20 % à la normale. Mais l'exercice et les autres activités qui permettent d'éliminer au moins 2 000 kilocalories par semaine peuvent réduire les risques d'un tiers.

En ce qui concerne le cholestérol, le danger d'athérosclérose augmente avec son taux dans le sang et lorsque la proportion de cholestérol LDL par rapport au HDL est importante. Un poids excédentaire et un mode de vie sédentaire ont tendance à le faire augmenter, et la consommation globale de graisses influence à la fois le poids et le taux de cholestérol. Il est prudent de procéder chaque année à un examen médical qui vous indiquera votre taux de cholestérol global et le taux de LDL par rapport au HDL, notamment si vous manifestez une prédisposition héréditaire aux troubles cardiaques. Un taux de cholestérol, même modérément élevé, peut présenter un risque, et il faut tenter de le faire baisser en maigrissant, en pratiquant l'exercice et en consommant moins de graisses.

La consommation des acides gras saturés (présents surtout dans la viande et les laitages) semble avoir la plus forte influence sur lui, mais le remplacement de ces graisses saturées par des graisses poly-insaturées (que l'on trouve dans les graines et les huiles végétales) peut entraîner une augmentation des risques de cancer (voir chapitre 19). Par conséquent, il est conseillé de trouver un juste équilibre entre les graisses saturées et les graisses non saturées, qui comprennent également les acides gras dits mono-insaturés, comme ceux de l'huile d'olive.

Le poisson et les huiles de poisson (les acides gras omega-3), bien qu'extrêmement insaturés, apportent des bienfaits considérables pour la santé. Ils peuvent favoriser la baisse du taux de cholestérol et amoindrir la capacité de coagulation des plaquettes sanguines (en les rendant moins sujettes à former les dépôts qui causent l'athérosclérose).

Chapitre 18

CONTRÔLER L'HYPERTENSION

L'hypertension artérielle constitue une sérieuse menace pour la santé et agit de différentes manières. Elle accroît les risques de crise cardiaque, et peut entraîner une congestion du cœur en obligeant le muscle cardiaque à travailler à un rythme tel qu'il s'épuise littéralement et n'est plus capable de pomper l'oxygène avec efficacité. Elle peut causer des attaques en privant de sang certaines régions du cerveau. Cela se produit lorsque l'hypertension soumet les vaisseaux sanguins très fragiles du cerveau à une pression si forte qu'ils se rompent ou lorsqu'elle provoque une embolie, qui interrompt le flux sanguin. L'hypertension chronique peut également endommager les reins (qui filtrent le sang) et finalement provoquer un blocage rénal.

Pour toutes ces raisons – ajoutées au fait qu'il n'y a pas de symptômes annonciateurs –, l'hypertension artérielle est surnommée « l'assassin silencieux ». Depuis quelques dizaines d'années, les médecins conseillent à leurs patients de faire vérifier régulièrement leur tension artérielle et, si elle est élevée, de suivre un traitement médical pour la ramener à un niveau normal.

Tout le monde s'accorde à reconnaître que l'hypertension est dangereuse, mais les opinions divergent quant à la manière de la traiter. Ces dernières années, les médecins ont examiné de près tous les aspects du traitement de l'hypertension, et chaque possibilité a eu ses défenseurs – qu'il s'agisse de la perte de poids, des restrictions de sel, des suppléments de calcium et de potassium, etc. En un mot, personne ne comprend exactement ce qui provoque l'hypertension et il est donc difficile de mettre au point les thérapies nutritionnelles qui pourraient permettre de la combattre.

Il est pourtant très facile de surveiller le niveau de la tension artérielle. Elle se mesure aussi simplement que la température du corps, en centimètres de mercure. A l'époque où ce système fut mis en place, un manchon appliqué autour du bras transmettait la pression du sang pompé à une colonne de mercure, un médecin ou une infirmière procédant alors à la lecture du niveau de mercure en centimètres. Aujourd'hui, une simple jauge de pression placée sur le manchon fournit cette indication.

Une lecture comme 14-9 en ce qui concerne la tension artérielle correspond à deux types de tension. Le premier nombre, le plus élevé, indique la tension *systolique*, qui correspond à la contraction ventriculaire. Le deuxième nombre reflète quant à lui la pression dite *diastolique*, celle qui règne dans les artères pendant la diastole, quand le cœur est au repos, entre deux pulsations.

Par conséquent, il est très simple de déceler la présence de l'hypertension, mais il est bien plus difficile d'en découvrir l'origine. De même que la fièvre, l'hypertension est moins une maladie qu'un signe de déséquilibre dans l'organisme, déséquilibre qui peut être provoqué par de multiples facteurs.

Qu'elle soit normale ou excessive, la tension artérielle, c'est-à-dire la pression exercée par le sang contre les parois des artères, est déterminée par plusieurs facteurs. L'un d'eux est le rythme cardiaque. D'une manière générale, plus le cœur bat rapidement, plus la tension artérielle est élevée. Le deuxième est le volume total du sang, qui augmente lorsque le corps fait de la rétention de fluides. La pression s'élève lorsqu'il y a davantage de sang à pomper. Enfin, la tension artérielle reflète le diamètre des artères, et plus les artères sont étroites, plus la tension s'élève.

Les modifications au jour le jour de ces différents éléments peuvent entraîner une élévation passagère (et inoffensive) de la tension artérielle. Pendant une activité physique, par exemple, le cœur pompe le sang plus rapidement, ce qui entraîne une élévation de la tension. La tension augmente également en cas de stress, car l'organisme libère alors des hormones qui contractent les parois des artères.

Normalement, l'organisme s'efforce toujours de maintenir la tension artérielle dans des limites raisonnables. Un grand nombre de systèmes physiologiques participent à cette tâche. Les reins influencent cette tension, essentiellement en régulant l'équilibre des fluides dans le corps. Les prostaglandines, des substances semblables à des hormones libérées par les acides gras, semblent la faire baisser en dilatant les artères. Le système nerveux central peut directement commander aux parois des artères de se dilater ou de se contracter. De plus, une hormone récemment découverte et produite par le cœur, appelée « facteur natrurétique atrial » (FNA), favorise le contrôle de la tension artérielle en régulant le volume sanguin.

Malheureusement, aucun de ces systèmes n'est infaillible, et si l'un d'eux connaît une déficience importante, il peut provoquer une hypertension chronique. Dans ce cas, certaines modifications alimentaires peuvent contribuer à ramener la tension à un niveau normal. Par exemple, lorsque les reins sont endommagés et retiennent trop de fluides dans l'organisme, un régime alimentaire à faible teneur en sel peut permettre de rétablir un bon équilibre des fluides.

Toutefois, les mesures d'ordre diététique semblent plus efficaces dans le *traitement* de l'hypertension que dans sa prévention. Un régime sans sel peut aider certains hypertendus à faire baisser leur tension, mais il ne fournit au mieux que des effets marginaux chez les personnes en bonne santé. De même, de fortes quantités de sel ne sont pas susceptibles de provoquer une élévation de la tension artérielle lorsqu'elle est normale. Lorsque les reins sont endommagés, ils ont des difficultés à traiter le sel, mais cela ne veut pas dire qu'une énorme quantité de sel risque de détériorer les reins ou de provoquer l'hypertension.

L'hypertension peut avoir de nombreuses causes, c'est pourquoi les hypertendus peuvent trouver des remèdes dans des régimes alimentaires très divers. L'amaigrissement sera utile à certains, le régime sans sel à d'autres, et les suppléments de calcium peuvent aussi en aider certains. Personne ne sait exactement comment expliquer ces différences entre les individus, mais elles reflètent sans doute les variations entre tous les éléments qui ont pu provoquer l'élévation de la tension artérielle.

Rien ne prouve actuellement que les personnes dont la tension se situe dans les normes doivent modifier leur alimentation par crainte de la voir monter. En revanche, il est vivement conseillé de la faire vérifier à intervalles *réguliers* – chez votre médecin ou chez vous – et d'être à l'affût des symptômes inquiétants. Les personnes dont les parents ont souffert d'hypertension devraient se montrer particulièrement vigilantes, de même que les hommes de couleur (chez qui les risques sont plus importants que chez les hommes de race blanche de poids et d'âge équivalents).

Le seuil de l'hypertension

A quel niveau débute l'hypertension artérielle (HTA)? Jusqu'au début des années 1980, la limite généralement acceptée comme seuil se situait à 14-9. Les personnes dont le chiffre inférieur (la pression diastolique) oscillait entre 9 et 9,4 n'étaient pas alors considérées comme des hypertendues, mais seulement comme légèrement menacées par ce trouble, ce qui ne nécessitait pas systématiquement un traitement.

Par la suite, les instituts de la santé ont redéfini l'hypertension – l'Organisation mondiale de la santé (OMS), par exemple, la définit comme toute pression artérielle supérieure à 16-9 –, et les médecins sont devenus bien plus énergiques dans le diagnostic et le traitement de ce trouble. Aujourd'hui, toutes les personnes dont la pression diastolique est supérieure à 9 sont considérées comme des hypertendues, et celles dont la pression diastolique varie entre 8,5 et 8,9 sont menacées par l'hypertension. Il faut cependant nuancer un peu ces normes, car la tension artérielle varie non seulement lors d'un effort ou d'un stress, mais aussi avec l'âge : à 14-9 un enfant de cinq ans est hypertendu, mais à 17-10 une personne de quatre-vingts ans est à la limite de l'hypertension.

Si l'on suit la définition de l'OMS, 1,6 % des hommes et 1,1 % des femmes de dix-huit à vingt-quatre ans, 18,9 % des hommes et des femmes entre quarante-cinq et cinquante-cinq ans, 30 % des hommes et 50 % des femmes entre soixante-cinq et soixante-quinze ans sont hypertendus. Autrement dit, un Français sur quatre au-dessus de 25 ans (soit environ dix millions) est hypertendu. Mais sur ces dix millions, trois millions seulement sont connus comme tels, et parmi ces trois millions un sur dix seulement est correctement traité et équilibré.

Pour la moitié environ de ces personnes, les médecins prescrivent des modifications d'ordre alimentaire plutôt qu'un traitement médical. Au moment où ils prenaient conscience des risques posés par une hypertension, même légère, les médecins s'apercevaient également que les médicaments utilisés pour combattre ce trouble pouvaient eux-mêmes représenter un danger. Parmi les effets secondaires à envisager, on peut citer la goutte, la fatigue et l'impuissance, ce qui explique que la moitié des personnes à qui on prescrit ces produits ne les utilisent pas régulièrement. Ces médicaments peuvent aussi entraîner une élévation du taux des graisses dans le sang. Plus inquiétants encore sont les résultats d'une étude gouvernementale effectuée aux États-Unis et publiés en 1982 qui indiquaient que certains médicaments hypotenseurs, les diurétiques à base de thiazide, pourraient en fait accroître les risques de crise cardiaque fatale chez les patients souffrant d'arythmie cardiaque.

Par conséquent, les médecins s'efforcent désormais de combattre l'hypertension artérielle sans recourir exagérément aux médicaments. Même pour les patients chez qui elle est très prononcée, des modifications de la vie quotidienne peuvent permettre de baisser les doses de médicaments, ou de les éliminer complètement dès qu'elle s'est stabilisée.

Malheureusement, il n'existe pas encore de test simple permettant de déterminer le régime alimentaire qui conviendra le mieux à chaque individu. Les médecins procèdent donc par élimination, en essayant un régime pendant plusieurs semaines ou plusieurs mois, et en observant ensuite le niveau de la tension artérielle pour voir si elle a baissé.

L'AMAIGRISSEMENT

Un principe alimentaire fait pratiquement l'unanimité : l'amaigrissement, qui peut réduire sensiblement le niveau de tension artérielle des patients obèses, ce qui est le cas de presque 60 % des hypertendus. L'obésité semble entraîner une élévation de la tension à la fois en augmentant le volume sanguin et en obligeant le cœur à pomper plus énergiquement. Cependant, les chercheurs ont découvert récemment que l'hypertension liée à l'obésité pourrait être différente – et moins dangereuse – que celle due à d'autres causes. Les hommes obèses et hypertendus manifestent en effet un taux de maladies cardiaques et d'attaques moins élevé que celui des hommes minces également hypertendus.

Les hypertendus obèses ont un autre avantage, car il semble bien que l'amaigrissement puisse entraîner une baisse de la tension plus fiable que toute autre modification du style de vie. De plus, les obèses n'ont pas besoin de maigrir jusqu'au poids considéré comme « souhaitable » pour bénéficier d'importants résultats positifs. La simple perte de quatre kilos peut réduire la tension systolique de 0,7 cm et la pression diastolique de 0,4 cm environ, ce qui constitue une amélioration significative. Quand on perd dix à quinze kilos, les bienfaits s'en trouvent multipliés, et on peut obtenir une diminution de la tension systolique supérieure à 2 cm et une baisse de 1 à 1,5 cm de la pression diastolique.

Une étude australienne récente montre que l'élimination de sept kilos peut être au moins aussi efficace que les médicaments hypotenseurs. Et tandis que ces médicaments peuvent avoir une influence sur le taux de graisses dans le sang – en amoindrissant la proportion de cholestérol HDL par rapport au cholestérol total –, l'amaigrissement améliore cette proportion.

Pourquoi la tension artérielle baisse-t-elle lorsqu'on perd du poids? L'explication tient en partie aux modifications du métabolisme qui surviennent avec le régime (voir chapitre 10). Dans le cadre du ralentissement général du métabolisme provoqué par les restrictions caloriques, l'organisme produit moins de noradrénaline, une hormone parente de l'adrénaline, produite en cas de stress, qui participe à un certain nombre de fonctions métaboliques et affecte le rythme cardiaque. Une baisse de la noradrénaline signifie que le cœur bat plus lentement et il en résulte généralement une baisse de la tension artérielle.

A une époque, on pensait que les régimes amaigrissants entraînaient une diminution de celle-ci parce que les personnes qui suivaient un régime consommaient moins de sel. Mais tout semble indiquer maintenant que l'amaigrissement et les restrictions de sel ont des effets bien distincts sur l'hypertension. Une étude effectuée à l'université du Mississippi a montré que beaucoup d'hypertendus obèses pouvaient réduire leurs besoins de médicaments en perdant du poids, même s'ils ne modifiaient pas leur consommation de sel. A l'inverse, un grand nombre d'hypertendus de poids normal examinés lors de cette étude parvinrent à stabiliser leur tension en réduisant leur consommation de sel, sans pour autant perdre de poids.

LES RESTRICTIONS DE SEL

Un grand nombre d'organismes officiels affirment depuis un certain temps que nous consommons trop de sel et que c'est peut-être l'une des raisons de la recrudescence de l'hypertension. Cependant, même s'il est indiscutable que nous en consommons plus que nous n'en aurions besoin – le dixième de notre consommation quotidienne serait largement suffisant –, rien ne prouve que les excès soient vraiment néfastes pour la plupart d'entre nous.

Plusieurs sondages effectués récemment ont montré que d'importantes variations dans la consommation de sel n'ont qu'un effet très limité sur la tension artérielle de l'ensemble de la population. Lors d'une étude effectuée dans le Connecticut et portant sur des adultes, ceux dont la consommation de ce condiment se situait dans les 10 % les plus élevés avaient en moyenne la même tension artérielle que ceux qui se situaient dans les 10 % les plus faibles.

Des études similaires menées en Arizona, dans le Massachusetts et dans le Michigan n'ont pas permis de révéler un lien entre la consommation de sel et la tension artérielle pour la majorité de la population. Cependant, lorsqu'on procède à une comparaison entre les populations de différents pays, celles dont la consommation de sodium est très élevée, comme les Japonais, s'avèrent souffrir nettement plus d'hypertension que celles dont la consommation de sel est plus restreinte. Mais il existe tant d'autres différences culturelles, génétiques et alimentaires entre ces populations que ces différences du nombre d'hypertendus pourraient avoir une tout autre explication.

Les seules personnes qui doivent se préoccuper de leur consommation de sel sont celles qui souffrent déjà d'hypertension. Dans ce cas, deux questions se posent : la maladie dont je souffre peut-elle réagir à une restriction de sel? Dans quelle mesure me faut-il en réduire la consommation pour faire baisser ma tension de manière significative?

Les médecins ne s'inquiètent pas pour le sel lui-même, mais surtout pour le sodium qu'il contient. Chaque molécule du sel de table commun est constituée d'un atome de sodium et d'un atome de chlore. En théorie, l'hypertension atteint un niveau chronique lorsque les reins cessent de fonctionner normalement et n'excrètent plus suffisamment de sodium. Quand la concentration de ce dernier dans le sang est trop forte, la pression extrait du fluide des tissus afin de diluer le sang. Par conséquent, le volume sanguin se trouve augmenté, de même que la tension artérielle.

L'alimentation à faible teneur en sodium, qui peut constituer un remède à ce problème physiologique, fut découverte dès les années 1940. C'est alors que Walter Kempner, un médecin de Durham, en Caroline du Nord, mit au point un régime sans sel pour ses patients atteints d'hypertension prononcée. A l'origine, le célèbre « régime riz » de Kempner ne comportait que du riz, des fruits et des jus de fruits. Il y ajouta par la suite du sucre et des tablettes de vitamines.

Le programme du Dr Kempner se révéla efficace pour de nombreux malades, mais il ne prouva pas pour autant l'utilité de la restriction de sel. Tout d'abord, les personnes qui suivaient ce régime perdaient également du poids – à tel point que le « régime riz » devint plus renommé pour ses vertus amaigrissantes que pour sa capacité à combattre l'hypertension. Le régime Kempner parvenait néanmoins à réduire la consommation de sodium à un niveau remarquablement bas, puisqu'il la ramenait à environ 150 milligrammes par jour.

Une seule cuillerée à café de sel comporte environ 2 000 milligrammes de sodium, et notre consommation moyenne contient en moyenne 5 000 milligrammes de sodium quotidiens. Beaucoup de médecins conseillent désormais à leurs patients de réduire cette consommation à 2 000 milligrammes par jour simplement, soit plus de dix fois la quantité présente dans le régime Kempner.

Le niveau très faible de sodium du régime Kempner peut faire baisser la tension artérielle de certains malades, mais il est pratiquement impossible de conserver une consommation de sel si faible en dehors d'un environnement spécialisé pour ce traitement. Or, rien ne prouve qu'une restriction de sel plus modérée puisse faire baisser la tension artérielle.

Un certain nombre d'études récentes ont tenté de démontrer l'efficacité des privations plus modestes. Sur treize études différentes publiées entre 1973 et 1985, trois seulement ont permis de constater que des patients qui passaient d'une consommation moyenne de sodium de 3 600 milligrammes par jour à 1 800 milligrammes environ manifestaient une baisse significative de la tension artérielle, et il n'existait pas de corrélation entre la baisse de pression et l'importance des restrictions de sodium.

Ces recherches sont cependant compliquées par le fait qu'un grand nombre d'hypertendus ne réagissent pas à une alimentation sans sel, même si les privations sont complètes. Plusieurs groupes de chercheurs – à l'université d'Alabama, dans un hôpital de San Antonio, au Texas, et ailleurs – ont expérimenté une alimentation à très faible teneur en sodium sur des patients hypertendus dans un environnement hospitalier. Ils ont constaté qu'une consommation ramenée à 250 milligrammes par jour pouvait en effet rétablir une tension artérielle à son niveau normal en quelques jours (avant que les malades ne commencent à maigrir). Cependant, même ces restrictions extrêmes ne s'avèrent efficaces que chez environ la moitié des hypertendus testés; les autres n'en sont pas affectés.

Beaucoup de spécialistes de l'hypertension s'efforcent aujourd'hui de trouver des moyens de déterminer à l'avance qui réagira à un régime sans sel et qui n'y réagira pas. En théorie, les hypertendus les plus sensibles au sodium devraient être ceux dont la maladie est provoquée par un mauvais fonctionnement des reins. Or, certains chercheurs pensent maintenant que la sensibilité au sel est liée à un taux élevé de rénine dans le sang; la rénine étant une enzyme produite par les reins.

Normalement, les reins ne libèrent de la rénine que lorsque la tension artérielle est trop faible. Lorsqu'elle arrive dans le sang, cette enzyme produit une hormone qui contracte les parois des artères, accélère le rythme cardiaque, et déclenche elle-même la sécrétion d'une autre hormone, l'aldostérone, qui entraîne une rétention de sel plus importante par les reins, accroissant ainsi le volume sanguin. Dès que tous ces changements ont permis de ramener la tension à un niveau normal, les reins réagissent en faisant cesser la production de rénine. Toutefois, en cas de mauvais fonctionnement des reins, la production de rénine peut se poursuivre même quand elle n'est plus nécessaire. Résultat : l'hypertension chronique.

Certains hypertendus ont un taux de rénine plus élevé que d'autres, et le spécialiste de l'hypertension qu'est John Laragh, de l'hôpital de New York, préconise des tests de rénine dans le sang afin de prévoir la sensibilité des patients au sel. D'autres chercheurs soulignent cependant que ces tests sont onéreux et peu fiables s'ils sont effectués en dehors d'un hôpital. Par conséquent, la meilleure démarche pour les malades semble actuellement résider dans un régime à faible teneur en sodium, tenté sous surveillance médicale, suivi après quelques semaines ou quelques mois d'une vérification de la tension artérielle permettant de constater l'éventuelle amélioration.

Même si une restriction modérée de la consommation de sel ne fait pas baisser la tension artérielle, elle facilite le respect des traitements médicaux prescrits aux hypertendus. Les personnes qui suivent un régime sans sel, de même que celles qui perdent du poids, ont en effet généralement besoin de doses moindres de médicaments hypotenseurs.

Quant aux hypertendus qui souhaitent faire baisser leur tension sans utiliser de médicaments – avec l'accord de leur médecin –, une réduction de la consommation de sodium à 1 000 milligrammes par jour semble plus efficace que les privations plus modérées qui sont généralement prescrites. Toutefois, un véritable régime à faible teneur en sodium nécessite plus qu'une petite prudence envers la salière. En effet, un tiers tout au plus du sel que nous consommons est ajouté lors de la cuisson des aliments ou à table. Un autre tiers est présent à l'état naturel dans les aliments, et le reste est ajouté lors du traitement des différents produits.

Les aliments en conserve et ceux qui ont subi une préparation quelconque sont des sources importantes de sodium, et il est facile de savoir exactement combien ils en contiennent. La teneur en sodium est en effet souvent indiquée sur les emballages. En France, les produits « à teneur réduite en sodium » sont vendus dans les rayons « produits diététiques », et ils doivent présenter une teneur inférieure au moins de moitié à celle des aliments courants de même nature et n'excédant en aucun cas 120 milligrammes de sodium pour 100 grammes de produit prêt à l'emploi.

Certains ouvrages de cuisine comportent maintenant des conseils concernant la préparation des aliments sans recours au sel et offrent des recettes délicieuses à faible teneur en sodium. Le jus de citron remplace parfaitement le sel. Les épices sans sodium – gingembre, poivre, piment, herbes fraîches, curry et poudre de moutarde – peuvent également être utiles. Il en va de même pour l'ail, les oignons, le vinaigre et les assaisonnements diététiques (qui en contiennent parfois mais en faible quantité).

Les recherches prouvent amplement que l'on peut s'accoutumer à la saveur des aliments sans sel. Les personnes qui suivent un tel régime n'éprouvent plus le besoin d'en ajouter à leurs plats, même s'il leur faut environ deux mois pour modifier leurs habitudes. Poussée à l'extrême, cette restriction devient toutefois difficile à respecter, et elle n'est utile que pour quelques hypertendus.

LE CALCIUM ET LES AUTRES NUTRIMENTS

Les résultats intéressants apportés par des études récentes ont mené à de nouvelles démarches dans le traitement diététique de l'hypertension. Les chercheurs essaient maintenant de savoir si l'addition de certains nutriments pourrait permettre, plus que les réductions de calories ou de sodium, de faire baisser la tension artérielle. Les suppléments de calcium constituent la voie qui paraît la plus prometteuse.

Cet intérêt pour le calcium a débuté en 1984, lorsqu'une équipe de chercheurs de l'université des sciences de la santé de l'Oregon publia une analyse concernant un sondage effectué par le gouvernement américain au sujet de la consommation alimentaire. Ils examinèrent des chiffres portant sur plus de 10 000 personnes pour observer l'influence de la consommation de plus de dix-sept nutriments sur la tension artérielle et ne trouvèrent pas de preuve indiquant que l'excès de sodium pourrait y conduire. En fait, les personnes dont la tension était élevée avaient généralement une consommation de sel plutôt inférieure à la moyenne. Les chercheurs constatèrent néamoins qu'une « consommation relativement faible de calcium semblait être le point commun à la plupart des individus hypertendus ». En moyenne, les personnes dont la tension artérielle était élevée consommaient moins de calcium que ne le préconisent les normes.

Cette étude fit l'objet de critiques sur le plan statistique, mais d'autres sondages de la population ont montré la même tendance. Ainsi, des recherches effectués à l'Institut américain de la santé ont prouvé que la consommation de lait était liée à un risque d'hypertension artérielle chez les hommes portoricains. Ceux qui ne boivent pas de lait souffrent deux fois plus d'hypertension que ceux qui en consomment plus d'un litre par jour.

Si une carence en calcium peut entraîner une élévation de la tension artérielle, les suppléments de calcium pourraient bien la faire baisser. Les chercheurs de l'Oregon, sous la direction de David McCarron, administrèrent un gramme de calcium par jour à des personnes atteintes d'hypertension légère. Après huit semaines, leur pression systolique avait chuté d'environ 0,4 centimètre et la pression diastolique avait baissé en moyenne de 0,2 centimètre. Des résultats semblables ont été signalés par d'autres chercheurs.

Même si l'amélioration moyenne fut légère, des progrès significatifs furent enregistrés chez certains individus. Comme dans le cas du sodium, il semble exister des différences de réactions aux suppléments de calcium. Certains hypertendus ne manifestent pratiquement pas d'amélioration, alors que d'autres enregistrent des progrès considérables. Ainsi, dans l'étude effectuée en Oregon, vingt-deux des quarante-huit sujets (soit 44 %) manifestèrent une baisse de 1 centimètre ou davantage de la pression systolique.

Outre le calcium, l'étude a permis de constater que les hypertendus ont souvent tendance à manquer de potassium. Plusieurs chercheurs ont démontré depuis que les suppléments de potassium pouvaient également entraîner des baisses modérées de la tension artérielle chez certains malades.

Le rôle possible des autres nutriments sur la tension fait actuellement l'objet d'autres recherches. Il semble de plus en plus probable qu'une alimentation riche en acides gras poly-insaturés puisse réduire les risques d'hypertension et d'athérosclérose. Les expériences animales montrent par ailleurs qu'une carence en magnésium peut provoquer une élévation de la tension artérielle, bien qu'on ne s'explique pas encore les raisons de ce phénomène et qu'on ignore s'il existe chez les humains.

AUTRES CHANGEMENTS DANS LE MODE DE VIE

Les recherches concernant l'hypertension se sont essentiellement portées sur l'amaigrissement et l'alimentation, mais on étudie également d'autres aspects de la vie quotidienne.

L'exercice peut jouer un rôle très positif, ce qui n'est pas étonnant, et en partie parce qu'il contribue à l'amaigrissement. Une étude menée sur dix ans et portant sur plusieurs centaines d'hommes de la région de Chicago qui pratiquaient l'exercice trois fois par semaine a montré que le poids et la tension artérielle chutaient lorsqu'ils se livraient à une importante activité physique.

D'autres recherches indiquent que la pratique d'un sport aérobique peut agir sur la tension, indépendamment de son effet sur le poids. Lors d'une étude effectuée récemment en Australie et portant sur treize sujets atteints d'hypertension légère, on a constaté que la pratique d'un sport aérobique quarante-cinq minutes par jour réduisait en moyenne la pression systolique de 1,6 centimètre et la pression diastolique de 1,1 centimètre, bien que le poids de ces patients n'ait pas varié. Les auteurs soulignaient que ces progrès sont plus spectaculaires que ceux que l'on peut obtenir par des modifications de l'alimentation; seul l'amaigrissement donne des résultats comparables. Les Australiens ont démontré que la pratique de l'exercice trois fois par semaine entraînait une baisse de 1,1 centimètre de la pression systolique et de 0,9 centimètre de la diastolique.

Les programmes d'exercice destinés aux hypertendus doivent naturellement s'effectuer sous surveillance médicale pour minimiser les risques d'attaque. Les sports de force et même les activités aérobiques intenses (rameur hydraulique par exemple) peuvent en effet élever brièvement, mais de façon très violente, la tension artérielle, ce qui les rend dangereux pour les hypertendus.

Il est évident que le stress psychologique contribue également à l'hypertension. Il semblerait qu'il puisse affecter le fonctionnement des reins, provoquant une rétention de sel et de fluides. Différentes démarches psychologiques peuvent être utiles, qu'il s'agisse de relaxation ou de yoga. Cependant, il est pratiquement impossible d'évaluer précisément l'efficacité de tels traitements.

Les plaisirs toxiques peuvent aussi affecter la tension artérielle. La caféine peut vous rendre nerveux si vous n'y êtes pas habitué, mais les personnes qui en boivent régulièrement développent une tolérance à cette substance, et leur tension ne semble pas en être affectée. L'hypertension peut être liée à une forte consommation d'alcool (plus de trois verres par jour) mais pas à l'utilisation modérée des boissons alcoolisées.

Les chercheurs se demandent si le tabagisme ne pourrait pas mener à l'hypertension, mais il n'existe pas encore de preuves dans ce domaine. Toutefois, le fait de fumer entraîne bien une augmentation des risques d'attaques cérébrales et d'infarctus, quel que soit son effet sur la tension artérielle.

EN RÉSUMÉ : LES PRINCIPES ESSENTIELS
DE LA PRÉVENTION ET DU TRAITEMENT

En ce qui concerne la prévention, le contrôle du poids reste la meilleure solution. Il existe en effet un lien très étroit entre l'obésité et l'hypertension, c'est pourquoi le fait de veiller à ce que votre poids reste inférieur au seuil de risque pour votre taille (voir : Votre poids est-il excessif ou insuffisant, p. 28) en amoindrira les risques.

Une utilisation modérée de l'alcool permettra également de limiter le danger, car les cas d'hypertension sont nettement plus nombreux chez les personnes qui boivent plus de trois verres d'alcool par jour. Cependant, les autres solutions alimentaires, y compris les restrictions de sodium, ne réduiront sans doute pas les risques d'une manière significative. Toutefois, la diminution du stress peut agir de façon favorable, car les hormones qui y réagissent, comme l'adrénaline, ont tendance à contracter les vaisseaux sanguins et par conséquent à provoquer une élévation de la tension artérielle.

Le traitement de l'hypertension varie selon l'origine du problème, et les interventions alimentaires qui peuvent soulager certains hypertendus ne peuvent pas être efficaces pour tous. Voici quelques méthodes spécifiques :

- L'amaigrissement, qui est une méthode plus fiable que toutes les autres pour faire baisser la tension artérielle, peut permettre d'obtenir une diminution considérable de cette tension pour une perte de quelques kilos.
- Les restrictions de sodium, si elles sont appropriées, peuvent également la réduire, mais les privations nécessaires pour obtenir des résultats sont sans doute trop sévères pour être appliquées à l'extérieur d'un hôpital ou d'un établissement spécialisé.
- Les suppléments de calcium ou de potassium se sont avérés efficaces pour certains hypertendus, et les effets que pourraient avoir les autres nutriments font actuellement l'objet de recherches plus poussées.
- L'exercice peut entraîner une baisse de la tension artérielle, à la fois en facilitant l'amaigrissement et en améliorant le fonctionnement du système cardio-vasculaire. Des études australiennes ont prouvé que la pratique de l'exercice aérobique pouvait la faire baisser, même si elle ne fait pas perdre de poids.

Chapitre 19

L'ALIMENTATION PEUT-ELLE PRÉVENIR LE CANCER?

On connaît depuis presque quarante ans les effets de l'alimentation sur les maladies cardiaques et l'hypertension, mais les années 80 sont orientées vers la prévention du cancer par l'alimentation. On ne parle que depuis très peu de temps de l'existence de nutriments anticancéreux, qui vont du calcium et des fibres au sélénium et au bêta-carotène. Dans le même temps, de nouvelles études nous indiquent que les excès de calories ou de graisse peuvent accroître les risques de cancer.

Ces découvertes ont conduit des millions de personnes à reconsidérer leur régime. Pourtant, même si la science nous indique qu'il existe un lien étroit entre l'alimentation et le cancer, la nature exacte de cette relation demeure mystérieuse.

Les expériences animales ont montré que plusieurs substances chimiques, dont certaines que l'on trouve dans la nourriture, peuvent transformer des cellules saines en cellules cancéreuses. Certains nutriments semblent accélérer la croissance de la tumeur lorsque les cellules sont devenues malignes. D'autres semblent en revanche freiner le développement du cancer et contribuer au maintien en bonne santé des animaux sur lesquels portent les expériences.

Toutefois, les animaux de laboratoire ne sont pas des êtres humains, et le phénomène du cancer chez l'homme est extrêmement difficile à étudier. Pour examiner les maladies cardiaques, les chercheurs peuvent administrer à des volontaires une alimentation particulière, surveiller l'évolution de leur tension artérielle ou de leur taux de cholestérol, et apprendre ainsi assez rapidement si la modification de leur alimentation a influencé les risques de crise cardiaque. Mais il est impossible de prévoir les risques de cancer au moyen d'une simple analyse de sang. On ne peut pas dire qui sera atteint de cette maladie tant qu'elle ne s'est pas déclarée. De plus, le cancer peut se développer très lentement. Il faut parfois attendre vingt ou même trente ans pour qu'il devienne décelable. Pour obtenir des informations précises, les chercheurs doivent par conséquent observer leurs patients pendant au moins dix ans afin de savoir quels éléments diététiques peuvent accélérer ou ralentir l'évolution de la maladie.

Pour compliquer encore ce problème, le cancer n'est pas une seule maladie. Le cancer du sein, celui des poumons, celui du côlon sont tous différents – par leur biochimie, les victimes qu'ils atteignent, et leur sensibilité aux traitements. Leur seul point commun est une croissance incontrôlée des cellules qui finissent par détruire les tissus sains. Cependant, leurs causes sont très différentes et ils semblent réagir de manières dissemblables aux traitements diététiques.

Toutes ces raisons expliquent que nos connaissances des rapports entre la nutrition et le cancer soient encore très limitées. Dans quelle mesure les modifications alimentaires peuvent-elles permettre de prévenir le cancer? La meilleure estimation, fondée sur une analyse d'autres causes connues de cette maladie, indique qu'un tiers environ des décès dont elle est responsable pourraient être prévenus par des modifications de l'alimentation. C'est un chiffre légèrement supérieur à celui que les médecins attribuent au tabagisme.

Pour les types de cancer les plus répandus – des poumons, du côlon, du sein –, les chercheurs commencent à identifier les facteurs alimentaires susceptibles d'accroître ou de réduire les risques. Ces connaissances sont essentiellement dues aux recherches fondamentales concernant la manière dont divers éléments de l'environnement, y compris les composants alimentaires, peuvent transformer des cellules saines en cellules cancéreuses.

COMMENT LES CELLULES SAINES SE DÉTÉRIORENT

La croissance incontrôlée des cellules cancéreuses commence par une mutation génétique : une transformation dans l'ADN d'une cellule, c'est-à-dire dans l'acide nucléique porteur du programme génétique de l'organisme. Selon une théorie actuelle, chacune de nos cellules contient un certain nombre de gènes qui restent normalement inactifs. Cependant, s'ils sont activés, ces gènes peuvent provoquer une multiplication sauvage des cellules. Dans certaines formes de cancer, des infections virales modifient l'ADN et déclenchent une croissance cancéreuse. Les radiations peuvent endommager l'ADN, et c'est pourquoi les rayonnements ultraviolets comme ceux du soleil peuvent causer le cancer de la peau. Des agents chimiques peuvent aussi perturber les gènes des cellules. Le dénominateur commun se trouve dans l'ADN, car c'est là que débutent tous les cancers.

Les substances chimiques qui les provoquent (appelées substances carcinogènes) sont connues depuis le siècle dernier. Il s'agit aussi bien de la suie, qui provoquait à cette époque le cancer des ramoneurs, que de l'amiante, dont on a découvert les pouvoirs carcinogènes au xxᵉ siècle. Plusieurs médicaments ont également été mis en accusation. Les produits mêmes que l'on utilise pour combattre cette maladie sont si toxiques qu'ils peuvent entraîner des cancers secondaires des années plus tard. Toutefois, l'agent le plus dangereux, en termes du nombre de décès dont il est responsable, est sans aucun doute le tabac.

Certaines substances alimentaires se sont également révélées cancérigènes. L'aflatoxine, un champignon qui se développe sur les cacahuètes contaminées, est très toxique et directement liée aux tumeurs du foie fréquentes dans les régions d'Afrique où les cacahuètes font partie de l'alimentation quotidienne. (Celles qui sont commercialisées dans les pays occidentaux font l'objet d'une surveillance très stricte permettant de s'assurer qu'elles ne recèlent pas d'aflatoxine.) Des chercheurs ont récemment découvert qu'un plat fréquemment consommé dans le sud de la Chine, à base de poisson salé et en partie pourri, était lié à un type de cancer du nez fréquent dans cette région.

Cependant, des relations si directes entre des aliments spécifiques et des types de cancer particuliers chez les humains demeurent assez rares. La plupart des liens entre l'alimentation et le cancer sont bien plus subtils et complexes. Tout d'abord, le processus de mutation – la désorganisation de l'ADN qui déclenche le développement du cancer – n'est que le début d'une chaîne d'événements qui se terminent par la maladie. Certains éléments diététiques ne provoquent pas une véritable mutation des cellules, mais semblent donner à celles qui ont *déjà* muté un plus grand risque de se transformer en tumeurs.

Selon une théorie, il y aurait deux types de substances carcinogènes : les initiateurs et les promoteurs. Les initiateurs provoquent la mutation initiale, et les promoteurs agissent sur la cellule mutée pour la faire grossir. Le tabac est particulièrement carcinogène parce qu'il contient à la fois des initiateurs et des promoteurs. Sur un steak trop cuit, les composés toxiques formés sur les parties carbonisées semblent être des initiateurs, alors que la graisse que contient la viande pourrait être un promoteur.

Un autre élément est à considérer dans l'évaluation des effets de différents aliments sur les risques de cancer : il s'agit de l'hérédité individuelle. Certains cancers, comme la tumeur de l'œil appelé rétinoblastome bilatéral, sont totalement héréditaires. On hérite bien plus fréquemment d'une simple *tendance* à développer certains types de cancer c'est-à-dire d'une prédisposition qui ne peut se manifester que dans des conditions particulières d'environnement et d'alimentation.

L'influence de l'hérédité est moins importante dans le cas du cancer que dans celui des maladies cardiaques ou du diabète, mais ses formes les plus fréquentes pourraient être liées à une certaine sensibilité héréditaire. L'existence d'une tumeur du sein chez une mère ou une sœur accroît sensiblement les risques chez une femme. Une forme de cancer du côlon se développe à partir de polypes précancéreux, qui sont souvent transmis par l'hérédité. D'autre part, des travaux récents indiquent que le fait d'avoir un parent proche atteint de cancer du poumon peut signifier que votre risque de souffrir de la même maladie est trois ou quatre fois supérieur aux normes. Dans chacun de ces cas, si un proche parent développe un cancer à un âge très prématuré, les risques héréditaires semblent particulièrement évidents.

QUELLES SONT LES CAUSES DU CANCER?

Le développement du cancer est un processus complexe et évolutif, c'est pourquoi il est difficile de dire si un nutriment donné peut multiplier les risques. Toutefois, plusieurs types de recherches permettent aujourd'hui aux spécialistes d'évaluer les effets des différents aliments.

Les substances chimiques

Il existe tout d'abord un test qui permet de déterminer si une substance chimique (présente dans un aliment ou ailleurs) peut ou non entraîner des mutations de l'ADN. Les substances qui provoquent ces transformations sont appelées mutagènes, et même si elles ne causent pas directement le cancer chez les animaux ou les humains, les preuves s'accumulent contre ces produits, qui pourraient déclencher la maladie.

Le test le plus simple, le moins onéreux, le plus sensible et le

268

plus précis en ce qui concerne la mutagenèse utilise des bactéries. Cette procédure fut mise au point dans les années 1960 par Bruce Ames, qui est aujourd'hui président du département de biochimie à l'université de Berkeley, en Californie. Le test Ames mesure la manière dont différentes substances chimiques affectent la croissance bactérienne en provoquant une mutation de l'ADN de ces bactéries.

Ce test a été employé sur des milliers de substances chimiques synthétiques afin de déterminer rapidement si elles risquaient d'avoir un pouvoir carcinogène. Il a été utilisé par Ames et par d'autres pour mesurer le taux de mutagènes dans différents aliments. Les résultats indiquent que les champignons, les salsifis, le poivre gris, les toasts grillés, les parties calcinées d'un steak et le beurre de cacahuète, entre autres aliments, contiennent d'importantes réserves de substances mutagènes naturelles. Le céleri contient des dérivés de psoralène, des substances qui deviennent de puissants mutagènes sous l'action de la lumière, et lorsqu'il est abîmé il en contient cent fois plus.

Les plantes produisent ces substances pour se protéger contre les insectes. Ces toxiques sont donc des insecticides naturels, et les plantes qui sont capables de les synthétiser possèdent un avantage sur nous sur le plan de l'évolution.

Beaucoup de spécialistes du cancer, y compris Ames, pensent aujourd'hui que l'impact global de ces mutagènes naturels est bien plus important que celui qui est dû aux additifs ou aux conservateurs que nous pouvons consommer dans les aliments traités. Prenons l'exemple des nitrites, ces conservateurs qui ont rendu des milliers de personnes méfiantes à l'égard des saucisses et de la charcuterie en général. Les nitrites sont transformés dans l'estomac en composés appelés nitrosamines, qui sont mutagènes et cancérigènes. Mais la plupart des nitrites présents dans notre organisme ne viennent pas d'aliments traités, mais de l'action de notre propre salive. Les bactéries présentes dans la bouche extraient le nitrite des nitrates, ces substances que l'on trouve dans un grand nombre de légumes, comme les betteraves, la salade verte, les épinards et les radis. En comparaison, la quantité de nitrite que l'on obtient par les produits traités est minime.

Beaucoup de substances chimiques communes provoquent une mutation des bactéries dans le test de Ames, mais cela ne signifie en aucun cas que « tout provoque le cancer ». Le test indique simplement que ces substances sont des mutagènes lorsqu'elles sont extraites des aliments, concentrées et placées dans une culture de bactéries. Les mêmes substances peuvent avoir sur les animaux ou les êtres humains des effets très différents de ceux qu'elles ont sur les bactéries de salmonelle.

Le mode de vie

Les études effectuées sur d'importants groupes de population ont permis d'établir des liens précis entre le mode de vie et le cancer. Ces travaux ont également permis de démontrer dans quelle mesure des facteurs alimentaires peuvent affecter les risques de cancer. Toutefois, les résultats de ces travaux sont souvent difficiles à interpréter.

Un mystère entoure les raisons pour lesquelles les habitants des pays riches développent généralement des types de cancer différents de ceux qui frappent les peuples des pays sous-développés. Les cancers du poumon, de la prostate, du sein, du côlon et de l'endomètre (le tissu qui tapisse les parois internes de l'utérus) semblent être les maladies des riches. En revanche, il existe les cancers des pauvres : celui du foie, du col de l'utérus, de l'œsophage et de l'estomac. On a émis toutes sortes d'hypothèses pour expliquer ce phénomène. Ainsi, les cancers des riches pourraient être liés à la graisse que contient l'alimentation, alors que celui de l'estomac pourrait provenir d'une absence de réfrigération des aliments dans les pays pauvres. Mais aucune de ces possibilités n'a été prouvée. De même, on ignore pourquoi, aux États-Unis, le cancer du côlon est beaucoup moins répandu dans les régions du sud-est du pays que partout ailleurs, et très fréquent dans le Nord-Est et le Centre, la plus forte incidence de cette maladie se situant dans l'État du Connecticut.

LES RADICAUX LIBRES, LES ANTIOXYDANTS ET LE CANCER

Parmi les mutagènes les plus puissants et les plus nombreux, on trouve les radicaux libres, ces composés très réactifs et « pyromanes » qui peuvent endommager les cellules dans tout l'organisme. Ils oxydent tout ce qu'ils touchent, et l'une de leurs actions les plus destructrices s'exerce sur l'ADN, en produisant des mutations qui peuvent entraîner l'apparition du cancer.

Les radicaux libres sont formés par un grand nombre des réactions chimiques du métabolisme, en particulier celles qui concernent les oligo-éléments. Le rôle du fer et du cuivre dans la production de radicaux libres est visible chez les victimes de cer-

270

tains troubles héréditaires qui provoquent une accumulation de ces minéraux dans le foie et dans la rate. Le fer et le cuivre déclenchent des réactions en chaîne des radicaux libres dans ces organes, de sorte que les victimes de ces troubles manifestent des risques plus élevés de contracter le cancer du foie ou celui de la rate.

Les acides gras poly-insaturés constituent une importante source alimentaire de radicaux libres. Ils réagissent assez rapidement à l'oxygène; c'est pourquoi ces graisses deviennent rances. Mais seuls les acides gras non saturés peuvent réagir directement à l'oxygène pour former des radicaux libres; les graisses saturées ne le font pas, et les acides poly-insaturés sont plus susceptibles de réagir ainsi que les acides mono-insaturés. C'est pourquoi les acides gras poly-insaturés semblent augmenter les risques de cancer, du moins chez les animaux de laboratoire.

L'organisme n'est pas impuissant face à l'action des radicaux libres. Il produit plusieurs enzymes antioxydantes qui peuvent prendre les radicaux libres au piège et les empêcher d'endommager les tissus. De plus, plusieurs nutriments sont des antioxydants naturels. C'est également le cas de certains conservateurs synthétiques ajoutés aux aliments pour prolonger leur durée d'utilisation. Un taux élevé de ces substances dans l'alimentation peut favoriser la prévention du cancer.

Un oligo-élément, le sélénium, a attiré une attention considérable en tant qu'antioxydant ces dernières années. En Nouvelle-Zélande, où le taux de sélénium dans le sol est extrêmement faible, on constate en effet un nombre important de cancers du sein et du côlon. Par ailleurs, des études ont montré que ce minéral pouvait ralentir la croissance de tumeurs du sein chez des animaux de laboratoire. Cependant, il existe peu de preuves permettant de justifier le recours à des suppléments de sélénium, même au niveau expérimental. La plupart d'entre nous en obtiennent des quantités satisfaisantes par les fruits de mer, le germe de blé et les céréales complètes, et son seuil toxique est si bas (comparé à son seuil d'efficacité) que les suppléments pourraient présenter des dangers réels.

La vitamine C est un antioxydant bien plus sûr. Non seulement elle entrave l'action des radicaux libres, mais elle peut également prévenir la transformation des nitrites en nitrosamines carcinogènes.

Cependant, la plupart des recherches concernant les antioxydants naturels et le cancer portent sur les vitamines A et E et sur un certain nombre de substances voisines. Ces antioxydants naturels sont produits par les plantes, y compris un grand nombre des fruits et légumes que nous consommons et qui recèlent tout un assortiment d'antioxydants différents. Cette complexité chimique pose un problème aux spécialistes. Les travaux indiquent en effet qu'une alimentation riche en certains fruits et légumes peut amoindrir les risques de certains types de cancer. Mais on ne sait pas encore exactement si ce sont les antioxydants que contiennent ces aliments qui assurent leur pouvoir anticancéreux. Si ce sont les antioxydants, les chercheurs doivent découvrir quels sont les plus puissants d'entre eux.

Beaucoup de travaux ont été consacrés aux caroténoïdes, – des pigments biologiquement actifs et liés à la vitamine A sur le plan chimique – qui colorent les légumes orange, jaunes et verts. Le potiron, en particulier, pourrait contenir jusqu'à cinq cents caroténoïdes naturels. Une cinquantaine de ces substances sont converties en vitamine A dans l'organisme. Les autres, bien que similaires sur le plan chimique à cette vitamine, ne sont pas transformées.

Les chercheurs ignorent encore quels caroténoïdes sont les plus efficaces dans la protection contre le cancer. Un grand nombre des composés qui *ne sont pas* transformés en vitamine A constituent des antioxydants plus puissants que ceux qui sont convertis, et pourraient donc fournir plus de bienfaits dans la protection contre la maladie.

Cependant, la majorité des travaux consacrés aux caroténoïdes portent sur le bêta-carotène, importante source de vitamine A. Des études japonaises effectuées à la fin des années 1970 ont montré que les gros fumeurs risquaient moins de développer le cancer du poumon si leur alimentation était riche en produits contenant du bêta-carotène. Bien que ces aliments contiennent également d'autres caroténoïdes, le bêta-carotène était le composé le plus connu des scientifiques, et ils concentrèrent toutes leurs recherches sur cette substance particulière.

Dans les études entreprises actuellement, les chercheurs sont à l'affût d'un lien entre un taux moindre de cancer et le niveau de bêta-carotène dans le sang, de même que celui de vitamines A et E et de sélénium. Lors d'une enquête publiée récemment et effectuée à l'université Johns Hopkins, plus de 25 000 habitants du Maryland avaient fait analyser leur sang en 1974 et furent ensuite surveillés pendant dix ans afin de voir précisément qui développait le cancer du poumon. Les sujets dont le taux sanguin de bêta-carotène était le plus faible révélèrent quatre fois plus de risques à l'égard de ce type de maladie que les autres. Ceux dont le taux de vitamine E était faible manifestaient deux fois et demie plus de cancers du poumon que la norme.

Le bêta-carotène est très souvent administré comme supplément expérimental car contrairement à la vitamine A, il n'est pas toxique, même à fortes doses. Une étude est actuellement effectuée à l'école de médecine de l'université d'Harvard et 22 000 médecins prennent soit des placébos, soit du bêta-carotène (à raison de 50 milligrammes tous les deux jours), et continueront à prendre ces suppléments pendant des années, afin de savoir si ceux qui prennent du bêta-carotène sont moins exposés que les autres au cancer. D'autres testent les effets de divers antioxydants, y compris le bêta-carotène, sur des groupes de personnes particulièrement vulnérables au cancer du poumon, comme les gros fumeurs et ceux qui travaillent au contact de l'amiante.

Il semblerait que les aliments riches en caroténoïdes soient efficaces dans la prévention du cancer. La courge est particulièrement riche en caroténoïdes; 100 grammes de potiron cuit contiennent l'équivalent de 140 % de la consommation quotidienne conseillée de vitamine A. Les carottes, le melon, les abricots, les nectarines, les papayes et les patates douces, sont également colorés par ces pigments. Les caroténoïdes sont aussi présents dans les pêches, les mangues, les tomates, le persil, les poivrons rouges, les oignons, la salade romaine, les brocolis et les épinards.

Ces pigments atteignent de fortes concentrations dans la plupart des légumes crucifères (ainsi nommés en raison de leurs fleurs à quatre pétales qui forment une croix). Les crucifères, qui comprennent les brocolis, les choux de Bruxelles, le chou, le chou-fleur, les poireaux, le chou rouge, etc, ainsi que le poivron rouge, contiennent davantage de vitamine C par calorie que tout autre aliment, excepté les agrumes.

LES FIBRES

Malgré leurs différences, les légumes possèdent un autre facteur nutritionnel commun : leur forte teneur en fibres. Or, depuis une vingtaine d'années, les chercheurs étudient la possibilité pour que les fibres alimentaires réduisent les risques de cancer du côlon.

L'intérêt actuel pour les fibres est né pendant les années 60, lorsque des médecins britanniques en Ouganda remarquèrent que le cancer du côlon était rare dans ce pays. D'autres troubles gastro-intestinaux (comme la diverticulose, les hémorroïdes et la constipation) étaient également moins fréquents en Afrique que dans les pays occidentaux. Il existe plusieurs différences d'alimentation entre les pays d'Afrique et ceux d'Europe – les Européens consommant par exemple davantage de graisses animales –, mais le chirurgien Denis Burkitt se concentra essentiellement sur les fibres pour expliquer la meilleure santé du tube digestif des Africains. Burkitt constata que les ceux-ci consommaient bien plus de fibres que les Occidentaux, et cet aspect de l'alimentation se reflétait dans les selles quotidiennes, trois fois plus abondantes chez les Africains.

Même si cette théorie a conquis l'ensemble de la population (et paraît logique sur le plan physiologique), le lien entre les fibres et la protection contre le cancer n'est pas encore prouvé. Les populations dont l'alimentation est riche en fibres on également tendance à consommer peu de graisses, de sorte qu'il est difficile de dire précisément si leur taux réduit de cancer du côlon est dû à l'importance des fibres, à la quasi-absence de graisses, ou à ces deux phénomènes réunis.

Si les fibres apportent bien une protection contre le cancer du côlon, ce sont les fibres insolubles qui se chargent de cette tâche, et non les solubles qui semblent eux amoindrir les risques de maladie cardiaque (voir : Les différents types de fibres, p. 123). Les légumes verts et l'orge sont des sources communes de fibres insolubles.

Outre la protection que peuvent offrir les fibres, elles présentent également des bienfaits généraux pour la santé. Si vous consommez beaucoup d'aliments en contenant, vous absorberez relativement peu de graisses et de kilocalories. Les aliments riches en fibres permettent de vous rassasier pour une moindre consommation de kilocalories, et ils diminuent même l'absorption des kilocalories en évacuant plus rapidement les aliments dans les intestins.

Ces bienfaits d'une alimentation riche en fibres peuvent être importants pour la prévention du cancer, car il semble bien que la baisse de la consommation de graisses et de kilocalories ait tendance à diminuer les risques de cancer. On en ignore encore les raisons exactes. Cependant, les travaux entrepris actuellement visent généralement à découvrir si c'est l'excès de graisses, l'excès de kilocalories, ou simplement la combinaison des deux qui favorise l'apparition du cancer.

LES GRAISSES ET LES KILOCALORIES

L'étude des maladies ne permet pas vraiment de résoudre ce mystère entre les graisses et les calories. Ainsi, on remarque souvent que les cancers du sein et du côlon surviennent fréquemment dans des groupes de personnes qui consomment beaucoup de graisses. Toutefois, ces populations sont généralement riches, de sorte qu'elles consomment également beaucoup de kilocalories.

Une enquête britannique récente comparait cinquante patients atteints d'un cancer du côlon et cinquante personnes qui ne souffraient pas de cette maladie. L'alimentation des cancéreux contenait 14 % de graisses en plus, mais aussi 16 % de calories en plus. Étaient-ce les graisses ou les kilocalories qui avaient rendu ces patients malades?

En termes pratiques, la réponse à cette question pourrait ne pas faire une grosse différence. Les graisses représentant la source de kilocalories la plus concentrée, le fait d'en réduire la consommation diminue automatiquement le nombre de kilocalories que l'on ingère, et, à l'inverse, tout régime efficace réduisant le nombre de kilocalories doit passer par une diminution de la consommation des graisses. Cependant, le fait de comprendre quel facteur est le plus important pourrait apprendre aux chercheurs de quelle manière le cancer se développe et ainsi améliorer les efforts de prévention.

Le cancer et l'obésité

Que le cancer soit lié à la consommation de graisses, de kilocalories, ou à ces deux éléments, on peut s'attendre à ce qu'il existe un lien entre le cancer et l'obésité. Il existe d'ailleurs des preuves à l'appui de cette hypothèse. La plupart de ces preuves viennent d'une étude effectuée sur une période de douze ans par l'Institut américain du cancer et qui a permis de constater un taux de cancers de l'utérus, de l'estomac, du côlon et du sein plus élevé chez les obèses que chez les personnes de poids normal.

Les risques paraissent plus évidents chez les personnes dont le poids est supérieur d'au moins 40 % à celui que recommandent les normes – autrement dit, chez les personnes très obèses. Il semblerait également que les risques soient plus élevés pour les personnes dont le poids est insuffisant (voir chapitre 10).

Il semble possible que les effets de l'obésité soient différents selon les types de cancer. Ainsi, les risques de cancer du sein ne sont pas plus élevés chez les femmes obèses, tant que leur obésité n'est pas supérieure de 40 % aux normes; en revanche, les risques pour celui de l'utérus s'élèvent dès que l'obésité franchit le seuil des 20 %. Pour les hommes, un simple obésité de 10 % augmente les risques de cancer de la prostate.

Quel que soit le lien qui existe entre le poids et les autres types de cancer, il existe des raisons physiologiques plausibles permettant d'expliquer que l'obésité accroisse les risques de tumeurs du sein et de l'utérus. Les tissus gras sont des organes endocriniens. Ils participent à la production de l'hormone sexuelle appelée œstrogène et constituent la principale source de cette hormone chez les femmes ménopausées. Les femmes obèses ont tendance à avoir des taux d'œstrogènes dans le sang plus élevés que ceux des femmes minces. Or, les œstrogènes, en quantités excessives, semblent avoir des pouvoirs carcinogènes.

LES AUTRES FACTEURS

Plusieurs autres éléments de l'alimentation et du mode de vie peuvent être liés aux risques de cancer. Ainsi, la responsabilité des aliments fumés, macérés, ou qui ont subi un traitement au sel, semble aujourd'hui évidente. Les cancers de l'estomac et de l'œsophage, relativement rares dans les pays occidentaux, sont bien plus fréquents dans les pays où l'on consomme ces produits en fortes quantités, notamment en Chine, au Japon et en Islande. Le Japon possède le taux de cancers de l'estomac le plus élevé au monde : ce type de maladie provoque plus de décès par habitant que les cancers de l'estomac, du sein et du côlon réunis aux États-Unis. Les études effectuées sur les Japonais qui ont émigré aux États-Unis et qui ont modifié leur alimentation indiquent que leurs risques de cancer de l'estomac diminuent considérablement.

Même si les produits macérés ne tiennent pas une place importante dans notre alimentation, la viande grillée, qui figure fréquemment à nos repas, est également dangereuse. Les personnes qui consomment beaucoup de grillades s'inquiètent souvent au sujet des parties noircies de la viande, qui contiennent des substances mutagènes. Mais dans l'ensemble, nous consommons trop peu de viandes fumées ou très grillées pour nous inquiéter sérieusement.

En revanche, les excès d'alcool représentent un danger bien plus réel et sont responsables d'un nombre important de décès par le cancer. Les abus, notamment lorsqu'ils sont associés au tabagisme, sont liés de près aux cancers de la partie supérieure du système gastro-intestinal. Les alcooliques développent fréquemment des cirrhoses, mais ils sont également plus vulnérables que les autres au cancer du foie. En revanche, en ce qui concerne un autre de nos plaisirs toxiques, le café, les amateurs peuvent se tranquilliser. En effet, les rumeurs qui associaient cette boisson au cancer du pancréas n'ont pas été confirmées.

Sur un plan plus positif, il semblerait que le calcium et la vitamine D puissent offrir une véritable protection contre le cancer. Une étude effectuée sur 2 000 hommes d'âge moyen, par le Dr Cedric Garland de l'université de San Diego, a montré que les hommes qui buvaient du lait manifestaient moins de risques de cancer du côlon que ceux qui n'en consommaient pas. Parmi les personnes dont les parents ont souffert de cette maladie, les suppléments de calcium peuvent inverser un processus dangereux de prolifération des cellules dans la paroi du côlon, phénomène qui précède souvent le cancer.

L'exercice physique pourrait également jouer un rôle dans la prévention du cancer. Une étude effectuée en Californie a démontré que les hommes dont la profession nécessitait un travail manuel important étaient nettement moins menacés par le cancer du côlon que les sédentaires. D'autres travaux menés récemment dans les États de New York et de Washington ont donné des résultats similaires. Il apparaît aussi que les femmes qui ont poursuivi la pratique du sport après leurs études présentent des risques moindres de cancer du sein ou de l'utérus, peut-être parce que l'exercice diminue leurs réserves de graisse.

EXISTE-T-IL UNE ALIMENTATION EFFICACE CONTRE LE CANCER?

Au cours des dernières années, différents groupes de chercheurs ont essayé de rassembler toutes ces découvertes. Ils se sont demandé s'il était possible, dans l'état actuel de nos connaissances, de mettre au point un régime alimentaire qui nous donnerait les meilleures chances de prévenir l'apparition du cancer.

L'Académie américaine des sciences a fait un pas dans ce sens en réunissant pour la première fois en 1980 une Commission de l'alimentation, de la nutrition et du cancer. Lorsque cette commission publia son rapport deux ans plus tard, on put lire dans la conclusion : « Il est malheureusement impossible actuellement de se prononcer de manière certaine quant aux liens entre l'alimentation et le cancer. » Cependant, cette commission pensait que des preuves scientifiques permettaient de justifier les recommandations suivantes émises à l'adresse du public :

- Réduction de la consommation totale des graisses à 30 % de la consommation de kilocalories.
- Présence des fruits, des légumes et des céréales complètes dans l'alimentation quotidienne, avec une attention toute particulière pour les légumes crucifères et ceux qui sont riches en caroténoïdes.
- Consommation minimale d'aliments fumés, macérés ou traités par le sel.
- Consommation d'alcool modérée.

Ces conseils des spécialistes du cancer étaient assez similaires à ceux qu'avaient publiés précédemment ceux des maladies cardiaques et du diabète. Ils furent rapidement repris par le ministère américain de la Santé, qui ajouta quelques recommandations supplémentaires, concernant notamment la nécessité d'éviter l'obésité.

L'idée d'une alimentation anticancer devint plus controversée lorsque d'autres groupes de chercheurs émirent leurs propres recommandations. Prenons l'exemple des fibres. La commission de l'Institut américain des sciences n'avait pas trouvé de « preuve concluante » permettant d'affirmer que les fibres alimentaires pouvaient réduire les risques de cancer, et le petit ouvrage publié ensuite par l'Institut américain du cancer reconnaissait que « le rôle exact des fibres dans la prévention du cancer ne faisait pas l'unanimité ».

Cependant, certains instituts officiels se sont montrés nettement plus affirmatifs dans leurs conseils d'utilisation des fibres pour prévenir le cancer. L'un d'eux nous conseille d'en doubler notre consommation actuelle, en passant de 10 grammes (la moyenne quotidienne) à 20 grammes. Il affirme même qu'une consommation de fibres encore plus forte ne pourrait faire que du bien, en précisant que « les populations qui consomment environ 20 à 35 grammes de fibres par jour ont un taux nettement moindre que le nôtre de cancers du côlon et du rectum ».

En fait, beaucoup de spécialistes du cancer restent méfiants lorsqu'il s'agit de préconiser des changements alimentaires importants, même dans le cas de conseils apparemment inoffensifs comme celui qui incite à doubler notre consommation de fibres.

Cela ne signifie en aucun cas que ceux d'entre vous qui décideront de consommer plus de fruits, de légumes verts ou de céréales mettront leur santé en péril. Loin de là. En effet, notre consommation quotidienne de fibres est actuellement si faible que nous sommes très loin des risques des excès.

Néanmoins, la controverse autour des fibres souligne l'importance de la recherche d'un bon équilibre qui est toujours préférable à une obsession pour un aliment particulier.

EN RÉSUMÉ :
LES PRINCIPES FONDAMENTAUX DE LA PRÉVENTION

L'Académie américaine des sciences propose les recommandations suivantes pour réduire les risques de cancer :

- La réduction de la consommation des graisses ne doit pas se limiter aux acides gras saturés (qui élèvent les risques d'athérosclérose), mais doit également concerner les acides gras polyinsaturés, qui constituent une importante source naturelle de radicaux libres.
- Une importante consommation de fruits, de légumes et de céréales complètes permettra de réduire la consommation de graisses et de kilocalories, qui sont associées à une augmentation des risques de cancer.
- Les aliments riches en carotène – les fruits et les légumes de couleur vive – contiennent des antioxydants puissants, alors que les légumes crucifères (comme le chou et les choux de Bruxelles) sont non seulement riches en carotène, mais aussi en vitamine C, qui combat également les radicaux libres.
- L'utilisation modérée de l'alcool (à raison de deux ou trois boissons par jour) vous apportera ses bienfaits (notamment une diminution des risques de maladies cardiaques), sans le risque accru de cancer lié à un abus.
- La limitation de la consommation de produits fumés, macérés ou traités par le sel ne devrait pas poser de difficulté à la plupart d'entre nous. Ces produits tiennent en effet une place relativement limitée dans notre alimentation. Même notre consommation de viandes grillées n'est généralement pas suffisante pour entraîner une augmentation des risques de cancer.

D'autres stratégies alimentaires peuvent être utiles :

- Une augmentation de la consommation de fibres, notamment les fibres insolubles (présentes dans les légumes verts et l'orge).

- Le contrôle du poids, grâce à l'alimentation associée à l'exercice, devrait réduire les risques. En effet, l'obésité semble à divers degrés entraîner une augmentation de différents types de cancer. Il semble cependant qu'un poids trop faible puisse avoir les mêmes conséquences.

Chapitre 20

L'ALIMENTATION ET LE DIABÈTE

Nous avons lu ou entendu beaucoup d'informations au sujet du diabète ces dernières années. Bien que l'on ignore encore ce qui le provoque exactement, nous sommes sûrs du moins de tout ce qui n'est *pas vrai* au sujet de cette maladie.

On peut désormais affirmer avec certitude que la consommation de sucre raffiné (ou de tout autre type de sucre) ne peut pas à elle seule déclencher le diabète. Par ailleurs, même si l'obésité va souvent de pair avec le diabète, elle ne peut pas non plus le causer à elle seule. En fait, ses causes sont sans doute plus héréditaires qu'alimentaires, ce qui explique que cette maladie soit très difficile à prévenir.

Certaines découvertes récentes contredisent totalement les conseils qu'ont très longtemps prodigué les médecins à leurs patients diabétiques en ce qui concerne l'alimentation et l'exercice. Ainsi, la pratique d'un sport intensif, même celle d'un sport de compétition, est bénéfique pour les jeunes malades, et ne risque pas de les fatiguer de manière excessive. Et les glaces (contenant du sucre véritable) s'avèrent moins dangereuses que les pommes de terre. Nous savons aujourd'hui comment aider les diabétiques à contrôler leur maladie sans apporter de modification radicale à leur mode de vie ou à leur alimentation.

Le diabète perturbe le processus d'utilisation du glucose par l'organisme et de transformation de ce glucose en énergie. Personne ne sait exactement pourquoi cette fonction de l'organisme se trouve brusquement altérée. Cependant, lorsqu'il s'est déclaré, le diabète peut soit priver l'organisme de son hormone régulatrice du glucose, l'insuline, soit rendre difficile la réaction des cellules à cette même hormone.

La forme la plus grave de cette maladie, que l'on appelle aujourd'hui le diabète insulino-dépendant, frappe généralement les jeunes enfants ou les adolescents vulnérables sur le plan héréditaire. C'est souvent une infection virale parmi d'autres qui déclenche l'apparition de cette maladie, incitant le système immunitaire à attaquer et à détruire les cellules productrices d'insuline dans le pancréas. Cette forme de diabète est généralement diagnostiquée assez vite, car ses symptômes sont évidents : besoin fréquent d'uriner, soif et faim extrêmes, perte de poids très rapide, faiblesse générale, fatigue, irritabilité, nausées et vomissements.

Ces symptômes nous indiquent ce qui se produit lorsque l'organisme est privé d'insuline. Cette hormone joue un rôle déterminant dans le maintien du taux de glucose dans le sang à un niveau normal (entre 70 et 150 milligrammes pour 100 millilitres de sang. Lorsque ce taux dépasse 80 milligrammes chez un individu en bonne santé, le pancréas libère de l'insuline dans le sang. Cette hormone commande alors aux cellules musculaires d'utiliser davantage de glucose pour produire de l'énergie, et aux cellules de graisse de transformer le glucose en graisse et de l'entreposer.

Quand les réserves d'insuline sont trop faibles, les cellules n'absorbent pas suffisamment de glucose, même si le glucose est présent en quantités importantes dans le sang. L'organisme doit alors se tourner vers les graisses et les protéines pour répondre à ses besoins d'énergie. Pour alimenter le cerveau et le système nerveux central, il commence à produire des cétones, ce « faux glucose » constitué à partir des acides gras (voir chapitre 3). Avec le temps, les surplus de cétones s'accumulent dans le sang et finissent par atteindre des niveaux toxiques. Dans les cas graves de diabète, l'élévation du taux de glucose et de cétones dans le sang peut entraîner le coma diabétique, puis la mort si on ne fournit pas à l'organisme une source extérieure d'insuline.

Le diabète provoque une déperdition considérable de glucose par les urines (ce qui explique la perte de poids et la faim qui font partie des symptômes de cette maladie). Le glucose qui reste dans le sang se lie souvent chimiquement à l'hémoglobine et à des protéines présentes dans les capillaires et dans la rétine de l'œil. Il en résulte une altération de la structure des protéines qui peut entraîner la cécité, des maladies cardiaques et rénales, des infections des pieds et la gangrène.

Le diabète insulino-dépendant se traite, comme son nom l'indique, par l'insuline. L'organisme étant devenu incapable de produire cette hormone, elle doit être fournie par l'extérieur, le plus souvent par voie d'injections que le malade s'administre régulièrement.

Outre l'insuline, l'alimentation et l'exercice physique font partie de tous les traitements. Les doses d'insuline sont aujourd'hui adaptées à l'alimentation de chaque individu. Dans le passé, c'était l'inverse qui se produisait : le médecin fixait la dose d'insuline, puis prescrivait un régime sévère qui correspondait à cette dose.

Le diabète non insulino-dépendant

Cette forme de diabète frappe généralement les hommes et les femmes obèses âgés de plus de quarante ans et qui manifestent une certaine prédisposition génétique à cette maladie. Elle peut souvent exister pendant des années sans être diagnostiquée.

Ce type de diabète n'est pas dû à la destruction des cellules productrices d'insuline dans le pancréas, mais à l'incapacité des cellules de l'organisme d'utiliser correctement cette hormone (voir : Le diabète et le poids, p. 285). La maladie peut généralement être contrôlée par l'alimentation et l'exercice, même s'il est parfois nécessaire de recourir également à l'insuline.

Parmi les symptômes, on peut citer des troubles ou une modification quelconque de la vision, un engourdissement ou des picotements dans les jambes, les pieds ou les doigts, des somnolences, des démangeaisons ou des infections fréquentes de la peau et une cicatrisation très lente des coupures ou des égratignures.

Si vous connaissez l'un de ces symptômes, notamment si vous êtes obèse ou si l'un de vos proches parents est diabétique, une visite chez votre médecin s'impose. Des test médicaux vous permettront de savoir rapidement si vous souffrez de diabète; il s'agit d'une analyse des urines révélant la présence éventuelle de glucose et de cétones et d'une mesure du taux de glucose dans le sang. Plus le diabète est diagnostiqué rapidement, plus les chances de traitement efficace sont grandes.

LES COMPLICATIONS DIABÉTIQUES

Même dans les cas de diabète les mieux contrôlés, le glucose et l'insuline atteignent parfois un état de déséquilibre dans le sang, ce qui crée des problèmes qui doivent être traités immédiatement.

L'hyperglycémie

Un taux élevé de glucose dans le sang, ou hyperglycémie, peut survenir lorsque le diabète n'est pas traité ou lorsque les diabétiques prennent trop ou trop peu d'insuline. Elle peut également être due à une maladie ou à un stress psychologique. L'hyperglycémie se manifeste par des symptômes de soif et de nausées, accompagnés d'un taux élevé de sucre dans le sang et les urines, et elle doit être très rapidement signalée à votre médecin.

L'hypoglycémie

Souvent appelée choc à l'insuline, l'hypoglycémie est une baisse brutale du taux de glucose dans le sang qui peut frapper les utilisateurs d'insuline lorsqu'ils mangent trop peu, ou retardent un repas, ou pratiquent l'exercice de manière plus intensive qu'à l'habitude. Si on ne s'attaque pas immédiatement à ce taux très faible de glucose dans le sang en mangeant du sucre ou un autre aliment susceptible de remédier rapidement à ce problème, il y a risque de perte de conscience.

Il existe cependant des signes d'avertissement : une faim aiguisée, une faiblesse générale, la nervosité, la pâleur, des maux de tête, et une sensation de froid et de moiteur. Il arrive souvent que des personnes non diabétiques manifestent ces symptômes, c'est pourquoi beaucoup de gens sont convaincus de souffrir d'hypoglycémie chronique. En réalité, ce trouble n'affecte qu'un nombre relativement restreint d'entre nous (voir : L'hypoglycémie, au chapitre 15).

L'acido-cétose

Il s'agit du coma diabétique. Ce trouble survient lorsque le glucose et l'insuline présentent un tel déséquilibre dans l'organisme que celui-ci est dans l'incapacité d'utiliser une quantité satisfaisante de glucose et commence à produire des cétones à partir des graisses. Si ce problème n'est pas décelé (par des analyses de sang ou d'urine) et corrigé, l'accumulation des cétones peut atteindre des niveaux toxiques et entraîne des risques de perte de connaissance. L'acido-cétose se manifeste par des signes préliminaires comme une sécheresse de la bouche, une soif considérable, une haleine fétide, des douleurs abdominales et parfois des vomissements.

LE DIABÈTE ET LE POIDS

Il existe un lien étroit entre l'obésité et le diabète de l'âge tardif, ou non insulino-dépendant, qui frappe les hommes et les femmes d'âge moyen : 80 à 90 % de ces diabétiques présentent une obésité importante (leur poids étant supérieur de plus de 20 % aux normes idéales).

Cela signifie-t-il que l'obésité *provoque* le diabète? Pas nécessairement. L'origine du diabète non dépendant de l'insuline semble essentiellement héréditaire. Les preuves nous viennent dans ce domaine des études qui ont été effectuées sur des jumeaux qui ont été séparés à la naissance. En étudiant ces personnes, qui ont la même origine génétique, mais qui ont grandi dans des environnements différents, on peut mesurer les influences de l'hérédité. Or, la presque totalité des diabétiques considérés dans ces études ont des jumeaux diabétiques. En revanche, des études similaires effectuées sur des diabétiques insulino-dépendants révèlent que 50 % d'entre eux seulement ont des jumeaux également malades.

Même en cas de forte prédisposition au diabète, la maladie ne se développe généralement que si la personne menacée devient obèse. L'excès de graisse semble en effet rendre les cellules de l'organisme moins sensibles à l'insuline.

Voici comment fonctionne ce phénomène : normalement, lorsque l'organisme consomme des hydrates de carbone, le pancréas libère de l'insuline. Cette hormone est acheminée jusqu'aux cellules grasses et musculaires, chacune de ces cellules contenant des milliers de récepteurs de l'insuline, c'est-à-dire des substances chimiques particulières destinées à réagir à cette hormone. Ces récepteurs reçoivent le signal de l'insuline et indiquent aux cellules quelle quantité de glucose elles doivent accepter en fonction de leurs besoins immédiats d'énergie ou pour l'entreposer en vue d'une utilisation future.

Quand l'organisme emmagasine trop de graisse, le nombre de récepteurs de l'insuline décroît, et les cellules deviennent moins sensibles aux effets de cette hormone. Ce phénomène, également appelé résistance à l'insuline, se développe dans une certaine mesure chez tous les obèses. Mais s'il existe une prédisposition génétique au diabète, la situation peut échapper à tout contrôle. Lorsque les cellules ne répondent plus aux signaux de l'insuline, le taux de glucose dans le sang ne cesse d'augmenter. Cela incite le pancréas à produire davantage d'insuline, et les récepteurs y deviennent de plus en plus insensibles. Ainsi, le mécanisme de régulation du glucose commence à se détruire, et l'hyperglycémie se développe.

La nécessité d'un diagnostic précoce

Même si certains membres de votre famille sont diabétiques, le diabète non insulino-dépendant est réversible si on le décèle assez tôt. C'est pourquoi le diagnostic précoce est essentiel. Plus tôt vous réagissez à cette maladie lorsque l'hyperglycémie apparaît, plus vous avez de chances de surmonter ce problème. Certains médicaments oraux peuvent être utiles, car ils favorisent la sensibilité des cellules à l'insuline, même s'ils ne peuvent pas accroître la production d'insuline.

Pour faire face au diabète, vous pouvez également perdre du poids avec l'aide de votre médecin et en suivant les suggestions du chapitre 11. Ce qui est important – et surprenant – c'est qu'il n'est pas nécessaire de perdre *beaucoup* de poids pour rétablir un fonctionnement pratiquement normal de votre système de régulation du glucose. Si vous avez vingt ou vingt-cinq kilos de trop, il suffit d'en éliminer huit ou dix pour que votre organisme recommence à fonctionner assez normalement.

Il est évident que l'exercice joue un rôle déterminant dans le contrôle du poids, chez les diabétiques aussi bien que chez tous ceux qui désirent maigrir.

LE DIABÈTE ET L'ALIMENTATION

Avant que l'insuline soit disponible, la seule solution dont disposaient les médecins pour combattre le diabète consistait à maintenir la consommation d'hydrates de carbone à un niveau assez faible pour que le glucose ne puisse pas s'accumuler dans le sang. Cette tradition s'est poursuivie longtemps après que l'insuline a commencé à être largement utilisée. En fait, elle existait encore à la fin des années 70, même si, à cette époque, les médecins avaient commencé à expérimenter des régimes riches en hydrates de carbone et en fibres.

L'un des indices de l'efficacité de tels régimes venait des pays en voie de développement, où on assistait à une montée régulière des taux de diabète et de maladies cardiaques à mesure que l'alimentation traditionnelle, fondée sur les graines et les céréales complètes, cédait la place à un régime riche en graisses animales. Les recherches indiquaient que le taux de glucose dans le sang était nettement plus faible après un repas riche en fibres qu'à la suite d'un repas où les fibres tenaient une place limitée. Pourtant, les fibres étaient absentes des régimes à faible teneur en hydrates de carbone que préconisaient les médecins pour les diabétiques.

Les vertus des hydrates de carbone et des fibres dans l'alimentation des diabétiques ne sont plus discutées aujourd'hui, car les médecins reconnaissent que l'objectif pour les malades n'est pas tant de parvenir à un taux de glucose sanguin très faible que d'obtenir un taux *stable*, sans augmentations brutales qui risquent de surcharger le système très faible de régulation du glucose chez les personnes atteintes. En comparant les nouveaux régimes, les médecins ont conclu que les aliments riches en fibres et en hydrates de carbone complexes – comme les céréales complètes, les légumes secs (haricots, lentilles, etc.), les légumes verts et les fruits – libéreraient le glucose très lentement dans le sang.

L'étude approfondie de ces régimes indique qu'ils permettent en effet d'augmenter la sensibilité à l'insuline tout en favorisant l'amaigrissement. James Anderson, de l'université du Kentucky, qui fut un pionnier dans la mise au point des nouveaux régimes destinés aux diabétiques, souligne que les fibres qu'ils contiennent pourraient également favoriser la prévention de l'athérosclérose. Ce problème pourrait avoir été provoqué, du moins en partie, par les régimes sans hydrates de carbone qui étaient préconisés dans le passé et qui contenaient beaucoup de graisses.

Aujourd'hui, les régimes destinés aux diabétiques leur fournissent généralement la moitié de leurs calories sous forme d'hydrates de carbone, et plus particulièrement d'hydrates de carbone complexes. Ils n'ont plus besoin de renoncer complètement au sucre, mais les sucres simples ne composent généralement qu'une petite partie de leur alimentation. Les graisses ne représentent plus que 30 % environ de leurs rations caloriques, les graisses saturées étant limitées à 10 %, et le cholestérol étant également très restreint (pas plus de 100 milligrammes pour 1 000 kilocalories). Quant aux fibres, on en recommande habituellement environ 30 grammes par jour.

L'INDEX GLYCÉMIQUE

Des chercheurs ont mis au point ce que l'on appelle l'index glycémique, une échelle qui permet d'évaluer la rapidité avec laquelle différents aliments provoquent l'élévation du taux de glucose dans le sang.

Le saccharose – c'est-à-dire le sucre de table – est constitué d'une association de fructose et de glucose, et le glucose que nous consommons ainsi est rapidement libéré dans le sang. Cependant, le fructose pur, c'est-à-dire le sucre qui se trouve dans les fruits et qui est aujourd'hui utilisé comme succédané du saccharose, pénètre plus lentement dans le sang.

Pour établir l'index glycémique, les spécialistes du diabète que sont Jerrold Olefsky et Phyllis Crapo, de l'université de San Diego, David Jenkins, de l'université de Toronto, et d'autres, ont analysé le sang de volontaires afin de découvrir de quelle manière les différents aliments affectent le taux de glucose. Les aliments sont ensuite notés en fonction de leur influence, la note la plus faible étant attribuée à ceux qui provoquent la plus faible élévation du taux de glucose (voir : L'index glycémique ci-dessous).

L'INDEX GLYCÉMIQUE

Voici l'index glycémique de quelques aliments. Plus le nombre est élevé, plus le glucose est libéré rapidement dans le sang. Le pain blanc est désormais utilisé comme point de comparaison pour les autres aliments : son index glycémique est par conséquent fixé à 100.

L'index glycémique

Glucose	138	Riz blanc (demi bouilli)	83
Pommes de terre sautées	135	Pain de seigle	83
Corn-flakes	119	Pommes de terre bouillies	81
Purée de pommes de terre instantanée	116	Sarrasin	74
Haricots rouges	115	Céréales au son	73
Pain complet au froment	100	Spaghettis	66
Pain blanc	100	Pain de seigle complet	58
Flocons de froment	97	Haricots blancs	54
Riz brun	96	Crème glacée	52
Biscuits au seigle	95	Lait entier	49
Raisins secs	93	Pois chiches	49
Saccharose	86	Lentilles	43
Flocons d'avoine	85	Pamplemousse	36

Les méthodes de traitement et de cuisson des aliments peuvent modifier considérablement l'index glycémique. Ainsi, le riz à demi bouilli libère le glucose bien plus lentement que le riz bouilli classique. Les aliments soufflés ou en flocons, dont les hydrates de carbone sont déjà décomposés avant que le système digestif s'y attaque, présentent une rapidité certaine de libération du glucose, tandis que tous les produits appelés « instantanés » sont susceptibles de précipiter le glucose dans le sang plus rapidement que les formes plus lentes à cuire des mêmes aliments.

EN RÉSUMÉ : LES PRINCIPES FONDAMENTAUX DE LA PRÉVENTION ET DU TRAITEMENT

En ce qui concerne le diabète insulino-dépendant, il n'existe pas de mesures préventives. Cette forme de la maladie est moins liée à l'hérédité que le diabète non insulino-dépendant, mais elle est tout de même influencée par la génétique, et il ne semble pas possible actuellement de prévenir les infections qui en déclenchent l'apparition. Le traitement inclut presque systématiquement des injections d'insuline et une bonne mise en équilibre de sa consommation et de celle des hydrates de carbone.

Pour le diabète non insulino-dépendant, le contrôle du poids est la seule mesure préventive que nous connaissions (même si elle n'est pas toujours facile à appliquer, car la prédisposition héréditaire au diabète s'accompagne souvent d'une prédisposition à l'obésité). Il est indispensable de faire diagnostiquer rapidement cette maladie, c'est pourquoi il faut faire vérifier régulièrement votre taux de glucose si des membres de votre famille ont souffert de diabète. Le contrôle du poids constitue le premier moyen de traitement et de prévention (voir chapitre 11). Une perte de poids, même limitée, peut arrêter la progression de la maladie. Les injections d'insuline sont rarement nécessaires dans ce cas, cette forme de la maladie pouvant généralement être contrôlée par la seule alimentation. Les régimes riches en fibres et en hydrates de carbone complexes sont la règle, et vous pouvez vous aider de l'index glycémique des divers aliments pour veiller à ce que votre taux de glucose reste stable.

Chapitre 21

LES MALADIES DUES AUX CARENCES : L'ANÉMIE ET L'OSTÉOPOROSE

Les nutriments essentiels sont ceux dont l'organisme a absolument besoin pour survivre. Si on manque de l'une de ces substances, on finit par développer une maladie ou un mauvais fonctionnement organique. Dans certains cas, le manque d'un nutriment provoque une série de symptômes bien précis, et ce sont ces symptômes que nous qualifions de maladies dues aux carences.

La science s'intéresse à ces maladies depuis des siècles. Les médecins ont compris assez rapidement que les agrumes pouvaient permettre de prévenir le scorbut, mais ils ont poursuivi leurs recherches afin de découvrir les substances qui pourraient préserver leurs patients du rachitisme, de la pellagre ou de l'anémie pernicieuse. Aujourd'hui, les causes de ces maladies ne sont plus un mystère. Mais nous n'avons pas pour autant réussi à les enrayer complètement.

Le rachitisme demeure un risque même dans un pays comme la Grande-Bretagne, où le lait n'est pas fortifié en vitamine D. De nos jours, plus de 200 millions de personnes dans le monde souffrent de la dilatation de la glande thyroïde appelée goitre, un symptôme caractéristique d'une déficience d'Iode, et bon nombre de ces personnes vivent dans des pays industrialisés. La pellagre n'est pas non plus une affection du passé, car, nous l'avons vu, elle fait encore des ravages dans certains pays où le maïs constitue la base de l'alimentation.

Pourtant, pour les habitants des pays occidentaux, on peut dire que les maladies « de l'ignorance » que l'on connaissait autrefois ne présentent plus une véritable menace. De même, nous ne risquons pas de connaître les « maladies du besoin » qui ravagent les populations des pays du tiers monde frappés par la famine.

Il existe toutefois des maladies carentielles modernes, comme l'anémie due à une déficience en fer et l'ostéoporose, dont notre médecine moderne, nos sociétés industrialisées et notre économie évoluée ne nous préservent pas. L'abondance de la nourriture ne nous empêche pas de nous priver de certains des nutriments les plus indispensables à l'organisme : le fer, le zinc, le calcium, les vitamines A, B et C, la thiamine et la riboflavine.

Des taux trop faibles de ces substances n'entraînent pas nécessairement des maladies carentielles spécifiques. Par exemple, un manque de vitamine B_6 peut provoquer toutes sortes de manifestations, y compris l'anémie, les calculs rénaux et les convulsions, mais il n'existe pas une série de symptômes bien définis caractérisant la carence de cette vitamine.

On peut considérer que les carences comportent quatre étapes. Tout d'abord, une simple réduction du taux d'un nutriment dans l'organisme, souvent mesurable dans le sang, les tissus ou les os. A ce stade, la carence n'entraîne généralement aucun effet sur la santé ou la condition physique.

En revanche, ces effets apparaissent à la deuxième étape, car la carence affecte alors une fonction quelconque de l'organisme. Elle peut réduire la production de globules rouges ou de collagène, abaisser les taux hormonaux, ou ralentir la conversion des carburants de l'organisme en énergie. Toutefois, ces effets restent assez discrets et ne sont généralement pas décelés.

Lorsqu'on arrive à la troisième étape, en revanche, les carences peuvent commencer à produire des dommages sérieux. Un si grand nombre de nutriments participent à la croissance et à l'entretien du système immunitaire que les déficiences au troisième stade apparaissent souvent lorsqu'elles perturbent la croissance ou affaiblissent la résistance immunitaire. Elles peuvent également empêcher l'organisme de faire face convenablement au stress – qu'il s'agisse d'une blessure, d'une infection, d'une fatigue ou de températures extrêmes.

Finalement, à la quatrième étape, les carences atteignent le niveau de maladies réelles. Dès lors, une privation supplémentaire du nutriment concerné peut menacer la vie.

Aux États-Unis, bon nombre d'enfants souffrent de carences de zinc en phase trois, et donc suffisantes pour les empêcher de bénéficier d'une croissance optimale. Ces enfants ont généralement des habitudes alimentaires bien particulières et un appétit très faible. Cependant, la perte de l'appétit est le plus souvent le *résultat* d'un taux de zinc trop faible dans le sang plutôt que sa cause (voir chapitre 7), et l'appétit redevient normal dès que le taux de zinc s'élève.

Il serait sans doute très utile de déceler les carences de zinc chez les enfants avant qu'elles n'atteignent un niveau auquel elles perturbent leur croissance, mais les déficiences légères de ce minéral sont très difficiles à percevoir. Les analyses dont nous disposons actuellement ne permettent de découvrir que les déficiences de zinc assez extrêmes. En fait, les tests de détection des différentes maladies carentielles sont encore compliqués, onéreux et assez peu précis.

En ce qui concerne le fer, en revanche, nous disposons de méthodes d'analyse bien plus sensibles. Un manque de fer peut être décelé à tout moment de sa progression. Cela se produit d'ailleurs très souvent, car la carence de fer est la plus fréquente de celles que nous connaissons actuellement.

LA CARENCE EN FER

Au début de l'année 1983, Alberto Salazar était champion de marathon et l'un des meilleurs coureurs de fond au monde. En mars, il participa à une course à Phœnix, dans l'Arizona, et on s'attendait à ce qu'il batte son propre record du monde sur la distance de 10 000 mètres. Il n'y parvint pas. En fait, il termina huitième. A la fin de la course, il avoua devant les caméras de la télévision qu'il dormait mal depuis un an, qu'il était souvent agité et irritable, et qu'il avait beaucoup de mal à faire face aux exigences dc son programme d'entraînement.

Salazar était simplement handicapé par la déficience nutritionnelle la plus fréquente aujourd'hui : il manquait de fer. Lorsqu'il remédia à ce problème, on le retrouva sur les stades, et il fit partie de l'équipe olympique américaine en 1984.

Les coureurs et autres athlètes de haute compétition ont des besoins en fer plus importants que ceux des personnes sédentaires, mais le problème de Salazar s'avéra être d'origine purement alimentaire. Il se soumettait en effet à un entraînement très intensif mais s'imposait une alimentation essentiellement végétarienne, comportant très peu de viande. Le plus intéressant dans l'expérience de Salazar est l'impact considérable qu'eut cette déficience sur ses performances, alors que sa carence n'avait pas atteint le stade de la maladie.

Actuellement, on estime à un demi-milliard le nombre de personnes souffrant d'une carence de fer dans le monde, carence qui s'est transformée peu à peu en anémie dite ferriprive ou sidéropénique. Cette maladie, la plus répandue des déficiences nutritionnelles, est fréquente aussi bien dans les pays industrialisés que dans les pays en voie de développement. Ses victimes sont le plus souvent de jeunes enfants, des adolescents au début de leur puberté, et des femmes âgées de quinze à cinquante ans.

La carence en fer n'est pas rare dans les pays occidentaux. On estime par exemple qu'aux États-Unis, 15 % des femmes et des jeunes enfants, ainsi que 5 % des hommes présentent une déficience très nette. Ces chiffres peuvent s'appliquer à la France.

Le rôle du fer

Le fer est synonyme d'énergie. Il est essentiel aux enzymes qui assurent la respiration et l'oxydation, les deux mécanismes qui nous permettent de produire de l'énergie. De plus, c'est le fer qui assure la navette de l'oxygène dans le sang jusqu'aux cellules, afin que les muscles et les organes reçoivent tout ce qui leur est nécessaire pour produire de l'énergie. En bonne santé, les hommes transportent généralement environ 4 grammes de fer, les femmes environ 2,5 grammes. La majorité de ce fer se trouve dans l'hémoglobine, le transporteur de l'oxygène chargé de protéines et de fer qui remplit les globules rouges et donne sa couleur au sang.

Il y a dans notre corps des milliards de globules rouges (environ cinq millions par millimètre cube de sang), et leurs déplacements sont incessants. L'organisme remplace continuellement ses globules rouges, le renouvellement complet des réserves s'effectuant en moyenne trois fois par an. Les nouveaux globules sont produits dans la moelle osseuse, et les globules endommagés ou défectueux sont retraités dans la rate. C'est dans cet organe que toutes les parcelles de fer sont préservées et recyclées, car l'organisme ne se sépare pas facilement du fer; il n'en libère que très peu dans la transpiration et l'urine, et moins encore dans les cheveux et les ongles.

Le corps humain étant dans l'incapacité de synthétiser le fer par lui-même, chaque milligramme perdu doit être remplacé. Dans le cas contraire – et quand les réserves de l'organisme sont épuisées –, la production d'hémoglobine commence à décliner. C'est cette chute du niveau d'hémoglobine qui entraîne l'anémie, car il n'y en a très rapidement plus assez pour les nouveaux globules rouges. Dans ces conditions, les globules produits ne sont ni assez rouges, ni assez gros, et ne peuvent pas transporter les mêmes quantités d'oxygène, de sorte que les muscles et les organes s'en trouvent plus ou moins privés.

Les symptômes de la carence

De cette baisse du taux d'hémoglobine, il résulte une perte d'énergie et d'appétit, une faiblesse et une fatigue généralisées, des difficultés respiratoires et une accélération du rythme cardiaque. Les facultés physiques et intellectuelles diminuent et les fonctions de l'organisme sont ralenties.

LES DIFFÉRENTES ANÉMIES

En fait, toutes les anémies produisent les mêmes effets : elles réduisent la quantité d'hémoglobine présente dans les globules rouges, essentiellement en perturbant la production de cette molécule complexe de différentes manières.

La molécule d'hémoglobine est composée de quatre grosses protéines liées ensemble. Dans chaque protéine, on trouve un groupe d'hèmes – une molécule en forme d'anneau qui contient un seul atome de fer – et chaque atome de fer peut transporter une seule molécule d'oxygène.

La carence en fer est la cause d'anémie la plus fréquente. La raison en est simple : les atomes de fer sont les éléments constitutifs essentiels des groupes d'hèmes.

La carence en cuivre provoque également l'anémie, car le cuivre est nécessaire à l'installation des atomes de fer dans les groupes d'hèmes.

La vitamine B$_{12}$ et l'acide folique sont nécessaires à la synthèse des acides nucléiques (ADN et ARN), qui à leur tour gouvernent la synthèse des protéines. De fortes quantités d'hémoglobine sont constamment produites (afin de répondre aux exigences de remplacement des globules rouges), de sorte que les carences de ces vitamines sont souvent décelées à partir d'une baisse de la production d'hémoglobine.

Les privations alimentaires et les déficiences de protéines privent l'organisme des acides aminés nécessaires à la production des protéines de l'hémoglobine.

La vitamine C joue un rôle déterminant dans le transport du fer du système digestif dans le sang; ainsi, le scorbut peut provoquer une anémie.

La vitamine B₆, la riboflavine et la vitamine D tiennent un rôle annexe dans d'autres parties essentielles de la synthèse de l'hémoglobine, et leur absence peut provoquer l'anémie.

Les toxines de l'environnement peuvent également provoquer des anémies de diverses manières : le **plomb** perturbe la production des hèmes; le **nickel** et le **zinc** peuvent empêcher le fer de s'incorporer au groupe des hèmes. Par ailleurs, les **radiations** et les **solvants organiques** (comme le benzène) endommagent la moelle osseuse, où sont produits les globules du sang.

Il existe d'autres causes à l'anémie, mais non liées à l'alimentation ou aux produits toxiques. C'est ainsi que l'anémie hémolytique est due à une destruction importante des globules rouges, comme lors du paludisme par exemple, que l'anémie inflammatoire accompagne très fréquemment certaines maladies infectieuses chroniques, comme la tuberculose, ou que les intoxications médicamenteuses peuvent être à l'origine d'une anémie arégénérative (c'est-à-dire sans signe de régénération médullaire). Certaines anémies, enfin, sont dues à des anomalies ou des mutations génétiques.

L'anémie est un symptôme dont il faut toujours rechercher la cause.

Le déclin des performances physiques est le plus facile à mesurer. Vous ne pouvez tout simplement plus travailler avec la même efficacité en cas de chute importante de votre taux d'hémoglobine. En fait, il existe une relation directe entre l'hémoglobine et la productivité : si son taux baisse de 10 %, c'est non seulement le travail très dur, mais toutes les activités physiques qui subissent une baisse proportionnelle. En revanche, s'il augmente, la quantité de travail ou d'exercice que vous pouvez accomplir s'en trouve accrue d'autant.

L'activité intellectuelle décline également en cas de déficience de fer, même si celle-ci n'atteint pas des proportions anémiques. Les écoliers ne peuvent plus retenir autant de choses ni apprendre aussi rapidement qu'ils le devraient. Les études effectuées sur les enfants en âge scolaire ont montré que les suppléments de fer améliorent les résultats de ceux qui souffrent d'une carence de ce minéral.

Les besoins spécifiques des femmes et des adolescents

Pour qu'une déficience existe, l'organisme doit éliminer le fer qu'il ne remplace pas ou avoir des besoins de fer plus forts auxquels il ne subvient pas. Le corps humain ne renonce pas facilement à son fer, et les seules quantités importantes qu'il perd sont celles qui se trouvent dans le sang. Les 15 à 20 milligrammes de fer que les femmes perdent pendant la menstruation représentent une quantité se situant entre la moitié et les deux tiers de l'ensemble du fer que l'on perd chaque mois par d'autres moyens. C'est pourquoi les femmes qui ne sont pas ménopausées ont besoin de deux fois plus de fer que les hommes.

Les femmes ont généralement besoin d'environ 1,5 milligramme de ce minéral par jour, et cette quantité est fournie par 18 milligrammes de fer dans l'alimentation (en effet, un dixième seulement de celui présent dans les aliments et les suppléments est réellement absorbé par l'organisme). En période de grossesse, ces besoins peuvent augmenter de plus de 300 % (voir chapitre 23).

Les enfants dont la mère a reçu suffisamment de fer pendant sa grossesse viennent généralement au monde avec tout le fer dont ils ont besoin, et cela leur suffit jusqu'à ce que leur poids de naissance ait doublé. A ce stade, ils doivent fournir de plus grandes quantités de ce minéral à leur organisme en pleine croissance. Le lait maternel répond à ces besoins jusqu'à ce que les enfants diversifient leur alimentation en consommant du jaune d'œuf, de la viande ou du poisson à l'âge de trois à six mois. En revanche, les enfants qui ne sont pas allaités par leur mère doivent absorber une formule enrichie en fer (lait maternisé ou aliment lacté diététique), car le lait de vache à lui seul ne leur apporterait pas tout ce dont leur corps a besoin.

Les enfants plus âgés, qui bénéficient d'une alimentation normale, n'ont généralement pas besoin de suppléments de fer. Cependant, les besoins augmentent au début de la puberté, et avec eux les risques de carences. La période de croissance accélérée que connaissent la plupart des enfants entre neuf et treize ans nécessite une augmentation de la consommation de fer. C'est aussi vrai pour les filles que pour les garçons. Cependant, les besoins des garçons diminuent vers la fin de l'adolescence, alors que ceux des filles restent importants après l'apparition de la menstruation.

Les hommes et les femmes vivant dans les pays industrialisés reçoivent rarement tout le fer qui pourrait leur être utile. On peut considérer que 60 % de la population de ces pays reçoit une alimentation qui ne comporte pas les doses recommandées.

La viande rouge (en particulier les abats, comme le foie), le poisson et la volaille en constituent les meilleures sources. Ils contiennent du fer hémique, que l'organisme absorbe environ trois fois mieux que toute autre forme et six fois mieux que le fer que contiennent les meilleures sources végétales comme les épinards et les autres légumes verts à feuilles. En fait, vous risqueriez d'endommager votre tube digestif si vous tentiez d'obtenir tout le fer dont vous avez besoin en puisant uniquement dans les légumes. Mais vous pouvez apporter beaucoup de bienfaits à votre alimentation sans augmenter votre consommation de kilocalories si vous cuisinez simplement dans l'une de ces marmites de fonte que l'on dit démodées.

Certains aliments favorisent l'absorption du fer, alors que d'autres la perturbent. La vitamine C est très utile. Cela ne signifie pas que vous devez manger votre rôti en buvant du jus d'orange. Vous obtiendrez autant de bienfaits en agrémentant votre repas de moutarde, de chou ou même de brocolis (qui ne constituent pas une source de fer adéquate à eux seuls, mais qui sont très riches en vitamine C). La viande n'est pas seulement une bonne source de fer par elle-même; elle en favorise l'absorption, alors que les tanins présents dans le thé en perturbent l'assimilation, ainsi que le café, dans une moindre mesure.

Il serait probablement utopique de s'attendre à ce que la plupart des femmes ou des adolescents procèdent aux modifications alimentaires susceptibles de leur fournir tout le fer dont ils ont besoin, et il est difficile aux femmes enceintes de modifier leur régime, quels que soient leurs efforts, de manière à obtenir ce qui leur est nécessaire sans recourir aux suppléments. Les suppléments, sous forme de sulfate de fer ou autre, devraient sans doute devenir une règle pour les femmes enceintes, celles qui suivent un régime, et les enfants âgés de neuf à treize ans. Ils sont en France vendus dans les pharmacies (Ferograd 500, capsules de Farmathon).

Cependant, il en va pour le fer comme pour les autres oligoéléments : des suppléments déséquilibrés d'un seul minéral peuvent perturber l'absorption des autres. Vous pouvez prendre des suppléments de fer seul, à condition de ne pas les consommer aux heures des repas, lorsqu'une forte dose risquerait d'empêcher l'absorption du zinc (ce qui pourrait causer des problèmes graves aux femmes enceintes). Si vous voulez prendre vos suppléments aux heures des repas, il est préférable d'opter pour une formule réunissant plusieurs minéraux qui vous fournira du zinc aussi bien que du fer.

Les carences de fer sont si fréquentes, même chez les groupes de la population qui ne sont pas considérés comme particulièrement vulnérables, qu'il paraît indiqué d'enrichir davantage d'aliments avec ce minéral. C'est déjà le cas aux États-Unis pour la farine blanche, le pain et les céréales que les Américains consomment fréquemment au petit déjeuner. En France, l'ajout de fer aux céréales est soumise à une étude et les dossiers sont examinés un par un. Il est donc nécessaire de lire soigneusement ce qui est inscrit sur les emballages des flocons de céréales, certaines marques seulement ayant reçu l'autorisation nécessaire. Quels autres aliments pourrions-nous enrichir? Des expériences effectuées en Amérique latine indiquent qu'il est possible de fortifier le lait (non seulement en fer, mais aussi en cuivre et en manganèse), et, dans les pays scandinaves, les saucisses et autres viandes de charcuterie sont également enrichies.

Ces suppléments présenteraient-ils un risque de toxicité pour ceux d'entre nous dont l'alimentation est nourrissante et riche en fer? Cela pourrait être une question préoccupante si l'organisme ne se préservait pas aussi bien de la toxicité (voir chapitre 7). Le corps humain répugne à se débarrasser de son fer, mais il répugne tout autant à en accepter plus que les quantités dont il a besoin. L'absorption correspond d'assez près aux pertes subies par l'organisme. A l'exception des femmes en fin de grossesse et des individus manifestant une prédisposition génétique aux surdoses, nous n'absorbons généralement pas plus de 3,5 milligrammes de fer par jour, même quand nos réserves sont épuisées. Il faut ajouter que le plus souvent, notre corps n'en accepte même pas une telle quantité.

L'OSTÉOPOROSE

L'ostéoporose (ou porosité des os) résulte d'une détérioration progressive des os au fil des années. Dans de nombreux cas, ils sont si affaiblis qu'ils s'effondrent littéralement sous le poids qu'ils portent. Cette maladie affecte aujourd'hui 15 à 20 millions d'Américains et elle est responsable aux États-Unis de plus d'un million de fractures du poignet, de la hanche et de la colonne vertébrale chaque année.

L'ostéoporose s'attaque généralement à l'os poreux qui se trouve dans la colonne vertébrale et à l'extrémité des os longs des bras et des jambes; elle peut frapper brusquement, et souvent sans avertissement préalable. La colonne vertébrale peut commencer à s'effondrer, et certaines femmes âgées souffrent parfois d'une série de petites fractures qui peuvent réduire leur taille de cinq centimètres dans certains cas, et ce en quelques semaines. Des difformités se développent à mesure que la colonne vertébrale cède. Les fractures de la hanche sont également fréquentes, et se produisent généralement au niveau du col du fémur.

Pour comprendre cette maladie, il est important de savoir que les os sont des tissus vivants, que l'organisme reconstruit et remplace en permanence (voir la section consacrée au calcium, au chapitre 6). De plus, le corps utilise les os pour entreposer ses surplus de calcium, de la même manière qu'il emmagasine le fer dans le foie et dans la rate. Quand le taux de calcium devient si faible qu'il ne suffit plus à remplir ses autres tâches importantes – régulation des fluides de l'organisme, transmission des impulsions nerveuses, déclenchement des contractions musculaires –, le corps puise dans les réserves qui se trouvent dans les os.

Au cours des années de croissance ainsi qu'à l'âge adulte, les os se reconstruisent normalement assez vite pour combler les éventuelles déperditions de calcium. Ils deviennent non seulement plus gros, mais plus lourds et plus denses. Toutefois, aux environs de trente-cinq ans, la plupart des adultes possèdent la totalité de leur masse osseuse. C'est alors que la déperdition de calcium doit s'équilibrer. A partir de ce moment, les os perdent leur densité, et deviennent progressivement plus légers et plus faibles.

Les hommes, dont la masse osseuse est supérieure d'environ 30 % à celle des femmes, développent habituellement l'ostéoporose plus tard que celles-ci, et la maladie les frappe rarement de façon aussi grave, car leur organisme reste plus apte que celui des femmes à limiter les déperditions de calcium. Celles-ci souffrent d'une perte brutale des œstrogènes à la ménopause. Or, un taux d'œstrogènes réduit accélère l'affaiblissement des os, car cette hormone est liée de près au système compliqué qu'utilise l'organisme pour réguler le taux de calcium dans le sang.

Il faut néanmoins savoir que l'ostéoporose n'est pas une maladie limitée aux personnes âgées. Un certain nombre de femmes jeunes – encore loin de l'âge de la ménopause – sont frappées chaque année par cette maladie. Ce sont presque toujours des sportives qui pratiquent la course de fond, des gymnastes ou des danseuses. Le point commun de ces femmes est un taux de graisse corporelle très réduit, une menstruation irrégulière et un taux d'œstrogènes extrêmement faible. Tel est également le cas des femmes anorexiques.

L'ostéoporose est due à une carence de calcium. Mais le calcium alimentaire, même à doses très fortes, ne suffit pas à prévenir la maladie ni à la traiter. L'organisme doit non seulement recevoir suffisamment de ce minéral, mais aussi être en mesure de le conserver et de l'utiliser pour renforcer ses os. Pour cela, il doit aussi recevoir des œstrogènes ainsi que certains nutriments (vitamine D, cuivre, zinc et manganèse) et faire de l'exercice.

Pour réduire les risques d'ostéoropose, il est conseillé de procéder bien à l'avance, en se constituant une solide masse osseuse pendant les années de développement et en la soutenant par des quantités suffisantes de calcium, d'autres nutriments et d'exercice. Vos os ne se développeront plus entre vingt et trente-cinq ans, mais vous pouvez les renforcer, et accroître leur densité d'environ 10 %. En revanche, après trente-cinq ans, l'objectif consiste plutôt à minimiser autant que possible les déperditions de calcium. Quelle que soit la stratégie appropriée dans votre cas – construire, renforcer ou préserver vos os –, elle commence par le calcium.

Le calcium

Les doses de calcium habituellement conseillées – 1 200 milligrammes par jour pour les adolescents, 800 milligrammes pour les adultes – suffisent le plus souvent. Les suppléments ne pourront pas vous être très utiles sur le plan de la protection, sauf dans le cas des hommes et des femmes âgés pour qui la déperdition de la masse osseuse est déjà avancée. Dans ce cas, les 1 200 milligrammes quotidiens recommandés aux adolescents constituent une dose plus prudente que les 800 milligrammes conseillés aux adultes.

Cependant, les trois tasses de lait ou les 110 grammes de fromage qu'il faut consommer pour parvenir à la dose quotidienne conseillée aux adultes constituent une quantité assez nettement supérieure à celle que la plupart des gens désirent consommer en une journée (même s'il s'agit de lait écrémé ou à faible teneur en matières grasses). En revanche, les autres sources alimentaires de calcium (à l'exception des poissons comme le saumon et les sardines, en conserve et avec les arêtes) ne peuvent apporter qu'une fraction du calcium dont nous avons besoin chaque jour.

Il est difficile pour les adolescents de répondre complètement à leurs besoins de calcium, et c'est encore plus difficile pour les adultes, qui ont tendance à se passer de laitages parce qu'ils surveillent leur consommation de calories ou présentent une intolérance au lactose. Pour de multiples raisons, la plupart des adultes ne consomment qu'environ la moitié du calcium dont ils ont besoin, et l'absorption de cette quantité assez faible ne se fait pas toujours de façon très satisfaisante.

Les fibres perturbent l'absorption du calcium, notamment celles que l'on trouve dans le son, les arachides, les graines et les haricots. L'acide oxalique, même s'il n'est pas si puissant, la réduit également (il se trouve dans les épinards, le chocolat, la rhubarbe et les amandes). Ces interactions sont importantes pour ceux dont l'alimentation est essentiellement fondée sur les céréales, et dont la consommation de calcium est généralement faible.

Il existe également des médicaments qui entravent l'absorption du calcium, notamment les antacides (le Phosphalugel, par exemple) qui contiennent de l'aluminium ou du magnésium. Le magnésium entre en concurrence avec le calcium pour sortir de l'intestin grêle et arriver dans le sang. Tant que le taux de ces deux minéraux reste assez équilibré (environ deux fois moins de magnésium que de calcium) dans le tube digestif, l'organisme absorbe des quantités adéquates de chacun d'eux. En revanche, un surplus de l'un des deux empêche le transport normal de l'autre. Par conséquent, les antacides à base de carbonate de calcium constituent un meilleur choix lorsqu'il s'agit de prévenir l'ostéoporose, car ce sont de bonnes sources de calcium. En outre, une utilisation prolongée de certains antibiotiques (l'érythromycine et la tétracycline) entrave l'absorption de ce minéral, de même que certains laxatifs et diurétiques.

Si votre consommation d'alcool est excessive, votre faculté d'absorption du calcium sera également en péril. La caféine, quant à elle, ne la perturbe pas, mais l'effet diurétique du café au-delà de cinq tasses quotidiennes risque de vous faire perdre beaucoup de calcium par les urines. L'abus de sel aura le même effet. Quand les reins doivent se débarrasser des excès de sodium, ils ne parviennent pas en même temps à préserver le calcium dont l'organisme peut avoir besoin.

Si on considère l'ensemble de ces paramètres, on aboutit à une conclusion assez simple : les femmes ne peuvent pas obtenir tout le calcium dont elles ont besoin si elles ne recourent pas aux suppléments. Le carbonate de calcium en fournit du calcium sous sa forme la plus utilisable, et il vaut mieux prendre les suppléments par nombreuses petites doses tout au long de la journée que sous forme d'une seule dose très importante. Les suppléments de calcium élèvent les risques de calculs rénaux, mais ce danger reste minime si vous buvez suffisamment d'eau ou d'autres liquides.

Pour tenir compte de la consommation déficitaire de calcium, en particulier chez les personnes ne mangeant ni lait ni fromage ou en consommant insuffisamment, certains pays ont autorisé l'industrie agro-alimentaire à enrichir des produits avec ce minéral. C'est le cas aux États-Unis pour la farine, les flocons de céréales, le pain, le yaourt, le lait et le lait en poudre. En France, la législation interdit l'enrichissement systématique des aliments, et il faut donc se tourner vers les produits « à teneur garantie en... » pour lesquels, après les divers traitements liés à l'extraction et à la conservation, les industriels rajoutent les minéraux, les vitamines ou les nutriments dont les concentrations initiales auraient été altérées.

Cependant, le fait de prendre des suppléments de calcium aux heures des repas peut poser des problèmes. C'est en effet celui-ci qui devient alors le méchant agent susceptible de vous priver de zinc, de cuivre, de fer et de magnésium. Il est donc préférable de prendre vos suppléments entre les repas, agrémentés d'un peu de yaourt ou de lait qui en favoriseront l'absorption.

Les œstrogènes

Les œstrogènes sont essentiels à la prévention de l'ostéoporose en raison de leur rôle déterminant dans la régulation du taux de calcium dans le sang. Ils interviennent dans deux processus qui en limitent la déperdition. Le premier se produit en cas de chute du taux de calcium dans le sang, et incite l'organisme à récupérer ce minéral qui s'échappe et à en accroître l'absorption. Le second intervient quand le taux dans le sang est trop élevé, et pousse le corps à entreposer les surplus dans les os.

Lorsque le taux de calcium dans le sang baisse, l'organisme convertit une forme de vitamine D inoffensive, appelée calcidiol, en une hormone agressive nommée calcitriol. Ce sont les œstrogènes qui stimulent cette conversion. Le calcitriol permet à son tour de faire cesser la déperdition de calcium par les urines et en accélère considérablement l'absorption au niveau de l'intestin grêle.

Quand le taux de calcium est au contraire trop élevé, le deuxième processus survient. Les œstrogènes déclenchent alors la production d'une hormone appelée calcitonine, qui élève le taux des dépôts dans les os.

Ce système complexe commence à se désintégrer quand le taux d'œstrogènes chute. Un manque d'œstrogènes est synonyme de manque de clacitriol, de sorte que l'organisme est moins apte à prévenir la déperdition de calcium et doit en puiser davantage dans ses os. Un taux trop faible d'œstrogènes implique également une baisse de la production de calcitonine, ce qui signifie que l'organisme n'est plus en mesure de remplacer tout le calcium qu'il résorbe. Cela entraîne une accélération de la détérioration osseuse après la ménopause. La plupart des femmes subissent alors une perte de la masse osseuse d'environ 1,5 % par an.

La chute du taux d'œstrogènes étant responsable des effets dramatiques de l'ostéoporose chez un grand nombre de femmes âgées, le moyen le plus direct pour contrer la maladie à ce stade consiste à remplacer l'hormone perdue. Le remplacement des œstrogènes manquants peut retarder la détérioration des os, même s'il ne débute qu'après la ménopause.

Les médecins ont longtemps hésité à prescrire les œstrogènes, car certaines études initiales indiquaient que cela pouvait accroître les risques de cancer. Mais la plupart considèrent maintenant les formes d'œstrogènes disponibles sur le marché comme tout à fait inoffensives. Ils ne sont actuellement administrés qu'à raison de 10 % seulement de leur puissance d'origine et équilibrés par une deuxième hormone, la progestérone. De nouvelles techniques sont également à l'étude, comme les timbres d'œstrogènes qui libèrent directement l'hormone dans le sang. Ces timbres appliqués sur la peau permettent une élévation nettement plus importante du taux d'œstrogènes dans le sang pour une dose minime.

Les autres nutriments

L'importance de la vitamine D est évidente. Non seulement le calcitriol, agent régulateur du calcium, est une hormone de la vitamine D, mais cette vitamine régule elle-même le transport du calcium du tube digestif vers le sang. De plus, le calcium aurait du mal à construire ou à renforcer les os avec efficacité s'il n'y avait pas une quantité suffisante de vitamine D sur le lieu des travaux.

Si les produits laitiers que vous consommez vous fournissent tout le calcium dont vous avez besoin, vous n'avez plus à vous préoccuper du risque de manque de vitamine D. En revanche, si vous ne buvez pas beaucoup de lait ou si vous mangez peu de fromage, le soleil est une bonne source de vitamine D. Si votre peau est claire et sujette aux coups de soleil, cinq minutes de soleil en milieu de journée pendant l'été trois fois par semaine suffisent largement. Si votre peau est plus mate, vous pouvez rester un peu plus longtemps exposé. En général, le soleil hivernal ne vous procurera pas beaucoup de vitamine D, quel que soit votre temps d'exposition. Il existe cependant des lampes qui reproduisent le spectre solaire et qui pourront vous fournir la vitamine D dont vous avez besoin.

Dans certains cas, les suppléments de vitamine D sont nécessaires, en particulier chez les hommes et les femmes âgés qui boivent peu de lait et passent peu de temps au soleil, ainsi que pour les enfants et les adolescents sur prescription médicale.

Des taux insuffisants de manganèse, de cuivre et de zinc dans le sang peuvent aussi contribuer à l'ostéoporose. On trouve tous ces minéraux dans le lait (avec le calcium et la vitamine D), mais la viande et le poisson constituent généralement des sources plus riches de ces oligo-éléments.

Le fluor joue également un rôle dans le traitement de l'ostéoporose. On a constaté un épaississement notable des os chez les habitants âgés de régions où l'eau est naturellement très fluorée. Par conséquent, l'utilisation d'eau riche en fluor peut favoriser la prévention de cette maladie. Les effets secondaires rendent l'utilisation de suppléments de fluor plus puissants relativement dangereuse. Néanmoins, des études britanniques ont montré que (lorsqu'ils sont pris avec des quantités adéquates de calcium) ils peuvent réduire l'incidence des fractures chez les femmes déjà frappées par l'ostéoporose.

L'exercice

L'exercice renforce les os aussi bien que les muscles. Une étude de l'université de Caroline du Nord portant sur 500 femmes âgées de vingt-cinq à soixante-dix ans a montré que celles qui faisaient de l'exercice deux fois par semaine avaient des os plus denses que celles qui ne pratiquaient jamais de sport.

L'inverse est également vrai. Le manque d'exercice réduit la densité osseuse. C'est visible dans la perte de calcium que subissent les personnes âgées ou les patients qui doivent rester alités pendant de longues périodes. Les astronautes qui travaillent en apesanteur perdent également une partie de leur masse osseuse. Chez les cosmonautes soviétiques, qui restent souvent dans l'espace pendant des périodes bien plus prolongées que les Américains, la déperdition de la masse osseuse s'est révélée très importante. Les astronautes des vols Gémini pendant les années 1960 perdaient une quantité impressionnante de minéraux dans la masse osseuse en cinq jours d'apesanteur seulement. Cependant, l'équipage de Gémini VII, qui se livra à des exercices pendant le vol, subit une perte moins importante que les précédents.

L'exercice est donc important pour la force des os, mais tous les sports n'ont pas la même valeur. Les plus utiles pour la prévention de l'ostéoporose sont ceux qui vous font soulever des poids; ils entraînent des effets spécifiques sur les os. Si on impose un stress à un os en lui faisant supporter un poids, il se renforce, et ceux qui sont les plus sollicités sont aussi ceux qui se renforcent le plus. Par exemple, chez les joueurs de tennis, les os du bras actif sont plus forts que ceux de l'autre bras.

D'une manière générale, la natation constitue un bon exercice, mais elle n'est pas idéale pour le renforcement des os. En revanche, la marche toute simple peut être efficace.

EN RÉSUMÉ : LES PRINCIPES FONDAMENTAUX DE LA PRÉVENTION ET DU TRAITEMENT

Pour éviter la carence en fer, votre alimentation doit comporter une quantité suffisante de viande rouge – environ 110 grammes par jour – ou l'équivalent (deux fois moins de foie ou deux fois plus de poulet ou de poisson). Les légumes ne peuvent pas à eux seuls vous fournir tout le fer dont vous avez besoin.

Pour prévenir l'ostéoporose et limiter ses conséquences, il faut prendre des quantités satisfaisantes de calcium – consommation conseillée pour les adolescents : 1 200 milligrammes par jour, pour les adultes : 800 milligrammes. La dose prescrite pour les adolescents est également conseillée pour les personnes âgées. Si vous ne pouvez pas ou ne voulez pas vous procurer votre calcium par l'alimentation (essentiellement les laitages), vous devriez recourir aux suppléments de carbonate de calcium.

Il est également nécessaire d'obtenir des quantités satisfaisantes de vitamine D, de manganèse, de cuivre et de zinc. L'utilisation d'eau fluorée favorisera l'amélioration de la densité des os. Toutefois, sans exercice, ceux-ci ne pourront ni améliorer, ni entretenir leur densité. Pour les femmes qui ont passé le cap de la ménopause, l'alimentation et l'exercice ne seront sans doute pas très efficaces dans la limitation de la déperdition de calcium sans l'aide des œstrogènes.

Chapitre 22

L'ALIMENTATION DES MALADES

L'alimentation entraîne des effets considérables sur la santé, et il existe de nombreuses relations, directes ou indirectes, entre l'alimentation et un grand nombre de maladies. Mais quel rôle l'alimentation peut-elle jouer lorsqu'elle *n'est pas* la cause de la maladie?

Jusqu'à une époque assez récente, la médecine n'offrait que très peu de réponses à cette question. Il existait naturellement certains remèdes (variables selon les cultures) consistant par exemple à administrer du bouillon de poulet ou de légumes aux malades. Mais au-delà de ces remèdes, il existait très peu de connaissances, si ce n'est celle que répétaient nos grand-mères en disant qu'il fallait toujours « faire mourir la fièvre de faim et nourrir le rhume ».

Il s'avère que nos grand-mères n'avaient pas tout à fait tort. Une nourriture légère suffit aux fiévreux car la maladie amoindrit l'appétit. En fait, la perte d'appétit est la manière dont l'organisme signale qu'il refuse la nourriture pour pouvoir faire face à une affection aiguë.

La fièvre entraîne une accélération du métabolisme, élimine des calories et des protéines, et puise dans nos réserves de vitamines et de minéraux, de sorte que l'on pourrait penser que l'organisme aurait plutôt tendance à manifester un besoin frénétique de nouvelles provisions. Mais le corps humain, dont les ressources sont infinies, est plus habile qu'on ne pourrait le croire. Il peut faire mourir de faim les envahisseurs – notamment les bactéries – en les privant des vitamines et des minéraux dont ils ont besoin pour survivre. Non seulement l'organisme fait baisser son appétit, mais il retire également du fer, du zinc, et d'autres nutriments du sang et les entrepose ailleurs, généralement dans le foie.

Les adultes normalement nourris et âgés de dix-huit à quarante-

309

cinq ans peuvent faire face sans problème aux privations nutritionnelles que peut occasionner une infection sérieuse. Mais après cinq jours ou après une perte de 5 % du poids, il est temps de passer outre le manque d'appétit. Les suppléments de vitamine A et de minéraux peuvent suffire à ce stade, mais les médecins ou les diététiciens peuvent également conseiller des formules enrichies semblables au lait et conçues spécialement pour les personnes dont les besoins nutritionnels excèdent l'appétit. Les enfants en période de croissance peuvent également avoir besoin de suppléments en cas de maladie prolongée.

Quand la fièvre tombe, il est temps de se recharger et de remplacer les nutriments perdus, à commencer par l'eau. C'est un nutriment essentiel, et celui qui est le plus consommé en cas de température élevée. En période de convalescence, les médecins et les nutritionnistes préconisent une grande quantité de jus de fruits – en particulier les jus d'agrumes –, car ils sont très riches en vitamines et en potassium. Ils recommandent également le raisin et les autres fruits juteux, le lait, les pains complets, et le bouillon de volaille ou de légumes.

L'ALIMENTATION ET LES
INTERVENTIONS CHIRURGICALES

Avant un séjour à l'hôpital, le plus important est de fournir à votre organisme un bon stock des vitamines, des minéraux et des protéines dont il aura besoin pour réparer ses tissus et renouveler son sang après l'opération. Vous pouvez prendre le risque de quelques calories supplémentaires pour vous assurer que votre alimentation vous fournit ces éléments avant l'intervention, car la perte de poids à la suite d'une opération importante se situe généralement entre 10 et 15 % du poids de corps total, en raison du traumatisme et de la perte d'appétit.

L'idéal est d'arriver à l'hôpital avant une opération en ayant votre poids idéal. Les patients obèses ont sous la peau une épaisse couche de graisse qui peut perturber l'intervention, alors que ceux qui sont trop maigres n'ont pas l'énergie nécessaire pour combattre l'infection et assurer une bonne cicatrisation.

Les vitamines qui ont un impact direct sur le rétablissement sont notamment les vitamines A, C, K et toutes les vitamines B. Les vitamines A et C favorisent la cicatrisation, la vitamine K accélère la coagulation sanguine, tandis que la riboflavine, la niacine et la vitamine B_{12} vous protègent contre les infections en entretenant les tissus. La vitamine B_6 et la thiamine favorisent la production d'anticorps, et l'acide folique est nécessaire à la fois au système immunitaire et à la formation de globules rouges. Quant aux minéraux, le fer est essentiel au remplacement des globules rouges, le cuivre est indispensable pour permettre au fer d'accomplir son travail, et le zinc renforce le système immunitaire et favorise le remplacement des tissus.

LES NUTRIMENTS PEUVENT-ILS COMBATTRE LE RHUME?

En cas de rhume, on a tendance actuellement à prendre des suppléments de vitamine C, à très fortes doses. Certains essaient maintenant les tablettes de zinc, tandis que d'autres préfèrent encore les remèdes de grand-mère, qui vont du bouillon de poulet aux aliments épicés. Mais ces recettes peuvent-elles vraiment être utiles?

La vitamine C a acquis toute sa popularité en 1970, quand Linus Pauling publia son ouvrage intitulé *La vitamine C et le rhume commun*. Il écrivait notamment que lorsque son épouse et lui-même prenaient des mégadoses de vitamine C, ils éprouvaient un sentiment accru de «bien-être et notamment une diminution considérable du nombre des rhumes et de leur gravité». Pauling recommandait des doses préventives de vitamine C pouvant aller jusqu'à 10 grammes (10 000 milligrammes) par jour, soit plus de 150 fois la dose quotidienne conseillée.

Aujourd'hui, plus de vingt tests expérimentaux ont montré que ces doses de vitamine C n'ont pratiquement aucune influence sur la réduction du nombre des rhumes. Il semblerait cependant que le fait de prendre de la vitamine C pendant un rhume puisse en réduire la gravité, mais une simple dose de 60 milligrammes (la quantité journalière conseillée) est aussi efficace qu'une dose très forte. Autrement dit, les personnes qui manquent de vitamine C peuvent prendre un supplément pour combattre le rhume; les autres n'ont sans doute pas besoin de s'en préoccuper.

Quant au zinc, le problème est pratiquement le même. Une légère carence en zinc pourrait détériorer le système immunitaire et rendre plus difficile le combat contre le rhume. Mais cela ne signifie pas que les doses de suppléments supérieures à celle qui sont habituellement recommandées puissent aider les personnes dont la santé est normale à se rétablir plus rapidement à la suite d'un rhume.

Cependant, certaines sagesses populaires concernant le fait qu'il faut nourrir le rhume pourraient être justifiées. Les aliments très épi-

311

cés comme le piment rouge, le poivre, l'ail et la sauce Tabasco stimulent les flux de mucus et pourraient permettre de soulager les symptômes de l'asthme, de la bronchite, de la sinusite et des rhumes. un bol de bouillon de poulet brûlant pourrait avoir le même effet.

L'ALIMENTATION ET LES MÉDICAMENTS

Les aliments n'agissent pas énormément sur l'absorption des médicaments. Il existe des exceptions importantes, comme la tétracycline et d'autres antibiotiques très puissants. Le calcium, le zinc et le fer perturbent l'absorption de ces substances. Cela signifie qu'il ne faut consommer ni lait, ni viande moins d'une demi-heure avant la prise du médicament et moins de deux heures après.

Lorsqu'ils sont dans le sang, les nutriments et les médicaments interagissent de nombreuses manières différentes. Ainsi, la riboflavine semble s'effacer devant certains médicaments psychoactifs dont la structure chimique est similaire. Ces produits peuvent perturber les récepteurs de la riboflavine, ces molécules des membranes cellulaires conçues pour réagir à cette vitamine B. La chlorpromazine, qui combat les états psychotiques, et les antidépresseurs tricycliques que sont l'imipramine et l'amitriptyline peuvent également perturber la riboflavine.

Cependant, les problèmes les plus graves surviennent dans le foie, car c'est au foie qu'incombe la tâche de traiter les substances étrangères – qu'il s'agisse de médicaments ou de contaminants, de poisons ou d'autres substances chimiques – et de les transformer en produits dont les reins auront moins de mal à se débarrasser. Lorsque le foie fonctionne au ralenti, les médicaments restent plus longtemps en circulation dans le sang. Si le foie doit faire face à un excès d'alcool ou s'il a été affaibli par des années d'alcoolisme, il lui faut assez longtemps pour traiter les médicaments qui peuvent se trouver dans l'organisme. Par conséquent, les effets des médicaments sont alors plus importants et plus durables.

Des recherches effectuées récemment à l'université Rockefeller de New York ont montré que certaines substances présentes dans les aliments peuvent accélérer le fonctionnement du foie et évacuer les médicaments de l'organisme avant qu'ils aient pu accomplir leurs tâches. Il s'agit notamment de protéines, de substances chimiques appelées indoles (présentes dans le chou, les choux de Bruxelles et d'autres légumes crucifères) et des hydrocarbures que l'on trouve sur les parties très grillées de la viande.

EN RÉSUMÉ : LES PRÉOCCUPATIONS ESSENTIELLES

Pour un rhume ou une bronchite, de fortes doses de vitamine C ou de zinc ne sont pas très utiles, mais des suppléments prudents correspondant aux apports journaliers conseillés vous permettront de vous assurer qu'aucune carence ne risque de ralentir votre rétablissement.

Dans le cas d'une fièvre, n'essayez pas de vaincre votre manque d'appétit et de manger plus que vous n'en avez envie. Votre corps essaie sans doute d'affamer les envahisseurs. Respectez sa volonté jusqu'à un certain point, en veillant toutefois à vous procurer suffisamment d'eau ou d'autres liquides. Après cinq jours ou une perte de 5 % de votre poids, il est temps d'intervenir au moyen d'un supplément de vitamines et de minéraux ou de tout produit que pourra vous conseiller votre médecin.

En cas d'intervention chirurgicale, vous avez besoin de réserves alimentaires importantes. Il faut de l'énergie pour combattre les infections et assurer la cicatrisation, et la perte de poids moyenne subie par les patients à la suite d'une opération importante (en raison du traumatisme et de la perte d'appétit) varie de 10 à 15 % du poids de corps. Il est surtout essentiel de bénéficier de réserves substantielles des protéines, des vitamines et des minéraux (en particulier les vitamines A, K, C, toutes les vitamines B, le fer, le cuivre et le zinc) qui seront nécessaires à votre rétablissement, à la réparation des tissus et au remplacement du sang.

5e partie

LES BESOINS NUTRITIONNELS PENDANT LA VIE

Chapitre 23

L'ALIMENTATION
PENDANT LA GROSSESSE

En général, plus le poids est important, plus vous pouvez être satisfait : c'est la règle d'or concernant les bébés. C'est en effet le poids à la naissance qui détermine le départ de votre enfant dans la vie. Un poids excessif (supérieur à neuf livres) peut augmenter les risques lors de l'accouchement et exposer l'enfant à un risque d'obésité permanente, mais c'est le poids trop faible (inférieur à 5,5 livres) qui provoque les risques les plus importants pour le nouveau-né.

Si la mortalité infantile existe dans les pays industrialisés, elle frappe surtout les populations du tiers monde, où les bébés ont souvent un poids très faible à la naissance. Ce sont les pays scandinaves et les Pays-Bas qui bénéficient du taux de mortalité infantile le plus faible au monde, immédiatement suivis par la France.

La mortalité infantile n'est pas due uniquement à un manque de soins médicaux, mais aussi à une nutrition déficiente. Une étude effectuée récemment aux États-Unis montre l'impact considérable de la nutrition sur le poids des enfants à la naissance, et l'influence du poids à la naissance sur les chances de survie. Parmi les trois millions de femmes enceintes suivies au cours de cette étude, les morts prénatales chutèrent d'un tiers et les naissances prématurées baissèrent de 25 %.

Les nutritionnistes ont les preuves de l'importance d'une bonne alimentation pour lutter contre la mortalité infantile et assurer une bonne santé aux bébés, mais il existe moins de certitudes quant à l'influence qu'exerce l'alimentation sur la prévention des naissances prématurées. Certaines études semblent confirmer ce rapport, tandis que d'autres travaux n'ont pas permis de l'établir clairement.

En revanche, personne ne songe à mettre en doute la relation qui existe entre l'alimentation de la mère et le poids de naissance du bébé. Les obstétriciens en étaient déjà conscients au début du siècle. Mais à cette époque, ils limitaient intentionnellement la nourriture des mères pour que les bébés ne soient pas trop gros. En effet, la mortalité des femmes en couches représentait alors une menace plus importante encore que la mortalité infantile, et les bébés très gros entraînaient une augmentation des risques lors de l'accouchement.

Il est évident que la grossesse n'est pas le moment idéal pour vous lancer dans un régime. En fait, une femme qui prévoit la conception d'un enfant ferait bien d'atteindre un poids optimal et une nutrition satisfaisante avant sa grossesse.

Le poids de la femme à la conception est aussi important que le nombre de kilos – de 10 à 12 – qu'elle gagne pendant sa grossesse. La mère est la source de tous les matériaux nécessaires à l'enfant et au système complexe qui assure la vie du fœtus jusqu'à la naissance. Le bien-être de l'enfant dépend donc en grande partie de la qualité de sa propre nutrition au moment où la grossesse débute.

Cependant – et les médecins ne l'ont compris que depuis quelques années –, les enfants ne peuvent pas se contenter des seules réserves de l'organisme de la mère. Comme l'explique le Dr Myron Winick, professeur de pédiatrie et directeur de l'Institut de la nutrition à l'université de Columbia, « le fœtus n'est pas un parasite ».

N'oublions pas que l'organisme est plein de ressources et très conservateur. Il n'est pas disposé à mettre sa santé en péril pour le bien-être du fœtus. Cette réalité est apparue au cours de la Deuxième Guerre mondiale, lorsque les restrictions alimentaires réduisirent la plupart des pays européens à une demi-famine. Aux Pays-Bas, où une étude fut alors menée, on constata que les femmes enceintes, qui avaient été bien nourries auparavant, mirent malgré tout au monde des enfants dont le poids était nettement inférieur à la normale.

L'organisme n'ignore pas nécessairement le bien-être du fœtus en donnant la priorité aux besoins de la mère. En fait, il utilise une mesure de prévoyance biologique en estimant que lorsqu'il sera né, le bébé aura besoin du lait maternel pour survivre. En allouant plus de calories à la mère qu'au fœtus, l'organisme lui permet de conserver les réserves de graisse dont elle aura besoin pour produire du lait, mais réduit également la taille de son enfant, car un bébé plus petit impose moins d'exigences à la mère qui le nourrit.

Le moment de la grossesse lors duquel la femme gagne ses kilos supplémentaires est pratiquement aussi important que le nombre de kilos qu'elle acquiert. Le gain de poids doit débuter lentement, être moins important pendant le premier trimestre que pendant le deuxième, et plus fort pendant le dernier trimestre. Ces trois derniers mois, quand le fœtus et le placenta se développent le plus rapidement, correspondent au moment où les éventuelles déficiences nutritionnelles peuvent avoir l'impact le plus important sur la taille du bébé.

Où vont tous ces kilos? Lorsqu'une femme enceinte gagne 12 kilos, 3 à 4 de ces kilos vont au bébé, 500 grammes vont au placenta, et 800 grammes vont au liquide amniotique. Les seins grossissent d'environ 1,5 kilo, et l'utérus de 1 kilo. Les 4 kilos restants se trouvent dans des réserves de graisse et de protéines, dans l'eau retenue par le corps et dans une réserve de sang accrue.

La réserve de sang peut augmenter de 40 % pendant la grossesse, mais tous les organes ne bénéficient pas de ce flux supplémentaire. La priorité est donnée aux éléments clés du système reproducteur : l'utérus, le placenta et les ovaires. Le déplacement de tout ce sang dans le corps impose un travail accru au cœur de la mère. Elle doit également fournir des efforts plus importants pour déplacer son propre poids. Par conséquent, la grossesse nécessite une énergie plus élevée pour la mère aussi bien que le fœtus et le système de survie du bébé.

Il est indispensable de consommer davantage de calories pendant cette période pour que le développement du bébé soit normal. En revanche, le besoin d'autres nutriments est moins impérieux, du moins en ce qui concerne la croissance du fœtus. Si l'organisme de la mère a entreposé des quantités suffisantes de graisse, de protéines, de vitamines et de minéraux – en particulier de fer –, ces réserves peuvent répondre à tous les besoins du bébé, excepté pour ce qui est des calories.

Mais si la mère ne dispose que de quantités limitées de ces nutriments, le fœtus épuisera les réserves sans bénéficier pour autant d'une nourriture satisfaisante. Cela crée un problème nutritionnel pour la mère et pour l'enfant. Or, dans les régions du tiers monde où l'alimentation contient suffisamment de calories, mais trop peu de nutriments variés, la santé des femmes peut être mise en péril par l'épuisement répété de leurs réserves qui résulte de la conception de plusieurs enfants.

Naturellement, une mère en bonne santé et qui peut profiter d'une alimentation appropriée ne choisit jamais d'épuiser ses propres réserves pour nourrir son bébé. Pendant toute la grossesse, l'objectif est la santé optimale de la mère comme de l'enfant, et cela ne nécessite pas seulement un surplus de calories. Pour que les femmes arrivent en bonne santé au terme de leur grossesse – non seulement en mettant au monde un enfant d'un poids satisfaisant, de cinq livres ou davantage, mais en conservant leurs propres réserves de nutriments au-delà de la grossesse et pendant la période d'allaitement –, elles doivent fournir à leur organisme certains nutriments en quantités plus importantes qu'elles n'en obtiendraient par la seule alimentation. Les recherches effectuées dans ce domaine indiquent qu'il est prudent de recourir aux suppléments de certains nutriments, et ces suppléments peuvent même être utiles avant la conception (voir : Le guide des suppléments pendant la grossesse, pp. 327-328).

Certains chercheurs ont expliqué que les femmes développent naturellement un attrait pour les nutriments dont elles ont le plus besoin au cours de leur grossesse. Ils affirment par exemple que la consommation d'argile à laquelle se livrent beaucoup de femmes enceintes dans les pays du tiers monde et dans le sud des États-Unis, pourrait permettre de répondre à des besoins de calcium accrus.

Toutefois, l'autre opinion fréquente au sujet des envies veut qu'elles soient motivées par des facteurs plus psychologiques que physiologiques. Selon l'une de ces théories, les femmes apprennent à détester les aliments qu'elles consomment immédiatement avant une nausée matinale et à apprécier ceux qu'elles prennent ensuite (en les associant sans doute à un soulagement de leurs nausées). Certains psychologues ont constaté que les femmes ne manifestaient en réalité pas d'envies alimentaires plus importantes pendant la grossesse qu'au cours des autres périodes de leur vie, mais que la grossesse leur fournissait une excuse pour se livrer à des excès.

Quoi qu'il en soit, il n'existe pas de preuve formelle permettant d'affirmer que les goûts de la femme la poussent à consommer les aliments dont elle a le plus besoin pour s'assurer une grossesse saine. La démarche la plus sage pour les femmes enceintes consiste à être pleinement conscientes des besoins nutritionnels qu'implique la grossesse et à y répondre de façon scrupuleuse.

LES BESOINS NUTRITIONNELS PARTICULIERS

Les nutritionnistes soulignent les besoins accrus de certains nutriments, mais il est important de comprendre que les besoins de *tous* les nutriments se trouvent augmentés pendant la grossesse et le restent tant que la mère allaite son enfant.

En raison de nouveaux besoins de tissus – pour l'utérus ainsi que pour le fœtus et le placenta –, il faut des protéines supplémentaires. Peu de femmes connaissent des difficultés à consommer les 50 à 60 grammes supplémentaires de protéines recommandés, ce qui amène leur consommation quotidienne aux alentours de 75 grammes. Cela correspond à moins de 100 grammes de viande ou de poisson par repas, plus quatre produits laitiers par jour (lait, yaourts, fromages) et reste dans la fourchette de la consommation moyenne des femmes dans les pays occidentaux, qu'elles soient enceintes ou pas. Même les végétariennes – du moins celles qui consomment du lait et des œufs – ne devraient avoir aucun mal à faire face à ces besoins accrus de protéines.

Parmi les micronutriments, il en existe cinq auxquels les femmes enceintes devraient porter une attention particulière : le calcium, le fer, le zinc, l'acide folique et la vitamine B$_6$, car des carences risqueraient d'entraîner des problèmes particuliers et parce que les quantités nécessaires en période de grossesse sont nettement supérieures à celles dont on a besoin pour les autres micronutriments.

Le calcium

Le manque de calcium peut perturber la mère bien après son accouchement. La plupart des jeunes femmes ne se procurent pas tout le calcium dont elles auraient besoin, c'est-à-dire 800 milligrammes par jour, ce qui correspond à la valeur d'un litre de lait ou de yaourt, ou d'une demi-livre de fromage frais, et qui leur permettrait de se protéger contre l'ostéoporose à une époque plus tardive de leur vie (voir chapitre 21). Pendant la grossesse, le fœtus a besoin de calcium pour constituer ses os et il en puisera autant que possible dans ceux de sa mère. Les médecins pensaient autrefois que la grossesse privait inévitablement la mère d'une partie de son calcium et réduisait systématiquement sa masse osseuse. Un dicton affirmait même qu'il fallait donner la valeur d'une dent pour chaque enfant. En revanche, ils ne comprenaient pas que la mère peut *gagner* du calcium pendant sa grossesse, car celle-ci double son aptitude d'absorption de ce minéral.

Pour profiter de l'occasion que vous offre la grossesse de renforcer votre masse osseuse, il faut accroître votre consommation quotidienne de calcium de 50 %, en l'amenant à environ 1200 milligrammes (1,2 gramme). Il est possible de se procurer tout ce calcium par la seule alimentation, mais la plupart des femmes enceintes ne le veulent pas ou ne le peuvent pas. Mais rien ne leur interdit de prendre des suppléments de carbonate de calcium (du bicarbonate de soude), une source de calcium peu onéreuse et très facile à absorber.

Le fer

Comme le calcium, le fer est rarement présent en trop fortes quantités dans l'organisme. La plupart des femmes ne s'en procurent pas suffisamment, même avant leur grossesse (voir chapitre 21). Pendant la grossesse, les besoins de fer sont multipliés par trois ou quatre. La femme doit produire des globules rouges sains aussi bien pour elle que pour son bébé. Ses réserves de sang augmentent, et le fœtus se constitue non seulement ses propres globules rouges, mais également une réserve de fer.

La femme a besoin d'environ 1 gramme quotidien de ce minéral pendant sa grossesse : 300 milligrammes pour le fœtus et le placenta, 500 milligrammes pour ses propres réserves de sang, et le reste qui permet de remplacer les pertes subies (par la peau et le conduit gastro-intestinal). Si elle souffrait d'une carence de fer, la femme ne serait pas capable de remplacer rapidement les globules rouges perdus lors de l'accouchement, et son lait (si elle allaite son bébé) ne contiendrait pas assez de fer pour son enfant. Quant à lui, il paierait un prix plus élevé encore. Il commencerait sa vie avec un système de distribution d'oxygène manquant d'hémoglobine, et il tirerait sa nourriture d'un lait maternel contenant trop peu de fer, ce qui l'entraînerait probablement assez vite vers une anémie infantile.

Pour aider les mères à se procurer tout le fer dont elles ont besoin, l'organisme, qui en limite habituellement la quantité qu'il peut absorber, relâche sa surveillance pendant la grossesse. Il n'en reste pas moins que la quantité consommée est nettement supérieure à la quantité effectivement absorbée. Au mieux, un quart environ du fer présent dans les aliments d'origine animale est absorbée, ce chiffre étant assez inférieur pour celui des aliments végétaux. Par conséquent, les femmes doivent consommer entre 48 et 78 milligrammes de fer par jour pendant neuf mois. Si on considère la difficulté que l'on éprouve à répondre aux normes quotidiennes conseillées, excepté lorsque notre alimentation contient beaucoup de viande rouge, de poisson et de volaille, il devient évident que les suppléments sont indispensables pendant la grossesse.

Le zinc

Les nutritionnistes ont appris récemment l'importance d'une consommation adéquate de zinc pendant la grossesse pour la croissance du fœtus. Ainsi, les expériences animales récentes ont montré qu'un manque pendant les deuxième et troisième trimestres de la grossesse endommage le système immunitaire des fœtus de souris (et ces troubles se transmettent sur trois générations).

Si les femmes pouvaient extraire de la seule alimentation tout le fer dont elles ont besoin pendant leur grossesse, elles seraient certaines d'obtenir également une quantité satisfaisante de zinc, car le zinc est présent dans les mêmes aliments que le fer.

L'acide folique et la vitamine B₆

De même que dans le cas du calcium et du fer, les réserves maternelles d'acide folique risquent d'être faibles au début de la grossesse, car la plupart des femmes ne se procurent pas des quantités satisfaisantes de cette vitamine B, même avant la conception. Selon une analyse des habitudes alimentaires aux États-Unis, la carence d'acide folique est l'avitaminose la plus répandue dans ce pays. La vitamine B₆ arrive à la deuxième place et cela constitue un risque particulier pour les femmes, dont la consommation calorique est généralement plus faible que celle des hommes.

L'insuffisance d'acide folique pendant la grossesse peut entraîner l'anémie, en particulier pendant le dernier trimestre, lorsque le fœtus puise considérablement dans les réserves de la mère. Dans les cas graves, le cœur, le foie et la rate de celle-ci risquent de se dilater, et ses globules rouges peuvent s'affaiblir au point de menacer la vie du bébé.

Une déficience, même minime, d'acide folique chez la mère peut avoir des conséquences graves pour certains enfants. On évalue à 5 sur 10 000 le nombre des bébés nés avec « une déficience du tube neural » aux États-Unis : il s'agit de la mauvaise fermeture du canal de la moelle épinière, qui survient lors du premier mois de la vie fœtale. Cela provoque une maladie appelée spina bifida, qui résulte davantage d'une prédisposition génétique que d'un problème de nutrition. Toutefois, des preuves solides indiquent qu'un taux élevé d'acide folique peut favoriser la prévention de ce trouble.

Une étude britannique l'a établi de façon spectaculaire. On a procédé à une comparaison entre les bébés de femmes qui ne prenaient pas de suppléments d'acide folique et ceux de femmes qui en recevaient une quantité une ou deux fois spérieure aux normes quotidiennes habituelles. En un an, les bienfaits de l'acide folique dans la prévention de la déficience du tube neural devinrent évidents – si évidents, en fait, que le Conseil britannique de la recherche médicale décida d'interrompre l'expérience et d'administrer de l'acide folique à *toutes* les femmes enceintes.

Il existe un besoin profond d'acide folique pendant la grossesse; la consommation doit alors être de 800 microgrammes par jour, soit le double de la norme habituelle. Cette consommation est généralement assez faible, de sorte qu'il n'est pas raisonnable de s'attendre à ce que les femmes soient en mesure de faire face aux exigences de la grossesse en se procurant l'acide folique par les seules sources alimentaires (abats, légumes verts à feuilles et certains fruits). Là encore, les suppléments sont nécessaires, et la plupart des obstétriciens ont pris l'habitude de prescrire des multivitamines sous formes de tablettes, comprimés, ampoules ou gélules, qui contiennent toutes les vitamines B.

Ce type de suppléments fournit également la vitamine B_6, dont la femme a besoin pour assurer le développement normal du fœtus. Chez tous les animaux de laboratoire, y compris les singes, des carences même minimes des vitamines B, notamment de la B_6 augmentent les risques de malformation à la naissance, en particulier au niveau du système nerveux central.

L'EXERCICE

L'exercice est un élément très important de la condition physique générale pendant cette période. Une étude, effectuée sur des athlètes féminines qui poursuivaient leur entraînement pendant les trois ou quatre premiers mois de leur grossesse avant de diminuer progressivement l'intensité des exercices, permit de constater que le nombre de complications qu'elles connaissaient pendant leur grossesse était nettement inférieur à la moyenne.

Malheureusement, contrairement à ce qu'on a pu dire à de nombreuses femmes, l'exercice ne permet pas d'écourter la durée de l'accouchement. Il peut en revanche contribuer à réduire le nombre et la gravité des maux de dos et des varices, soulager la constipation, et éviter d'avoir du ventre après la naissance. L'exercice pratiqué pendant la grossesse permet de rétablir la tonicité musculaire plus efficacement qu'un régime alimentaire.

Toutefois, la grossesse n'est pas le moment idéal pour se lancer dans un programme de sport intensif. Le système cardio-vasculaire a suffisamment de travail supplémentaire à accomplir sans faire face à ces nouvelles exigences. C'est avant la conception qu'il faut commencer à vous mettre en forme.

La pratique régulière de l'exercice au moins trois fois par semaine est préférable à quelques heures de sport de-ci, de-là à intervalles irréguliers. Le sport de compétition est exclu. En revanche, vous pouvez sans risque pratiquer le golf, le tennis ou le jogging, sans faire d'excès. Il est peut-être même préférable de travailler votre musculation en utilisant des poids légers, même si vous n'avez jamais pratiqué ce genre d'activité avant votre grossesse. Une musculation modérée peut amoindrir les douleurs lombaires et aider la femme à supporter ses kilos supplémentaires. Cela la préparera également à porter fréquemment un bébé de trois à quatre kilos après la naissance.

Les médecins déconseillent globalement tous les exercices qui nécessitent des bonds, des sauts, des mouvements très brusques et des changements rapides de direction, car ces mouvements risqueraient de provoquer des blessures aux articulations fragiles. La femme peut faire des étirements prudents et ne devrait pas pratiquer d'exercices sur le dos au-delà du quatrième mois. Les autres risques de l'exercice sont essentiellement la déshydratation et l'élévation de la température du corps (qui ne doit jamais excéder 38,5 degrés) susceptibles de déclencher le travail prématurément. Pour prévenir ces deux problèmes, il suffit de boire beaucoup avant et après la pratique de l'exercice.

LES PLAISIRS TOXIQUES – ET LES PROBLÈMES

Le seul mot concernant la consommation d'alcool pendant la grossesse est : NON. Les excès d'alcool (six verres par jour ou davantage) peuvent causer des anomalies graves au fœtus. Il s'agit notamment de troubles du système nerveux central, de malformations de la tête et du visage, d'attardement mental et de retard considérable de la croissance. Le simple fait de boire un ou deux verres d'alcool par jour au début de la grossesse peut affecter le fœtus de manière plus subtile. C'est ce qu'a révélé une importante étude effectuée en Californie. La seule note d'espoir tient au fait que bon nombre de femmes qui buvaient modérément avant leur grossesse perdent leur goût pour l'alcool durant cette période.

Le tabac doit également être évité, car la nicotine contracte les vaisseaux sanguins menant à l'utérus et au placenta, ce qui risque d'amoindrir le flux de sang et de nutriments qui atteignent le fœtus. Le fait de fumer fréquemment tout au long de la grossesse entraînera des effets suffisants sur les vaisseaux sanguins pour amoindrir le poids du bébé à la naissance.

En revanche, la caféine à doses modérées ne semble pas présenter trop de dangers. Si une femme enceinte a encore envie d'une tasse de café (mais elle en perd également assez souvent le goût pendant cette période), ce café ne doit pas être trop fort. Comme la nicotine des cigarettes, la caféine provoque une contraction des vaisseaux sanguins. Une étude effectuée récemment sur plus de 3 000 femmes enceintes a permis de constater qu'au-delà de 150 milligrammes par jour, la caféine semble augmenter les risques d'avortement spontané pendant le premier trimestre, en faisant passer ce risque de 1,8 % à 3,1 %. Toutefois, une consommation inférieure à 150 milligrammes par jour ne semble pas présenter de risque. Le thé, le cacao et les sodas ne sont pas dangereux, mais une tasse de café très fort peut contenir jusqu'à 180 milligrammes de caféine.

EN RÉSUMÉ : LES PRÉOCCUPATIONS ESSENTIELLES

Le premier besoin des femmes enceintes est celui des calories. Les bébés doivent atteindre un poids satisfaisant (5,5 livres ou davantage) pour avoir les meilleures chances de vivre en bonne santé. Pour la mère, cela représente un gain de poids de 15 à 20 % pendant la grossesse (davantage si son poids est inférieur aux normes, moins si elle est obèse). Le gain de poids doit se faire régulièrement, le plus grand nombre de kilos apparaissant au cours du dernier trimestre.

La grossesse augmente les besoins de *tous* les nutriments, mais les femmes devraient veiller tout particulièrement à se procurer des quantités adéquates de calcium, de fer, de zinc, d'acide folique et de vitamine B_6. Il est peu probable que l'alimentation à elle seule puisse leur fournir suffisamment de fer ou de calcium, et les suppléments seront sans doute nécessaires pour ces minéraux, ainsi que dans le cas de la vitamine B_6 et de l'acide folique.

L'alcool, même en quantités modérées, met le bébé en danger. Il en va de même pour les cigarettes. La nicotine et la caféine provoquent une contraction des artères, y compris de celles qui alimentent l'utérus et le placenta. Toutefois, une tasse de café de force moyenne par jour ne semble présenter aucun danger.

La pratique de l'exercice à un niveau modéré peut réduire les problèmes de la grossesse et aider les femmes à retrouver leur tonicité musculaire et leur silhouette plus rapidement après l'accouchement.

LE GUIDE DES SUPPLÉMENTS PENDANT LA GROSSESSE

De plus en plus d'obstétriciens recommandent ou prescrivent des « cocktails » de multivitamines ou d'oligo-éléments à leurs patientes. Aux États-Unis, les femmes peuvent également trouver tous les nutriments dont elles ont besoin dans les formules spéciales conseillées par certains médecins, ou dans des suppléments « maternels » en vente libre.

Cependant, quel que soit l'emballage sous lequel il est présenté, le supplément doit surtout offrir un bon dosage des nutriments. Il est vrai que les femmes enceintes ont des besoins plus importants de tous les nutriments – mais dans certaines limites. Le besoin d'acide folique augmente davantage que celui de tous les autres nutriments à l'exception du fer, et pourtant, il est simplement doublé. Par conséquent, même pendant la grossesse, il n'y a aucune raison de prendre des doses anormalement élevées de quelque nutriment que ce soit. De plus, les doses excessives de certains d'entre eux présentent des risques particuliers pendant cette période. Ainsi des quantités trop importantes de vitamines A et D peuvent nuire non seulement à la mère, mais aussi au développement du fœtus.

Les suppléments peuvent également jouer un rôle avant et après la grossesse. Une femme qui prévoit d'avoir un enfant devrait veiller à se constituer des réserves suffisantes de calcium, de fer et d'autres nutriments essentiels. Un supplément équilibré correspondant à 100 % des normes conseillées apporte une sécurité suffisante. Les mères qui allaitent leur enfant ont besoin des mêmes nutriments que pendant la grossesse jusqu'au sevrage du bébé.

Le tableau ci-dessous donne à titre d'indication les normes de consommation quotidienne conseillée pour les différents nutriments en période de prégrossesse et de grossesse, et il est fondé sur les besoins d'une femme âgée de vingt-trois à cinquante ans, qui pèse 50 kilos avant sa grossesse pour une taille de 1,62 mètre.

Consommation quotidienne conseillée (CQC) pendant la grossesse

Nutriment	Prégrossesse		Grossesse		Augmentation		Augmentation en %
Protéines	50	g	74	g	24	g	60
Vitamine A	800	ER	1000	ER	200	ER	25
Vitamine D	5	mcg	10	mcg	5	mcg	100
Vitamine E	8	mg	10	mg	2	mg	25
Vitamine C	60	mg	80	mg	20	mg	33
Thiamine (B_1)	1	mg	1,4	mg	0,4	mg	40
Riboflavine (B_2)	1,2	mg	1,5	mg	0,3	mg	25
Niacine (vit. PP)	13	mg	15	mg	2	mg	15
Vitamine B_6	2	mg	2,6	mg	0,6	mg	30
Acide folique	400	mcg	800	mcg	400	mcg	100
Vitamine B_{12}	3	mcg	4	mcg	1	mcg	33
Calcium	800	mg	1 500	mg	700	mg	80
Phosphore	800	mg	1 200	mg	400	mg	50
Magnésium	300	mg	450	mg	150	mg	50
Fer	18	mg	48-78	mg	30-60	mg	167-333
Zinc	15	mg	20	mg	5	mg	33
Iode	150	mcg	175	mcg	25	mcg	17

Chapitre 24

L'ALIMENTATION DES BÉBÉS ET DES JEUNES ENFANTS

L'allaitement est revenu à la mode, et plus de la moitié des enfants commencent maintenant leur vie en se nourrissant du lait maternel. Cela assure non seulement un point de départ solide à la relation psychologique entre la mère et l'enfant, mais également des bienfaits physiologiques pour l'un comme pour l'autre.

Les hormones produites par la mère qui allaite favorisent la contraction de l'utérus, qui reprend ainsi la forme qui était la sienne avant la grossesse. Elles peuvent également prolonger la période d'infertilité qui suit l'accouchement. De plus, l'allaitement est la solution naturelle dont disposent les femmes pour se débarrasser des surplus de graisse qu'elles ont accumulés au cours de la grossesse. Cinq de ces kilos environ ont pour mission de soutenir la production de lait, et s'ils ne sont pas utilisés à cette fin, ils doivent être éliminés d'une autre manière.

Le lait maternel, l'aliment idéal pour le nourrisson

Pour le bébé, les bienfaits de l'allaitement au tout début de la vie sont si importants que la plupart des pédiatres conseillent désormais aux femmes qui sont en mesure de le faire d'allaiter leur enfant. Même si la mère ne veut pas s'imposer la fatigue que représente un allaitement prolongé, elle peut apporter des bienfaits énormes à son enfant en le nourrissant seulement pendant ses sept à dix premiers jours de vie. C'est alors que les seins produisent le colostrum, une substance pauvre en matières grasses mais très riche en protéines, chargée de nutriments et d'anticorps qui préviendront les maladies et qui apportent au bébé la protection que son propre système immunitaire n'est pas encore apte à lui fournir.

Les bienfaits immunitaires de l'allaitement ne disparaissent pas quand les seins cessent de produire le colostrum pour commencer à fournir du lait. Tant que les mères continuent à allaiter, elles transmettent à leurs enfants des anticorps précieux et des cellules qui ont été programmées par le système immunitaire maternel. De plus, les enfants qui reçoivent le lait maternel sont nettement moins exposés que les autres aux allergies alimentaires.

L'allaitement peut non seulement protéger les enfants contre les maladies et les réactions allergiques, mais aussi favoriser la régulation de la consommation de calories, car certaines études indiquent que les bébés nourris au biberon sont plus exposés que les autres à la suralimentation (et par conséquent à l'obésité). Les opinions sont assez partagées dans ce domaine, de même que les preuves cliniques. Quoi qu'il en soit, les bébés « bien portants » ne deviennent pas systématiquement des adultes obèses (voir : la graisse de bébé et les matières grasses pour les bébés, pp. 338-339).

Plus importants sont les avantages nutritionnels de l'allaitement. Le lait maternel est l'aliment idéal pour l'enfant, spécialement conçu pour répondre aux besoins des jeunes êtres humains, et aucune formule synthétique ne parvient à réunir les mêmes qualités.

Les laits maternisés peuvent comporter la même quantité de protéines et de graisse que le lait maternel. Mais il ne s'agit pas du même type de protéines, et généralement pas non plus du même type de matières grasses. Leurs protéines sont issues du lait de vache et sont donc différentes de celles qui se trouvent dans le lait maternel. Elles sont plus difficiles à digérer pour les enfants, et les proportions d'acides aminés qu'elles contiennent, même si elles sont idéales pour les veaux, ne sont pas les plus appropriées pour les enfants.

Le lait de vache contient un taux assez faible de cystine, qui est une substance abondante dans le lait maternel, et de taurine, un amino-acide très important qui favorise la croissance. (Ces substances ne sont pas indispensables aux enfants plus grands ni aux adultes, mais elles paraissent nécessaires à l'alimentation du nourrisson.) D'autre part, le lait de vache contient nettement plus de phénylalanine que le lait maternel, et certains enfants ont du mal à métaboliser cet acide aminé. De plus, ce sont les protéines du lait de vache présentes dans les formules qui déclenchent généralement les réactions allergiques chez les bébés.

En ce qui concerne les graisses, les formules ne tentent généralement même pas d'imiter le lait maternel, qui contient un mélange de graisses saturées et insaturées et une importante quantité de cholestérol. Les bébés ont besoin de graisses – bien plus que les adultes. Les graisses constituent une source de calories concentrées et le lait maternel ne pourrait pas apporter suffisamment d'énergie au bébé si les graisses n'en constituaient pas la moitié des calories. Les bébés sont besoin d'importantes quantités de l'acide linoléique présent dans les matières grasses pour assurer leur croissance (voir la section des « acides gras » au chapitre 3). De plus, le développement de leur cerveau et de leur système nerveux central dépend également d'une fourniture adéquate de graisses qui peuvent produire la myéline, c'est-à-dire la substance grasse et riche en cholestérol que l'organisme utilise pour assurer l'isolation des gaines nerveuses.

Bien que le lait maternel comporte de fortes concentrations de graisses saturées et de cholestérol, les nutritionnistes n'ont pas encore réussi à comprendre les éventuels bienfaits que peuvent fournir ces substances.

L'organisme est en mesure de produire la plupart des substances grasses dont il a besoin, à condition qu'il bénéficie d'un apport satisfaisant des acides gras essentiels – et ces acides sont présents dans les graisses non saturées. Toutefois, la fourniture doit être adéquate. Une déficience de certains acides gras essentiels, qui survient assez rarement chez les adultes, peut arriver plus fréquemment chez les jeunes enfants, et son développement est bien plus rapide chez les bébés.

LE DÉBUT DE L'ALLAITEMENT

L'organisme se prépare en vue de l'allaitement pendant toute la grossesse, non seulement en entreposant une réserve de graisse destinée à produire le lait, mais aussi en apprêtant les glandes mammaires à produire et à administrer le lait. Neuf mères sur dix au moins sont physiquement en mesure d'allaiter et de produire tout le lait dont leur bébé a besoin. La taille des seins n'a que peu de rapport avec la production de lait (les seins développés contiennent davantage de graisse, et non des glandes plus importantes), et les bouts de seins plats ne constituent généralement pas un obstacle. Une manipulation effectuée pendant la grossesse permet le plus souvent d'obtenir une protubérance suffisante pour assurer un allaitement normal.

L'hormone prolactine joue un rôle essentiel dans la productivité des glandes mammaires, et le taux dans le sang de cette hormone s'élève pendant la grossesse (lorsqu'elle est sécrétée à la fois par l'hypophyse et par le placenta). Cependant, une hormone différente, l'ocytocine, est nécessaire pour permettre à la mère de libérer son lait. Elle provoque une contraction de tous les muscles lisses de l'organisme (y compris ceux de l'utérus), ainsi que celle des muscles qui entourent les glandes mammaires, ce qui pousse le lait à l'extérieur des vaisseaux. La sécrétion de prolactine et d'ocytocine est stimulée par l'allaitement. Ainsi, plus l'enfant tète, plus la quantité de lait produite et libérée est importante.

Pour que l'allaitement débute dans de bonnes conditions, il faut un enfant affamé et décidé à téter vigoureusement. L'allaitement à de plus grandes chances de réussir s'il débute dès le premier jour de la vie du bébé, et les pédiatres conseillent généralement aux médecins de laisser les mères en compagnie de leur enfant pendant la première journée qui suit l'accouchement.

La mère ne doit pas s'inquiéter s'il faut attendre plusieurs jours pour que l'allaitement se fasse dans des conditions satisfaisantes. Il est plus important pour elle d'établir des habitudes précises au cours de ces premiers jours que pour son enfant d'obtenir une nourriture importante. Le bébé arrive au monde muni de réserves substantielles de graisse et d'eau, en quantités largement suffisantes pour lui permettre de vivre quelques jours. Par conséquent, on peut sans risque l'affamer légèrement pour qu'il tète avec énergie et contribue ainsi lui aussi à la réussite de l'allaitement.

LA NUTRITION EN PÉRIODE D'ALLAITEMENT

Les exigences nutritionnelles de l'allaitement ne sont pas très différentes de celles de la grossesse. Les mères qui allaitent ont surtout besoin d'une quantité suffisante de calories pour produire entre un demi-litre et un litre de lait par jour.

Cependant, toutes ces calories ne proviennent pas nécessairement de la nourriture. La plupart des femmes qui allaitent ont conservé un surplus de graisses entreposées pendant la grossesse et n'ont pas besoin de plus de 500 kilocalories alimentaires supplémentaires chaque jour pour faire face à l'allaitement. Surtout, il est indispensable de boire 2 litres d'eau ou de boissons par jour.

Pour assurer le bon développement de leur bébé qui grandit très vite, les femmes ont besoin de suppléments de certains nutriments autres que les calories. En fait, ce besoin est dans certains cas plus important en période d'allaitement que pendant la grossesse. Ainsi, la consommation de protéines doit être accrue de 20 grammes par jour par rapport à la grossesse. Cela constitue l'équivalent d'environ 0,5 litre de lait demi écrémé *en plus* de la ration quotidienne *ou* 80 grammes de fromage *ou* 100 grammes de viande ou de poisson *ou* 2 œufs. L'allaitement nécessite également un surplus de vitamines A et C (la quantité de vitamine C devant même être doublée), et de plusieurs vitamines B par rapport à la consommation recommandée pendant la grossesse (voir les apports journaliers conseillés pour les femmes qui allaitent, dans l'appendice, tableau A1).

Les besoins de calcium et de fer en période d'allaitement sont équivalents aux besoins pendant la grossesse, le zinc, le cuivre et le manganèse prenant quant à eux plus d'importance. Il est peu probable que les femmes qui allaitent puissent se procurer tout le calcium et le fer dont elles ont besoin par la seule alimentation – ce qui était déjà le cas pendant la grossesse. Elles devront donc souvent recourir aux suppléments et devraient poursuivre les habitudes acquises au préalable (voir : Les besoins nutritionnels particuliers, au chapitre 23 et Le guide des suppléments pendant la grossesse, pp. 327-328). Les suppléments ne sont toutefois pas nécessaires en ce qui concerne les oligo-éléments autres que le fer, même si les besoins de certaines de ces substances sont légèrement plus élevés en période d'allaitement. On peut trouver des quantités suffisantes de ces oligo-éléments dans les aliments riches en fer qui les recèlent également, même si ces aliments ne peuvent pas à eux seuls fournir tout le fer dont une mère qui allaite a besoin.

LES DEVOIRS DE LA MÈRE QUI ALLAITE

La mère peut transmettre bien plus dans son lait que des nutriments et des anticorps protecteurs. Tout ce qui se trouve dans son sang ou entreposé dans ses tissus adipeux risque d'être transmis à son bébé.

Le lait transmet également les médicaments et les drogues de l'organisme de la mère au bébé, mais le foie et les reins de l'enfant sont généralement en mesure de le désintoxiquer et de se débarrasser des petites quantités de ces substances avant qu'elles n'atteignent des concentrations toxiques dans son sang. Les mères devraient néanmoins parler à leur médecin de leur éventuel traitement médical et de ses implications pour leur enfant, sans oublier que certains produits en vente libre, y compris l'aspirine, sont eux aussi transmis au bébé par le lait.

Parmi les plaisirs toxiques, le tabagisme modéré ne semble pas transmettre au bébé des quantités dangereuses de nicotine. Il semblerait toutefois que celle-ci entraîne des effets négatifs sur la production de lait, et les mères qui fument amoindrissent leurs chances de conserver une quantité de lait satisfaisante. En outre, les effets du « tabagisme passif » sur les enfants suscitent certaines inquiétudes.

La concentration d'alcool dans le sang de la femme est pratiquement équivalente à la concentration dans son lait. Cependant, il n'y a pas de raison de croire que les femmes qui prennent une ou deux boissons alcoolisées par jour risquent de nuire à leur bébé. Quant à la caféine, il faut là aussi en user avec modération, car c'est l'une des substances qui sont susceptibles de s'accumuler dans le sang de l'enfant. Malgré tout, une tasse de café le matin ou un thé dans l'après-midi ne paraissent pas poser de problèmes.

L'ALIMENTATION DES ENFANTS PRÉMATURÉS

Les bébés grossissent davantage au cours des dix dernières semaines de la grossesse qu'à tout autre moment de leur vie. C'est pourquoi les enfants prématurés viennent au monde avec une capacité de croissance plus importante que celle des enfants nés à terme, mais leurs réserves nutritionnelles sont bien plus limitées. Les déficiences et les maladies carentielles, y compris le rachitisme, ne sont pas rares chez les prématurés, qui ont de très forts besoins en protéines et qui manquent souvent de sodium, de calcium, de phosphore, de zinc et de fer.

Les nutritionnistes ne sont pas certains – et ne sont surtout pas d'accord – sur le fait de savoir si le lait maternel est préférable aux formules spéciales de lait pour les enfants prématurés. Cependant, les mères d'enfants prématurés produisent également un lait spécial qui est différent de celui des mères dont les enfants sont nés à terme.

Tous les pédiatres ne conseillent pas le lait maternel pour les enfants prématurés. Tout d'abord, parce que les enfants qui reçoivent des formules spéciales se développent plus rapidement; de plus, parce que la qualité du lait produit par les mères d'enfants prématurés présente des différences sensibles. Ce lait contient souvent trop peu de calories et de protéines et peut manquer de phosphore, de calcium, de sodium, de zinc, de cuivre et de vitamines B. Les formules présentent elles aussi des inconvénients. Non seulement elles ne peuvent offrir les anticorps que contient le lait maternel, et elles provoquent une élévation des risques d'allergie alimentaire, mais elles contiennent par ailleurs une combinaison d'acides aminés que les prématurés ont plus de mal à métaboliser correctement.

LES BESOINS NUTRITIONNELS DES BÉBÉS

Les enfants nés à terme ont besoin d'une alimentation riche en nutriments (et comportant des taux relativement élevés de vitamines A et C), mais si les bébés allaités par leur mère, ni ceux qui sont nourris au biberon n'ont généralement besoin des suppléments de multivitamines et multiminéraux pour bébés (même si ces produits ne peuvent pas leur faire de mal). Il existe cependant trois nutriments dont les pédiatres craignent que les bébés n'obtiennent pas des quantités suffisantes : il s'agit de la vitamine D, du fluor et du fer.

La vitamine D n'est présente qu'en petites quantités dans le lait maternel, mais les bébés naissent généralement avec une réserve de cette vitamine et peuvent produire tout ce dont ils ont besoin quand ils se trouvent exposés à un chaud soleil d'été. Cependant, pendant les mois d'hiver, les bébés allaités peuvent avoir besoin de suppléments de vitamine D. En ce qui concerne les bébés nourris au biberon, les suppléments sont inutiles car les laits artificiels contiennent généralement tous les nutriments essentiels pour les bébés.

Cependant, un nutriment risque de manquer dans certains laits : il s'agit du fluor. (Même le lait maternel risque d'en manquer.) Les suppléments de fluor prescrits par le médecin sont nécessaires aux bébés allaités par leur mère et devraient également être administrés aux enfants nourris au biberon si le lait choisi n'en contient pas.

Certains laits présentent une faible teneur en fer, mais les bébés qui consomment des formules enrichies en fer n'ont pas besoin de suppléments de ce minéral. Les suppléments ne sont le plus souvent pas nécessaires non plus aux bébés allaités par leur mère, bien que certains pédiatres les recommandent. Le lait maternel (tout comme le lait de vache) ne contient pas beaucoup de fer, mais ce minéral y est présent sous une forme bien plus facilement assimilable que dans tout autre aliment. L'organisme ne peut absorber que 5 % environ du fer des légumes et 30 % du fer hémal de la viande rouge, mais une bonne moitié de celui contenu dans le lait maternel est assimilable. Par conséquent, les bébés allaités présentent rarement une carence de fer pendant les six à neuf premiers mois de leur vie.

A l'exception de la vitamine D, du fluor et éventuellement du fer, le lait maternel répond à tous les besoins nutritionnels du bébé et lui assurera une croissance normale pendant ses quatre à six premiers mois. Les laits maternisés donneront également un résultat satisfaisant. Toutefois, au-delà de quatre mois (pendant lesquels l'enfant n'a naturellement besoin de rien de plus que du lait maternel ou maternisé) et avant six mois (l'âge auquel la plupart des bébés ne peuvent plus se contenter de ces seuls aliments), il est temps de les habituer aux aliments solides.

LES ALIMENTS SOLIDES

Il est inutile et peut-être même dangereux dans certains cas d'administrer des aliments solides au bébé avant l'âge de quatre mois. Non seulement les très jeunes enfants ont du mal à utiliser des cuillers et ne comprennent pas aisément la signification du mot mâcher, mais ils risquent même de ne pas être en mesure de coordonner la déglutition des aliments solides. Leur système digestif et leurs reins risquent de ne pas être aptes à faire face à la quantité de protéines qu'ils contiennent.

Si la mère opère trop tôt la transition vers les aliments solides, elle doit décider si elle doit ou non réduire la quantité de lait maternel ou maternisé qu'elle donne à son enfant. Si elle réduit cette quantité, elle remplace le lait par des aliments moins appropriés sur le plan nutritionnel. En revanche, si elle continue à lui donner la même quantité de lait ou de formule, elle fournit à son bébé une quantité excessive de calories. Dans ces conditions, à moins que l'enfant ne régule lui-même sa consommation, il risque de gagner du poids trop rapidement.

Il n'est pas prudent de recourir aux aliments solides avant l'âge de quatre mois, mais il n'est pas conseillé non plus de retarder cette transition au-delà de six mois, car les bébés ont alors besoin pour assurer leur croissance de plus de nutriments qu'ils n'en trouvent dans le lait. Peu importe les aliments par lesquels vous commencez (le choix se porte généralement vers les céréales simples), mais ils doivent faire leur apparition un par un. Il n'est pas recommandé de donner à un bébé un mélange d'aliments nouveaux et différents, car la règle de l'introduction progressive permet de déceler les éventuelles allergies alimentaires et leur cause.

Entre six et douze mois, la quantité d'aliments solides que consomme l'enfant doit progressivement augmenter. Toutefois, à un an, le lait doit toujours lui fournir entre la moitié et les deux tiers de ses calories quotidiennes. Le lait de vache demi-écrémé peut se substituer au lait maternel ou maternisé lorsque l'enfant obtient un tiers de ses calories par les aliments solides (au moins trois boîtes de 100 grammes d'aliments pour bébé par jour). Pendant ce temps, les aliments solides constituent un supplément, et non un remplacement pour le lait de vache, le lait maternel ou le lait maternisé, qui restent les sources principales de vitamines et de minéraux.

A mesure que les jeunes enfants s'écartent du lait de vache, du lait maternel ou des formules enrichies (aliments lactés diététiques ou laits maternisés), ils s'exposent à un risque de carence de fer, en particulier avant qu'ils n'acquièrent le goût de la viande, riche en fer (aux environs de dix-huit mois). Les déficiences, même minimes, peuvent provoquer la fatigue et des pertes de concentration. Elles entraîneront également des difficultés pédagogiques et retarderont le développement de l'enfant.

A mesure que les enfants dépendent davantage des aliments solides, les parents se trouvent face à de nouvelles préoccupations. Les jeunes enfants mangeant relativement peu, la densité nutritive de leur alimentation est particulièrement importante. Il en va de même pour sa teneur en sel et en sucre, et elle doit être aussi variée que possible.

La plupart des familles recourent aux aliments spécialement conçus pour les bébés, mais les enfants peuvent également manger ce que vous préparez, et on assiste actuellement à une tendance à laisser les enfants partager les mêmes repas que les autres membres de la famille, à condition que leur part soit hachée ou écrasée à leur intention. L'inconvénient de cette pratique tient à la quantité de sodium (dans le sel de table) qui peut avoir été ajoutée aux produits lors du traitement ou de la préparation. Ceux pour bébés vendus dans le commerce sont maintenant débarrassés des excès de sodium.

Les enfants n'ont pas à la naissance une attirance pour le sel (alors qu'ils ont une attirance pour les sucreries), mais ils manifestent une préférence pour les produits modérément salés après environ quatre mois. Les envies de sel sont essentiellement acquises au fil de la vie, et la dose qu'utilisent la plupart des familles pour agrémenter leur nourriture sera généralement beaucoup trop forte pour le goût du bébé.

LA GRAISSE DE BÉBÉ
ET LES MATIÈRES GRASSES POUR LES BÉBÉS

Un certain nombre de parents, souvent désireux d'épargner à leurs enfants leurs propres problèmes avec les kilos excédentaires, imposent des régimes restreignants à leurs enfants avant même leur deuxième anniversaire. Dans un hôpital proche de New York, les pédiatres ont constaté que ce type de régime était responsable d'un quart des cas de mauvaise croissance des enfants. Ces derniers ont généralement été nourris de viande maigre et d'hydrates de carbone complexes, ont bu du lait écrémé au lieu de lait entier, et on leur a interdit de grignoter entre les repas.

Le rapport entre l'excès de graisse chez les bébés et l'obésité des adultes est pourtant loin d'être direct. Même les enfants qui sont nettement trop lourds au cours de leurs six premiers mois – se situant bien au-delà du seuil des 20 % au-dessus du poids de norme – deviennent le plus souvent normalement proportionnés. Une étude britannique sur la relation entre l'obésité infantile et l'obésité adulte a indiqué que neuf enfants obèses sur dix retrouvent un poids normal aux environs de sept ans. Cependant, ils présentent trois fois plus de risques d'être encore obsèses à sept ans que ceux dont le poids était normal dès le début de leur vie.

Les parents n'ont pas tort de se préoccuper des risques d'obésité chez leurs enfants, en particulier s'ils manifestent une prédisposition héréditaire à cette maladie. La plupart des bébés n'ont aucune difficulté à se débarrasser de leurs excès de graisse. Toutefois, plus ces dépôts de graisse sont importants et plus ils les gardent, plus ils risquent de rester obèses pendant leur vie. Les risques sont plus importants à deux ans qu'à un an, et augmentent tout au long de l'enfance. Si un enfant reste obèse après son passage dans l'adolescence, les chances de le voir atteindre un jour son poids normal sont alors de 5 contre 1.

On ne comprend pas encore très bien les mécanismes de l'obésité, et le rôle des kilos excédentaires chez les enfants est particulièrement difficile à expliquer. Prenons l'exemple des réserves de graisse. Les personnes obèses ont des cellules de graisse plus développées que la normale, et elles en ont généralement un plus grand nombre. Chez les adultes obèses, les personnes qui ont davantage de cellules de graisse les ont le plus souvent conservées depuis leur enfance, alors que celles dont le nombre de cellules graisseuses est normal ont plutôt acquis leur obésité à l'âge adulte.

Les bébés acquièrent rarement de nouvelles cellules de graisse au cours de leur première année. C'est après cette première année que leur nombre commence à augmenter, et il peut continuer à s'accroître jusqu'à l'âge adulte. Cependant, en cas d'importante prédisposition génétique, les bébés peuvent commencer à en acquérir de nouvelles avant leur premier anniversaire et atteindre le nombre de cellules de graisse d'un adulte après seulement quelques années.

La signification du surplus de cellules de graisse et le rôle de l'alimentation et de l'exercice dans le contrôle du poids sont évoqués aux chapitres 10 et 11. Cependant, d'une manière générale, le besoin qu'ont les bébés de recevoir une nourriture suffisante pour assurer leur croissance normale – et une quantité satisfaisante de nutriments pour faire face aux besoins de leur développement – rend difficiles les restrictions alimentaires que peuvent imposer les parents avant que leurs enfants n'atteignent l'âge de deux ans.

Par exemple, il n'est pas recommandé de remplacer le lait demi-écrémé par du lait écrémé avant que l'enfant n'atteigne dix-huit mois. Cette mesure le prive non seulement d'un nombre de kilocalories, mais fait du lait une source de protéines et de sel plus concentrée. Quand les enfants n'ont pas encore dix-huit mois, leurs reins ne sont pas toujours en mesure de faire face à une source de protéines si riche.

Il existe une autre raison de ne pas donner du lait écrémé aux enfants de moins de dix-huit mois : leur besoin de graisses. Les bébés en ont plus besoin dans leur alimentation que les enfants plus âgés et les adultes. Ils doivent bénéficier des kilocalories qu'elles contiennent pour assurer leur croissance et leur activité, et les graisses elles-mêmes sont indispensables au bon développement de leur système nerveux. Même quand ils atteignent l'âge de deux ans et que leur alimentation ressemble davantage à celle des adultes, ils risquent de ne pas pouvoir grandir normalement en suivant un régime de restriction des graisses approprié pour les adultes.

C'est pourquoi les parents devraient aborder avec méfiance le conseil des spécialistes américains de la santé, selon lequel *tous* les enfants devraient entamer un régime de réduction du cholestérol dès l'âge de deux ans. Naturellement, un enfant de deux ans obèse devrait avoir une alimentation différente de celle d'un enfant de poids normal, et un enfant dont le taux de cholestérol est particulièrement élevé peut avoir besoin d'un régime particulier de réduction de celui-ci préconisé par un médecin. Toutefois, tous les enfants ne peuvent pas tirer des bienfaits d'une alimentation à faible teneur en cholestérol. Le cholestérol alimentaire peut entraîner des risques à long terme pour les enfants présentant une prédisposition génétique aux maladies cardiaques (voir chapitre 17), mais il ne constitue pas pour autant un danger pour la plupart des autres. Les parents qui savent qu'il existe dans leur famille un risque de maladies cardiaques devraient évoquer avec un pédiatre la question du régime à faible teneur en cholestérol pour leur enfant.

Quant aux conséquences à long terme pour la santé, le contrôle du poids n'est pas plus important pour les enfants de deux ans et plus que le développement de bonnes habitudes alimentaires. Le mode d'alimentation, les goûts et les préférences sont établis dans la petite enfance et peuvent avoir un impact bénéfique durable sur la vie de l'enfant.

LES CRAINTES ALIMENTAIRES
ET LES ENFANTS DIFFICILES

Entre un et deux ans, au moment où le monde de la nourriture s'ouvre aux enfants, ils répugnent souvent à goûter des mets nouveaux et inconnus. Même les enfants plus âgés imposent des limites étonnantes à ce qu'ils veulent manger et restreignent souvent leur alimentation au jambon ou aux pâtes, à la confiture et aux biscuits, ou à une marque particulière de céréales. Les parents doivent s'attendre à certaines difficultés de ce genre, car la plupart des enfants deviennent tôt ou tard très difficiles dans le choix de leurs aliments. Cela peut inquiéter considérablement ceux qui connaissent l'importance d'une alimentation variée et saine pour la santé. Ils se demandent alors si leurs enfants obtiennent suffisamment de nutriments et essaient par toutes sortes de moyens de surmonter ou de réduire ce qu'ils considèrent comme des caprices déraisonnables.

Cependant, le phénomène que les psychologues appellent aujourd'hui néophobie, c'est-à-dire la crainte des aliments nouveaux, n'est pas simplement un comportement caractéristique de l'enfance. Il est déclenché par des instincts qui sont universels. En fait, cette crainte fut sans doute l'une des principales méthodes de survie dont disposèrent les enfants des quelques millions d'années écoulées.

Il existe une bonne et une mauvaise manière de faire face à la néophobie. La mauvaise manière – et la plus répandue – consiste à obliger les enfants à manger. Cela présente plus d'un inconvénient. Vous risquez ainsi d'exacerber les craintes de l'enfant, et, selon Leann Lipps Birch, professeur de développement humain à l'université de l'Illinois, « les enfants apprennent très tôt qu'ils peuvent manipuler leurs parents au moyen de la nourriture ».

Les recherches de Birch concernant les goûts alimentaires des enfants lui ont appris que les parents commencent souvent par la pire des solutions : le chantage. « Mange tes légumes, et tu auras du dessert. » « Paradoxalement, dit-elle, lorsqu'on incite ainsi un enfant à consommer un aliment, il l'apprécie encore moins par la suite, et aime de plus en plus l'autre aliment qu'on lui a promis comme récompense. » Les enfants s'imaginent très rapidement que les brocolis, les navets et le chou-fleur sont mauvais; dans le cas contraire, pourquoi leur mère les récompenserait-elle quand ils en mangent?

Selon Birch, la meilleure manière d'aider les enfants à surmonter la crainte d'un aliment nouveau consiste simplement à les mettre en sa présence. Il suffit de les laisser regarder leurs parents ou d'autres enfants manger cet aliment – sans les obliger à en faire autant – pour amoindrir leur résistance. Quand ils constatent que leurs parents ou leurs amis apprécient visiblement cet aliment, ils fournissent un effort particulier pour apprendre à l'aimer aussi. C'est ainsi que les petits Mexicains ne sont pas dès l'enfance très attirés par les plats épicés et le piment. Mais ils goûtent ces aliments de plus en plus souvent, car ce sont des plats nationaux, et ils veulent imiter les adultes qui les apprécient.

De plus, les enfants sont très perceptifs et réagissent souvent à un aliment en fonction de la manière dont les parents en parlent. Ainsi, quand les parents trahissent leur opinion en disant que le petit Pierre ou la petite Jeanne risque de détester les choux de Bruxelles, c'est précisément ce qui se produit.

La plupart des parents pensent que leurs enfants ne mangent pas suffisamment, et surtout pas assez d'aliments sains. Or ces craintes sont souvent sans fondement. La malnutrition est un phénomène très rare dans les pays occidentaux et les enfants obtiennent souvent en quelques jours tous les nutriments et l'énergie dont ils ont besoin, même si tous leurs repas ne sont pas parfaitement équilibrés.

Les parents n'en sont pas toujours conscients, surtout lorsqu'ils ignorent l'importance exacte que doivent avoir les parts de nourriture destinées aux enfants, et surchargent leurs assiettes de morceaux bien trop copieux. Les enfants ont alors raison de laisser des restes, car ils connaissent instinctivement leurs propres besoins alimentaires bien mieux que les adultes. En fait, ils sont généralement plus aptes à déterminer le moment où ils se sentent rassasiés. « Les enfants régulent parfaitement leur consommation si on ne les influence pas, explique Birch. Pourtant, les parents risquent de tout gâcher s'ils ordonnent à l'enfant qui n'a plus faim de terminer ce qui se trouve dans son assiette. »

Il est évident que l'appétit et les besoins nutritionnels peuvent varier, mais la règle d'or qui permet de déterminer la taille des parts destinées à l'enfant veut que l'on ajoute une cuillerée à soupe de nourriture pour chaque année. Cela signifie que les enfants de deux ans ne devraient pas avoir à faire face à plus de deux cuillerées à soupe de steak haché, de pommes de terre et d'épinards à la fois. Cependant, cette règle évolue à mesure que les enfants approchent de l'âge scolaire.

Comment ces proportions fonctionnent-elles dans la pratique? Ces recommandations, sur lesquelles les pédiatres tombent généralement d'accord, donnent des directives globales concernant la consommation des enfants en fonction de leur âge. N'oubliez pas cependant qu'il n'est pas indispensable que l'alimentation de l'enfant soit parfaitement équilibrée chaque jour, pourvu que les nutriments s'équilibrent et se complètent en quelques jours.

Les protéines (viande, poisson, œufs, produits laitiers)

1 à 3 ans : deux ou trois parts de 30 grammes. 4 à 6 ans : trois parts de 30 grammes. 7 ans et plus : quatre parts de 30 grammes.

Les légumes

1 à 3 ans : quatre parts (deux ou trois cuillerées à soupe chacune). 4 à 6 ans : quatre parts (quatre cuillerées à soupe chacune). 7 ans et plus : quatre parts (cinq ou six cuillerées à soupe chacune).

Les fruits

1 à 3 ans : quatre parts (un demi-fruit chacune). 4 à 6 ans : quatre parts (un demi-fruit chacune). 7 ans et plus : trois parts (un fruit moyen chacune).

Les amidons (pain, céréales, riz, pâtes)

1 à 6 ans : trois ou quatre parts par jour (une part correspond à une demi-tranche de pain, 50 grammes de riz ou de pâtes cuits, ou 10 grammes de céréales). 7 ans et plus : quatre parts par jour (une tranche de pain, 30 grammes en poids cru de riz, de pâtes ou de céréales).

Le calcium

Les jeunes enfants ont besoin de l'équivalent en calcium d'environ un demi-litre de lait demi-écrémé par jour. En règle générale, les recommandations sont de consommer trois ou quatre produits laitiers (20 centilitres de lait demi-écrémé, 30 grammes de fromage, un yaourt, 100 grammes de fromage blanc).

EN RÉSUMÉ : LES PRÉOCCUPATIONS ESSENTIELLES

L'allaitement maternel est généralement le mode d'alimentation qui convient le mieux aux bébés, et les femmes qui allaitent doivent veiller à se procurer suffisamment de kilocalories supplémentaires – 500 par jour – pour produire des quantités de lait satisfaisantes. Pour que le lait soit riche en nutriments, la consommation de protéines et de micronutriments doit augmenter durant cette période (voir appendice, tableau A1). Les besoins de calcium et de fer sont trop importants pour que la plupart des femmes les obtiennent par la seule alimentation, même si elles se procurent souvent assez des autres vitamines et minéraux essentiels (y compris les vitamines B, le cuivre, le manganèse et le zinc) sans recourir aux suppléments.

Si le bébé n'est pas allaité par sa mère, il faut recourir à des laits enrichis en nutriments. Les enfants ne devraient pas commencer à consommer des aliments solides avant l'âge de quatre mois ni après l'âge de six mois. Les nouveautés doivent être introduites une à une dans leur alimentation (en commençant généralement par les céréales simples). Quand les aliments solides représentent au moins un tiers des calories absorbées par l'enfant, le lait de vache peut se substituer au lait maternel ou au lait maternisé. Les bébés ont alors besoin de suppléments de fer.

Les parents feraient bien de surveiller les signes éventuels d'excès de poids chez leurs enfants, sans pour autant les priver. Mais il faut savoir que l'obésité éventuelle de l'âge adulte se prépare dès la naissance.

Chapitre 25

L'ALIMENTATION DES ADOLESCENTS

Les besoins nutritionnels augmentent tout au long de l'enfance et atteignent leur point culminant lors de la poussée de croissance de la préadolescence et de l'adolescence, lorsque les enfants grandissent particulièrement vite (ce que les nutritionnistes appellent l'âge de la croissance de pointe). Les filles atteignent ce stade vers l'âge de douze ans, soit un peu plus tôt que les garçons, dont la croissance maximale se produit généralement entre douze et quatorze ans.

Tous ceux qui ont eu à nourrir des enfants de cet âge (en particulier des garçons) connaissent l'ampleur de leur appétit, qui reflète un besoin d'énergie accru. Les besoins caloriques des garçons augmentent tout au long de l'adolescence et au début des années de l'âge adulte, alors que ceux des filles atteignent leur point culminant entre onze et quatorze ans. L'alimentation excessive est dangereuse et l'obésité représente un risque croissant pour les adolescents, mais les parents devraient tout de même être conscients du fait qu'un appétit vorace correspond à de véritables demandes de l'organisme, qui peuvent parfois atteindre 4 000 kilocalories par jour.

L'alimentation pendant cette phase de croissance accélérée devrait fournir aux jeunes tous les nutriments qui leur sont nécessaires, et en particulier le calcium et le fer. Les apports journaliers conseillés de calcium pour les garçons et les filles de onze à dix-huit ans, qui sont de 1 200 milligrammes, sont essentiels pour la constitution d'une ossature suffisamment solide pour leur permettre de résister à l'ostéoporose quand ils seront âgés. Si les jeunes ne reçoivent pas ces quantités satisfaisantes de calcium – l'équivalent de quatre tasses de lait ou de 200 grammes de fromage –, les parents devraient envisager de recourir aux suppléments pour combler les insuffisances (voir la section consacrée au calcium, au chapitre 21).

Nous avons déjà vu que les régimes à faible teneur en cholestérol que préconisent certains médecins pour tous les enfants âgés de plus de deux ans – une alimentation riche en hydrates de carbone, comportant peu de graisses – ne fourniraient pas aux préadolescents et aux adolescents tout le calcium dont ils ont besoin. C'est pourquoi un certain nombre de pédiatres y sont opposés, sauf dans des cas particuliers d'enfants qui présentent à la fois des prédispositions héréditaires aux maladies cardiaques et un taux de cholestérol trop élevé.

Le régime à faible teneur en graisses, surtout s'il parvient à cette réduction des graisses en écartant la viande rouge, risque d'empêcher les jeunes d'obtenir le fer dont ils ont besoin pendant cette période de croissance maximale. Il est possible, et même utile ou nécessaire de recourir à des suppléments (voir la section consacrée aux carences de fer au chapitre 21), mais cela ne comblera pas les autres insuffisances nutritionnelles occasionnées par une consommation restreinte de viande rouge. Tout le calcium que ces enfants se procurent ne pourra pas être très efficace dans la construction des os s'il n'est pas complété par des quantités suffisantes de cuivre, de manganèse et de zinc ou d'oligo-éléments dans l'alimentation.

LES MODES ALIMENTAIRES DES ADOLESCENTS

Les en-cas constituent une partie non négligeable de la consommation des adolescents, car le fait de grignoter de façon quasi permanente, à la maison comme à l'extérieur, est une manie commune à la plupart d'entre eux. Toutefois, cette habitude n'est pas nécessairement mauvaise. Cela peut choquer l'opinion que se font les parents d'une alimentation saine – trois repas équilibrés comprenant des aliments de chaque grande catégorie, et pas de nourriture entre les repas –, mais même des adultes se nourrissent ainsi. Les chercheurs de l'université de Kent ont constaté que les en-cas constituaient une source importante de vitamines et de minéraux (en particulier les vitamines A et C, le magnésium, et le calcium), permettant aux adolescents de consommer des nutriments nécessaires.

Même les aliments réputés mauvais apportent des nutriments. Prenons la pizza, par exemple, dont les jeunes raffolent. Une petite part de pizza contient pratiquement la totalité des nutriments nécessaires, dans des quantités pouvant très souvent aller jusqu'au tiers des apports journaliers conseillés.

Les parents peuvent s'inquiéter si leurs enfants se nourrissent essentiellement de sucreries très caloriques, de sodas et autres produits pauvres en nutriments. Ils devraient également s'inquiéter si leurs enfants fréquentent souvent les restaurants « fast-food », car les produits qu'ils y consomment, comme les hamburgers, les frites et les beignets de poulet, risquent de déséquilibrer leur alimentation (voir la section consacrée aux repas au restaurant, au chapitre 9).

Les préoccupations concernant l'apparence physique augmentent tout au long de l'adolescence, et influencent également les choix alimentaires des jeunes. Les garçons comme les filles peuvent être inquiets au sujet de l'acné et des autres troubles de la peau qui surviennent souvent à cet âge. Ces problèmes ne peuvent malheureusement pas être résolus par l'alimentation. De nombreuses recherches ont révélé que ni le chocolat, ni les autres aliments gras ne provoquent ces maux de la jeunesse. Les modifications hormonales qui se produisent pendant l'adolescence sont les principales responsables, et la première considération doit concerner l'hygiène, et non l'alimentation, afin d'éviter les éventuelles infections qui risqueraient de laisser des cicatrices.

LE CONTRÔLE DU POIDS ET L'EXERCICE

Le poids est le critère primordial dont tiennent compte les jeunes. Ceux qui ont tendance à prendre trop de kilos s'astreignent à des régimes anarchiques, qui les affament et compromettent leur santé. A ceux-là, comme à ceux qui ont le privilège de la minceur sans souci, il faut dire l'importance de l'exercice physique. La pratique d'une activité sportive doit intervenir dès l'enfance.

Or il existe maintenant un ennemi puissant de l'exercice : la télévision, qui serait également une des raisons de l'obésité des jeunes de douze à dix-sept ans. Le Dr William Dietz, du centre médical de Boston, a constaté que l'obésité était deux fois moins présente parmi les jeunes qui regardaient la télévision moins d'une heure par jour que chez ceux qui la regardaient cinq heures et davantage. Non seulement, comme il l'explique, « les enfants mangent davantage en regardant la télévision, et ils mangent souvent les produits vantés dans les écrans publicitaires », mais le fait de regarder la télévision empêche les jeunes de se livrer à des activités plus dynamiques.

Il est plus facile d'inciter les enfants à se lever de leur fauteuil d'où ils regardent la télévision pour les pousser vers le sport si on se livre à cette opération très tôt. Selon les spécialistes de la condition physique, il suffit de donner aux enfants l'impression que le sport est un amusement pour qu'ils s'y livrent avec joie. Les jeunes enfants ont besoin d'attention de la part de leurs parents et ils doivent apprendre à maîtriser leurs capacités motrices. Même les enfants plus âgés ont parfois désespérément envie de se perfectionner. Un grand nombre de préadolescents et d'adolescents ne prennent pas part aux activités sportives organisées autour d'eux en raison de leur sentiment d'insécurité et de la crainte de paraître maladroits ou ridicules.

Pour que l'exercice devienne une habitude, les enfants doivent d'abord s'initier aux disciplines individuelles, comme la natation, la course, la bicyclette ou la gymnastique. La pratique des sports d'équipe n'interviendra pas avant l'âge de dix ans, alors que l'enfant est plus apte à faire face aux pressions de la compétition. Certains spécialistes estiment que même à douze ans, l'enfant est encore trop jeune pour supporter ce genre de stress.

Il ne s'agit pas de transformer les enfants en athlètes, mais essentiellement de leur donner des habitudes qu'ils conserveront toute leur vie. Lorsque le sport fera partie intégrante de leur existence, il leur apportera ses récompenses – une meilleure condition physique, un meilleur état d'esprit (les vertus psychologiques du sport sont réelles) et une meilleure image d'eux-mêmes, ainsi qu'une plus grande assurance.

LES TROUBLES ALIMENTAIRES

Les problèmes alimentaires semblent avoir pris une importance accrue ces dernières années. Ils affectent un grand nombre d'adolescents, plus particulièrement les filles. Un sondage effectué aux États-Unis en 1985 et consacré aux adolescents a fait apparaître que 40 % des garçons et 34 % des filles reconnaissaient éprouver de temps à autre des accès de boulimie. Plus inquiétant encore était le nombre des jeunes qui se lançaient dans des régimes draconiens ou même dans des jeûnes à la suite de ces accès de boulimie : ce comportement se retrouvait chez 12 % des filles et 4 % des garçons. Cette différence entre les garçons et les filles reflétaient leur manière de percevoir leur poids. Près de 60 % des filles déclaraient désirer perdre du poids, alors que 8 % seulement souhaitaient grossir. Chez les garçons, ceux qui voulaient maigrir (20 %) étaient moins nombreux que ceux qui désiraient prendre du poids (28 %).

Les accès de boulimie représentent le trouble alimentaire le plus fréquent chez les adolescents. Toutefois, il faut noter que les privations extrêmes prennent de plus en plus d'importance chez les filles. Elles ont systématiquement tendance à se considérer comme trop grosses – quel que soit leur poids – ce qui les conduit parfois à la boulimie et à l'anorexie mentale.

La boulimie, qui affecte bien plus de jeunes filles que l'anorexie mentale, indique une inquiétude, relative au poids, et la crainte de ne pouvoir cesser de manger de façon volontaire. Les accès de gourmandise secrets sont au cœur de ce problème, ainsi que les moyens les plus extrêmes de contrôle du poids : vomissements, laxatifs, diurétiques, régimes très stricts, et même jeûne. Les boulimiques sont conscientes du caractère anormal de leur comportement et se sentent généralement déprimées et dégoûtées d'elles-mêmes.

L'anorexie est liée à une crainte intense de l'obésité ainsi qu'à une image de soi-même très déformée, et elle se traduit par un amaigrissement considérable. En fait, les critères de diagnostic de l'anorexie sont une perte de 25 % du poids, ainsi que l'aménorrhée (l'interruption du cycle menstruel caractéristique de ce trouble). Les psychiatres soulignent que le terme *anorexie* (qui signifie « perte de l'appétit ») n'est pas vraiment approprié, car l'appétit ne disparaît qu'à un stade très avancé de cette maladie.

Il est évident que la notion de silhouette idéale, apportée par les médias et souvent soutenue par les parents, contribue fortement à la fréquence de ces troubles alimentaires. Il paraît étrange qu'un si grand nombre de jeunes femmes de poids normal se considèrent comme exagérément obèses. Toutefois, la voie qui mène à la boulimie et à l'anorexie est parfois difficile à percevoir. Elle est cependant présente dans certaines études, comme celle qui fut organisée à l'université de San Francisco, et qui indiqua que près de 80 % des fillettes de dix et onze ans avaient déjà suivi un régime amaigrissant.

Le message que l'on peut adresser aux parents est évident : inciter les jeunes à surveiller leur poids pour le seul bien de leur santé, et non pour suivre la mode, et être à l'affût d'éventuels problèmes alimentaires. Ces troubles comportent les symptômes suivants :

- Perte ou gain de poids brutal et important.
- Fluctuation fréquente du poids.

- Dissimulation d'aliments à consommer en cachette.
- Négligence des repas ou jeûne.
- Nausées, ballonnements et constipation fréquents.
- Crainte exagérée de l'obésité.
- Aménorrhée.
- Vomissements.

Les parents ne doivent pas oublier que le comportement des adolescents est toujours caractérisé par de brusques changements et revirements, même s'ils sont en bonne santé. Toutefois, si un symptôme de boulimie ou d'anorexie devient évident, il faut le traiter. Il ne s'agit plus simplement de mauvaises habitudes, mais de problèmes médicaux sérieux, pour lesquels il n'existe pas de solution rapide. Il faut en faire part, du moins dans un premier temps, à votre pédiatre ou au médecin de famille.

EN RÉSUMÉ : LES PRÉOCCUPATIONS ESSENTIELLES

Les besoins caloriques de la préadolescence et de l'adolescence sont liés au niveau d'activité aussi bien qu'à la croissance. Les parents devraient surveiller l'alimentation et l'activité physique de leurs enfants, car l'obésité est fréquente au cours de cette période et difficile à combattre par la suite.

L'alimentation insuffisante chez les jeunes adolescents devient un problème presque aussi préoccupant que les excès.

Les micronutriments les plus nécessaires durant ces périodes sont le fer et le calcium. C'est au cours de ces années que l'ossature se constitue, et c'est alors que l'organisme peut tirer les plus grands bienfaits du calcium et de la pratique de l'exercice. Les suppléments de fer continuent d'être nécessaires tout au long de la croissance et demeurent importants pour les filles après l'apparition de la menstruation.

Chapitre 26

LES PRÉOCCUPATIONS DE L'ÂGE ADULTE

Pendant les années du début de l'âge adulte et du milieu de la vie (excepté en période de grossesse et d'allaitement), nous n'avons pas à faire face à beaucoup de besoins nutritionnels inhabituels, comme ceux qui sont si importants pendant l'enfance, l'adolescence et vers la fin de la vie. Néanmoins, en raison d'influences fréquentes aujourd'hui – celles qui nous incitent notamment à réduire notre consommation de laitages et de viande et à suivre des régimes pour contrôler notre poids –, nous présentons souvent des carences de calcium et de fer et pouvons manquer d'autres oligo-éléments (cuivre, zinc et manganèse). Les suppléments de calcium et de fer (voir chapitre 21) peuvent être nécessaires pour les hommes et le sont sans aucun doute pour les femmes dont les besoins en fer sont très supérieurs à ceux des hommes pendant les années de menstruation et qui risquent davantage de souffrir d'ostéoporose si elles se privent de calcium. Il existe d'autres préoccupations particulières aux adultes, concernant notamment le mode d'alimentation, le poids, l'exercice et les risques de contracter des maladies graves.

Les premières années de l'âge adulte constituent une période d'agitation et de forte pression. C'est alors que les exigences professionnelles et les responsabilités familiales atteignent généralement leur point culminant. On dispose rarement de temps libre, et il peut devenir difficile de prendre soin de soi-même. Les contraintes financières imposent des limites aux choix alimentaires et à l'activité physique. Les repas pris trop rapidement, ou totalement négligés, et les en-cas grignotés à la hâte risquent de perturber l'équilibre de l'alimentation, tandis que le stress psychologique peut troubler la digestion et accroître les risques de maladie (car il entraîne une augmentation du taux de cholestérol LDL dans le sang, et libère des hormones responsables de l'hypertension). Les accès de boulimie et les abus d'alcool constituent des risques importants pour la santé pendant cette période de la vie.

D'autre part, repas préparés à la maison pour la famille ou pris au restaurant, sandwichs ou hamburgers consommés au bord d'un comptoir ou dans un « fast food », les habitudes alimentaires actuelles permettent de subvenir à la plupart des besoins nutritionnels.

Reste cependant le danger de surconsommation et la prise de poids qu'elle entraîne, celle-ci étant souvent accentuée par le manque d'exercice.

La solution évidente pour le contrôle du poids, aussi bien pour les jeunes adultes que pour les personnes d'âge moyen, se situe autant au niveau de l'exercice qu'au niveau de l'alimentation. En fait, l'amaigrissement durable sans pratique de l'exercice est généralement impossible (voir chapitres 10 et 11). Cependant, les années de l'âge adulte, et en particulier les premières années de cette période, constituent un moment où il est difficile de conserver le même niveau d'activité physique qu'au cours de la jeunesse. Les contraintes de temps rendent difficile le fait de trouver les deux à trois heures hebdomadaires nécessaires pour faire du sport. Or, si les habitudes d'activité physique sont interrompues au début de l'âge adulte, il est difficile de les rétablir par la suite.

L'exercice comporte cependant de multiples avantages (voir chapitre 12). Il contribue de deux manières à réduire les risques de maladie. Tout d'abord, en maintenant le poids à un niveau stable, il écarte le danger de l'obésité. De plus, il a tendance à amoindrir l'influence de la plupart des autres facteurs de risque, y compris le tabagisme et les prédispositions héréditaires. La pratique de l'exercice aérobique accroît l'absorption d'oxygène, renforce les muscles (notamment le cœur), ralentit le rythme cardiaque, réduit le taux de cholestérol LDL dans le sang et augmente le nombre des globules rouges. Elle a également tendance à faire baisser la tension artérielle.

L'exercice apporte des bienfaits précis dans la prévention et le traitement de plusieurs maladies. Pour les diabétiques, il accroît la sensibilité des cellules à l'insuline. Pour la protection contre l'ostéoporose, le sport (en particulier les exercices de force qui soumettent les os à un stress) incite l'organisme à conserver davantage de calcium et à renforcer ses os.

Les choix alimentaires peuvent également contribuer à la réduction des risques de maladie. Il est donc important de déterminer le plus tôt possible ceux auxquels vous pouvez être exposé. La première étape vitale consiste à découvrir les symptômes des maladies qu'il est possible de combattre : l'hypertension, par exemple, et l'hypercholestérolémie accroissent sensiblement les risques de troubles cardiaques. Or, ces deux symptômes réagissent à un traitement alimentaire. L'amaigrissement et (pour certains hypertendus) une moindre consommation de sodium entraînent très souvent une baisse de la tension artérielle. De même, l'amaigrissement accompagné d'une baisse de la consommation des graisses provoque généralement une baisse sensible du taux de cholestérol (voir chapitres 17 et 18).

Il est évident que la prédisposition génétique joue un rôle prépondérant dans l'apparition de la maladie, et si des membres de votre famille ont souffert d'hypertension, de maladies cardiaques ou de cancer, vous devriez vous montrer vigilant à l'égard de ces maladies. Si certains de vos parents ont souffert de diabète non insulino-dépendant, il est très recommandé de faire vérifier régulièrement votre taux de glucose. Cette forme de diabète, quand elle est diagnostiquée assez tôt, est facile à contrôler et peut être pratiquement guérie, généralement par un simple amaigrissement de quelques kilos.

Chapitre 27

LA NUTRITION
CHEZ LES PERSONNES ÂGÉES

Il faut bien comprendre l'un des aspects de notre « société vieillissante ». Le nombre des personnes âgées augmente, une évolution démographique importante est en cours. Ainsi, aux États-Unis, les personnes de plus de soixante-cinq ans, qui représentaient 11% de la population en 1984 – elles représentaient déjà en 1983 13% de la population française –, en représenteront 12,4% en 1990, et atteindront alors le nombre de 32 millions. Elles seront 35 millions en l'an 2000, et 50 millions en 2030 (soit 17% de la population). Si nous poursuivons ces projections démographiques jusqu'en 2050, on constate qu'il devrait alors y avoir 67 millions d'Américains de plus de 65 ans (21,7% de la population), plus d'un quart d'entre eux étant âgés de 75 à 84 ans.

Un certain nombre d'éléments peuvent entraîner ce genre d'évolution de la démographie. L'une des raisons de cette augmentation considérable du nombre des personnes de plus de soixante-cinq ans que l'on prévoit pour le début du xxie siècle tient simplement au nombre d'enfants nés soixante-cinq ans plus tôt, au cours du baby boom qui suivit la Deuxième Guerre mondiale. Les premiers membres de cette génération considérable atteindront soixante-cinq ans en 2011.

Cependant, c'est la baisse du taux de mortalité qui joue le rôle le plus important dans l'expansion de la population âgée. A mesure que les taux de mortalité diminuent, l'espérance de vie augmente. Aux États-Unis, où le taux de mortalité a considérablement baissé depuis le début de ce siècle, l'espérance de vie à la naissance – c'est-à-dire la longévité moyenne d'un enfant qui naît aujourd'hui – atteint soixante-quinze ans. En France, l'espérance de vie moyenne est de soixante-douze ans, et elle atteint soixante-dix-sept ans en Islande et soixante-seize ans aux Pays-Bas, en Suède, en Norvège et au Japon. En revanche, dans la plupart des pays du tiers monde, l'espérance de vie actuelle reste inférieure à cinquante ans. Elle est de quarante ans en Ethiopie et en Afghanistan, et de quarante-deux ans en Angola et en Gambie.

L'espérance de vie

Elle varie considérablement d'un pays à l'autre et entre les diverses catégories économiques de la société, car de nombreux facteurs peuvent l'influencer, notamment l'hygiène personnelle, la situation de la santé publique, les moyens de contrôle des risques de l'environnement, la qualification des services médicaux, et il ne faut pas oublier de citer l'alimentation.

L'augmentation de l'espérance de vie signifie qu'un plus grand nombre de personnes atteindront un âge avancé, mais pas nécessairement qu'elles vivront plus longtemps que dans le passé. Plus de 70% des enfants nés aujourd'hui aux États-Unis devraient dépasser l'âge de soixante-cinq ans, alors que 40% seulement de ceux qui naissaient au début du siècle pouvaient espérer vivre si longtemps. Toutefois, pour ceux qui atteignent l'âge de soixante-cinq ans, l'espérance de vie n'a pas beaucoup évolué depuis 1900. Pour les hommes, elle n'est supérieure que de deux ans à ce qu'elle était en 1900, et pour les femmes, elle n'a augmenté que de six ans.

L'amélioration limitée de l'espérance de vie des personnes âgées reflète notre inaptitude à prolonger la vie au-delà de ses limites naturelles, quels que soient les progrès accomplis dans le domaine de la prévention des facteurs susceptibles de la limiter. La prévention des maladies, la résistance aux infections et la capacité d'éviter les accidents ne nous font accomplir que des progrès restreints. Il reste toujours l'usure naturelle des organes et la détérioration des systèmes de l'organisme qui surviennent immanquablement. Si nous ne parvenons pas à contrôler ces éléments, la durée de vie maximale pour notre espèce n'évoluera plus beaucoup.

De même qu'il existe une durée de vie naturelle pour l'espèce humaine, il en existe une pour chaque individu – qui correspond à la longévité que nos gènes nous accordent si nous parvenons à éviter les accidents et les maladies. Notre longévité potentielle n'est pas plus élevée que par le passé : cent quinze ans constituent la limite extrême pour notre espèce, et pour chaque individu, cette limite se situe aux environs de quatre-vingt-cinq ans. Les démographes soulignent que même si le nombre des personnes de plus de soixante-cinq ans augmente, celui des centenaires n'a pas beaucoup évolué.

La médecine découvrira probablement d'autres manières de prolonger l'espérance de vie; mais s'agit-il d'une véritable formule de prolongation de la vie? Jusqu'à présent, la réponse est négative. En effet, les mécanismes du vieillissement restent mal connus, la science n'y a pas consacré des sommes suffisantes dans le passé, et les recherches entreprises actuellement dans ce domaine restent assez limitées. Parmi les moyens possibles de prolonger la vie, on étudie actuellement la sous-nutrition (ou malnutrition) et l'utilisation des antioxydants alimentaires.

Des expériences en laboratoire

L'idée selon laquelle une alimentation réduite peut accroître la durée de vie vient d'expériences effectuées en laboratoire sur des rats et des souris, qui parviennent en effet à dépasser la longévité caractéristique à leur espèce si on leur impose un régime à teneur réduite en calories peu après leur sevrage. Cependant, même si ces régimes fournissent des quantités suffisantes de tous les nutriments, leur teneur en kilocalories est si faible que les rats ne parviennent pas à se développer normalement. Pour avoir les meilleures chances d'établir de nouveaux records de longévité, ils doivent conserver une alimentation très restrictive (qui correspond au tiers de ce que consomment les rats et les souris en liberté) jusqu'à leur mort. Les régimes moins draconiens (équivalents à 70% de l'alimentation des animaux libres), qui ne retardent que très peu la croissance, ne fournissent en revanche qu'une amélioration modeste de la longévité. Cependant, certains rongeurs adultes ont manifesté un accroissement de l'espérance de vie quand on leur a imposé un régime restrictif vers le milieu de leur existence.

Avant de supposer que ce qui convient aux souris convient également aux hommes et aux femmes, il est important de noter les réserves qu'ont émises un grand nombre de spécialistes de l'alimentation des rongeurs. Ils soulignent que les animaux de laboratoire sont en général trop nourris et vivent peu de temps, de sorte qu'ils ne sont pas caractéristiques de leur espèce. Dans ces conditions, il est possible que les privations permettent une prolongation de la vie en rétablissant simplement une alimentation plus normale, et en corrigeant les excès.

Les restrictions caloriques ralentissent également le rythme métabolique d'autres animaux (comme s'ils hibernaient sans dormir), et ce ralentissement peut être en lui-même l'une des raisons de la prolongation de la vie des rongeurs auxquels on impose un régime. En revanche, ses effets indésirables, notamment la faiblesse physique, rendent cette stratégie inacceptable pour la prolongation de l'espérance de vie chez les humains.

Certains chercheurs ont proposé l'utilisation de conservateurs alimentaires – y compris les vitamines A, C et E et le sélénium – comme une méthode possible de prolongation de la vie. Cette hypothèse est fondée sur le principe selon lequel le vieillissement est dans une large mesure le résultat de l'action destructrice des radicaux libres, ces molécules très réactives (les pyromanes de l'organisme) qui oxydent et détruisent les tissus. Les antioxydants alimentaires peuvent en effet protéger les cellules vulnérables contre les assauts des radicaux libres, mais rien ne prouve jusqu'à présent qu'ils aient une influence quelconque sur l'espérance de vie.

En fait, les suppléments de micronutriments en général ne semblent pas apporter de gains de la longévité. Les études de la consommation de vitamines chez un groupe de personnes soigneusement choisies et très attachées aux notions de santé, ces personnes étant âgées, n'ont pas permis d'établir un lien entre la consommation de vitamines et la longévité, si ce n'est un taux *accru* de mortalité chez ceux qui consommaient des doses excessives de vitamine E (plus de cent fois supérieures aux normes).

Les limites individuelles

En résumé, il n'existe pas encore de moyen utile d'appliquer la nutrition à la prolongation de l'espérance de vie au-delà des limites naturelles établies pour l'espèce humaine et des limites individuelles qui sont déterminées par notre héritage génétique. Cependant, cette réalité n'empêche pas beaucoup de personnes de se lancer dans des régimes dits rajeunissants. La longévité par le régime ou les suppléments est un produit qui se vend bien.

Néanmoins, l'incapacité de l'alimentation à faire tomber les limites naturelles de la vie ne signifie pas que les personnes âgées peuvent sans risque oublier leurs besoins alimentaires fondamentaux. Si la nutrition ne peut pas prolonger la vie, les carences nutritionnelles risquent de l'écourter. L'alimentation peut également atténuer les effets de la maladie et permettre aux personnes âgées de bénéficier d'une santé et d'une vitalité optimales jusqu'à ce qu'elles atteignent la limite imposée par la génétique.

Toutefois, l'importance de l'alimentation chez les personnes âgées est encore assez mal comprise : « Nous n'avons pas de données concernant l'évolution des besoins de nutriments chez les personnes âgées », reconnaît Jean Mayer, une célèbre nutritionniste américaine. Les études effectuées au Centre américain du vieillissement visent au maintien de la santé plutôt qu'à la lutte contre la maladie, mais les recherches sont essentiellement consacrées aux troubles de type dégénératif (comme l'ostéoporose, la cataracte et le ralentissement des réactions immunologiques) qui font partie du vieillissement. En fait, il est difficile de considérer la nature et les besoins des personnes âgées sans tenir compte de la maladie.

Les personnes de plus de soixante-cinq ans souffrent généralement de plusieurs troubles chroniques, consultent fréquemment leur médecin et consomment d'importantes quantités de médicaments. Une personne âgée sur quatre est hospitalisée chaque année. C'est pourquoi ces personnes ont tendance à se préoccuper davantage de leur santé que le reste de la population. Dans ces conditions, il est surprenant que tant de gens ignorent les conséquences que peut avoir une mauvaise alimentation sur leur santé. Les études effectuées aux États-Unis sur les personnes âgées vivant chez elles (dont l'alimentation peut donc être assez différente de celle des personnes hospitalisées ou vivant dans des maisons de retraite) ont fait apparaître que plus de la moitié d'entre elles obtenaient moins des deux tiers des apports journaliers conseillés pour les calories ainsi que pour plusieurs vitamines et minéraux.

L'évolution des besoins

De plus, les normes auxquelles ces personnes ne répondent pas ne sont pas nécessairement celles qui sont les plus appropriées pour chacune d'entre elles. Il n'existe en effet qu'une série de normes établies pour *tous* les hommes et femmes de plus de cinquante ans, et il semble que les besoins nutritionnels évoluent considérablement entre cinquante et soixante-cinq ou soixante-quinze ans. Comme l'explique le Dr Myron Winick, de l'université de Colombus : « Il n'existe pas à l'heure actuelle de normes précises de consommation pour un seul nutriment destinées aux personnes de plus de soixante-cinq ans. Pire encore, nous ne disposons pas de données précises pouvant permettre d'établir de telles normes. »

Les nutritionnistes s'efforcent maintenant de rattraper leur retard dans le domaine des besoins particuliers et des problèmes nutritionnels des personnes âgées. Ils étudient les modifications physiologiques qui altèrent les besoins nutritionnels, les aspects de la prévention des maladies qui réagissent aux influences de l'alimentation, et le rôle des transformations du mode d'alimentation et du mode de vie en général sur la détermination des choix alimentaires et des habitudes des personnes âgées.

LES HABITUDES ALIMENTAIRES DES PERSONNES ÂGÉES

Les repas constituent généralement des moments moins privilégiés et moins satisfaisants pour les personnes âgées que pour les jeunes. Les habitudes alimentaires des anciens reflètent les effets de la diminution de la perception sensorielle – une baisse du sens du goût, de l'odorat et de la vue –, ainsi que la chute des dents, ou une dentition déficiente, et des revenus plus limités.

L'appétit risque de souffrir lorsque le sens du goût diminue, et les personnes âgées semblent perdre progressivement leurs facultés gustatives. Les seuils de perception de la saveur salée, amère et sucrée augmentent peu à peu après cinquante ans et celui de la saveur acide après soixante ans, car les personnes de soixante-quinze ans n'ont plus que la moitié du nombre de papilles gustatives d'une personne de trente ans. Dans les études effectuées au sujet de la sensibilité au goût, on a constaté que le seuil de perception de la saveur sucrée était trois fois plus élevé chez les personnes âgées que chez les jeunes. Autrement dit, les anciens peuvent avoir besoin de trois fois plus de sucre pour ressentir la même impression de goût que les jeunes. De plus, cette perte de goût ne semble pas réversible. Elle ne résulte généralement pas d'une carence de zinc, bien que l'insuffisance de ce minéral (qui peut provoquer la même chose chez les personnes plus jeunes) soit relativement fréquente chez les vieux.

L'aptitude moindre des personnes âgées à apprécier la saveur des aliments est due non seulement à une baisse du sens du goût, mais aussi au déclin du sens de l'odorat. Cela tient aussi assez souvent à une mauvaise hygiène orale, car beaucoup de gens se plaignent de goût anormaux qui sont provoqués en réalité par la détérioration des dents. Les dents, ou l'absence de dents, jouent naturellement un rôle dans les habitudes alimentaires des anciens, et ce de multiples manières. La moitié environ des personnes de plus de soixante-cinq ans n'ont plus suffisamment de dents naturelles pour prendre une alimentation normale sans difficulté. Leur chute entraîne une difficulté à mâcher la viande, les fruits frais et les légumes. De plus, les prothèses dentaires sont parfois difficiles à ajuster en raison de la perte de consistance des os, et 10 % des personnes âgées qui portent des appareils dentaires complets n'en sont pas satisfaites.

Certains éléments sociaux influencent également ce que consomment les personnes âgées et la manière dont elles se nourrissent. Les revenus moins importants, la solitude et les répercussions psychologiques de la retraite, notamment la perte de motivation et d'amour-propre, jouent un rôle considérable. L'apathie générale peut s'étendre à un manque d'intérêt pour la préparation et la consommation des repas. C'est particulièrement vrai chez les hommes âgés qui ont perdu leur épouse, mais c'est moins souvent le cas chez les veuves.

LE CHANGEMENT DES BESOINS NUTRITIONNELS

L'organisme vieillissant est naturellement différent de ce qu'il était pendant la jeunesse ou l'âge adulte. C'est cependant au cours de l'âge adulte que les modifications hormonales commencent à se produire et que le corps ralentit sensiblement son fonctionnement. A mesure que nous vieillissons notre rythme métabolique diminue. Nous devenons moins actifs. Cependant, nos besoins énergétiques sont réduits avant que nos habitudes alimentaires ne se modifient et, pendant un certain temps, nous risquons de consommer plus de calories que nous n'en avons besoin et par conséquent de prendre du poids.

La tonicité du corps diminue avec l'âge. Il perd des muscles et gagne de la graisse. Toutefois, les petits excès de poids ne sont pas nécessairement néfastes lorsqu'on vieillit. Selon Harold Sandstead, spécialiste de la médecine préventive à l'université du Texas : « Il semble pratiquement certain désormais qu'une prise de poids de 10 % puisse être bénéfique aux personnes âgées. Cela entraîne apparemment une prolongation de la vie que ne permet pas un poids de 10 % sous la norme. » (Voir chapitre 10.)

Quelques kilos excédentaires apportent un bienfait évident aux femmes âgées : cela impose un stress supplémentaire à leurs os, ce qui stimule l'entretien de la masse osseuse. Toutefois, si un léger excédent de poids est utile, ce surplus ne doit pas être trop important, car il surchargerait les os déjà affaiblis par l'ostéoporose et provoquerait des fractures de compression au niveau des vertèbres.

Outre les changements de composition de l'organisme, l'âge entraîne également des modifications dans les systèmes du corps humain. Tout fonctionne au ralenti : la circulation, la respiration, ainsi que le cœur et les reins. Le système immunitaire se trouve lui aussi affecté, et l'une des raisons pour lesquelles les personnes âgées doivent bénéficier d'une nutrition optimale est précisément le besoin de le maintenir en état de fonctionnement maximal.

Il n'est cependant pas facile d'obtenir une nutrition satisfaisante. La perte des muscles et le niveau d'activité restreint réduisent les besoins d'énergie. L'appétit décline. Les personnes âgées n'ont plus autant besoin ni autant envie de nourriture.

Pour assurer une fourniture suffisante de vitamines et de minéraux, la densité nutritionnelle devient un paramètre important dans le choix des aliments. Les anciens n'ont pas beaucoup de calories excédentaires à gaspiller. Très souvent, ils ne bénéficient pas non plus de revenus considérables. Même s'il est relativement facile de se procurer des aliments riches en micronutriments lorsqu'on ne se soucie pas de leur prix, cela devient extrêmement délicat quand on doit tenir compte d'une diminution des revenus ainsi que d'une diminution des calories.

L'obtention de vitamines et de minéraux en quantités satisfaisantes n'est pas le seul obstacle nutritionnel auquel se heurtent les personnes âgées. C'est ainsi qu'un certain nombre d'entre elles ont du mal à convertir la vitamine D en l'hormone qui stimule l'absorption du calcium.

L'absorption des nutriments en général pose des problèmes lorsqu'on vieillit. 20 à 30% des personnes âgées ne sont plus en mesure de produire des sucs digestifs en quantités suffisantes (c'est ce qu'on appelle la gastro-chlorhydrie). Leur organisme a alors du mal à absorber le calcium, le fer et d'autres oligo-éléments. L'estomac peut aussi dans certains cas être incapable de produire une quantité suffisante du facteur nécessaire à l'absorption de la vitamie B_{12}, ce qui expose les individus à un risque d'anémie pernicieuse. Lorsqu'il n'y a pas dans l'estomac suffisamment de sucs pour détruire les bactéries qui s'y trouvent, il en résulte une invasion bactérienne de l'intestin grêle, qui peut réduire l'assimilation de plusieurs micronutriments essentiels, notamment l'acide folique.

Il est également important de noter que l'alcoolisme est assez répandu chez les personnes âgées. Certains spécialistes n'hésitent pas à affirmer que ce fléau touche 10% de la population de plus de soixante-cinq ans. Toutefois, quelle que soit son incidence, l'alcoolisme peut avoir des répercussions profondes sur la situation nutritionnelle des vieux. Tout d'abord, l'alcool se substitue à des sources d'énergie plus riches en nutriments (ses calories étant pratiquement vides de nutriments). De plus, il entraîne des troubles d'absorption et inhibe le passage de l'acide folique, de la thiamine et des vitamines B_6 et B_{12} dans le sang. Enfin, l'impact de l'alcool sur le foie et le pancréas rique de perturber l'aptitude de l'organisme à utiliser toutes les vitamines liposolubles (A, D, E et K).

LES INTERACTIONS ENTRE NOURRITURE ET MÉDICAMENTS

Les personnes âgées consomment beaucoup de médicaments. Trois personnes sur quatre âgées de plus de soixante-cinq ans souffrent d'au moins une maladie chronique, et 40% prennent au moins un médicament par jour. Par conséquent, l'influence de ces médicaments sur l'alimentation est une préoccupation essentielle.

Les médecins sont généralement très conscients des conséquences nutritionnelles de leurs prescriptions. Ils veillent, par exemple, à ce que les antibiotiques n'entraînent pas une carence de vitamines K et B_{12}. Toutefois, ils ne peuvent pas aider leurs patients à se protéger contre les effets de ce qu'ils prennent sans conseil médical. Or, un grand nombre de nutriments essentiels peuvent être perdus dans le tube digestif par la consommation des médicaments en vente libre.

Ainsi, si vous consommez beaucoup d'huiles végétales vous risquez (en cas d'utilisation très fréquente) de manquer de vitamines liposolubles, qui sont dissoutes dans l'huile et chassées du tube digestif avant d'avoir été absorbées. Les diurétiques épuisent les réserves de calcium, de potassium, de magnésium et de zinc dont dispose l'organisme.

La cimétidine, un médicament (Tagamet) fréquemment prescrit pour combattre les ulcères de l'estomac, affecte l'absorption de certains nutriments. Les antacides (Maalox, Phosphalugel...) ordinaires peuvent également entraîner des effets de ce genre, en perturbant l'absorption du fer, du calcium, de l'acide folique, et de la vitamine B_{12}.

Les suppléments de vitamines et de minéraux à très fortes doses, qui sont dangereux sur de nombreux plans, peuvent également provoquer des interactions qui entraînent des carences. Les suppléments de zinc ont beaucoup de succès à l'heure actuelle, bien que rien ne prouve que des doses supérieures aux normes puissent soulager le rhume, soigner les verrues, ou causer les bienfaits miraculeux que l'on attribue à ce minéral. En revanche, une forte dose perturbe l'absorption du fer et du cuivre. Les excès de vitamine C peuvent également entraîner des déficiences de cuivre. Or, une insuffisance de cuivre dans le sang réduit l'aptitude de l'organisme à utiliser son fer et entraîne une élévation du taux de cholestérol.

Les interactions entre nutriments et médicaments fonctionnent à double sens. Le fer, le zinc et le calcium, par exemple, perturbent l'absorption de certains antibiotiques puissants. La riboflavine gêne l'action de plusieurs médicaments psycho-actifs, non pas en empêchant leur absorption, mais en bloquant leurs récepteurs, les molécules des cellules nerveuses qui se lient spécifiquement à ces substances. Une surcharge d'alcool dans le foie peut augmenter la puissance de certains médicaments, alors que les protéines et les légumes crucifères (comme le chou et les choux de Bruxelles) peuvent réduire le pouvoir de certains médicaments en accélérant le fonctionnement du foie et en chassant les substances étrangères du sang.

L'ALIMENTATION CONTRE LA MALADIE ET L'INVALIDITÉ

Dans le domaine de l'alimentation, la préoccupation essentielle des personnes âgées tient sans doute au rôle de la nourriture dans la prévention, voire même le traitement des maladies et des invalidités de la vieillesse. Que faire, par exemple, pour réduire les risques d'ostéoporose, qui menace la plupart des femmes – ainsi que bon nombre d'hommes – de fractures répétées des os devenus trop faibles pour supporter leur poids?

Comme beaucoup d'autres maladies du vieillissement, l'ostéoporose peut être prévenue à un âge bien plus jeune, lorsque le corps construit encore sa masse osseuse. La perte de la masse osseuse, due à la résorption des os (tandis que l'organisme puise dans ses réserves de calcium), commence aux environs de quarante ans. Cette déperdition s'accélère considérablement chez les femmes après la ménopause, lorsqu'elles cessent de produire les œstrogènes, des hormones qui jouent un rôle considérable dans la rétention du calcium.

Cependant, même quand on atteint un âge avancé, il est possible de retarder la déperdition osseuse; mais le calcium ne suffit pas pour cela. La vitamine D, l'exercice et les œstrogènes prescrits par un médecin sont indispensables aux femmes. Il est important de bénéficier de taux adéquats de phosphore, de zinc, de cuivre et de manganèse. (Pour une description plus précise de l'ostéoporose et de sa prévention, voir chapitre 21.)

Il faut poursuivre tout au long de la vie les examens permettant de déceler les maladies qui peuvent être prévenues ou traitées par l'alimentation. Le cas échéant, on doit adopter des mesures alimentaires nécessaires pour faire baisser le taux de cholestérol ou la tension artérielle (voir chapitres 17 et 18). Le contrôle du poids reste le moyen de prévention le plus efficace en ce qui concerne le diabète de l'âge tardif (voir chapitre 20) et devrait faire partie de vos préoccupations si certains de vos parents ont souffert de cette maladie. Il est également prudent de respecter les directives alimentaires (décrites au chapitre 19) susceptibles d'atténuer les risques de cancer.

Pour beaucoup de personnes âgées, aucun handicap n'est plus effrayant que la perte des facultés mentales et de la mémoire; or, il semble qu'une partie au moins de la détérioration des facultés mentales résulte de déficiences alimentaires, qui, même légères, paraissent affecter l'acuité intellectuelle. Une étude de l'université du Nouveau-Mexique portant sur des sujets âgés, d'un niveau d'éducation élevé, indépendants et aisés sur le plan financier, dont l'âge variait de soixante à quatre-vingt-quatorze ans, a révélé que ceux dont la situation nutritionnelle était la moins bonne étaient également ceux dont la mémoire était la plus affectée. Lors de cette étude, les nutriments qui se révélèrent les plus importants pour l'acuité mentale étaient les protéines, la vitamine C et un certain nombre de vitamines B, notamment la niacine, la riboflavine, la thiamine, l'acide folique et les vitamines B_6 et B_{12}.

LES CARENCES ALIMENTAIRES FRÉQUENTES CHEZ LES PERSONNES ÂGÉES

Beaucoup de médecins sont d'accord, même s'il n'y a pas unanimité, à propos des nutriments particuliers dont les personnes âgées risquent de manquer et de la gravité de ces carences.

Certaines déficiences alimentaires méritent une attention particulière – soit parce qu'elles sont très répandues, soit parce qu'elles menacent le bien-être des personnes âgées. Ces personnes ou celles qui s'occupent d'elles devraient se montrer particulièrement vigilantes dans certains domaines. Parmi ces déficiences, on peut citer le manque de calcium et de vitamine D nécessaires pour combattre l'ostéoporose. Il faut surveiller la consommation de zinc, car elle est souvent très inférieure aux normes, l'absorption de ce minéral pouvant être faible, et une insuffisance peut réduire les réactions immunitaires et ralentir la cicatrisation.

Les déficiences en fer sont également fréquentes chez les anciens, dont l'alimentation manque des sources les plus riches de ce minéral. Cependant, si l'anémie dont il souffrent peut être due à une consommation insuffisante de fer, elle résulte plus fréquemment d'une infection ou de manque d'acide folique ou de vitamine B_{12}. Par conséquent, ces derniers doivent également figurer sur cette liste. L'absorption de ces deux vitamines est souvent perturbée par l'alcool, les interactions des médicaments et la production réduite de sucs gastriques. Les normes fixées sont sans doute supérieures aux besoins réels des personnes âgées, mais leur concentration dans le sang est souvent inférieure au seuil de sécurité, en particulier chez les individus dont les revenus financiers sont limités.

L'acide folique et la vitamine B_{12} ne sont pas les seules vitamines B dont les personnes âgées risquent de manquer. Il existe aussi des déficiences marginales de thiamine, découvertes chez environ un quart des patients examinés dans certaines études. Le taux de vitamine B_6 s'avère insuffisant pour un dixième de la population âgée, et on a découvert chez un quart des personnes âgées indépendantes considérées lors d'une étude au moins un niveau insuffisant de vitamine C.

LA RÉDUCTION DES RISQUES

Pour minimiser les risques de carence et bénéficier de tous les apports de la nutrition, il suffit de prendre des repas réguliers et équilibrés, des suppléments de vitamines et de minéraux s'ils sont nécessaires, et de faire de l'exercice. Ces principes s'appliquent à chacun de nous.

Cependant, les repas réguliers ne sont pas toujours la règle chez les personnes âgées. Celles qui vivent seules ont souvent tendance à se nourrir de façon irrégulière. Pour elles l'apathie est parfois un obstacle plus important que les problèmes de préparation des repas ou même les restrictions d'ordre financier. Elles ont tendance à se passer de repas, en grignotant des produits qui n'apportent pas la diversité et la densité nutritionnelle dont leur alimentation aurait besoin.

Les déficiences en un grand nombre de vitamines et de minéraux étant fréquentes chez les personnes âgées, il est sage de recourir à des suppléments de multivitamines et de multiminéraux. Même si les normes actuelles ne sont pas appropriées , elles restent notre guide le plus fiable. Il est donc raisonnable pour ces personnes de se procurer des suppléments équivalents à 100% des apports journaliers conseillés pour la plupart des micronutriments dont elles sont susceptibles de manquer.

L'exercice est un aspect important à toutes les étapes de la vie, mais il n'est naturellement pas conseillé de se lancer dans un programme sportif fatigant quand vous êtes déjà âgé sans vous soumettre préalablement à une préparation et une mise en condition sérieuses sous surveillance médicale. Les anciens n'ont rien à gagner à se faire souffrir. Comme le dit le Dr Sandstead : « La douleur indique qu'il faut arrêter l'effort. C'est un message lancé par la nature. » Toutefois, l'exercice est important, à la fois pour contrôler le poids et pour réduire les risques d'ostéoporose.

Quel type d'exercice est à la fois sans risques et efficace pour les personnes âgées ? Sandstead recommande la marche : « C'est probablement le meilleur exercice, dit-il, et sans aucun doute celui qui convient le mieux à ceux qui ne font pas de sport depuis longtemps. Elle permet de dépenser de l'énergie et peut considérablement améliorer la condition physique si on augmente progressivement les distances parcourues. »

EN RÉSUMÉ : LES PRÉOCCUPATIONS ESSENTIELLES

Les repas réguliers constituent la considération alimentaire la plus importante pour les personnes âgées. Cependant, même des repas complets et réguliers ne garantissent pas un apport satisfaisant de tous les nutriments. Les besoins en micronutriments augmentent lorsqu'on vieillit (à mesure que les systèmes de l'organisme perdent de leur efficacité), et ils sont plus difficiles à satisfaire en raison de fréquents troubles d'absorption (qui peuvent être provoqués par les médicaments). Les carences en vitamines et en minéraux sont fréquentes, et des formules de suppléments multivitamines et multiminéraux sont maintenant conçues à cette intention.

Pour amoindrir les risques de maladies et contrôler la prise de poids (qui reste un problème chez un grand nombre de personnes âgées), il est prudent d'adopter une alimentation contenant peu de graisses, mais riche en hydrates de carbone et en fibres. Il est essentiel de continuer à prendre de l'exercice, à la fois pour entretenir la santé et pour prolonger la vie jusqu'à ses limites naturelles (fixées par la génétique).

Chapitre 28

LA NOURRITURE POUR LA SANTÉ ET LE PLAISIR

C'est là qu'est tout le secret. La nutrition est faite de connaissances, et non de règles strictes et d'interdictions. Le fait d'en comprendre les principes vous permet de la maîtriser, et non d'en être esclave. Cela ne signifie pas que vous vous nourrirez toujours d'une manière raisonnable. En revanche, vous pourrez ainsi équilibrer votre alimentation et compenser vos petits écarts.

L'objectif est l'équilibre, et le premier moyen d'y parvenir est la diversité des aliments. Si vous variez suffisamment vos repas, il devient plus facile de maintenir un rapport raisonnable entre les hydrates de carbone, les protides et les lipides : 50 % environ de vos calories doivent venir des hydrates de carbone, 15 % venant des protides et pas plus de 35 % des graisses. De plus, la diversité vous permet également de mieux répondre à vos besoins en micronutriments.

La liste des micronutriments dont vous risquez de manquer – les vitamines A, B_6 et C, la thiamine B_1 et la riboflavine B_2, le calcium, le fer et le zinc – souligne toute l'importance de la variété des repas. Ces substances essentielles particulièrement difficiles à obtenir en quantités suffisantes se trouvent dans le lait et la viande, les légumes secs et les graines, les fruits et les légumes verts. Autrement dit, une bouchée de chaque catégorie de ces aliments vous aidera à répondre à vos besoins.

Il n'est cependant pas nécessaire de modifier complètement votre mode d'alimentation, même si votre consommation de viande ne vous permet pas d'obtenir suffisamment de fer ou d'autres oligo-éléments et si vous consommez trop peu de laitages pour répondre à tous vos besoins de calcium. Les suppléments existent pour cela. Non seulement ils vous fournissent les micronutriments que vous n'obtenez peut-être pas par la nourriture, mais ils vous les fournissent en quantités que vous ne pourriez pas obtenir par les seuls aliments.

Les vitamines et les minéraux peuvent faire beaucoup de choses merveilleuses pour votre santé, et ils y parviennent généralement très bien à doses normales. Les doses excessives ne sont pas conseillées. Elles accroissent les risques d'empoisonnement, qui existent même pour les micronutriments comme la vitamine B_6 hydrosoluble, autrefois considérée comme inoffensive à n'importe quelle dose. Même à des niveaux nettement inférieurs aux seuils de toxicité, la consommation imprudente de suppléments d'un micronutriment (pris à mauvaise dose et au mauvais moment) peut entraîner des interactions avec les aliments qui vous priveront d'autres vitamines et minéraux dont vous avez besoin.

Les dangers des abus de suppléments sont bien réels, mais on exagère parfois certains autres risques nutritionnels. Ce sont ces exagérations qui expliquent certaines craintes irraisonnées à l'égard de tel ou tel aliment et les interdictions stupides de certains produits qui peuvent diminuer le plaisir des repas et créer de véritables problèmes nutritionnels.

La viande rouge persillée est considérée comme mauvaise, à tort, en raison de sa teneur en graisses, plus particulièrement en cholestérol, et de la proportion élévée d'acides gras saturés qu'elle contient. Cependant, le fer et les autres oligo-éléments qu'elle contient (et qu'on ne trouve dans aucun autre aliment sous une forme aussi disponible) devrait nous inciter à réduire notre consommation de graisses d'une autre manière que par cette élimination pure et simple. De plus, même si la consommation d'acides gras saturés doit en effet être surveillée, car ils risquent d'augmenter le taux de cholestérol LDL, il n'est pas raisonnable de les remplacer entièrement par des graisses polyinsaturées, qui sont une source de radicaux libres de nature à élever les risques de cancer.

Le sel ne provoque pas l'hypertension (même si des restrictions extrêmes entraînent une baisse de la tension chez certains hypertendus), mais il n'est pas inoffensif non plus. Une forte consommation entraîne une baisse du taux de calcium (car les reins ont du mal à recycler le calcium quand ils sont occupés à se débarrasser des excès de sodium), et l'organisme puise alors dans ses os pour combler ce déficit.

Le sucre n'est pas dangereux, mais les hydrates de carbone complexes sont plus utiles. Ainsi, le fait de restreindre votre consommation vous permet de consommer un plus grand nombre de vos calories dans les céréales, les légumes secs et les légumes verts, tous très riches en nutriments. Ces aliments vous fournissent également une bonne partie des fibres dont vous avez besoin pour faire baisser votre taux de cholestérol et protéger votre gros intestin des risques de diverticulose et des mutagènes susceptibles de provoquer le cancer du côlon.

L'alcool est, d'une manière générale, un atout pour la nutrition, et sa consommation modérée pourrait entraîner des bienfaits pour la santé. Elle élèverait la proportion de cholestérol HDL par rapport au LDL, amoindrissant ainsi les risques d'athérosclérose. Toutefois, au-delà de trois verres par jour, il accroît les risques d'hypertension. En cas de consommation plus forte, ses effets deviennent très négatifs, et les femmes enceintes ne devraient en aucun cas en boire.

L'obésité, généralement considérée comme résultant d'une « mauvaise » nutrition, est liée davantage à l'hérédité qu'à l'alimentation. Le poids excédentaire constitue un facteur de risque pour plusieurs maladies graves, mais il doit atteindre le seuil des 20 % en plus par rapport aux normes pour avoir une signification réelle. En revanche, la recherche de l'amaigrissement à tout prix quand vous vous imaginez que votre poids est excessif alors qu'il est nettement inférieur à ces 20 % peut être très dangereuse sur le plan nutritionnel.

L'hérédité n'est pas une fatalité. Même lorsqu'il existe une prédisposition génétique à l'obésité, ce problème peut être contrôlé, sinon éliminé. Pour cela, le régime seul est insuffisant. Pour perdre les kilos excédentaires et les empêcher de revenir, il faut généralement associer un régime à un programme d'exercice. De plus, l'exercice peut réduire les risques de la plupart des maladies influencées par l'alimentation, et limiter les pouvoirs négatifs du tabagisme, voire même de l'hérédité.

Mais surtout il vous permet de consommer plus de kilocalories sans gagner de poids. Si vous pratiquez le sport régulièrement, non seulement votre santé sera meilleure, mais vous pourrez également manger davantage.

La nourriture représente selon nous l'un des grands plaisirs de la vie, et vous avez le droit de profiter de tout ce que vous apporte votre alimentation. Ce que vous avez appris dans ce livre devrait vous aider à apprécier les aliments que vous aimez sans aucun risque, sans crainte et sans culpabilité. Si vos goûts vous portent vers la viande nature et les pommes de terre à l'eau, ou, au contraire, si vous aimez les aliments plus gras, les pâtes et les haricots, vous pouvez les consommer sans mettre votre nutrition en péril. La compréhension de la nutrition devrait vous libérer, car la connaissance de tous ces mécanismes devrait accroître, et non restreindre, le plaisir que vous prenez à manger.

APPENDICE

	Vitamines			Éléments rares						Électrolytes		
Âge	Vitamine K (µg)	Biotine (µg)	Acide pantothénique (mg)	Cuivre (mg)	Manganèse (mg)	Fluor (mg)	Chrome (mg)	Sélénium (mg)	Molybdène (mg)	Sodium (mg)	Potassium (mg)	Chlore (mg)
Bébés 0-0.5	12	35	2	0.5-0.7	0.5-0.7	0.1-0.5	0.01-0.04	0.01-0.04	0.03-0.06	115-350	350-925	275-700
0.5-1	10-20	50	3	0.7-1.0	0.7-1.0	0.2-1.0	0.02-0.06	0.02-0.06	0.04-0.08	250-750	425-1275	400-1200
Enfants 1-3	15-30	65	3	1.0-1.5	1.0-1.5	0.5-1.5	0.02-0.08	0.02-0.08	0.05-0.1	325-975	550-1650	500-1500
et 4-6	20-40	85	3-4	1.5-2.0	1.5-2.0	1.0-2.5	0.03-0.12	0.03-0.12	0.06-0.15	450-1350	775-2325	700-2100
Adolescents 7-10	30-60	120	4-5	2.0-2.5	2.0-3.0	1.5-2.5	0.05-0.2	0.05-0.02	0.10-0.3	600-1800	1000-3000	927-2775
11 +	50-100	100-200	4-7	2.0-3.0	2.5-5.0	1.5-2.5	0.05-0.2	0.05-0.2	0.15-0.5	900-2700	1525-4575	1400-4200
Adultes	70-140	100-200	4-7	2.0-3.0	2.5-5.0	1.5-4.0	0.05-0.2	0.05-0.2	0.15-0.5	1100-3300	1875-5625	1700-5100

N.B. : Il existe moins d'indications précises quant à ces besoins, c'est pourquoi ils ne figurent que dans le tableau principal des apports journaliers conseillés et se situent dans certaines fourchettes.
Les niveaux toxiques peuvent s'atteindre assez vite dans le cas de certains éléments, de sorte qu'il ne faut pas excéder les chiffres supérieurs donnés dans ce tableau.

Tailles et poids moyens
et consommation énergétique conseillée

	Âge	*Poids*	*Taille*	*Besoins énergétiques (fourchette, kcal)*
Bébés	0.0-0.5	6	60	kg × 115 kg × (95-145)
	0.5-1.0	9	71	kg × 105 kg × (80-145)
Enfants	1-3	13	90	1 300 (900-1 800)
	4-6	20	112	1 700 (1 300-2 300)
	7-10	28	132	2 400 (1 650-3 300)
Hommes	11-14	45	157	2 700 (2 000-3 700)
	15-18	66	176	2 800 (2 100-3 900)
	19-22	70	177	2 900 (2 500-3 300)
	23-50	70	178	2 700 (2 300-3 100)
	51-75	70	178	2 400 (2 000-2 800)
	76 +	70	178	2 050 (1 650-2 450)
Femmes	11-14	46	157	2 200 (1 500-3 000)
	15-18	55	163	2 100 (1 200-3 000)
	19-22	55	163	2 100 (1 700-2 500)
	23-50	55	163	2 000 (1 600-2 400)
	51-75	55	163	1 800 (1 400-2 200)
	76 +	55	163	1 600 (1 200-2 000)
Grossesse				+ 300
Allaitement				+ 500

Valeur nutritive des aliments
Parts moyennes ou mesures communes

Notes explicatives :
a : Symboles utilisés : tr = trace
   u = quantité inconnue, mais présence probable
   o = absent ou indécelable
b : Pour les asperges blanchies, l'activité de la vitamine A correspond à 8 E.R.
c : Tous les aliments en conserve cités, excepté les fruits, présentent les quantités de sel habituelles, sauf mention contraire.
d : Fait avec des céréales au maïs jaune
e : Basé sur la variété verte
f : Ajouté, environ 375 E. R. de vitamine A et 15 mg de vitamine C par portion de 30 g.
g : Variété jaune; les produits blancs ne présentent pratiquement aucune activité de vitamine A.
h : Pas d'addition de sel
i : Le lait fortifié en vitamine A présente 140 E. R. par tasse.
j : Le petit lait présente 320 mg de sodium par tasse.
k : La teneur des huîtres en zinc peut varier de 6 à 100 mg/100 g, sans doute en raison des variations de l'environnement. Leur teneur en vitamine C est également variable, allant de simple trace jusqu'à 30 mg/100 g.

Aliments	Poids (g)	Calories	Pro-téines (g)	Grais-ses (g)	Hy-drates de carbone (g)	Cal-cium (mg)	Phos-phore (mg)	Magné-sium (mg)	So-diu (m
Amandes hachées	15	90	3.0	8.0	3	35	75	40	
Pommes crues avec peau	140	80	0.3	0.5	20	10	10	6	
Jus de pommes, conserves; non sucré	125	60	0.1	tr	15	10	10	4	
Compote de pommes sucrée	125	100	0.2	0.2	25	5	10	4	
Abricots									
- frais	100	50	1.4	0.4	11	15	20	8	
- conserves avec peau au sirop	85	70	0.4	0.1	18	5	10	6	
- au naturel	85	20	0.6	0.1	5	10	10	6	
- secs crus	30	75	1.2	0.2	20	15	40	15	
Nectar d'abricot, conserves	125	70	0.4	0.1	18	10	10	7	
Artichauts bouillis	120	30	3.0	0.2	12	60	85	u°	3
Asperges									
- fraîches, vertes cuites	100	25	3.0	0.2	4	20	65	15	
- conserves, salées	100	15	2.0	0.2	3	20	45	9	37
Avocats	100	160	2.0	15	7	10	40	40	
Aliments pour bébés dîners	130								
- bœuf et nouilles		70	3.0	2.0	9	12	35	9	3
- bœuf et légumes		100	7.0	5.5	5	15	62	10	4
- légumes-bœuf-céréales		60	2.5	1.0	10	20	50	8	6
fruits et desserts	130								
- compote de pommes-ananas		50	0.1	0.1	13	5	8	4	
- gâteau-confiture		110	2.0	2.5	20	70	60	70	8
- gâteau-fruits		105	1.5	0.4	25	40	40	11	2
Lard grillé, séché	25	140	6.5	12.5	1	3	55	5	24
Brioches	60	175	6.5	1.5	34	25	40	12	24
Pousses de bambou	100	25	2.5	0.3	5	13	60	45	2
Bananes	115	105	1.2	0.6	27	10	20	35	
Haricots									
- conserves avec porc et sauce tomate	130	160	8.0	3.5	25	70	115	35	55
- conserves avec porc et sauce douce	130	190	8.0	6.0	25	80	145	35	48
- verts, frais ou surgelés	65	15	1.0	0.1	3	28	15	13	
conserves	65	15	0.9	0.1	3	20	15	8	26
- beurre, frais ou surgelés, bouillis	85	90	5.5	0.3	17	20	60	32	4
- rouges, conserves	125	120	7.0	0.5	20	35	140	35	
recuits	120	230	8.5	12.5	25	50	165	35	34
- flageolets, mûrs, secs, cuits	90	120	10.0	5.0	10	65	160	80	

Potassium (mg)	Zinc (mg)	Cuivre (mg)	Fer (mg)	Activité Vitamine A (ER)	Thiamine (mg)	Riboflavine (mg)	Niacine (mg)	Vitamine B6 (mg)	Acide pantothénique (mg)	Acide folique (µg)	Vitamine B12 (µg)	Vitamine C (mg)	Acides gras polyinsaturés (g)
115	0.2	0.1	0.7	0°	0.04	0.1	0.5	0.02	0.07	15	0	tr°	1.6
159	0.05	0.01	0.3	7	0.02	0.02	0.1	0.07	0.1	75	0	8	0.1
150	0.04	0.03	0.5	0	0.03	0.02	0.1	0.04	0.07	tr	0	1	0.03
80	0.05	0.06	0.5	1	0.02	0.04	0.2	0.03	0.07	1	0	2	0.07
300	0.3	0.09	0.5	270	0.03	0.04	0.6	0.05	0.2	9	0	10	0.08
120	0.09	0.07	0.3	110	0.02	0.02	0.3	0.05	0.08	1	0	3	0.02
160	0.09	0.07	0.3	110	0.02	0.02	0.3	0.05	0.08	2	0	3	0.03
480	0.3	0.15	1.5	250	tr	0.05	1.0	0.06	0.3	3	0	3	0.03
140	0.1	0.09	0.5	165	0.01	0.02	0.3	0.05	0.08	2	0	1	tr
160	0.4	0.4	1.3	20	0.08	0.05	0.8	0.30	0.60	150	0	10	tr
270	0.6	0.1	0.7	85	0.1	0.1	1.3	0.13	0.2	190	0	30	tr
195	0.5	0.1	0.6	65	0.06	0.1	0.7	0.06	0.2	85	0	18	tr
500	0.4	0.2	1.0	60	0.1	0.1	1.9	0.3	1.0	60	0	8	2.0
60	0.5	0.04	0.5	140	0.05	0.5	0.9	0.06	0.3	65	0.1	2.0	u
180	1.7	0.1	0.9	140	0.04	0.08	2.0	0.10	0.3	7	0.6	2.0	u
100	0.5	0.04	0.5	50	0.06	0.05	1.0	0.07	0.3	2	0.3	1	u
100	0.02	0.04	0.3	3	0.03	0.03	0.1	0.05	u	2.5	0	36	0
60	0.4	0.06	0.3	8	0.02	0.1	0.1	0.03	0.3	7.5	u	1	u
100	0.2	0.04	0.2	5	0.05	0.06	0.1	0.05	u	u	0.08	35	u
60	1.2	0.1	0.8	0	0.1	0.08	1.0	0.03	0.08	0.5	0.2	0	1.0
45	0.3	0.05	1.6	0	0.2	0.2	2.1	0.03	0.2	14	0	0	u
30	u	u	0.5	2	0.15	0.07	0.6	u	u	u	0	4	u
150	0.2	0.12	0.4	9	0.05	0.1	0.6	0.7	0.3	22	0	10	0.09
270	1.0	0.2	2.3	15	0.10	0.04	0.8	0.4	0.1	30	0	3	u
u	1.0	0.3	3.0	u	0.08	0.05	0.7	0.1	0.1	10	0	3	u
105	0.1	0.03	0.6	30	0.04	0.05	0.2	0.03	0.1	30	0	6	tr
80	0.1	0.06	0.4	30	0.01	0.03	0.2	0.03	0.1	12	0	2	tr
105	0.4	0.5	1.2	20	0.07	0.06	1.0	0.1	0.2	75	0	17	tr
335	1.0	0.2	2.3	tr	0.06	0.05	0.8	0.4	0.1	35	0	0	tr
460	1.0	0.2	2.3	tr	0.30	0.07	0.8	0.2	0.2	20	0	0	u
490	0.6	0.3	2.5	2	0.20	0.08	0.6	u	u	70	0	0	3.0

Aliments	Poids (g)	Calories	Pro-téines (g)	Grais-ses (g)	Hy-drates de carbone (g)	Cal-cium (mg)	Phos-phore (mg)	Magné-sium (mg)	So-dium (mg)
Bœuf									
- Conserves	80	170	20.0	9.5	0	15	85	20	u
haché avec pommes de terre	110	200	10.0	12.5	12	15	75	20	595
- à la crème	120	190	10.0	12.5	9	130	170	40	880
- haché, grillé	85	240	20.0	16.5	0	10	160	20	50
maigre (21 % m. g.)	85	190	23.0	9.5	0	10	195	20	60
très maigre (10 % m. g.)	85	240	23.0	16.5	0	10	115	20	40
- rôti, braisé	85	380	17.0	33.5	0	10	160	20	40
- steak grillé filet avec graisse	85	220	24.5	13.0	0	10	215	25	60
rumsteak avec graisse	85	330	20.0	27.0	0	10	160	20	50
Bœuf en daube avec légumes	245	220	15.5	10.5	15	30	185	50	90
Bière	360	150	0.9	0	13	15	50	35	18
Bettes bouillies	75	15	1.0	0.2	2	70	20	80	55
Betteraves, conserves	85	30	0.8	0.1	7	1	10	10	240
Biscuits, mélange enrichi	30	100	2.0	3.6	15	5	120	4	375
Mûres, myrtilles, etc. crues	70	35	0.5	0.3	9	25	15	14	0
Cassis cru	70	40	0.5	0.3	10	5	10	4	5
Noix du Brésil crues	30	180	4.0	19.0	3	55	195	65	tr
Pain									
- noir	45	95	2.5	0.6	20	40	70	u	115
- au maïs	55	180	4.0	6.0	30	135	210	10	265
- au froment	25	65	2.3	0.9	12	15	30	9	110
- baguette	25	70	2.4	0.9	13	25	20	5	140
- toast	60	200	4.0	7.5	28	80	80	u	305
- au raisin	25	70	2.0	1.0	13	25	20	6	95
- au seigle	25	65	2.1	0.9	12	20	40	6	175
- blanc, non enrichi	25	65	2.1	1.0	12	30	25	5	125
enrichi	25	65	2.1	1.0	12	30	25	5	125
- complet	25	60	2.4	1.1	11	20	65	25	160
Brocolis frais ou surgelés, bouillis	85	25	2.4	0.2	4	45	45	14	2
Choux de Bruxelles frais ou surgelés, bouillis	85	30	3.1	0.2	6	25	50	17	12
Sandwich au bœuf	184	465	30.0	21.0	37	85	290	u	325
Beurre	5	35	tr	4.0	tr	1	1	tr	40
salé	15	100	0.1	11.5	0.1	3	3	tr	120
Chou vert - tête - cru, en lamelles	70	17	0.9	0.1	4	35	20	10	15
- cuit, haché	70	15	0.8	0.2	3	30	15	10	10

	Zinc (mg)	Cuivre (mg)	Fer (mg)	Activité Vitamine A (ER)	Thiamine (mg)	Ribo-flavine (mg)	Niacine (mg)	Vitamine B6 (mg)	Acide panto-thénique (mg)	Acide folique (µg)	Vitamine B12 (µg)	Vitamine C (mg)	Acides gras poly-insaturés (g)
u	2.5	u	3.4	tr	0.02	0.20	3.0	0.08	0.5	2	1.5	0	0.4
20	1.4	u	2.2	tr	0.01	0.10	2.5	0.08	0.6	u	0.8	0	u
90	1.8	u	1.0	130	0.08	0.20	0.8	0.6	0.7	u	u	1	u
20	3.7	0.07	2.6	10	0.07	0.20	4.5	0.4	0.3	3	1.5	0	0.7
60	4.9	0.09	3.0	7	0.08	0.20	5.0	0.4	0.3	3	1.5	0	0.4
85	3.7	0.07	2.9	10	0.04	0.20	3.5	0.4	0.3	3	1.5	0	0.7
90	3.1	0.07	2.2	20	0.05	0.10	3.0	0.3	0.3	3	1.5	0	1.4
70	5.0	0.09	3.0	7	0.07	0.20	5.0	0.3	0.4	3	2.2	0	0.6
20	3.7	0.07	2.5	15	0.05	0.20	4.0	0.3	0.4	3	1.5	0	1.2
15	2.4	0.05	2.9	250	0.15	0.15	4.7	0.3	0.2	7	1.6	15	u
15	0.2	0.3	0.1	0	0	tr	1.8	0.2	0.2	20	0	0	0
40	0.5	0.1	1.4	370	0.05	0.10	0.2	0.08	0.2	20	0	10	tr
45	0.2	0.1	0.5	tr	0.01	0.03	0.4	0.04	0.1	25	0	2	tr
30	0.1	0.02	0.6	0	0.1	0.1	1.0	0.01	0.1	2	0	0	u
40	0.2	0.1	0.4	12	0.02	0.03	0.3	0.04	0.2	4	0	15	tr
65	0.1	0.04	0.1	7	0.03	0.03	0.3	0.03	0.1	5	0	9	tr
05	1.4	0.4	1.0	tr	0.30	0.03	0.5	0.05	0.1	tr	0	0	7.4
30	u	u	0.9	3	0.05	0.03	0.5	u	u	u	0	0	u
60	0.2	0.02	0.8	15[d]	0.10	0.10	0.8	0.03	0.2	5	0.1	0	u
35	0.4	0.08	0.7	tr	0.09	0.09	0.9	0.02	0.1	u	0	tr	u
20	0.2	0.04	0.8	tr	0.12	0.09	1.0	0.01	0.9	9	0	tr	u
35	u	u	1.0	0	0.10	0.09	1.3	0.02	0.2	10	0	0	u
60	0.2	0.03	0.8	tr	0.08	0.15	1.0	0.01	0.1	9	0	tr	u
50	0.3	0.03	0.7	0	0.1	0.08	0.8	0.02	0.1	10	0	0	u
30	0.2	0.03	0.1	tr	0.03	0.02	0.03	0.01	0.1	9	0	tr	u
30	0.2	0.03	0.7	tr	0.1	0.08	0.9	0.01	0.1	9	0	tr	u
45	0.4	0.09	0.9	tr	0.09	0.05	1.0	0.05	0.2	14	0	tr	u
90	0.2	0.03	0.7	170	0.04	0.09	0.4	0.11	0.2	50	0	50	tr
90	0.3	0.03	0.6	60	0.1	0.1	0.5	0.16	0.3	130	0	60	tr
20	u	u	4.6	335	0.3	0.4	7.0	u	u	u	u	15	u
1	tr	0	tr	40	tr	tr	tr	0	0	0	tr	0	0.1
3	tr	0	tr	115	tr	tr	tr	0	0	0	tr	0	0.3
65	0.3	0.08	0.3	10	0.04	0.04	0.2	0.1	0.1	20	0	35	tr
20	0.3	0.02	0.2	10	0.03	0.03	0.2	0.09	0.1	2	0	25	tr

Aliments	Poids (g)	Calories	Protéines (g)	Graisses (g)	Hydrates de carbone (g)	Calcium (mg)	Phosphore (mg)	Magnésium (mg)	
Gâteaux									
- meringue	40	105	3.1	0.1	24	5	10	5	1
- flan surgelé	85	255	4.6	16.0	24	50	75	8	1
- au chocolat, glacé	90	350	3.9	16.0	51	75	95	30	1
- au gingembre	65	250	2.8	12.0	32	45	35	14	
- à la crème	50	190	2.0	6.0	30	60	95	10	1
- quatre-quarts	30	140	1.5	9.0	14	6	25	5	
- vanille avec sauce chocolat	70	270	2.9	12.0	41	60	60	13	1
Sucreries									
- caramels	30	120	1.0	3.0	20	40	35	u	
- chocolat au lait	30	150	2.2	9.0	16	65	65	20	
- chocolat aux amandes	30	150	2.5	10.0	14	65	75	u	
- biscuit chocolat aux noix	30	120	1.0	5.0	20	20	30	u	
- bonbons	30	110	0	0.3	30	6	2	0	
- guimauve	30	90	0.6	tr	25	5	2	u	
- cacahuètes sucrées	30	120	1.5	3.0	25	10	25	u	
Boissons gazeuses sucrées, sodas	170	70	0	0	19	5	30	2	
Carottes									
- crues	80	35	0.9	0.1	7	25	25	10	3
- bouillies	70	20	0.5	0.1	4	20	15	8	2
Noix de cajou rôties	30	160	5.0	13.0	8	10	105	80	
Chou-fleur									
-cru	50	10	2.0	0.1	2	10	20	6	
- bouilli	60	15	2.0	0.1	3	15	20	7	
Céleri									
- cru	80	15	0.8	0.1	3	30	20	17	10
- bouilli	75	10	0.6	0.1	2	25	15	u	
Céréales									
petit déjeuner									
- au son, enrichies	30	90	3.5	0.5	22	15	140	50	26
à 40 %	30	110	2.0	0.1	24	1	20	3	35
au maïs, enrichies	30	150	3.5	7.7	16	20	115	35	
aux amandes	15	60	0.9	0.1	13	1	15	3	
au riz soufflé, enrichies	30	100	3.0	0.5	23	45	100	30	35
au froment, en lamelles enrichies	30	100	3.0	0.6	23	10	100	40	
- cuites, 30 g, salées									
au maïs et seigle, non enrichies	240	145	3.5	0.5	31	1	30	10	52
non enrichies	240	145	3.5	0.5	31	1	30	10	52
enrichies	240	145	3.5	1.6	29	8	100	u	u
au maïs complet	240	145	6.0	2.4	25	20	180	55	38
à l'avoine	250	135	4.0	0.5	28	50	40	10	33
au froment, enrichies complètes	250	135	5.5	0.8	28	15	150	60	47

tas-um ng)	Zinc (mg)	Cuivre (mg)	Fer (mg)	Activité Vitamine A (ER)	Thiamine (mg)	Ribo-flavine (mg)	Niacine (mg)	Vitamine B_6 (mg)	Acide pantothénique (mg)	Acide folique (µg)	Vitamine B_{12} (µg)	Vitamine C (mg)	Acides gras poly-insaturés (g)
40	0.1	0.02	0.3	0	tr	0.1	0.4	tr	0.1	4	tr	tr	0
85	0.4	0.05	0.4	65	0.03	0.1	0.4	0.05	0.5	15	0.4	4	u
130	0.6	0.2	1.3	15	0.08	0.1	0.8	0.03	0.3	6	0.1	tr	u
20	0.3	0.1	2.0	7	0.12	0.1	1.0	0.05	0.3	5	0.1	tr	u
55	0.2	0.06	0.4	25	0.02	0.05	0.1	0.01	0.1	4	0.1	0	u
20	0.2	0.02	0.2	25	0.01	0.03	0.1	0.01	0.09	2	u	0	u
75	0.3	0.08	0.3	15	0.08	0.1	0.7	0.02	0.2	6	0.1	tr	u
55	u	0.01	0.4	tr	0.01	0.05	0.1	tr	0	u	u	0	u
10	0.1	0.3	0.3	20	0.02	0.10	0.1	tr	0.03	2	u	0	u
25	0.1	u	0.5	20	0.02	0.10	0.2	tr	u	1	u	0	u
50	0.1	u	0.3	tr	0.01	0.03	0.1	u	u	u	tr	0	u
1	0	0.03	0.5	0	0	0	0	0	0	0	0	0	0
2	0.01	0.06	0.5	0	0	tr	tr	u	u	0	0	0	0
45	u	u	0.7	0	0.05	0.01	1.0	u	u	u	0	0	u
3	0.01	0.1	0.1	0	0	0	0	0	0	0	0	0	0
55	0.3	0.05	0.6	880	0.03	0.04	0.6	0.04	0.2	24	0	4	0
55	0.2	0.05	0.3	800	0.01	0.02	0.4	0.02	0.1	16	0	3	0
30	1.3	0.2	1.1	3	0.1	0.07	0.5	0.1	0.4	20	0	0	u
00	0.1	0.01	0.3	1	0.02	0.04	0.2	0.06	0.1	30	0	25	0
20	0.1	0.01	0.3	1	0.03	0.04	0.2	0.07	0.1	25	0	30	0
70	u	0.09	0.2	20[g]	0.02	0.02	0.2	0.05	0.3	10	0	8	tr
80	u	0.08	0.2	20[g]	0.02	0.02	0.2	0.05	0.3	u	0	4	tr
80	3.7	0.2	8.1	375	0.4	0.4	5.0	0.5	u	14	1.5	0[f]	tr
25	0.08	0.02	1.8	0[f]	0.3	0.4	3.0	0.02	0.05	3	0	0[f]	tr
40	1.0	0.2	1.1	1	0.17	0.07	0.5	0.10	0.2	14	0	0	u
15	0.2	0.03	0.2	0[f]	0.02	0.01	0.4	0.01	0.04	3	0	0[f]	tr
05	0.7	0,1	4.5	375[f]	0.4	0.4	5.0	0.05	0.2	9	1.5	15[f]	0.24
00	0.9	0.2	1.2	0	0.07	0.08	1.5	0.07	0.2	12	0	0	tr
55	0.2	0.03	0.2	14[g]	0.04	0.02	0.5	0.06	u	1	0	0	tr
55	0.2	0.03	1.5	14[g]	0.24	0.15	2.0	0.06	u	1	0	0	tr
10	0.7	u	0.9	20[g]	0.15	0.04	0.8	u	u	9	0	0	0.8
30	1.2	0.13	1.6	4	0.26	0.05	0.3	0.05	0.5	7	0	0	1.0
45	0.3	0.08	10.3	0	0.2	0.1	1.5	u	0.2	9	0	0	tr
50	1.4	0.2	1.6	0	0.20	0.18	2.0	0.1	0.3	18	0.1	0	tr

Aliments	Poids (g)	Calories	Pro-téines (g)	Grais-ses (g)	Hy-drates de carbone (g)	Cal-cium (mg)	Phos-phore (mg)	Magné-sium (mg)	So-dium (mg)
Raves bouillies	70	15	1.5	0.2	2	55	20	45	6
Fromages									
- bleu									
ou roquefort	30	105	6.0	8.5	0.6	170	110	8	51
- hollandais	30	115	7.0	9.5	0.4	205	145	8	17
- frais, écrémé	110	120	14.0	5.0	3.0	70	150	6	45
- camembert	30	100	2.0	10.0	0.8	25	30	2	8
- parmesan	30	130	12.0	8.5	1.0	390	230	15	53
- gruyère	30	110	8.0	8.0	1.0	270	170	10	7
- pasteurisé, traité									
- pâte	30	110	6.0	9.0	0.5	175	210	6	40
- crème	30	80	4.5	6.0	2	160	200	8	38
Fondue au fromage	100	260	15.0	18.5	10	320	295	u	54
Cerises									
- crues	75	50	0.8	0.6	11	10	15	8	
- conserves au sirop	130	110	0.8	0.2	27	10	25	10	
au naturel	125	55	1.0	0.2	15	15	20	10	
Châtaignes au naturel	100	75	1.1	tr	19	4	35	16	9
Poulet									
- conserves, désossé avec bouillon	150	165	22.5	8.0	0	14	255	12	50
- à la crème	120	210	17.5	12.0	7	85	140	u	u
- frit									
blanc avec peau	100	220	31.0	5.0	2	16	230	29	7
aile avec peau	50	120	13.0	7.0	1	6	85	11	4
cuisse avec peau	60	160	16.5	9.0	2	8	115	5	5
- frit avec chapelure									
blanc	54	135	14.0	8.0	2	20	u	u	u
cuisse	97	275	20.0	19.0	12	40	u	u	u
- rôti, maigre, sans peau	140	240	43.5	6.0	0	21	300	40	11
Poulet au curry	100	160	9.6	10.0	10	22	85	25	67
Pois chiches, cuits, sans sel	125	110	6.0	1.0	18	45	106	u	1
Chili con carne, aux haricots, conserves	225	340	19.0	15.5	30	80	320	65	135
Poivrons farcis	110	190	10.5	14.0	6	225	195	u	46
Chocolat amer - ou à cuire - au lait : voir sucreries	30	140	3.0	15.0	8	20	110	35	
Poulet - à la chinoise - sans nouilles	250	95	6.5	0.3	18	45	85	45	72
Palourdes, conserves au naturel	100	50	8.0	0.7	3	55	135	115	u
Cacao sec	5	20	0.6	0.1	4	15	20	4	3
boisson au lait	250	220	9.0	9.0	26	300	270	55	12
Noix de coco séchée non sucrée	30	180	2.0	17.5	6	5	50	u	u

...m (g)	Zinc (mg)	Cuivre (mg)	Fer (mg)	Activité Vitamine A (ER)	Thiamine (mg)	Ribo-flavine (mg)	Niacine (mg)	Vitamine B_6 (mg)	Acide pantothénique (mg)	Acide folique (µg)	Vitamine B_{12} (µg)	Vitamine C (mg)	Acides gras polyinsaturés (g)
30	u	u	1.3	390	0.03	0.08	0.3	u	0.1	u	0	0	tr
25	0.6	0.04	0.2	65	0.01	0.2	0.2	0.04	0.5	14	0.2	0	1.1
40	0.9	0.04	0.2	85	0.01	0.1	tr	0.02	0.1	5	0.2	0	0.27
95	0.4	0.02	0.2	50	0.02	0.2	0.1	0.1	0.25	15	0.7	0	0.12
35	0.2	0.01	0.3	120	tr	0.06	tr	0.01	0.1	4.0	0.1	0	0.36
40	0.9	0.1	0.3	60	0.01	0.1	0.1	0.03	0.1	2.0	u	0	0.19
30	1.1	0.04	0.1	70	tr	0.1	tr	0.02	0.1	2.0	0.5	0	0.28
15	0.8	0.05	0.1	80	0.01	0.1	tr	0.02	0.1	2.0	0.2	0	0.28
70	0.7	u	0.1	60	0.01	0.1	tr	0.03	0.2	2.0	0.1	0	0.18
55	u	0.04	1.2	300	0.06	0.3	0.2	u	u	u	u	0	u
50	tr	0.06	0.3	14	0.03	0.04	0.3	0.02	0.1	6	0	5	0.2
90	0.1	0.2	0.5	20	0.02	0.05	0.5	0.04	0.1	10	0	5	0.1
50	0.1	0.1	0.5	20	0.03	0.05	0.5	0.04	0.1	10	0	3	0.1
40	u	u	2.1	0	0.05	0.04	0.9	u	u	u	u	6	u
40	2	0.2	1.6	75	0.02	0.1	6.3	0.4	0.8	u	0.3	2	1.8
u	u	u	1.1	100	0.04	0.2	4.0	u	u	u	u	tr	u
55	1.1	0.1	1.2	15	0.08	0.1	13.5	0.6	1.0	4	0.3	0	1.9
40	1.4	0.1	0.7	3	0.04	0.1	3.0	0.2	0.6	4	0.2	0	1.6
50	1.5	0.1	0.9	18	0.06	0.2	4.5	0.2	0.7	5	0.2	0	2.1
	u	u	0.9	10	0.04	0.1	2.7	u	u	u	u	0	u
	u	u	1.4	20	0.08	0.2	4.9	u	u	u	u	0	u
45	1.7	0.1	1.5	12	0.09	0.2	17.4	0.8	1.4	5	0.5	0	1.4
30	1.7	0.2	1.2	tr	0.02	0.09	0.9	0.1	0.3	5	1.0	5	u
40	2.7	u	2.1	2	0.1	0.03	0.6	0.2	0.4	125	0	0	u
95	4.2	0.8	4.3	30	0.08	0.20	3.3	0.3	0.4	40	u	tr	u
70	u	u	1.3	300	0.08	0.2	0.8	0.1	0.7	15	1.0	55	u
45	0.7	0.8	1.9	2	0.01	0.07	0.4	0.01	0.06	3	0	0	0.5
20	1.2	0.3	1.3	30	0.05	0.10	1.0	0.4	1.2	10	1.6	15	tr
40	1.2	0	4.0	u	0.01	0.1	1.0	0.08	0.3	3	20	0	tr
45	0.1	0.02	0.1	tr	0.01	0.03	tr	0.07	0.6	1	0.1	0	u
30	1.2	0.01	0.8	85	0.10	0.43	0.4	0.11	0.8	12	0.9	2	0.3
50	u	0.2	0.9	0	0.02	0.01	0.2	0.01	0.06	8	0	0	tr

Aliments	Poids (g)	Calories	Pro-téines (g)	Grais-ses (g)	Hy-drates de carbone (g)	Cal-cium (mg)	Phos-phore (mg)	Magné-sium (mg)	S di (m
Café instantané lyophilisé	2.5	4	tr	tr	1	4	10	10	
Courgettes bouillies	70	20	2.0	0.3	3	140	20	20	
Cookies									
- classiques	35	170	1.5	7.0	25	10	55	5	
- aux figues	55	200	2.0	3.0	40	45	40	30	
- au maïs	50	235	3.0	10.0	35	45	70	20	
Maïs doux									
- frais ou surgelé bouilli	80	70	2.5	0.6	17	4	55	15	
- conserves	80	50	1.4	0.3	12	2	45	15	2
- à la crème	130	95	2.5	0.5	24	3	80	30	3
Maïs frit	35	130	2.5	8.0	14	20	55	u	
Pois cassés									
- non mûrs	80	90	7.0	0.6	15	20	120	15	
- mûrs, séchés, cuits	125	95	6.5	0.4	17	20	120	u	
Crabe	100	100	18.0	2.0	0.6	45	185	30	5
Biscuits									
- au beurre	15	75	1.1	3.0	11	25	40	u	
- salés	15	55	1.1	1.6	12	5	20	5	
- au seigle	15	40	1.5	0.2	10	5	50	u	
- apéritif	10	45	0.9	1.0	7	5	10	3	
Gelée de myrtilles conserves	35	50	tr	tr	13	1	2	1	
Crème									
- demi-écrémée	60	80	2.0	7.0	3	65	55	8	
- fouettée	60	210	1.0	22.0	2	45	35	4	
- légère	60	120	1.6	11.6	2	60	50	5	
Succédanés de crème									
- pour café	3	15	0.1	0.8	2	1	12	tr	
- fouettée	10	30	0.1	2.5	2	1	1	tr	
Concombre, cru, épluché	80	10	0.4	0.1	2	15	15	5	
Flan cuit	130	150	7.0	7.5	15	150	155	u	1
Épinards bouillis	50	20	1.0	0.3	3	75	20	20	
Soja cru	100	100	2.0	0.2	25	30	60	u	
Dattes séchées	80	230	1.6	0.4	61	25	35	30	
Beignets									
- classiques	40	170	2.0	9.0	20	15	90	10	2
- au froment	40	180	2.5	11.0	16	15	30	5	1
Canard rôti, salé	100	450	9.7	45.0	2	65	150	u	
Omelette	250	340	9.5	19.0	34	330	275	45	1
Œufs,									
- entiers, crus ou durs	50	80	6.0	5.5	0.6	30	90	6	
- blanc	33	15	3.5	tr	0.4	4	4	3	
- jaune	17	65	3.0	5.0	tr	25	85	3	
- brouillés	140	190	12.0	14.0	3.0	95	195	15	3
Aubergine bouillie	100	20	1.0	0.2	4	10	20	15	

	Zinc (mg)	Cuivre (mg)	Fer (mg)	Activité Vitamine A (ER)	Thiamine (mg)	Ribo-flavine (mg)	Niacine (mg)	Vitamine B_6 (mg)	Acide pantothénique (mg)	Acide folique (µg)	Vitamine B_{12} (µg)	Vitamine C (mg)	Acides gras polyinsaturés (g)
0	0.03	0.01	0.1	0	0	tr	0.6	tr	tr	u	0	0	0
5	0.2	0.04	0.7	410	0.04	0.1	0.4	0.08	0.1	35	0	30	tr
5	0.2	0.05	0.2	10	0.01	0.02	0.1	0.02	0.1	1	0	0	u
0	0.4	0.2	1.3	15	0.08	0.07	0.7	0.05	0.2	3	0	tr	u
0	0.5	0.06	1.5	7	0.10	0.07	0.6	0.02	0.3	7	0.05	0	u
0	0.3	0.03	0.4	20	0.06	0.05	1.3	0.13	0.2	40	0	4	tr
5	0.4	0.06	0.3	10	0.03	0.05	0.6	u	u	30	0	5	tr
5	0.8	0.10	0.6	20	0.04	0.08	1.2	u	u	30	0	8	tr
5	u	u	0.6	15	0.06	0.07	0.6	u	u	u	tr	u	u
0	0.6	0.2	1.7	30	0.2	0.09	1.0	0.04	0.2	80	0	15	tr
5	2.0	0.2	1.6	1	0.2	0.05	0.5	0.07	0.3	100	0	0	tr
	4.5	1.0	0.8	tr	0.2	0.08	3.0	0.3	0.6	2	10	2	0.9
0	u	0.03	0.1	5	tr	tr	0.1	u	u	u	0	0	u
5	0.1	0.02	0.4	tr	0.05	0.04	0.5	0.01	0.1	2	0	0	u
	u	0.04	0.5	0	0.04	0.03	0.2	u	u	u	0	0	u
5	0.1	0.02	0.3	0	tr	tr	0.6	tr	tr	2	0	0	u
9	tr	tr	tr	1	tr	tr	tr	tr	u	u	0	tr	0
0	0.3	0.07	tr	60	0.02	0.08	0.02	0.02	0.2	1.5	0.2	tr	0.2
5	0.1	0.06	tr	250	0.01	0.08	0.02	0.01	0.2	0.4	0.1	tr	0.8
5	0.2	0.06	tr	110	0.02	0.08	tr	0.02	0.2	1.5	0.1	tr	0.4
0	0.02	u	u	tr	0.	0	0	0	0	0	0	0	tr
2	tr	u	tr	6	0	0	0	0	0	0	0	0	tr
5	0.08	0.04	0.2	tr	0.02	0.03	0.2	0.03	0.2	10	0	8	tr
5	u	0.1	0.6	135	0.06	0.2	0.2	u	u	4	u	0	u
0	u	u	1.0	610	0.07	0.08	u	u	u	u	0	10	tr
5	u	u	1.0	2	0.1	0.04	1.1	u	u	u	0	4	tr
0	0.2	0.2	1.0	4	0.07	0.08	1.8	0.16	0.6	10	0	0	tr
0	0.2	0.05	0.6	7	0.1	0.08	0.7	0.01	0.2	3	0	tr	u
5	0.3	0.04	0.6	8	0.07	0.07	0.6	0.02	0.2	4	0	0	u
	u	u	2.7	u	u	u	u	u	u	u	u	u	u
0	1.1	u	0.5	200	0.08	0.5	0.3	0.1	1.1	2	1.1	3	0.9
	0.7	0.05	1.0	80	0.04	0.15	tr	0.06	0.9	25	0.6	0	0.7
5	tr	0.01	tr	0	tr	0.09	tr	tr	0.07	5	0.02	0	0
5	0.6	0.05	0.9	80	0.04	0.07	tr	0.05	0.8	25	0.6	0	0.7
0	1.4	0.07	1.9	160	0.07	0.30	0.1	0.1	1.8	50	1.3	tr	1.4
0	u	0.1	0.6	1	0.05	0.04	0.5	0.08	0.2	2	0	3	tr

Aliments	Poids (g)	Calories	Pro-téines (g)	Grais-ses (g)	Hy-drates de carbone (g)	Cal-cium (mg)	Phos-phore (mg)	Magné-sium (mg)	Sc diu (m
Graisse,	100	880	0	100.0	0	0	0	0	
sauce à l'huile	12	110	0	12.0	0	0	0	0	
Figues fraîches	100	75	0.8	0.3	20	35	15	15	
sèches	30	75	1.0	0.3	20	40	20	20	
Poisson									
- morue, filet sauté	110	180	30.0	6.0	0	30	285	30	1
- bâtonnets avec chapelure	110	200	19.0	10.0	7	10	190	20	u
- haddock frit	110	180	22.0	7.0	6	45	270	30	19
- maquereau sauté	105	250	23.0	17.0	0	5	295	30	u
- saumon,	145	230	35.0	9.0	0	u	530	60	15
filet, grillé	110	160	23.0	6.0	0	215	315	30	4
fumé	110	190	22.0	10.0	0	285	380	30	5
- sardines à l'huile	85	170	20.5	9.0	0	370	425	35	7
- sole,	100	200	30.0	8.0	0	25	345	30	2
filet grillé									
- lieu, grillé	100	170	26.5	6.0	0	25	260	u	u
- thon, cru	100	135	27.5	3.0	0	5	175	30	
à l'huile	100	200	28.0	8.0	0	10	230	25	u
au naturel	100	130	28.0	0.8	0	15	190	25	8
Farine de froment									
- blanche,									
enrichie	115	420	12.0	1.0	90	20	100	30	
non enrichie	115	420	12.0	1.0	90	20	100	30	
- complète	120	400	16.0	2.5	85	50	445	135	
Pain grillé,	65	130	5.0	4.3	18	50	85	u	3
une tranche									
Dîners tout prêts									
- poulet frit avec	310	570	28.0	29.0	48	70	350	60	107
pommes de terre et légumes									
- bœuf à la sauce tomate	310	410	25.0	21.0	30	60	365	60	122
et petits pois									
- dinde en sauce,	310	340	25.0	9.0	40	80	260	65	120
pommes de terre et petits pois									
Cocktail de fruits	130	95	0.5	tr	24	10	15	7	
au sirop									
Gélatine séchée	8	30	7.0	0	0	u	u	2	
Gélatine pour desserts	120	71	2.0	0	17	u	u	2	u
Pamplemousse cru	100	30	0.6	0.1	8	10	10	8	
Jus de pamplemousse									
- non sucré	250	95	1.2	0.2	22	20	25	25	
- sucré	250	115	1.4	0.2	28	20	25	25	
Raisin cru									
- sans peau	100	65	0.6	0.3	17	15	10	5	
- avec peau	100	70	0.7	0.6	18	10	15	6	
Jus de raisin	250	155	1.4	0.2	38	20	25	25	
Sauce en boîte									
- bœuf	15	8	0.5	0.3	0.7	1	5	0	
- poulet	15	10	0.3	0.9	0.8	3	4	0	8
Jambon rôti	85	250	18.0	19.0	0	10	145	15	6

	Zinc (mg)	Cuivre (mg)	Fer (mg)	Activité Vita-mine A (ER)	Thia-mine (mg)	Ribo-flavine (mg)	Niacine (mg)	Vita-mine B_6 (mg)	Acide panto-thé-nique (mg)	Acide folique (µg)	Vita-mine B_{12} (µg)	Vita-mine C (mg)	Acides gras poly-insaturés (g)
0	0	0	0	0	0	0	0	0	0	0	0	0	14.8
0	0	0	0	0	0	0	0	0	0	0	0	0	1.8
0	0.1	0.07	0.4	14	0.06	0.05	0.4	0.11	0.3	u	0	2	0.14
5	0.2	0.1	0.7	4	0.02	0.03	0.2	0.07	0.1	2	0	tr	0.56
0	0.9	0.2	1.0	60	0.08	0.1	3.0	0.3	0.3	10	0.9	0	3.4
	0.3	0.2	0.4	0	0.04	0.08	2.0	0.06	0.3	10	1.1	0	u
5	1.1	0.2	1.3	tr	0.04	0.08	3.5	0.2	0.1	10	1.4	2	3.2
	1.0	0.2	1.3	165	0.2	0.3	8.0	0.7	0.9	10	9.4	0	4.6
6	2.4	1.2	1.5	60	0.2	0.08	12.5	1.0	1.9	30	5.8	0	2.4
5	1.0	0.3	0.9	25	0.04	0.2	9.0	0.3	0.6	20	7.6	0	1.6
0	1.0	0.3	1.3	75	0.04	0.2	8.0	0.3	0.6	20	7.6	0	2.6
0	2.4	0.03	2.4	60	0.03	0.2	4.5	0.2	0.7	15	8.5	0	1.8
5	1.0	0.07	1.4	u	0.07	0.08	2.5	0.2	0.8	15	1.2	2	3.8
	u	u	1.3	600	0.04	0.05	10.5	u	0.2	u	1.0	0	u
0	0.5	0.5	1.3	15	0.02	0.05	6.6	0.9	0.5	u	3.0	7	1.1
	1.0	0.1	1.9	25	0.05	0.1	12.0	0.4	0.3	15	2.2	0	3.0
5	u	u	1.6	25	0.05	0.1	13.0	0.4	0.3	15	2.2	0	0.3
0	0.8	0.2	0.9	0	0.07	0.06	1.0	0.07	0.5	20	0	0	0.6
0	0.8	0.2	3.3	0	0.5	0.3	4.0	0.07	0.5	20	0	0	0.6
5	2.9	0.6	4.0	0	0.7	0.1	5.0	0.4	1.3	35	0	0	1.6
0	u	u	1.3	75	0.1	0.1	0.7	u	u	u	u	0	u
0	3.0	0.4	3.2	360	0.2	0.6	16.0	0.9	1.6	20	0.7	10	u
0	3.5	0.5	4.0	260	0.3	0.4	5.5	0.7	0.9	20	1.1	10	u
0	3.0	0.4	3.3	80	0.2	0.3	7.0	0.8	1.8	30	0.6	10	u
0	0.1	0.09	0.4	25	0.02	0.02	0.5	0.06	0.1	u	0	2	0.04
	u	0.1	u	0	0	0	0	0	0	0	0	0	0
	0.02	0.03	u	0	0	0	0	0	0	0	0	0	0
0	0.1	0.05	0.1	10	0.04	0.02	0.3	0.04	0.3	10	0	35	0.02
0	0.2	0.09	0.5	2	0.1	0.05	0.6	0.05	0.3	25	0	70	0.06
5	0.1	0.12	0.9	0	0.1	0.06	0.8	0.05	0.3	25	0	65	tr
0	tr	0.04	0.3	10	0.09	0.06	0.3	0.11	tr	4	0	4	0.10
5	tr	0.09	0.3	8	0.09	0.06	0.3	0.11	tr	4	0	10	0.17
5	0.1	0.07	0.6	2	0.07	0.09	0.7	0.16	0.1	6	0	tr	0.06
2	0.15	0.01	0.1	0	tr	tr	0.1	tr	u	u	tr	0	0.01
0	0.12	0.01	0.1	2	tr	tr	0.1	tr	u	u	u	0	0.2
4	3.4	0.3	2.2	0	0.4	0.2	3.0	0.3	0.3	1	0.4	0	2

Aliments	Poids (g)	Calories	Pro-téines (g)	Grais-ses (g)	Hy-drates de carbone (g)	Cal-cium (mg)	Phos-phore (mg)	Magné-sium (mg)	S di (n
Miel	20	65	0.1	0	17	1	1	1	
Glace vanille									
ordinaire	65	135	2.5	7.0	15	90	70	10	
enrichie	75	175	2.0	12.0	16	75	60	8	
Cornet de glace	142	230	6.0	7.0	35	200	150	u	
Lait glacé, vanille	65	90	2.5	3.0	15	90	65	10	
Soda au citron	95	120	0.4	tr	30	tr	tr	u	
Confitures et gelées	20	55	0.1	tr	14	4	2	1	
Chou rouge bouilli	55	15	1.4	0.2	3	75	15	10	
Rognons braisés	100	250	33.0	12.0	0.8	20	240	20	2
Endives bouillies	80	20	1.5	0.1	4	25	35	30	
Agneau									
- côte grillée									
maigre et gras	95	340	21.0	28.0	0	10	165	15	
maigre seulement	65	120	18.0	5.0	0	10	140	15	
- gigot rôti	85	160	24.0	6.0	0	10	200	15	
maigre seulement									
- épaule rôtie	85	280	18.5	23.0	0	10	145	15	
maigre et gras									
Lard	12	110	0	12.0	0	0	0	0	
Lasagnes surgelées	225	380	27.0	12.4	43	310	470	55	1
Jus de citron frais	15	5	0.1	tr	1	1	1	1	
Jus de citron à base de concentré	250	110	0.1	tr	30	2	3	2	
Lentilles sèches cuites	100	110	8.0	tr	19	25	120	20	
Salade verte, crue									
cœur	90	10	0.8	0.1	3	20	20	10	
feuilles	55	10	0.7	0.2	2	35	15	10	
Foie									
- bœuf frit	85	200	22.5	9.0	4	10	405	15	
- veau frit	85	220	25.0	11.2	3	10	455	20	
- poulet mijoté	70	110	18.0	3.5	1	10	110	15	
Homard cuit	95	90	18.0	1.5	0.3	65	185	20	2
Litchis crus	150	60	0.8	0.3	15	5	40	u	
Macaronis et autres pâtes, cuits									
non enrichis	130	190	6.5	0.7	40	15	85	25	
enrichis	130	190	6.5	0.7	40	15	85	25	
Macaronis au fromage rôtis	200	430	17.0	22.0	40	360	320	50	10
Mangues crues	165	110	1.0	0.5	28	20	20	15	
Margarine	5	35	tr	4	tr	1	1	tr	
Melons									
- classique	160	60	1.4	0.4	13	20	25	15	
- d'eau	170	60	0.8	0.2	16	10	15	10	
- pastèque	480	150	3.0	2.0	35	40	40	50	

...es- ...m ...g)	Zinc (mg)	Cuivre (mg)	Fer (mg)	Activité Vita-mine A (ER)	Thia-mine (mg)	Ribo-flavine (mg)	Niacine (mg)	Vita-mine B6 (mg)	Acide panto-thé-nique (mg)	Acide folique (µg)	Vita-mine B12 (µg)	Vita-mine C (mg)	Acides gras poly-insaturés (g)
0	0.02	0.03	0.1	0	tr	0.01	0.1	tr	0.04	0	0	tr	0
0	0.7	0.02	0.05	65	0.02	0.2	0.05	0.03	0.3	1	0.3	0	0.3
0	0.6	0.02	0.05	105	0.02	0.15	0.05	0.03	0.3	1	0.3	0	0.4
	u	u	u	70	0.09	0.26	u	u	u	u	0.6	u	u
0	0.3	u	0.09	25	0.04	0.2	0.05	0.04	0.3	1	0.4	0	0.1
3	u	u	tr	0	tr	tr	tr	0	0	0	0	0	0
0	0.1	0.02	0.2	tr	tr	0.01	tr	0.01	0.02	1	0	tr	0
5	0.1	0.03	0.5	375	0.03	0.6	0.3	0.05	tr	25	0	20	tr
0	2.4	0.1	13.0	330	0.5	4.8	10.5	0.4	3.8	60	30	u	u
5	u	u	0.2	1	0.05	0.02	0.2	0.1	0.5	u	0	35	tr
5	u	0.1	1.2	tr	0.1	0.2	5.0	0.3	0.5	1	2.0	0	1.4
5	3.0	0.1	1.3	tr	0.1	0.2	4.0	0.2	0.4	1	1.4	0	0.25
5	3.6	0.05	1.9	tr	0.1	0.3	5.5	0.2	0.5	1	1.8	0	0.3
5	u	0.1	1.0	tr	0.1	0.2	4.0	0.2	0.5	1	1.8	0	1.1
0	0	0	0	0	0	0	0	0	0	0	0	0	1.1
0	1.4	u	5.6	185	0.4	0.4	4.5	u	u	50	u	15	u
5	tr	tr	tr	tr	tr	tr	tr	tr	tr	1.5	0	5	tr
0	0.02	0.02	0.1	1	0.01	0.02	0.2	0.01	0.03	5	0	15	0
0	1.0	0.3	2.1	2	0.07	0.06	0.6	u	u	36	0	0	0
0	0.4	0.08	0.5	30	0.05	0.05	0.3	0.05	0.2	30	0	5	tr
5	0.2	0.05	0.8	100	0.03	0.04	0.2	0.03	0.1	30	0	10	tr
5	4.3	2.5	7.5	9000	0.2	3.6	14.0	0.7	6.5	70	68.0	25	2.4
5	5.2	6.5	12.1	7000	0.2	3.5	14.0	0.6	6.5	70	51.0	30	3.5
5	3.0	0.2	6.0	3500	0.1	1.9	8.0	0.5	4.2	160	17.5	10	0.67
5	2.1	1.6	0.8	tr	0.1	0.07	u	u	1.4	15	0.5	0	u
5	u	u	0.4	0	u	0.05	u	u	u	u	0	40	tr
5	0.6	0.03	0.7	0	0.03	0.03	0.5	0.03	0.2	5	0	0	tr
5	0.6	0.03	1.4	0	0.2	0.1	2.0	0.03	0.2	5	0	0	tr
0	1.3	0.08	1.8	200	0.2	0.4	2.0	0.09	0.4	10	0.8	0	u
5	0.1	0.18	0.2	640	0.1	0.1	1.0	0.22	0.3	u	0	45	0.11
4	0.01	tr	0	5	0	0	0	0	0	0	0	0	1.2
5	0.2	0.07	0.3	510	0.06	0.03	0.9	0.18	0.2	27	0	65	tr
0	u	0.07	0.1	7	0.13	0.03	1.0	0.1	0.4	u	0	40	tr
0	0.3	0.15	0.8	175	0.4	0.1	1.0	0.7	1.0	10	0	45	tr

Aliments	Poids (g)	Calories	Protéines (g)	Graisses (g)	Hydrates de carbone (g)	Calcium (mg)	Phosphore (mg)	Magnésium (mg)	S... di... (m
Lait de vache									
- entier, 3,3 % m. g.	245	150	8.0	8.2	11	290	225	30	
- maigre, 2 % m. g.	245	140	10.0	5.0	14	350	275	40	
- écrémé ou petit-lait	245	90	8.5	0.4	12	300	245	30	
- chocolaté, maigre	250	180	8.0	5.0	26	285	255	30	
- entier instantané,	30	160	8.5	8.5	12	290	250	25	
maigre	35	125	12.0	0.2	18	420	345	40	
- pasteurisé	250	340	17.5	20.0	25	660	510	60	
- condensé, sucré	40	120	3.0	3.5	20	105	95	10	
Lait maternel	30	21	0.3	1.3	2.1	10	4	1	
Milk shakes	290	320	10.0	8.0	52	345	265	35	
Mélasse									
- légère	20	50	0	0	13	35	10	9	
- moyenne	20	50	0	0	12	60	15	16	
- épaisse	20	45	tr	0	11	135	15	52	
Petites brioches									
- au son	40	110	3.0	5.0	17	55	110	30	
- au maïs	40	130	3.0	4.0	19	40	70	20	
- classiques	55	130	4.0	1.0	18	90	60	10	
- aux myrtilles	40	125	2.5	4.0	20	15	80	5	
Champignons crus	35	10	1.0	0.1	2	2	40	5	
Bettes bouillies	70	15	2.0	0.2	2	80	20	10	
Moutarde préparée	5	4	0.2	0.2	0.3	4	4	2	
Nouilles aux œufs, cuites									
- non enrichies	105	130	4.5	1.5	25	10	65	25	
- enrichies	105	130	4.5	1.5	25	10	65	25	
Olives,									
- vertes	25	20	0.2	2.5	0.2	10	4	5	
- noires	25	35	0.2	4.0	0.6	20	4	u	
Oignons									
- verts, crus	25	10	0.4	tr	2	15	10	3	
- mûrs, secs	85	30	1.5	0.1	7	25	30	10	
crus	10	4	0.2	tr	0.9	3	4	1	
bouillis	105	30	1.0	0.1	7	25	30	10	
Oranges crues	130	60	1.2	0.2	15	50	20	15	
Jus d'orange, frais ou surgelé	250	110	1.7	0.5	26	25	40	25	
Huîtres crues	120	60	13.0	1.0	tr	220	320	50	
Sauce au soja crue	100	15	1.0	0.1	3	165	45	u	
Crêpes ordinaires	110	240	7.5	9.0	32	145	290	20	
Papaye crue	140	55	1.0	0.2	14	35	5	15	
Persil cru	5	2	0.1	tr	0.3	5	2	2	
Pêches, sans peau									
- crues, jaunes	115	45	0.6	0.1	10	5	10	6	
- conserves au sirop	160	120	0.7	0.2	32	5	20	8	
- au naturel	155	35	0.7	0.1	9	5	15	8	
- séchées non cuites	60	190	3	0.6	48	20	95	35	

tas-sium (mg)	Zinc (mg)	Cuivre (mg)	Fer (mg)	Activité Vitamine A (ER)	Thiamine (mg)	Ribo-flavine (mg)	Niacine (mg)	Vitamine B_6 (mg)	Acide pantothé-nique (mg)	Acide folique (µg)	Vitamine B_{12} (µg)	Vitamine C (mg)	Acides gras poly-insaturés (g)
70	1.0	0.08	0.1	75	0.09	0.4	0.2	0.1	0.8	10	0.9	2	0.3
50	1.1	0.08	0.1	140[i]	0.1	0.5	0.2	0.1	0.9	15	1.0	2	0.2
00	1.0	0.08	0.1	140[i]	0.09	0.4	0.2	0.1	0.8	15	1.0	2	tr
20	1.0	u	0.6	140[i]	0.1	0.4	0.3	0.1	0.7	10	0.8	2	0.2
25	1.0	0.06	0.1	90	0.09	0.4	0.2	0.09	0.7	10	1.0	2	0.2
00	1.5	0.1	0.1	2	0.1	0.5	0.3	0.1	1.1	15	1.4	2	tr
65	1.9	0.2	0.4	140	0.1	0.8	0.5	0.1	1.6	20	0.4	3	0.6
40	0.4	0.08	0.1	30	0.03	0.2	0.1	0.02	0.3	4	0.2	tr	0.1
16	0.05	0.01	0.01	20	0.004	0.01	0.1	0.003	0.07	2	0.02	2	0.2
00	1.0	0.06	0.2	100	0.12	0.66	0.6	0.12	u	u	0.9	tr	u
85	u	u	0.9	0	0.01	0.01	u	u	u	u	0	0	0
15	0.9	0.3	1.2	0	0.01	0.02	0.2	0.04	0.07	2	0	0	0
85	u	u	3.2	0	0.02	0.04	0.4	u	u	u	0	0	0
90	0.9	0.08	1.1	40	0.1	0.1	1.1	0.11	0.2	16	0.1	2	u
55	u	u	0.7	20[d]	0.08	0.09	0.6	u	u	u	u	0	u
10	0.4	0.17	1.6	0	0.25	0.18	2.0	0.02	0.3	18	0	0	u
50	0.2	0.03	0.5	8	0.1	0.1	1.0	u	u	u	u	tr	u
45	0.1	0.04	0.3	tr	0.04	0.2	1.5	0.04	0.8	7	0	1	tr
20	0.2	0.05	0.9	360	0.03	0.04	0.2	0.11	tr	u	0	20	tr
5	0.03	0.02	0.1	0	u	u	u	u	u	u	0	0	0
45	0.6	0.02	0.6	20	0.03	0.02	0.4	0.02	0.2	2	tr	0	u
45	0.6	0.02	0.9	20	0.10	0.09	1.5	0.02	0.2	2	tr	0	u
10	0.02	0.09	0.3	6	tr	tr	tr	0.01	0	3	0	0	0.3
5	0.07	0.09	0.4	2	tr	tr	tr	tr	tr	3	0	0	0.5
60	0.07	0.01	0.3	50	0.01	0.01	0.1	u	0.4	10	0	8	0
35	0.3	0.1	0.4	4[e]	0.02	0.04	0.2	0.1	0.1	8	0	8	tr
15	0.03	0.01	0.1	tr	tr	tr	tr	0.01	0.01	1	0	1	0
15	0.6	0.08	0.4	4[e]	0.03	0.03	0.2	0.1	0.1	10	0	8	tr
35	0.1	0.06	0.1	25	0.11	0.05	0.4	0.08	0.3	40	0	70	0.03
95	0.1	0.11	0.5	50	0.22	0.07	1.0	0.10	0.5	110	0	125	tr
10	25[k]	9.0	7.2	75	0.1	0.2	1.6	0.04	0.6	12	17	10[k]	1.0
05	u	u	0.8	300	0.05	0.1	0.8	u	u	u	0	25	tr
75	0.8	0.07	1.1	30	0.15	0.24	1.0	0.23	0.4	12	1.3	tr	u
50	0.1	0.02	0.1	280	0.04	0.04	0.5	0.03	0.3	u	0	85	0.04
25	tr	0.02	0.2	30	tr	0.01	tr	0.01	0.02	2	0	6	tr
70	0.1	0.06	0.1	45	0.01	0.04	0.9	0.02	0.1	3	0	6	0.04
50	0.1	0.08	0.4	55	0.02	0.04	1.0	0.03	0.1	5	0	4	0.04
50	0.1	0.08	0.5	80	0.01	0.03	0.8	0.03	0.1	5	0	4	0.04
85	0.4	0.29	3.2	80	0.02	0.06	2.8	0.09	0.3	4	0	6	0.29

Aliments	Poids (g)	Calories	Protéines (g)	Graisses (g)	Hydrates de carbone (g)	Calcium (mg)	Phosphore (mg)	Magnésium (mg)	
Cacahuètes rôties salées	30	165	7.5	14.0	5	20	115	50	
Beurre de cacahuète	15	95	4.0	8.0	3	10	60	25	
Poires									
- crues, avec peau	165	100	1.0	0.7	25	20	20	10	
- conserves au sirop	160	115	0.3	0.2	30	10	10	6	
- au naturel	155	45	0.3	tr	12	5	10	6	
Pois									
- petits pois surgelés bouillis	80	65	4.0	0.4	11	20	70	20	
conserves, égouttés	85	75	4.0	0.4	14	20	65	10	
- pois cassés, cuits	100	115	8.0	0.3	20	10	90	8	
Pois et carottes surgelés, bouillis	80	50	2.5	0.3	9	20	50	15	
Noix de Pécan	30	200	2.5	20.0	4	20	80	40	
Piments									
- verts, conserves	15	3	0.1	tr	1	1	2	u	
- rouges, secs	3	10	0.3	0.4	1	5	10	4	
Poivrons									
- verts, crus	75	15	0.9	0.1	4	5	15	15	
- rouges, crus	90	25	1.0	0.2	5	10	20	u	
Cornichons									
- au laurier	135	15	0.9	0.3	3	35	30	1	1
- doux	35	50	0.2	0.1	13	4	5	tr	
- au vinaigre	15	20	0.1	0.1	5	3	2	u	
Pâtisseries									
- gâteau aux pommes	160	400	3.5	17.5	60	15	35	5	
- tarte cerises, pêches	160	410	4.0	18.0	60	20	40	u	
- vacherin	150	380	7.5	18.0	50	105	150	u	
- baba	150	330	9.5	17.0	35	145	170	u	
- meringue au citron	140	360	5.0	14.5	55	20	70	u	
- à la crème	160	430	4.0	18.0	65	45	60	u	
- aux noix de Pécan	140	580	7.0	31.5	70	65	140	u	
- au potiron	150	320	6.0	17.0	35	80	105	10	
- à la patate douce	150	325	7.0	17.0	36	105	130	u	
Ananas, en dés ou écrasé									
cru	155	75	0.6	0.7	19	10	10	20	
- conserves, au sirop	155	100	0.5	0.1	26	20	10	20	
au jus	125	75	0.5	0.1	20	20	10	20	
- au naturel	125	40	0.5	0.1	10	29	5	20	
Jus d'ananas	250	140	0.8	0.2	34	40	20	35	
Amandes broyées	30	180	3.5	17.0	6	3	170	u	
Pizza au fromage	65	150	8.0	5.5	18	145	125	20	
à la saucisse	65	160	5.0	6.0	20	10	60	u	
Banane	275	220	2	0.7	57	5	60	65	
Prunes crues	70	35	0.5	0.4	9	2	5	4	
quetsches au sirop	140	120	0.5	0.1	31	10	15	7	
Popcorn à l'huile salé	10	40	0.9	2.0	5	1	20	10	

es-m g)	Zinc (mg)	Cuivre (mg)	Fer (mg)	Activité Vitamine A (ER)	Thiamine (mg)	Riboflavine (mg)	Niacine (mg)	Vitamine B6 (mg)	Acide pantothénique (mg)	Acide folique (µg)	Vitamine B12 (µg)	Vitamine C (mg)	Acides gras polyinsaturés (g)
)0	0.9	0.1	0.6	0	0.09	0.04	4.9	0.1	0.6	8	0	0	4.1
)0	0.4	0.09	0.3	0	0.02	0.02	2.4	0.05	0.3	3	0	0	2.1
10	0.2	0.19	0.4	3	0.03	0.07	0.2	0.03	0.1	12	0	7	0.16
)0	0.1	0.08	0.3	0	0.02	0.03	0.4	0.02	tr	2	0	2	0.05
40	0.1	0.08	0.3	0	0.01	0.02	0.1	0.02	tr	2	0	2	0.01
20	0.6	0.09	1.2	55	0.2	0.1	1.6	0.1	u	70	0	8	0.06
40	0.7	0.1	1.6	50	0.08	0.05	0.7	0.04	0.1	20	0	7	0.06
'5	1.1	0.07	1.7	4	0.2	0.09	0.9	0.04	0.6	5	0	0	0.05
5	0.4	0.07	0.8	80	0.13	0.1	1.1	0.09	0.2	10	0	10	tr
0	u	0.3	0.7	4	0.2	0.04	0.3	0.05	0.5	4	0	1	u
	u	u	0.1	10	tr	tr	0.1	u	u	u	0	10	0
0	0.1	u	0.4	90	tr	tr	0.2	u	u	u	0	2	tr
5	0.2	0.07	0.5	30	0.06	0.06	0.4	0.2	0.2	15	0	95	tr
	u	u	0.4	330	0.06	0.06	0.4	u	0.2	20	0	150	tr
'0	0.4	0.03	1.4	15	tr	0.03	tr	0.01	0.3	4	0	8	tr
	0.05	0.07	0.4	3	tr	0.01	tr	tr	0.07	1	0	2	0
	0.01	0.05	0.1	u	0	0	0	u	u	0	0	tr	0
'5	0.1	0.1	0.5	5	0.03	0.03	0.6	0.06	0.2	8	0	2	u
5	0.06	0.1	0.5	70	0.03	0.03	0.8	u	u	u	0	tr	u
0	u	u	1.1	75	0.05	0.2	0.3	u	1.4	14	u	tr	u
	u	u	0.9	85	0.08	0.3	0.5	u	u	u	tr	0	u
0	u	u	0.7	60	0.04	0.1	0.3	u	u	14	u	4	u
0	u	0.1	1.6	tr	0.10	0.06	0.6	u	u	u	u	2	u
0	u	u	3.9	20	0.20	0.1	0.4	u	u	u	0	tr	u
5	0.6	0.08	0.8	380	0.05	0.2	0.8	0.06	0.8	5	u	tr	u
0	u	u	0.8	360	0.08	0.2	0.5	u	u	u	u	6	u
5	0.1	0.17	0.6	3	0.1	0.1	0.7	0.13	0.2	16	0	24	0.23
0	0.1	0.13	0.5	2	0.1	0.03	0.4	0.10	0.1	6	0	9	0.05
0	0.1	0.12	0.4	4	0.1	0.02	0.4	u	u	u	0	12	0.04
5	0.1	0.13	0.5	2	0.1	0.03	0.4	0.09	0.1	6	0	9	0.04
5	0.3	0.22	0.6	6	0.1	0.05	0.6	0.24	0.2	58	0	27	0.07
	u	u	1.5	1	0.4	0.07	1.3	u	u	u	u	u	u
5	0.8	0.2	0.7	100	0.04	0.1	0.7	u	u	24	u	5	u
5	0.8	u	0.8	100	0.06	0.08	1.0	u	u	23	u	6	u
5	0.2	0.14	1.1	200	0.1	0.1	1.2	0.53	0.5	39	0	33	tr
5	0.1	0.03	0.1	20	0.03	0.06	0.3	0.05	0.1	1	0	6	0.09
0	0.1	0.05	1.1	35	0.02	0.05	0.4	0.04	0.1	3	0	1	0.03
	0.2	0.03	0.2	u	u	0.01	0.2	0.02	0.04	0	0	0	u

Aliments	Poids (g)	Calories	Pro- téines (g)	Grais- ses (g)	Hy- drates de carbone (g)	Cal- cium (mg)	Phos- phore (mg)	Magné- sium (mg)	
Porc									
- côte, grillée, maigre et gras	80	300	19.5	24.5	0	10	210	15	
maigre seulement	50	110	13.0	6.5	0	5	135	10	
- rôti, maigre et gras	85	310	21.0	24.0	0	10	220	20	
- côtelettes braisées	90	400	18.5	35.0	0	15	220	u	
Pommes de terre									
- rôties	200	140	4.0	0.2	35	15	100	45	
- en robe des champs	135	90	2.5	0.1	20	10	55	30	
- frites surgelées	70	220	3.0	10.2	28	9	70	20	
	100	140	2.0	5.0	23	5	65	15	
- purée au lait	100	100	2.0	4.5	13	25	50	15	
Chips	20	115	1.0	8.0	10	10	30	10	
Bretzels	30	120	3.0	1.0	24	10	25	7	
Pruneaux séchés, crus	50	120	1.3	0.2	30	25	35	20	
cuits, sans sucre	110	115	1.2	0.2	30	25	40	20	
Jus de pruneaux, conserves	255	180	1.5	0.1	45	30	65	35	
Crèmes									
- aux amandes	65	100	2.7	4.3	14	35	50	u	
- aux pommes	110	160	1.5	4.0	30	20	25	5	
- aux fruits	155	385	10.8	14.0	58	230	200	u	
- au chocolat instantané	130	160	5.0	3.0	30	185	120	u	
- caramel	130	150	7.0	7.5	15	150	155	u	
- gâteau de riz aux raisins secs	130	200	5.0	4.0	35	130	125	u	
- tapioca	80	110	4.0	4.0	14	85	90	u	
- vanille, maison	130	140	4.5	5.0	20	150	115	u	
Potiron, conserves	245	80	2.0	0.7	19	45	90	60	
Radis crus	45	7	0.4	tr	1	10	10	7	
Raisins secs	35	105	1.0	0.2	28	15	35	10	
Rhubarbe cuite sucrée	120	140	0.5	0.1	37	175	10	15	
Riz cuit salé									
- brun	130	160	3.5	0.8	35	15	95	40	
- blanc enrichi	135	150	3.0	0.1	35	15	85	10	
- précuit, instantané	110	120	2.5	tr	25	3	20	u	
Croissants et brioches									
- pain aux raisins	65	250	4.0	14.0	29	70	65	10	
- pain de hamburger, enrichi	40	115	3.4	2.0	20	55	30	10	
- croissants enrichis	50	135	4.3	1	28	10	40	12	
- gaufres enrichies	30	85	2.5	1.5	15	20	25	10	
Rutabagas bouillis	85	30	0.8	0.1	7	50	25	12	
Salades									
- du chef (salade verte, jambon, fromage vinaigrette)		285	13.0	24.0	3	150	185	u	
- de pommes de terre, maison	125	120	3.5	3.5	20	40	80	u	
- au thon	100	170	15.0	10.0	4	20	145	u	

Potassium (mg)	Zinc (mg)	Cuivre (mg)	Fer (mg)	Activité Vitamine A (ER)	Thiamine (mg)	Ribo-flavine (mg)	Niacine (mg)	Vitamine B6 (mg)	Acide pantothénique (mg)	Acide folique (µg)	Vitamine B12 (µg)	Vitamine C (mg)	Acides gras polyinsaturés (g)
215	2.3	0.13	2.7	0	0.8	0.2	4.5	0.3	0.5	3	0.4	0	2.0
145	1.5	0.04	1.6	0	0.5	0.1	2.9	0.1	0.2	2	0.2	0	0.5
235	2.2	0.05	2.7	0	0.8	0.2	4.8	0.3	0.5	4	0.5	0	2.0
300	u	u	4.7	0	0.8	0.4	6.1	u	u	u	0.6	0	2.2
780	0.4	0.3	1.1	tr	0.2	0.07	2.7	0.3	0.4	20	0	30	tr
385	0.4	0.1	0.7	tr	0.1	0.05	1.6	0.2	0.3	15	0	20	tr
250	0.2	0.1	0.4	tr	0.1	0.04	2.4	0.2	0.1	15	0	9	u
365	0.3	0.11	0.6	0	0.07	0.02	1.1	u	u	15	0	11	u
260	0.1	0.1	0.4	45	0.08	0.05	1.0	0.2	0.2	10	0	10	u
225	0.2	0.04	0.4	tr	0.04	0.01	1.0	0.04	0.1	2	0	5	u
30	0.3	0.05	0.6	u	0.1	0.1	1.2	0.01	0.1	5	0	0	tr
370	0.2	0.20	1.2	100	0.04	0.07	0.8	0.13	0.2	2	0	2	0.05
355	0.2	0.20	1.2	30	0.01	0.11	0.8	0.23	0.1	tr	0	3	0.05
705	0.5	0.17	3.0	1	0.04	0.18	2.0	u	u	1	0	10	0.02
50	u	u	0.3	60	0.02	0.08	0.03	0.02	0.3	8	0.4	tr	u
110	u	u	0.6	20	0.06	0.04	0.4	u	u	u	u	1	u
355	u	u	2.5	50	0.1	0.20	3.0	0.1	0.4	6	0.3	0	u
170	u	u	0.4	40	0.04	0.20	0.2	u	u	u	u	0	u
195	u	0.1	0.6	135	0.06	0.2	0.2	u	u	4	u	tr	u
235	0.4	0.04	0.6	30	0.04	0.2	0.2	u	u	5	u	tr	u
110	u	0.04	0.4	60	0.04	0.2	0.1	u	u	2	u	0	u
175	u	0.05	tr	45	0.04	0.2	0.2	u	u	u	u	0	u
535	0.4	0.26	1.8	8300	0.05	0.15	1.0	0.13	1.0	35	0	11	tr
130	0.1	0.04	0.4	tr	0.01	0.01	0.1	0.03	0.08	10	0	10	0
265	0.1	0.10	0.7	tr	tr	tr	0.3	0.08	tr	1	0	1	0
115	0.1	0.03	0.2	15	0.02	0.03	u	0.02	0.1	6	0	4	0
90	0.8	0.1	0.7	0	0.1	0.03	1.8	0.2	0.5	20	0	0	0.3
40	0.5	0.07	1.2	0	0.2	0.01	1.4	0.05	0.3	12	0	0	tr
u	0.2	u	0.9	0	0.1	u	1.1	u	u	3	0	0	0
60	0.6	u	1.2	15	0.16	0.16	1.5	u	u	u	u	tr	u
35	0.2	0.07	1.2	tr	0.20	0.13	1.6	0.01	0.2	15	0	tr	u
50	0.3	0.05	0.6	tr	0.05	0.06	0.6	0.03	0.2	30	0	0	u
25	0.4	u	0.5	tr	0.08	0.05	0.6	0.01	0.1	15	0	0	u
140	u	u	0.2	50	0.05	0.05	0.7	0.08	0.1	15	0	20	0
u	u	u	2.2	125	0.2	0.2	1.2	u	u	u	u	13	u
400	0.3	u	0.8	20	0.1	0.09	1.4	u	u	u	u	14	u
u	u	u	1.3	50	0.04	0.1	5.1	u	u	u	u	1	u

Aliments	Poids (g)	Calories	Pro-téines (g)	Grais-ses (g)	Hy-drates de carbone (g)	Cal-cium (mg)	Phos-phore (mg)	Magné-sium (mg)	S di (n
Assaisonnements									
- au fromage	15	75	0.7	8.0	1.0	10	10	u	
- vinaigrette peu	15	65	0.1	6.0	3.0	2	2	2	
calorique	15	20	0	0.9	3.0	2	2	u	
- crème classique	15	70	tr	7.0	1.0	1	1	2	
peu calorique	15	15	tr	1.5	0.7	tr	1	u	
- mayonnaise	15	100	0.2	11.0	0.3	3	4	tr	
- béarnaise	15	65	0.2	6.5	2.0	2	4	tr	
- sauce blanche	15	60	0.1	6.0	2.5	2	3	u	
Sandwiches									
- jambon, salade, tomate, pain blanc	150	280	7.0	15.5	30	55	90	u	
- salade d'œufs sur pain blanc	140	280	10.5	12.5	30	70	155	u	
- filets de poisson frits, petit pain	135	410	15.0	21.5	37	95	235	20	
- jambon / fromage sur pain blanc	350	20.0	19.0	30	215	240	u		
- hamburger classique	95	250	13.0	9.6	28	50	120	15	
- au rosbif	185	560	26.0	32.0	40	160	290	30	10
- salade de thon	141	350	22.0	15.0	32	200	u	u	12
- pain blanc	105	280	11.0	14.0	25	50	135	u	
Sauces									
- au beurre	45	200	0.5	7.0	35	40	25	u	
- au fromage	40	65	3.0	5.0	2	90	65	u	
- au chocolat									
légère	40	100	0.9	0.8	25	7	35	u	
épaisse	40	125	2.0	5.0	20	50	60	u	
- à la crème	70	85	3.5	4.0	10	80	80	u	
- sauce de viande	20	95	0.1	5.5	12	2	1	u	
- hollandaise	50	180	2.0	18.5	0.4	25	80	u	
- au soja	35	25	2.0	0.5	4	30	40	u	20
- tartare	15	75	0.2	8.0	0.6	3	4	u	
- ketchup	15	15	0.3	0.1	4	3	10	3	
- blanche classique	125	200	5.0	15.5	11	145	115	20	
Choucroute, conserves	120	25	1	0.3	6	40	25	20	8
Saucisses									
- saucisson	30	90	3	8	0.5	3	25	5	2
- de Francfort	45	145	5	13	1.0	5	40	5	5
- de Toulouse	30	95	4	8	0.6	5	65	u	
- saucisson	30	100	3.5	9	0.7	5	25	5	3
- chipolatas	50	185	11	15	1.0	15	80	10	7
- salami	30	125	7	10	0.8	5	40	6	5
- fumées, conserves	50	135	5	12	1.0	5	25	5	4
Coquilles Saint-Jacques									
- frites	95	180	17.0	8.0	10	u	u	u	
- cuites à la vapeur	95	105	22.0	1.5	3	110	320	u	2
Graines de sésame à l'huile	40	220	7.0	20.0	7	40	220	7	
Sorbet à l'orange	95	135	1.0	2.0	29	50	35	7	
Crevettes, conserves	85	100	20.5	0.9	0.6	100	225	45	8
frites	85	190	17.5	9.5	8	60	160	40	

...asm (g)	Zinc (mg)	Cuivre (mg)	Fer (mg)	Activité Vita-mine A (ER)	Thia-mine (mg)	Ribo-flavine (mg)	Niacine (mg)	Vita-mine B6 (mg)	Acide panto-thé-nique (mg)	Acide folique (µg)	Vita-mine B12 (µg)	Vita-mine C (mg)	Acides gras poly-insaturés (g)
5	0.04	u	tr	6	tr	0.02	tr	u	u	u	tr	tr	4.3
15	0.01	u	0.1	u	u	u	u	u	u	u	0	u	3.4
15	u	u	0.1	u	u	u	u	u	u	u	0	u	0.5
2	0.02	0.1	tr	tr	tr	tr	tr	0	0	0	0	0	4.1
2	u	u	tr	tr	tr	tr	tr	0	0	0	0	0	0.9
5	0.02	0.04	0.1	10	tr	0.01	tr	u	0.02	0	0	0	5.7
1	0.08	u	tr	6	tr	tr	tr	0	0.02	0	0	0	3.1
20	0.02	u	0.1	10	tr	tr	tr	u	u	u	u	tr	u
u	u	u	1.5	85	0.2	0.1	1.5	u	u	u	u	15	u
u	u	u	2.4	100	0.2	0.02	1.0	u	u	u	u	2	u
u	u	u	1.6	20	0.2	0.4	2.9	0.1	u	20	0.8	2	u
u	u	u	3.1	60	0.4	0.3	2.5	u	u	u	u	0	u
u	u	u	2.6	30	0.2	0.4	3.7	0.1	u	20	0.8	4	u
u	u	u	3.8	40	0.8	0.6	6.5	0.2	u	30	1.5	5	u
u	u	u	4.5	u	0.3	0.3	5.0	u	u	u	u	u	u
u	u	u	1.2	50	0.1	0.1	4.0	u	u	u	u	1	u
u	u	u	1.4	60	tr	tr	tr	u	u	u	0	0	u
u	u	u	0.1	45	0.01	0.08	0.1	u	u	u	u	tr	u
u	u	0.2	0.6	tr	0.01	0.03	0.2	u	u	u	0	0	u
25	u	u	0.5	6	0.02	0.08	0.2	u	u	u	tr	0	u
u	u	u	0.4	60	0.04	0.2	0.1	u	u	u	u	tr	u
u	u	u	tr	60	tr	tr	tr	0	0	0	0	0	u
35	u	u	0.9	300	0.03	0.04	tr	u	u	u	u	tr	u
10	u	u	1.7	0	0.01	0.09	0.1	u	u	u	0	0	0
55	0.04	0.09	0.1	20	0.01	0.01	0.2	0.02	u	tr	0	2	u
75	0.5	0.05	0.2	140	0.05	0.2	0.2	0.06	0.8	1	0.2	1	u
35	0.2	0.12	1.9	3	0.02	0.02	0.3	0.16	0.1	u	0	18	0
45	0.6	0.01	0.4	0	0.02	0.04	0.7	0.05	0.1	1	0.4	5	0.3
75	0.8	0.04	0.5	0	0.09	0.05	1.2	0.06	0.2	2	0.6	12	1.2
u	u	u	1.8	1200	0.08	0.29	u	u	0.8	8	24.3	0	0.7
50	0.5	0.01	0.2	0	0.09	0.04	0.8	0.06	0.2	2	0.4	4	1.1
50	1.4	0.03	0.6	0	0.3	0.1	2.2	0.2	0.4	7	0.7	tr	0.6
15	1.0	0.03	0.4	0	0.2	0.09	1.5	0.2	0.3	u	0.6	tr	1.0
50	0.8	0	0.4	0	0.04	0.05	0.8	0.06	u	u	0.5	0	0.8
u	u	0.1	u	0	u	u	u	u	0.1	15	u	0	u
55	u	0.1	2.8	0	u	0.06	1.3	u	u	18	1.1	u	0.4
u	u	0.6	0.9	0	0.07	0.05	2.0	u	u	25	0	0	u
00	0.7	u	0.2	20	0.02	0.04	0.1	0.01	0.03	7	0.08	2	0.07
05	1.8	0.1	2.7	tr	0.01	0.03	1.5	0.05	0.2	10	u	0	0.4
95	0.8	0.3	1.8	u	0.03	0.06	2.5	0.05	0.3	5	0.6	u	u

Aliments	Poids (g)	Calories	Pro-téines (g)	Grais-ses (g)	Hy-drates de carbone (g)	Cal-cium (mg)	Phos-phore (mg)	Magné-sium (mg)	
Soupes									
- boulettes de viande, bouillon de tomates	240	340	18.5	21.4	17	25	175	u	
- haricots / jambon	250	170	8.0	6.0	22	80	130	45	
- bouillon, consommé	240	15	3.0	0.5	0.1	15	30	u	
- soupes à la crème conserves									
au poulet et eau	245	115	3.5	7.5	9	35	40	5	
au poulet et lait	250	190	7.5	11.5	15	180	150	20	10
champignons et eau	245	130	2.5	9.0	9	45	50	5	10
champignons et lait	250	200	6.0	13.5	15	180	160	20	10
au poulet et nouilles, à partir d'un mélange sec	250	55	3.0	1.0	7	30	30	5	12
aux fruits de mer	245	80	4.0	2.5	12	35	60	10	10
- à l'oignon	240	55	4.0	1.5	8	25	10	2	10
- aux pois cassés et jambon	250	190	10.0	4.5	28	20	210	48	10
- à la tomate	265	100	2.5	2.5	19	50	65	15	
- bœuf aux légumes	245	80	5.5	2.0	10	15	40	6	
Soja mûr, sec, cuit	90	120	10.0	5.0	10	65	160	80	
Spaghettis									
- conserves, sauce tomate boulettes de viande	210	250	10.4	12.8	23	20	120	u	10
- maison, sauce tomate									
avec fromage	250	260	9.0	9.0	35	80	135	30	
avec boulettes de viande	250	330	18.5	11.5	40	125	235	40	10
Épinards frais ou surgelés, bouillis	90	20	2.5	0.2	3	90	40	60	
Racines crues									
- endives	100	40	5.0	0.6	5	30	u	u	
- salsifis	100	35	4.0	0.2	7	20	65	u	
- soja	100	50	6.5	1.5	6	50	70	u	
Courges									
- Potiron bouilli	90	10	0.8	0.1	3	20	20	15	
- courgettes rôties	100	65	2.0	0.4	15	30	50	17	
bouillies	120	45	1.5	0.4	10	25	40	17	
Fraises									
- nature	150	45	1.0	0.5	10	20	30	15	
- surgelées sucrées	255	245	1.4	0.3	66	30	30	20	
Sucre									
- brun	220	820	0.	0.	210	185	40	u	
- blanc	200	770	0.	0.	200	0	0	0	
	4	15	0	0	4	0	0	0	
- semoule	8	30	0	0	8	0	0	0	
Glaces									
- avec chocolat	164	310	7.0	11.0	46	215	236	35	
- banana split	383	540	10.0	15.0	91	350	250	u	

...as-um g)	Zinc (mg)	Cuivre (mg)	Fer (mg)	Activité Vitamine A (ER)	Thiamine (mg)	Ribo-flavine (mg)	Niacine (mg)	Vita-mine B_6 (mg)	Acide panto-thé-nique (mg)	Acide folique (µg)	Vita-mine B_{12} (µg)	Vita-mine C (mg)	Acides gras poly-insaturés (g)
50	u	u	3.6	50	0.2	0.2	5.0	0.6	0.7	10	1.2	8	u
00	1.0	0.4	2.0	90	0.1	0.03	0.6	tr	u	32	u	2	1.8
30	u	u	0.4	u	tr	0.05	1.8	u	u	u	u	0	tr
90	0.6	0.1	0.6	55	0.03	0.06	0.8	tr	u	2	u	0.2	1.5
75	0.7	0.1	0.7	95	0.07	0.26	0.9	0.06	u	8	u	1	1.6
00	0.6	0.1	0.5	0	0.05	0.09	0.7	0.01	0.3	7	0.1	1	4.2
70	0.6	0.1	0.6	40	0.08	0.28	0.9	0.06	u	u	u	2	4.6
30	0.2	0.03	0.5	6	0.07	0.06	0.9	tr	u	1	u	0.3	0.3
40	0.9	0.15	1.9	90	0.06	0.05	1.3	0.08	0.1	10	2.1	3.0	1.3
70	0.6	0.12	0.7	0	0.03	0.02	0.06	0.05	u	15	0	1.0	0.6
00	1.3	0.37	2.3	45	0.15	0.08	1.5	0.07	u	2	u	1.0	0.6
95	0.2	0.09	0.4	80	0.06	0.05	0.8	0.1	u	7	u	5.0	0.2
75	1.5	0.18	1.1	190	0.04	0.05	1.0	0.07	u	10	0.3	2.0	0.1
00	0.6	0.3	2.5	2	0.20	0.08	0.6	u	u	70	0	0	3.0
75	u	0.3	2.2	100	0.15	0.2	3.4	u	u	u	u	u	u
10	0.2	0.3	2.3	250	0.2	0.2	2.5	0.1	0.8	2	0.6	15	u
55	3.5	0.4	3.7	300	0.2	0.3	4.0	0.4	0.5	15	0.6	20	u
00	0.5	0.1	2.0	750	0.06	0.1	0.4	0.2	0.2	60	0	20	tr
u	1.0	u	1.4	u	0.1	0.2	1.5	u	u	u	0	15	tr
45	0.9	u	1.4	2	0.1	0.1	0.8	u	u	u	0	20.	tr
u	1.6	u	1.1	8	0.2	0.2	0.8	u	u	u	0	15	tr
25	0.2	0.07	0.4	35	0.04	0.07	0.7	0.2	0.1	10	0	9	tr
70	u	u	0.8	350	0.05	0.1	0.7	0.09	0.3	u	0	15	tr
45	u	u	0.6	350	0.05	0.1	0.5	0.1	0.3	u	0	10	tr
45	0.2	0.07	0.6	25	0.03	0.1	0.3	0.09	0.5	26	0	85	0.28
50	0.1	0.05	1.5	6	0.04	0.1	1.0	0.08	0.3	38	0	105	0.16
55	u	0.7	7.5	0	0.02	0.07	0.4	u	u	u	0	0	0
5	0.1	0.04	0.2	0	0	0	0	0	0	0	0	0	0
	tr	tr	tr	0	0	0	0	0	0	0	0	0	0
	tr	tr	tr	0	0	0	0	0	0	0	0	0	0
10	1.0	0.13	0.6	50	0.07	0.3	1.1	0.1	u	u	0.7	2	u
	u	u	1.8	150	0.6	0.6	0.8	u	u	u	0.9	18	u

Aliments	Poids (g)	Calories	Pro- téines (g)	Grais- ses (g)	Hy- drates de carbone (g)	Cal- cium (mg)	Phos- phore (mg)	Magné- sium (mg)	
Graines de tournesol crues	35	200	8.5	17.0	7	45	305	13	
Patates douces									
- rôties avec peau	145	160	2.5	0.6	35	45	65	45	
- bouillies avec peau	130	150	2.0	0.5	35	40	60	u	
- sucrées	105	180	1.5	3.5	35	40	45	u	
Sirop parfumé artificiel	20	50	0	0	13	20	2	u	
Hot dog	80	160	11.0	8.5	9	135	160	u	
Anchois conserves	100	140	4.5	7.0	14	20	40	10	
maison, au poulet	130	275	8.3	23.7	8	100	60	u	
Thé instantané	1	0	0	tr	tr	0	5	3	
Sauce au soja	120	85	9.5	5.0	3	155	150	130	
Tomates crues	135	25	1.5	0.2	6	15	35	20	
conserves	120	25	1.0	0.2	5	30	25	15	
Jus de tomate conserves	180	30	1.4	0.2	7	15	35	20	
Concentré de tomate	130	110	4.4	0.5	26	45	115	75	
Langue de bœuf braisée	100	250	21.5	17.0	0.4	5	120	16	
Crêpes									
- au maïs et citron	30	65	1.5	0.6	14	60	40	30	
- à la farine blanche	30	110	3.0	1.0	20	4	50	15	
Dinde rôtie viande blanche	85	170	25	7	0	20	175	20	
Poireaux bouillis	80	20	0.6	0.2	4	25	20	10	
Verts de poireaux bouillis	70	15	1.5	0.2	3	135	25	20	
Côtelette de veau grillée	85	180	23.0	9.5	0	10	195	20	
Vinaigre de cidre	15	2	tr	0	1	1	1	u	
Gaufres									
- à partir d'un mélange	75	210	6.5	8.0	25	180	260	20	
- surgelés	45	125	2.6	4.0	19	35	170	10	
Marrons	100	650	15.0	64.0	16	100	380	135	
	15	100	2.5	10.0	3	15	60	20	
Cresson, cru	35	5	0.8	0.1	1	55	20	5	
Graines de froment brutes	30	60	4.5	1.0	17	35	355	135	
Germes de froment crus	30	100	7.5	3.0	13	20	315	90	
grillés	30	110	8	3.0	14	15	325	90	
Vin de dessert (18,8 % m. g.)	105	140	0.1	0	8	10	u	4	
de table (12,2 %)	100	90	0.2	0	4	10	15	10	
Son									
- sec	5	20	2.5	0.1	3	3	90	3	
- adouci	5	25	3.0	0.1	3	15	140	10	
Yogourt									
- maigre, nature	230	145	12.0	3.5	16	415	325	40	
- aux fruits, sucré	230	225	9.0	2.6	42	315	245	30	
- ordinaire, nature	230	140	8.0	7.5	11	275	215	25	

...tas- sium (mg)	Zinc (mg)	Cuivre (mg)	Fer (mg)	Activité Vitamine A (ER)	Thiamine (mg)	Riboflavine (mg)	Niacine (mg)	Vitamine B_6 (mg)	Acide pantothénique (mg)	Acide folique (µg)	Vitamine B_{12} (µg)	Vitamine C (mg)	Acides gras polyinsaturés (g)
35	u	0.6	2.6	2	0.7	0.08	2.0	0.4	0.5	80	0	0	8.9
40	1.0	0.2	1.0	920	0.1	0.08	0.08	0.05	1.0	10	0	25	tr
20	u	0.2	0.9	900	0.1	0.08	0.8	0.3	1.0	9	0	20	tr
00	u	0.06	0.9	660	0.06	0.04	0.4	u	u	7	0	10	u
35	tr	0.08	0.2	0	0	0	0	0	0	0	0	0	0
10	u	u	2.0	60	0.07	0.1	2.3	0.3	0.3	25	0.7	3	u
J	0.9	0.05	1.2	u	u	u	u	u	u	u	u	u	u
90	u	u	0.9	300	0.05	0.1	2.7	0.2	0.3	1	0.1	7	u
50	tr	0.01	tr	0	0	0.02	0.1	u	u	u	0	0	0
50	u	u	2.3	0	0.07	0.04	0.1	u	u	u	0	0	3.0
00	0.3	0.10	0.6	110	0.07	0.05	0.9	0.1	0.4	25	0	30	tr
50	0.2	0.12	0.6	70	0.06	0.04	0.8	0.1	0.3	25	0	22	tr
45	0.3	0.27	1.2	70	0.07	0.05	1.3	0.35	0.5	u	0	75	0
40	1.0	0.77	3.2	215	0.3	0.2	4.0	0.49	0.6	u	0	70	0
65	u	0.07	2.2	0	0.05	0.3	3.5	0.1	2.0	u	u	0	u
J	0.03	0.06	0.9	tr	0.04	0.02	0.3	0.02	0.03	tr	0	0	0.3
30	u	u	1.0	0	0.08	0.04	0.5	0.02	0.03	5	0	0	0.6
40	1.7	0.04	1.2	0	0.05	0.1	5.3	0.4	0.5	5	0.3	0	1.7
45	0.07	0.03	0.3	tr	0.03	0.04	0.2	0.06	0.08	13	0	15	tr
25	0.1	0.04	0.8	460	0.1	0.2	0.4	0.1	0.1	40	0	50	tr
0	4.1	0.04	2.7	0	0.06	0.2	4.5	0.3	0.8	15	1.6	0	tr
15	0.02	0.01	0.1	0	0	0	0	0	0	0	0	0	0
45	u	u	1.0	60	0.1	0.2	u	u	0.5	u	u	0	u
95	0.4	0.03	2.2	120	0.2	0.2	2.3	0.12	0.2	2	tr	tr	u
0	2.8	0.9	3.1	3	0.3	0.1	0.9	0.7	0.9	45	0	2	45.0
0	0.4	0.1	0.4	1	0.06	0.02	0.2	0.1	0.1	5	0	tr	7.0
00	u	0.03	0.6	170	0.03	0.06	0.3	0.04	0.1	70	0	30	tr
15	2.7	0.4	4.2	0	0.2	0.1	0.6	0.2	0.1	80	0	0	0.6
0	4.7	0.7	2.6	u	0.6	0.2	1.0	0.3	0.9	80	0	0	1.5
70	4.7	0.18	2.6	0	0.5	0.2	1.6	0.28	0.4	100	0	0	1.84
0	0.1	0.06	1.6	0	0.02	0.02	0.2	0.05	0.02	2	0	0	0
5	0.1	0.03	0.1	0	0.01	0.03	0.1	0.04		1	0	0	0
0	u	0.2	1.1	tr	0.2	0.4	2.5	0.1	0.6	7	0	0	0
0	u	u	1.4	tr	1.2	0.3	3.0	0.1	0.6	9	0	0	0
0	2.0	u	0.2	35	0.1	0.5	0.3	0.1	1.3	25	1.3	2	0.1
0	1.5	u	0.1	25	0.08	0.4	0.2	0.1	1.0	20	1.0	1	0.1
5	1.3	u	0.1	70	0.07	0.3	0.2	0.1	0.9	20	0.8	2	0.15

TABLE DES MATIÈRES

3e partie : TOUT SUR L'ALIMENTATION

4e partie : L'ALIMENTATION ET LA SANTÉ

Dépôt légal : avril 1989
No d'édition : 1628 – No d'impression : 11370

Achevé   Imprimerie
d'imprimer Gagné Ltée
au Canada Louiseville